Дэн Браун

ТОЧКА ОБМАНА

ИЗДАТЕЛЬСТВО
ТРАНЗИТКНИГА
Москва
2005

УДК 821.111(73)
ББК 84 (7Сое)
Б87

Серия «Интеллектуальный детектив» основана в 2004 году

Dan Brown
DECEPTION POINT

Перевод с английского Т. Осиной

Серийное оформление и компьютерный дизайн А. Кудрявцева

Печатается с разрешения автора и литературных агентств
Sanford J. Greenburger Associates и Adrew Nurnberg.

Подписано в печать с готовых диапозитивов 24.05.05.
Формат 60×90¹/₁₆. Бумага офсетная. Печать офсетная.
Усл. печ. л. 32. Доп. тираж 20 000 экз. Заказ 1598.

Браун, Д.

Б87   Точка обмана : [роман] / Дэн Браун; пер. с англ. Т. Осиной. — М.: АСТ: Транзиткнига, 2005. — 508, [4] с. — (Интеллектуальный детектив).

ISBN 5-17-031086-2 (ООО «Издательство АСТ»)
ISBN 5-9578-2124-1 (ООО «Транзиткнига»)

В Арктике обнаружен уникальный АРТЕФАКТ, способный раз и навсегда изменить БУДУЩЕЕ ЧЕЛОВЕЧЕСТВА.

На место открытия отправляется научная экспедиция, цель которой — установить подлинность поразительной находки.

Но вскоре после прибытия члены экспедиции начинают гибнуть ОДИН ЗА ДРУГИМ.

Кто — и почему — убивает их?

Возможно, они подошли к разгадке тайны СЛИШКОМ БЛИЗКО?

УДК 821.111(73)
ББК 84 (7Сое)

ISBN 985-13-4362-5
(ООО «Харвест»)

Благодарю Джейсона Кауфмана за его великолепное руководство и проницательное искусство редактора; Блайт Браун за неутомимые исследования и творческий вклад в создание книги; моего доброго друга Джейка Элвелла из «Визер и Визер»; Архив национальной безопасности; отдел НАСА по связям с общественностью; гляциолога Мартина Джеффриса; Бретта Троттера Томаса Надо и Джима Бэррингтона. Благодарю также Кони и Дика Браун; Сьюзен О'Нил; Марджи Уочтел; Мори Стеттнер; Оуэна Кинга; Элисон Маккиннел; Мэри и Стивена Гормен; доктора Карла Хингера; доктора Майкла А. Лэтца из Института океанографии имени Скриппса; Эйприл из «Майкрон электроникс»; Эстер Санг из Национального музея авиации и космонавтики; доктора Джин Олмендигер; несравненную Хейди Ланж из Ассоциации Гринберга, а также Джона Пайка из Федерации ученых Америки.

ОТ АВТОРА

Подразделение «Дельта», Национальное разведывательное управление и Космический фонд — реальные организации. Все технологии, описанные в романе, существуют и применяются на самом деле.

Если это открытие подтвердится, то, несомненно, станет одним из самых поразительных прорывов во Вселенную из всех, когда бы то ни было совершенных наукой. Его безграничные перспективы потрясают и вдохновляют. Обещая ответить на некоторые из самых древних вопросов, стоящих перед человечеством, открытие это одновременно поднимает новые, еще более фундаментальные проблемы.

Президент Билл Клинтон. Выступление на пресс-конференции 7 августа 1997 г. по поводу научного открытия, известного под кодом ALH84001

ГЛАВА 1

Ресторан «Тулос», расположенный неподалеку от Капитолийского холма, не может похвастаться политкорректностью меню: нежнейшая, младенческая телятина и карпаччо из конины делают его любимым местом завтрака вашингтонских чиновников. Вот и нынешним утром здесь кипела жизнь, разливаясь какофонией звуков. Безуспешно пытаясь слиться в единое целое, звуки перемешивались и наслаивались один на другой: звяканье столовых приборов, жужжание кофейной машины, музыка сотовых телефонов, гул голосов.

Метрдотель, предвкушая удовольствие, взял в руки бокал с утренней порцией «Кровавой Мэри», но в этот момент в зал ресторана вошла женщина. С дежурной улыбкой метрдотель обернулся к посетительнице.

— Доброе утро, — любезно приветствовал ее он, — чем могу помочь?

Дама казалась весьма привлекательной. Лет тридцати пяти, в серых плиссированных фланелевых брюках, консервативного вида туфлях без каблуков и блузке цвета слоновой кости от Лоры Эшли. Держалась она очень гордо и прямо: подбородок слегка приподнят — ровно настолько, чтобы свидетельствовать не об упрямстве, а о внутренней силе. Светло-каштановые волосы причесаны именно так, как модно в Вашингтоне, в стиле «сильно и броско»: пышные пряди не доходят до плеч, слегка завиваясь внутрь, — они выглядят женственно и привлекательно, но в то же время достаточно коротки. Это своего рода сигнал: их обладательница вполне может оказаться умнее вас.

— Я немного опоздала, — негромко обратилась дама к распорядителю. — У меня здесь назначена встреча с сенатором Секстоном.

Метрдотель неожиданно занервничал. Сенатор Седжвик Секстон — постоянный посетитель «Тулоса» и с недавнего времени один из самых знаменитых людей страны. Не далее как на прошлой неделе Секстон отпраздновал «супервторник» — сенатор с легкостью прошел первичные выборы в двенадцати округах, чем гарантировал своей родной республиканской партии выход в финал президентской гонки. Многие искренне верили, что сенатор имеет превосходные шансы уже следующей осенью вырвать Белый дом из рук упорно пытающегося выстоять под шквалом критики президента. Так что в последние дни фото Секстона не сходило со страниц газет и журналов, а незамысловатый предвыборный лозунг захватил почти всю Америку. Он призывал: «Прекрати тратить. Начинай ремонтировать».

— Сенатор Секстон завтракает вон там, у окна, — показал метрдотель. — Как мне вас представить?

— Его дочь. Рейчел Секстон.

«Ну я и дурак», — подумал метрдотель. Ведь гостья унаследовала ясные проницательные глаза сенатора, его великолепную осанку и даже внешнее благородство. Привлекательность сенатора также передалась его дочери, хотя Рейчел Секстон была куда тактичнее своего отца.

— Рад оказаться вам полезным, мисс Секстон.

Метрдотель повел даму через зал, в противоположный его конец. Взгляды всех мужчин были прикованы к ней — одни рассматривали ее украдкой, другие более откровенно. Надо признать, что в «Тулосе» бывало немного женщин. А таких, как Рейчел Секстон, здесь можно было пересчитать по пальцам.

— Какая фигура! — восхищенно прошептал кто-то. — Секстон что, нашел себе новую жену?

— Идиот, это же его дочь, — так же шепотом ответили ему.

— Зная Секстона, — не унимался циник, — готов поспорить, что он и ее не пропустил.

Когда Рейчел подошла к столу, за которым сидел отец, сенатор говорил по сотовому телефону, разглагольствуя об одном из своих недавних успехов. Он мельком взглянул на дочь и постучал по часам, разумеется, «Картье»: «Опаздываешь, детка».

«Я тоже по тебе соскучилась», — мысленно ответила Рейчел.

Первое имя сенатора было Томас, но он давно предпочитал второе. Рейчел полагала, что отец сделал это потому, что оно гораздо лучше сочеталось с фамилией и должностью, создавая своеобразную аллитерацию: сенатор Седжвик Секстон. Человек этот являл собой великолепный образчик политика — серебристые волосы, талант оратора, лоск героя «мыльной оперы». Последнее качество казалось особенно существенным, учитывая способности сенатора к перевоплощениям.

— Рейчел!

Отец отложил телефон и встал, чтобы поцеловать дочь в щеку.

— Привет, пап! — коротко ответила та, даже не подумав вернуть поцелуй.

— Ты выглядишь очень усталой.

Ну вот, начинается, подумала дочь и спросила:

— Я получила твое сообщение. Что-нибудь случилось?

— Разве я не могу пригласить родную дочь позавтракать без всякого повода?

Рейчел отлично знала, что отец никогда не искал ее компании без самого серьезного на то повода.

Секстон поднес к губам чашку с кофе.

— Ну, как же у нас дела?

— Работы по горло. Вижу, твоя кампания раскручивается совсем неплохо.

— О, давай сейчас не будем о делах. — Секстон наклонился к ней через стол и заговорил тише: — А как обстоит дело с тем парнем из госдепартамента, с которым я тебя познакомил?

Рейчел нетерпеливо повела головой, подавляя желание взглянуть на часы.

— Знаешь, пап, у меня, честное слово, просто не нашлось времени ему позвонить. Кроме того, было бы лучше, если б ты...

— Но ты обязана находить время для истинно важных вещей, дочка. Если в жизни нет любви, все остальное не имеет никакого смысла.

Напрашивалось сразу несколько возражений, однако Рейчел предпочла молчание. Отец всегда любил изображать наставника.

— Папа, ты же хотел меня видеть не просто так? Сказал, что есть важное дело.

— Действительно есть, — подтвердил сенатор, внимательно разглядывая дочь.

Рейчел тут же ощутила, как под взглядом отца стремительно тает, исчезая, воздвигнутая ее собственной волей защитная стена. Она ненавидела силу, которой обладал этот человек. Глаза сенатора поистине были его оружием. Очевидно, именно они и помогли ему попасть в Белый дом. Они могли, словно по команде, наполниться слезами, а уже в следующий момент проясниться, словно распахнув окно богатой и щедрой души и моментально вызвав доверие окружающих. «Все дело в доверии!» — не случайно отец так любил повторять эту фразу. Доверие собственной дочери сенатор потерял давно, однако сейчас стремительно завоевывал доверие страны.

— У меня к тебе предложение, — не стал он лукавить.

— Подожди, попробую отгадать, — остановила его дочь. — Какой-нибудь достойный и известный разведенный мужчина ищет молодую жену?

— Не льсти себе, малышка. Ты уже не так молода.

Рейчел моментально испытала ощущение собственной ничтожности, которое так часто возникало при беседах с отцом.

— Вовсе не имею намерения бросать тебе спасательный круг, — продолжал Секстон.

— Но я даже и не подозревала, что тону.

— Ты — нет. А вот президент тонет. Так что, пока не поздно, лучше покинуть корабль.

— Разве мы не обсуждали раньше этот вопрос?

— Подумай о будущем, Рейчел. Ты можешь работать со мной и на меня.

— Хочется верить, что ты все-таки пригласил меня сюда не ради этого.

Тонкое покрывало спокойствия моментально слетело с сенатора.

— Неужели ты не понимаешь, девочка, что твое сотрудничество с ним очень плохо отражается на моем имидже? И на моей избирательной кампании!

Рейчел вздохнула:

— Папа, я вовсе не работаю на президента. Больше того, я с ним даже не вижусь. Я всего лишь работаю на «Фэрфакс», ради всего святого!

— Но политика — это восприятие, дочка. Дело в том, что другим кажется, будто ты работаешь именно на президента.

Рейчел перевела дух, пытаясь оставаться невозмутимой.

— Мне стоило слишком больших усилий получить эту работу, отец, — решительно заявила она, — и я не собираюсь уходить.

Сенатор прищурился:

— Знаешь ли, иногда твой эгоизм действительно...

— Сенатор Секстон! — Возле стола совершенно неожиданно вырос журналист.

Поведение Секстона моментально изменилось. Рейчел тихо застонала и взяла из корзинки на столе круассан.

— Ральф Сниден, — представился журналист, — «Вашингтон пост». Могу я задать вам несколько вопросов?

Сенатор улыбнулся и аккуратно вытер рот салфеткой.

— Очень приятно познакомиться, Ральф. Давайте, только быстренько. Терпеть не могу холодный кофе.

Репортер засмеялся так, словно его дернули за веревочку.

— Разумеется, сэр. — Он вынул из кармана миниатюрный диктофон и включил его. — Сенатор, ваши телевизионные ролики призывают принять закон, позволяющий женщинам получать равную с мужчинами зарплату... а также снизить налоги с молодых семей. Можете ли вы прокомментировать это заявление?

— Конечно. Я всегда поддерживал сильных женщин и крепкие семьи.

Рейчел едва не подавилась круассаном.

— Кстати, о семьях, — продолжал журналист. — Вы много говорите об образовании. Даже предлагали внести весьма серьезные изменения в бюджет, чтобы направить более значительные суммы на нужды школ.

— Я считаю, что в детях — будущее страны.

Рейчел поразилась: отец опустился до того, что начал цитировать затертые лозунги?

— И последнее, сэр, — вновь заговорил репортер, — за прошедшие несколько недель ваш рейтинг колоссально вырос.

Очевидно, это вызывает у президента немало тревог. А что вы сами думаете по поводу своих успехов?

— Думаю, все дело в доверии. Американцы начинают понимать, что президенту нельзя доверять там, где дело касается необходимости принимать серьезные решения от имени нации. Безудержные правительственные расходы с каждым днем увеличивают долговое бремя страны. Американцы видят, что пришло время прекратить тратить деньги и заняться текущим ремонтом.

Словно не выдержав демагогии сенатора, в сумочке Рейчел заверещал пейджер. Как правило, этот резкий звук действовал на нервы, но сейчас он показался ей почти приятным и даже мелодичным.

Зато сенатору явно не понравилась внезапная помеха.

Рейчел выловила нарушителя спокойствия из сумки и набрала пятизначный код, подтверждающий, что она слышит сигнал. Писк прекратился, и засветился жидкокристаллический дисплей. Через пятнадцать секунд появилось сообщение.

Сниден улыбнулся сенатору:

— Ваша дочь, несомненно, принадлежит к разряду деловых женщин. Тем более приятно видеть вас вместе за завтраком — ведь занятым людям непросто выкроить для этого часок!

— Я же сказал: семья превыше всего.

Сниден понимающе кивнул, однако через секунду глаза его смотрели уже более холодно.

— Могу ли я узнать, сэр, каким именно образом вы с дочерью разрешаете возникающие конфликты?

— Конфликты? — Сенатор поднял голову, словно не понимая, о чем именно идет речь. — Какие конфликты вы имеете в виду?

Рейчел невольно поморщилась: игра отца ее раздражала. Она прекрасно поняла, к чему клонил репортер.

Чертовы журналисты, думала Рейчел. Половина из них состоит на содержании у политиков. Вопрос явно относился к разряду так называемых грейпфрутов, то есть был призван производить впечатление жесткой журналистской работы, фактически же предоставлял сенатору простор для саморекламы. Как в теннисе: медленная высокая подача, которую отец мог с легкостью взять. В данном случае стояла задача прояснить кое-какие туманные вопросы.

— Ну как же, сэр... — Журналист кашлянул, делая вид, что ему очень неловко и неприятно задавать подобные вопросы. — Конфликт, например, заключается в том, что ваша дочь работает на вашего оппонента и соперника.

Сенатор Секстон громко расхохотался, тем самым давая понять, что не считает проблему серьезной.

— Во-первых, Ральф, президент и я не оппоненты и не соперники. Мы оба патриоты. А загвоздка в том, что каждый из нас имеет свои собственные идеи по поводу того, как вести вперед страну, которую мы так горячо любим.

Репортер просиял. Он получил свой жирный, лакомый кусок.

— Ну а во-вторых?

— А во-вторых, моя дочь вовсе не работает у президента. Она состоит на службе в одной из структур разведки. Составляет сообщения и направляет их в Белый дом. То есть занимает далеко не самое высокое положение. — Сенатор секунду помолчал и посмотрел на Рейчел: — На самом деле, дорогая, я даже не уверен, что ты хотя бы раз встречалась с господином президентом. Я не ошибаюсь?

Она ответила яростным взглядом, но тут опять запищал пейджер, захватив ее внимание. На экране возникло несколько сокращенных слов.

Рейчел слегка нахмурилась. Сообщение было очень неожиданным и скорее всего сулило плохие новости. Во всяком случае, представился прекрасный повод попрощаться.

— Джентльмены, — проговорила она, — как ни жаль, я должна идти. Срочно вызывают на работу.

— Мисс Секстон, — быстро сориентировался журналист, — прежде чем вы уйдете, я осмелился бы спросить: как следует относиться к слухам о том, что вы встретились с сенатором за завтраком именно для того, чтобы обсудить вопрос о переходе на работу в его команду?

Рейчел показалось, что этот человек неожиданно выплеснул ей в лицо чашку горячего кофе. Вопрос застал ее врасплох. Она взглянула на отца и по его едва заметной улыбке поняла, что все это неспроста. Она едва сдержалась, так хотелось перегнуться через стол и проткнуть родителя вилкой!

Журналист тем временем сунул диктофон ей прямо в лицо:
— Мисс Секстон!..
Рейчел посмотрела ему в глаза:
— Ральф, или как там, черт подери, вас зовут, слушайте внимательно и постарайтесь запомнить: я не имею ни малейшего намерения оставлять свою работу и переходить на службу к сенатору Секстону. Ну а если вы вздумаете написать что-нибудь другое, то, уверяю, вам придется приложить немало усилий, чтобы извлечь вот этот самый диктофон из вашей чертовой задницы!

Репортер явно не ожидал такого напора. Он остолбенел, не в силах произнести ни слова. Выключил диктофон. Потом, придя наконец в себя, изобразил улыбочку:
— Благодарю вас обоих.
С этими словами он исчез.

Рейчел моментально пожалела о собственной несдержанности. Она унаследовала взрывной темперамент отца и ненавидела его за это.
«Спокойно, Рейчел, спокойно! Держи себя в руках!»
Во взгляде отца читалось неодобрение.
— Тебе не помешало бы научиться вести себя поприличнее.
Она взяла сумочку.
— Свидание окончилось.

Сенатор уже думал о другом. Он достал сотовый телефон, собираясь начать очередной разговор.
— Пока, милая. Заглядывай иногда ко мне в офис, не забывай папочку. И ради Бога, поскорее выходи замуж. Тебе ведь уже тридцать три!
— Тридцать четыре! — поправила Рейчел. — Твоя секретарша даже прислала мне поздравительную открытку.
Отец хмыкнул:
— Тридцать четыре? Считай, старая дева. Знаешь, к тому времени, когда мне исполнилось тридцать четыре, я уже...
— Был женат на маме и трахал соседку?

Вопрос прозвучал громче, чем хотелось бы, и повис во внезапно наступившей в зале ресторана тишине. Посетители смотрели на них.

Глаза сенатора Секстона блеснули, а уже через мгновение словно застыли, излучая ледяной холод.

— Следите за своим поведением, леди!

Рейчел стремительно направилась к двери. «Нет уж, это вы следите за своим поведением, сенатор!»

ГЛАВА 2

Трое мужчин молча сидели в термопалатке. За ее стенками бушевал ветер, ежесекундно угрожая сорвать хрупкое сооружение с непрочных опор. Впрочем, никто из членов наблюдательной команды не обращал на это ни малейшего внимания. Каждый уже не раз бывал в переделках и посерьезнее.

Палатка была абсолютно белой и, скрытая от посторонних глаз, стояла в углублении. И средства связи, и транспорт, и оружие — все соответствовало самым высшим стандартам. Руководитель группы имел кодовое имя Дельта-1. Он был мускулистым и гибким, а глаза казались такими же пустыми и лишенными жизни, как и та земля вокруг, на которую их занесло.

Военный хронограф на руке Дельты-1 издал резкий сигнал. Звук прозвучал в унисон с сигналами хронографов двух других членов команды.

Значит, прошло еще тридцать минут.

Время тянулось неимоверно медленно.

Дельта-1 задумчиво поднялся и, не произнеся ни слова, вышел из палатки в кромешную тьму под резкие удары ветра. Подняв к глазам прибор ночного видения, внимательно изучил залитый лунным светом горизонт. Как всегда, сосредоточился на объекте. Он находился за тысячу метров от него и представлял собой огромное сооружение, вздымающееся над голой пустынной землей. Вместе со своей командой Дельта-1 наблюдал за сооружением уже десять дней, с того самого момента, как было закончено его строительство. Он ни секунды не сомневался, что секретная пока еще информация, которая содержится там, внутри, способна изменить мир. Чтобы уберечь ее, уже принесена в жертву человеческая жизнь.

Вокруг объекта стояла полная тишина.

Но суть, конечно, заключалась в том, что происходит внутри его.

Дельта-1 вернулся в палатку и взглянул на подчиненных:
— Пора начинать сеанс.

Они кивнули. Тот, что повыше, Дельта-2, раскрыл ноутбук и включил его. Устроившись перед дисплеем, он уверенно сжал джойстик и сделал короткое, точно рассчитанное движение. В ту же секунду за тысячу метров от палатки спрятанное в глубине объекта наблюдательное устройство величиной с комара получило команду и ожило.

ГЛАВА 3

Рейчел Секстон никак не могла успокоиться. Она гнала свой белый «форд» по Лисберг-хайвей. Голые стволы кленов у подножия Фоллс-Черч чернели на фоне прозрачного, чистого, словно хрустального мартовского неба. Однако даже красота мирного пейзажа, напоминающего эстамп, была не в силах усмирить гнев Рейчел. Недавний резкий взлет рейтинга отца, казалось, должен был бы сделать его великодушнее и придать ему уверенности в собственных силах, но вместо этого лишь раздул его и без того болезненно повышенное самомнение.

Ложь на его устах ранила больно, ибо он остался для Рейчел единственным близким человеком. Мать ее умерла три года назад. Потеря оказалась невосполнимой, душевная рана кровоточила до сих пор. Единственным, хотя и странным, неестественным утешением для Рейчел служила мысль, что смерть освободила ее мать от многолетнего глубокого разочарования, острого до отчаяния, в которое ее повергла жизнь с Седжвиком Секстоном.

Пейджер снова подал голос, возвращая ее мысли к бесконечной ленте дороги. Сообщение было тем же самым, закодированным:
— Сообщите руководителю о состоянии объекта.

Рейчел вздохнула: «Я еду, еду! Ради Бога!»

Со все возрастающим чувством неуверенности и тревоги она подъехала к знакомому перекрестку, свернула на частную дорогу и наконец остановилась возле снабженного самыми современными охранными системами пропускного пункта. Это и был номер 14225 по Лисберг-хайвей — один из наиболее секретных объектов в стране.

Охранник тщательно проверял машину на случай, если на нее поставили «жучки», а Рейчел не отводила глаз от темнеющего вдали огромного здания. Комплекс площадью в миллион квадратных футов величественно возвышался на шестидесяти восьми акрах покрытой лесом земли непосредственно за пределами округа Колумбия, в штате Виргиния, в местечке под названием Фэрфакс. Фасад здания был сплошь из зеркального стекла, в котором отражалась целая батарея расположенных неподалеку спутниковых антенн и радаров. В таком количестве они производили устрашающее впечатление.

Через пару минут Рейчел оставила машину на стоянке и мимо аккуратно подстриженной лужайки направилась к главному входу. Рядом с подъездом высился гранитный монолит с надписью «Национальное разведывательное управление (НРУ)».

Двое вооруженных морских пехотинцев, стоявших по обе стороны пуленепробиваемой вращающейся двери, не пошевелились при приближении женщины и даже не повернули голов, продолжая невозмутимо смотреть перед собой. В западне двери-вертушки Рейчел ощутила знакомое чувство: казалось, что она исчезает в чреве спящего чудовищного гиганта.

В холле со сводчатым потолком шелестели приглушенные разговоры находящихся тут людей. Звук будто просачивался откуда-то сверху. Огромное яркое мозаичное панно на стене провозглашало:

ОБЕСПЕЧИТЬ МИРОВОЕ ПРЕВОСХОДСТВО США В СФЕРЕ ИНФОРМАЦИИ В МИРНОЕ ВРЕМЯ И В ПЕРИОД ВОЕННЫХ ДЕЙСТВИЙ.

Холл украшали огромные фотографии, сделанные на местах знаменательных и памятных событий: запуск ракет, торжественный спуск субмарин, установка наблюдательного оборудования. Все эти достижения имели право на должную оценку исключительно в этих стенах и нигде больше.

Как всегда, личные проблемы сразу отступили на второй план. Рейчел оказалась в особом потайном мире. Здесь другие проблемы врывались в сознание, словно тяжело груженные товарные составы, а решения приходили неслышно, словно подкрадываясь.

Приближаясь к последнему из пропускных пунктов, Рейчел вновь задумалась, что же именно заставило ее пейджер волноваться дважды в течение последних тридцати минут.

— Доброе утро, мисс Секстон, — с улыбкой приветствовал охранник, едва она подошла к массивной стальной двери.

Рейчел молча кивнула в ответ.

Охранник протянул крошечный тампон.

— Вы знаете порядок, — снова улыбнулся он, на сей раз виновато.

Привычным жестом Рейчел взяла герметично упакованный ватный тампон и, освободив его от пластиковой обертки, положила в рот. Несколько секунд подержала под языком. Потом передала охраннику. Тот поместил тампон в ячейку стоявшего за спиной аппарата. Потребовалось всего четыре секунды, чтобы определить последовательность молекул ДНК в слюне. На мониторе появилось изображение Рейчел и заключение системы безопасности.

Охранник подмигнул.

— Кажется, вы — это все еще вы, — весело сообщил он. Вынув из ячейки вату, он опустил ее в широкое отверстие, и аппарат моментально уничтожил тампон. — Порядок!

Охранник нажал кнопку, и тяжелая дверь медленно отъехала в сторону.

Рейчел оказалась в лабиринте коридоров и переходов, где кипела жизнь. За шесть лет пребывания в этом мире она так и не смогла привыкнуть к масштабу и размаху той деятельности, которая ни на секунду здесь не прекращалась. Помимо этого комплекса, Управление имело в своем распоряжении еще два, пользуясь услугами десяти тысяч сотрудников. А его финансовый оборот составлял более десяти миллиардов долларов в год.

В атмосфере строжайшей секретности НРУ занималось созданием и внедрением колоссального, поразительного и по масштабу, и по мощи арсенала шпионских технологий: электронных систем слежения и подслушивания, способных действовать в любой точке планеты; спутников-шпионов; молчаливых, никак и ничем себя не проявляющих релейных элементов для систем коммуникации; глобальной сети морского слежения под названием «Классик визард». Эта секретная сеть включала в себя тысячу четыреста пятьдесят шесть гидрофонов, установленных на дне моря во всех районах земного шара. Они тщательно следили за передвижением судов в любом месте земли.

Все эти умопомрачительные технологии, разработанные и неустанно контролируемые Управлением, не только помогали Соединенным Штатам одерживать убедительные военные победы, но и в мирное время служили неиссякаемым источником ценной информации для таких структур, как ЦРУ, НАСА и министерство обороны. Борьба с терроризмом, преступным синдикатом, приносящим вред окружающей среде, обеспечение политиков сведениями, необходимыми для принятия обоснованных и трезвых решений по широчайшему спектру проблем, — такие масштабные задачи стояли перед структурой, скрытой под аббревиатурой НРУ.

Рейчел работала здесь в качестве «джистера». Жаргонное словечко обозначало человека, занимающегося обработкой поступающей информации. В ее обязанности входили анализ всех приходящих в Управление сообщений самого разного характера и краткое, четкое изложение выводов на бумаге. Она с легкостью справлялась с трудными, требующими острого ума и железной логики задачами. И в этом ей немало помогал опыт, полученный в работе с отцом, — копание в куче того, что сама Рейчел называла дерьмом, не прошло даром.

Сейчас она занимала высшую в своей области должность, осуществляя информационную связь с Белым домом и отвечая за регулярную, ежедневную доставку секретных аналитических обзоров в высшие сферы. Именно она решала, какая информация может оказаться важной для президента, а затем «процеживала» ее, оставляя лишь суть. Краткие, логически выверенные отчеты отправлялись в офис советника президента по национальной безопасности. Говоря на языке НРУ, Рейчел «производила конечный продукт и отправляла его известному клиенту».

Хотя работа, несомненно, была очень сложной и отнимала много времени, Рейчел воспринимала ее как знак особого доверия и чести. А кроме того, служба позволяла ей ни в малейшей степени не зависеть от отца. Много раз сенатор предлагал ей поддержку, если она все-таки решится покинуть пост. Однако Рейчел не имела желания хоть в чем-то зависеть от мистера Секстона, а уж меньше всего — в финансовом отношении. Наглядным свидетельством того, что может случиться, если этот человек соберет в своих руках слишком много козырных карт, служила судьба матери.

Звук пейджера показался особенно громким и гулким, эхом разносясь по мраморному коридору.

Снова? На сей раз она даже не взглянула на сообщение.

Размышляя о том, чем вызваны все эти звонки, Рейчел вошла в лифт и нажала кнопку самого верхнего этажа.

ГЛАВА 4

Назвать руководителя НРУ непривлекательным человеком было бы не вполне верно. Директор Управления Уильям Пикеринг представлял собой миниатюрное создание с бледным, невыразительным, совершенно не запоминающимся лицом, лысым черепом и светло-карими глазами. Странно, но, несмотря на то что эти глаза неотрывно следили за тайной жизнью страны, они все равно казались мелкими лужицами. Однако, имея столь невзрачную внешность, директор умел поставить себя выше всех, кто с ним работал. Его неяркая, словно стертая личность и скромная, не приукрашенная даже долей экстравагантности, жизненная философия стали легендой в стенах Управления. Тихое, без показухи, усердие в сочетании с привычкой носить строгие черные костюмы заслужило ему прозвище Квакер. Блестящий стратег и живое воплощение профессионализма и глубоких знаний, Квакер управлял всем с завидной, непревзойденной уверенностью и безмятежностью. Его кредо: «Найди правду. Говори правду. Твори правду».

В тот момент, когда Рейчел стремительно вошла в кабинет директора, он разговаривал по телефону. И снова, в который уже раз, она поразилась тому, как выглядит этот человек: Уильям Пикеринг вовсе не походил на всемогущего босса, которому позволено абсолютно все, даже разбудить президента среди ночи.

Пикеринг положил трубку и жестом пригласил Рейчел подойти поближе к столу.

— Присядьте, пожалуйста, агент Секстон. — Голос его звучал бесстрастно.

— Спасибо, сэр.

Несмотря на то что многие сотрудники ощущали дискомфорт, общаясь с директором, Рейчел всегда испытывала к нему симпатию. Может, просто потому, что он являл собой резкий контраст с ее отцом. Внешне некрасивый, ни в коей мере не обладающий тем качеством, которое принято называть харизматичностью, Пикеринг выполнял свой долг с беззаветным патриотизмом, вовсе не желая оказаться в лучах славы, тогда как сенатор стремился именно к этому.

Пикеринг снял очки и внимательно взглянул на Рейчел:

— Агент Секстон, с полчаса назад мне звонил президент. Речь шла именно о вас.

Рейчел невольно склонила голову. Пикеринг, как обычно, сразу приступил к сути дела. Лиха беда начало, подумала она.

— Надеюсь, дело не касается моих отчетов. Неужели с ними какие-то проблемы? — произнесла она.

— Нет-нет, что вы! Напротив, президент сказал, что Белый дом высоко ценит вашу работу.

Рейчел вздохнула с облегчением.

— Так в чем же дело? Чего он хочет?

— Личной встречи с вами. Немедленно.

Неприятное предчувствие охватило Рейчел.

— Личной встречи? По какому поводу?

— Прекрасный вопрос! Но он мне этого не открыл.

На какой-то момент Рейчел растерялась. Пытаться сохранить что-то в тайне от директора НРУ было равносильно желанию утаить от папы римского секреты Ватикана. Среди сотрудников разведки гуляла поговорка, что если Уильям Пикеринг не знает о чем-то, то этого просто не существует.

Шеф встал из-за стола и начал не спеша прохаживаться вдоль огромного окна.

— Он просил меня немедленно найти вас и отправить к нему.

— Что, прямо сейчас?

— Транспорт прибыл, ожидает на улице.

Рейчел нахмурилась. Приглашение к президенту ее взволновало. Но еще больше тревожило озабоченное выражение, появившееся на лице директора.

— Вы чего-то недоговариваете, сэр.

— Черт возьми! Действительно недоговариваю! — неожиданно взорвался Пикеринг. — Цель президента предельно ясна. Вы — дочь человека, который в настоящее время буквально наступает ему на пятки. И вот теперь президент требует личной встречи. Вряд ли это простое совпадение. Уверен, ваш отец согласился бы со мной.

Рейчел сознавала правоту Пикеринга.

— А в чем вы сами видите смысл этой встречи с президентом?

— В свое время я давал клятву обеспечивать нынешнюю администрацию Белого дома секретной информацией, а не размышлять о намерениях президента.

Типичный для Пикеринга ответ, подумала Рейчел. Директор считал политиков людьми временными. Подобно шахматным фигурам, они стремительно проносились по белым и черным клеткам поля. А настоящими игроками оставались люди, подобные ему самому, — опытные, бывалые ветераны, которые сидят за шахматной доской достаточно долго для того, чтобы понимать перспективу любой из возможных партий. Пикеринг любил повторять, что даже двух сроков пребывания в Белом доме недостаточно, чтобы постичь всю сложность мирового политического ландшафта.

— Возможно, это приглашение и не таит в себе ничего особенного, — предположила Рейчел, надеясь, что президент все-таки найдет в себе силы стать выше каких-либо предвыборных трюков. — Может, ему просто срочно требуется анализ важного и срочного сообщения.

— Ни в коем случае не желая вас обидеть, агент Секстон, позволю себе заметить, что Белый дом обладает немалым количеством квалифицированных «джистеров». Так что президент вполне может прибегнуть к их услугам. По этой причине он вряд ли будет искать встречи с вами. Во всяком случае, не стал бы этого делать, не объяснив мне, зачем вызывает вас, мою подчиненную.

Пикеринг называл всех своих сотрудников «подчиненными». Многим такое обращение очень не нравилось, поскольку казалось холодным, безразличным и унизительным.

— Ваш отец набирает политический вес, — продолжал Пикеринг. — И вес немалый. Белый дом наверняка начинает нервничать. — Директор вздохнул. — Политика — жестокий бизнес. Так что если господин президент требует встречи с дочерью своего соперника, то, мне кажется, в этом заключено нечто гораздо большее, чем анализ информации.

Рейчел ощутила неприятный холодок. Жизнь уже не раз показывала, что подозрения Пикеринга всегда оправдываются.

— Так, значит, вы опасаетесь, что Белый дом запаниковал и намерен втравить и меня в политическую мясорубку?

Пикеринг не торопился с ответом.

— Дело в том, что вы не даете себе труда скрывать ваше истинное отношение к отцу. Не сомневаюсь, организаторы предвыборной кампании президента в курсе дела. И мне представляется, что они могут попытаться каким-то образом использовать вас в игре против сенатора.

— И где же мне поставить подпись? — полушутя-полусерьезно поинтересовалась Рейчел.

Пикеринг словно и не слышал. Он сурово взглянул на нее:

— Хочу предостеречь вас, агент Секстон. Если чувствуете, что личное отношение к отцу может при встрече с президентом повлиять на вашу способность рассуждать трезво, то очень советую отказаться от нее.

— Отказаться? — Рейчел нервно рассмеялась. — Разве я могу отказать президенту?

— Вы — нет, разумеется. Но могу отказать я.

Слова прозвучали неожиданно весомо и резко. Сразу вспомнилась вторая составляющая прозвища Квакера. Несмотря на блеклую внешность, Пикеринг в минуты гнева был вполне способен вызвать политическое землетрясение*.

---

* Игра слов, основанная на созвучии английских слов quaker (квакер) и quake (землетрясение). — *Здесь и далее примеч. ред.*

— Мои мотивы в данной ситуации очень просты, — пояснил директор. — Я отвечаю за своих подчиненных и обязан защищать их. Особенно если кого-то из моих людей хотят использовать в качестве марионетки в политической игре.

— Что же вы посоветуете мне делать?

Пикеринг вздохнул:

— Посоветую все-таки встретиться с ним. Не берите на себя никаких обязательств. Если президент даст вам понять, что у него на уме, позвоните мне. И если окажется, что он затеял играть вами, словно мячиком, полностью положитесь на меня. Я сумею вывести вас из-под удара биты так быстро, что он и сообразить не успеет, что произошло.

— Благодарю, сэр. — От этого человека исходила та спокойная и надежная сила, какой Рейчел всегда недоставало в отце. — Вы сказали, что президент прислал машину?

— Не совсем так. — Пикеринг нахмурился и поднял руку, показывая на окно.

Рейчел с недоумением поднялась и посмотрела вниз.

Тупоносый вертолет «Эм-эйч-60», «ястреб», казалось, светился от облепивших его эмблем Белого дома. Рядом, посматривая на часы, стоял пилот.

Рейчел повернулась к Пикерингу:

— Неужели президент прислал за мной вертолет, чтобы доставить на расстояние пятнадцати миль?

— Президент явно надеется или произвести на вас впечатление, или испугать. — Пикеринг бросил внимательный взгляд на Рейчел. — Но мне кажется, он не добился ровным счетом ничего.

Она кивнула. Однако в действительности президенту удалось сделать и то и другое.

Спустя четыре минуты Рейчел Секстон вышла из здания и поднялась на борт ожидавшего ее вертолета. Она даже не успела пристегнуть ремни, как машина взмыла в воздух, воспарив над лесами штата Виргиния. Рейчел посмотрела на плывущие под ней деревья и ощутила, как сердце начинает биться все быстрее и громче. Ее пульс стал бы еще бешенее, знай она, что вертолет направляется отнюдь не к Белому дому.

ГЛАВА 5

Отчаянный ветер трепал палатку, но Дельта-1 этого не замечал. Вместе с Дельтой-3 он внимательно наблюдал за вторым номером. Тот с удивительной, почти хирургической точностью манипулировал джойстиком. На дисплее отображалось то, что передавала микроскопическая телекамера, установленная на крошечном роботе.

Самый совершенный из всех приборов наблюдения, подумал Дельта-1. Он все еще не мог привыкнуть к этому чуду и удивлялся при каждом его включении. В последнее время достижения микромеханики зачастую оставляли далеко позади воображение фантастов.

Микроскопические электромеханические системы (МЭМС), или микроботы, были последним словом в области высокотехнологичного наблюдения. Специалисты называли их «мухами на стене технологии».

Хотя микроскопические роботы с дистанционным управлением все еще казались нереальными, словно сошедшими со страниц научно-фантастических романов, они появились уже в девяностых годах. В мае 1997 года журнал «Дискавери» напечатал статью о микроботах. Он рассматривал их «летающую» и «плавающую» разновидности. Пловцы, так называемые наносубмарины, имели размеры не больше крупинки соли. Их можно было внедрять в кровеносную систему человека, как в фильме «Фантастическое путешествие». Они уже использовались в медицине, помогая врачам дистанционно управлять процессами в артериях и, не беря в руки скальпель, определять место закупорки сосуда, уже существующей или возможной.

При создании летающего микробота ставились более простые задачи. Технологии аэродинамики, позволяющие машине подняться в воздух и летать, известны еще со времен полета одного из братьев Райт в Китти-Хоке. В дальнейшем процесс шел исключительно по пути уменьшения размеров. Длина первых летающих микроботов, разработанных специалистами НАСА для непилотируемой экспедиции к Марсу, достигала нескольких дюймов. Вскоре эти аппараты стали обыденной реальностью благодаря прогрессу нанотехнологии, появлению сверхлегких абсорбирующих материалов и успехам микромеханики.

Но настоящий прорыв произошел в новой области, получившей название биомимикрии, то есть в отрасли, копирующей саму природу. Оказалось, что крошечные стрекозы — идеальный образец для создания шустрых и очень эффективных летающих микроботов. Модель под кодовым названием «РН-2», которой сейчас и управлял Дельта-2, имела всего сантиметр в длину — то есть была не больше комара. А летала она при помощи двойной пары прозрачных крыльев, закрепленных на крошечных шарнирах. В результате шпионская игрушка отличалась удивительной мобильностью и эффективностью.

Еще одним прорывом стала система подзарядки механизма. Первые образцы микроботов могли подзаряжать свои батареи, находясь вблизи непосредственного источника света. А это серьезно ограничивало их применение: они оказывались не у дел в темных помещениях, равно как и в тех случаях, когда требовалась особая секретность. Аппараты нового поколения, однако, могли подзаряжаться, находясь на расстоянии нескольких дюймов от магнитного поля. К счастью, в современном мире магнитные поля есть абсолютно везде, даже в достаточно укромных уголках. Их создают блоки питания, мониторы компьютеров, электромоторы, аудиоколонки, сотовые телефоны — трудно сетовать на дефицит малозаметных источников энергии. Так что теперь микробот, успешно внедрившись в конкретную среду, имел возможность практически бесконечно передавать аудио- и видеоинформацию.

Микробот «РН-2» отлично служил подразделению «Дельта» уже целую неделю.

Словно насекомое, спрятавшееся в огромном амбаре, микробот завис в неподвижном воздухе центральной зоны объекта. Оглядывая пространство, этот внимательный наблюдатель бесшумно летал над ничего не подозревающими людьми — техниками, учеными, специалистами самых различных областей науки. Глядя на дисплей компьютера, Дельта-1 заметил, как увлечены беседой двое хорошо знакомых ему людей. Было бы неплохо услышать их разговор. Командир коротко велел максимально снизить микробот.

Манипулируя системой управления, Дельта-2 включил звуковые сенсоры робота, сориентировал параболический усилитель и спустил аппарат на высоту десяти футов над головами ученых. Сразу послышался слабый, но вполне различимый звук.

— И все-таки я никак не могу в это поверить, — говорил один из исследователей.

В его голосе слышалось волнение, хотя он находился на объекте уже сорок восемь часов.

Собеседник полностью разделял его энтузиазм.

— Ты когда-нибудь предполагал, что станешь свидетелем чего-то подобного?

— Никогда, — ответил первый. — Все это больше похоже на удивительный сон.

Дельта-1 услышал достаточно. Ясно, что на объекте все идет по плану, без каких бы то ни было неожиданностей. Дельта-2 дал команду микроботу вернуться в то место, где он находился раньше. Крошечное устройство незаметно расположилось возле цилиндра электрогенератора. Батареи «РН-2» тут же начали подзаряжаться.

ГЛАВА 6

Пока вертолет нес Рейчел Секстон в прозрачном небе, она обдумывала события сегодняшнего утра. Затем, глянув вниз, она увидела, что под ними Чесапикский залив. Странно! Вашингтон ведь совершенно в другом направлении! Поначалу это просто удивило ее, но через мгновение удивление сменилось тревогой, даже страхом.

— Эй! — крикнула она пилоту. — Что вы делаете? — Из-за шума винтов голос прозвучал едва слышно. — Вы же должны доставить меня в Белый дом!

Пилот покачал головой:

— Извините, мисс. Президент сегодня утром не в Белом доме.

Рейчел постаралась вспомнить, говорил ли Пикеринг о Белом доме или она сама домыслила это.

— Так где же он?

— Ваша встреча с ним состоится в другом месте.

— Черт подери! Где же?

— Уже совсем недалеко.

— Я спросила не об этом.

— Еще шестнадцать миль.

Рейчел едва сдержалась. Этому парню надо было стать политиком.

— Вы на пули не обращаете внимания так же, как на вопросы?

Пилот ничего не ответил.

Вертолет пересек Чесапикский залив меньше чем за семь минут. Когда внизу снова оказалась земля, пилот резко повернул на север и обогнул узкий полуостров, на котором Рейчел заметила паутину дорог, взлетно-посадочных полос и несколько зданий, очень похожих на военные. Вертолет снизился, и Рейчел поняла, куда ее привезли. Шесть взлетных площадок и ракетных башен — совсем неплохая подсказка. Ну а если бы и этого оказалось мало, то на сей случай на крыше одного из зданий красовалось прямое указание. Огромными буквами на ней значилось: Уоллопс-Айленд.

Уоллопс был одним из самых старых ракетных полигонов НАСА. Он и сейчас еще использовался для запуска спутников и тестирования экспериментального воздушного и космического оборудования. И все-таки его смело можно было назвать самой закрытой базой НАСА.

Президент в Уоллопсе? Невероятно!

Пилот выровнял траекторию по трем взлетно-посадочным полосам, которые тянулись вдоль узкого полуострова. Теперь вертолет летел гораздо медленнее.

— Вы встретитесь с президентом в его офисе.

Рейчел обернулась, чтобы посмотреть, не шутит ли парень.

— Неужели президент Соединенных Штатов имеет офис в Уоллопсе?

Пилот оставался совершенно серьезным.

— Президент Соединенных Штатов имеет офис там, где пожелает, мисс.

Он указал в самый конец взлетно-посадочной полосы. Вдалеке Рейчел увидела очертания чего-то огромного, тускло поблескивающего. Сердце ее едва не остановилось. Даже на расстоянии трехсот ярдов она узнала светло-голубой корпус модифицированного «Боинга-747».

— Мне предстоит встреча на борту...

— Да, мисс. Дом вдалеке от дома.

Рейчел посмотрела на мощный самолет. Это великолепное воздушное судно имело военный код VC-25-A, хотя весь мир знал его под другим именем: «Борт номер 1».

— Похоже, сегодня вы попадете на новый, — заметил пилот, обращая ее внимание на цифры по борту самолета.

Рейчел невыразительно кивнула. Очень мало кто из американцев знал, что в действительности на службе в ВВС состояли два «Борта номер 1». Они составляли пару совершенно одинаковых, специально сконструированных «Боингов 747-200-B». Один из них носил бортовой номер 28000, другой — 29000. Оба самолета были способны развить скорость до шестисот миль в час и могли заправляться в воздухе. А это делало их практически вездесущими.

Вертолет нацелился на ближнюю к президентскому самолету полосу. Рейчел сразу поняла, почему «Борт номер 1» нередко называли летающей крепостью. Он выглядел весьма внушительно, его размеры производили гнетущее впечатление.

Когда президент летал в другие страны, чтобы встретиться с главой того или иного государства, он часто просил — из соображений безопасности, — чтобы встреча проходила на борту его самолета. Но конечно, кроме безопасности, существовала и иная причина нежелания покидать самолет — президент надеялся получить преимущество в переговорах за счет того впечатления, которое производила летающая крепость: ни один человек на свете не смог бы чувствовать себя уверенно в давящей громаде самолета. Посещение «Борта номер 1» производило куда более эффектное впечатление, чем визит в Белый дом. Огромные, в шесть футов высотой, буквы на фюзеляже не говорили, а кричали: «Соединенные Штаты Америки».

Однажды член британского кабинета министров, дама, обвинила президента Никсона в том, что он «сует ей в нос свое мужское достоинство», когда он пригласил ее на «Борт номер 1». После этого команда дала самолету прозвище Большой Дик*.

---

* Игра слов. Дик: 1) сокращенное от Ричард — имя президента Никсона; 2) жаргонное название мужского полового органа.

— Мисс Секстон? — Рядом с вертолетом материализовался агент службы безопасности. Он открыл дверь и подал даме руку. — Президент ожидает вас.

Рейчел выбралась из вертолета и взглянула на крутой трап, по которому ей предстояло подняться в самолет.

Вот он, летающий фаллос, внезапно подумала она. Когда-то она слышала, что этот «овальный кабинет» с крыльями имеет площадь не менее четырех тысяч квадратных футов, включая четыре отдельных спальни, спальные места для команды численностью в двадцать шесть человек и две кухни, способные прокормить полсотни служащих.

Поднимаясь по трапу, Рейчел ощущала, как следом за ней, едва не наступая на пятки, идет агент службы безопасности, как будто следя, чтобы она не убежала. Высоко над головой, словно крошечная ранка на громадном теле гигантского серебряного кита, зияла открытая дверь самолета. Рейчел приблизилась к полумраку входа и ясно почувствовала, как решимость окончательно покинула ее.

«Спокойно, Рейчел, это всего лишь самолет!» — призвала она на помощь собственный разум.

Когда они оказались внутри, в помещении, напоминавшем лестничную площадку, агент очень вежливо взял даму под руку и повел по удивительно узкому коридору. Они повернули направо, прошли немного и оказались в просторной, шикарно отделанной и обставленной комнате. Рейчел сразу узнала ее: не раз она разглядывала ее на фотографиях.

— Подождите, пожалуйста, здесь, — попросил провожатый и исчез.

Агент Секстон стояла в одиночестве в знаменитой, отделанной деревянными панелями, приемной «Борта номер 1». Здесь проводили встречи и заседания, развлекали знаменитостей и, судя по всему, пугали тех, кто оказался на борту впервые. Комната простиралась на всю ширину самолета, пол покрывал толстый мягкий ковер. Обстановка выглядела безупречно. Обитые цветной дубленой кожей кресла вокруг овального кленового стола, сверкающие медные торшеры по углам широкого дивана, застекленный бар красного дерева, в котором таинственно поблескивал ручной работы хрусталь.

Дизайнеры, создававшие интерьер, очень тщательно продумали обстановку и убранство приемной, которая производила на посетителя впечатление спокойного, ничем и никем не нарушаемого порядка. Однако именно спокойствия недоставало сейчас Рейчел. Единственное, о чем она могла думать, так это о том, сколько же мировых знаменитостей сидели здесь, принимая решения, способные изменить ход истории.

Все здесь свидетельствовало о силе и могуществе, начиная со слабого аромата трубочного табака и заканчивая вездесущим президентским гербом. Орел, держащий в лапах стрелы и оливковые ветви, смотрел отовсюду: с диванных подушек, с ведерка для льда и даже с подставок под бокалы, стоящих на баре.

Рейчел взяла в руки одну подставку и начала ее рассматривать.

— Уже пытаемся стащить сувенир на память? — раздался за ее спиной глубокий голос.

От неожиданности она вздрогнула и выронила подставку. Неловко опустилась на колени, чтобы поднять. Оглянулась. Президент Соединенных Штатов, улыбаясь, с интересом смотрел на нее сверху вниз.

— Я не королевская особа, мисс Секстон. Так что вставать на колени нет никакой необходимости.

ГЛАВА 7

Сенатор Седжвик Секстон наслаждался комфортом и покоем. Его роскошный «линкольн» пробирался по плотно забитым машинами, как и всегда по утрам, вашингтонским улицам. Напротив сенатора устроилась его личная помощница Гэбриэл Эш, двадцати четырех лет от роду. Она знакомила Секстона с расписанием встреч на сегодня, но тот едва понимал, о чем она говорит.

«Люблю Вашингтон, — думал он, с удовольствием разглядывая прекрасную фигуру помощницы, которую не мог скрыть даже кашемировый свитер. — Власть — самый сильный сексуальный стимулятор... именно она привлекает таких женщин».

Гэбриэл Эш окончила престижный университет и сама мечтала когда-нибудь стать сенатором. Секстон не сомневался, что это ей удастся. Девушка была невероятно хороша собой и в такой же степени умна. Более того, она прекрасно понимала и полностью принимала правила игры.

Гэбриэл была темнокожей. Однако ее скорее можно было назвать не черной, а светло-коричневой или, если уж на то пошло, цвета красного дерева. Словом, она представляла собой нечто удобно-среднее, и сверхщепетильные в этом вопросе белые американцы могли терпеть ее цвет кожи без ужасного чувства, что предают своих. Приятелям Секстон хвастался, что его помощница выглядит, как Холли Берри, а умна и честолюбива, как Хиллари Клинтон. Однако иногда ему казалось, что подобные сравнения не полностью отражают достоинства этой во всех отношениях выдающейся молодой особы.

Сенатор повысил Гэбриэл в должности три месяца назад, назначив на пост личной ассистентки в его предвыборной кампании, и оказалось, что не ошибся: она работала необычайно успешно. А кроме того, совершенно бесплатно. Компенсацией за шестнадцатичасовой рабочий день служил приобретаемый опыт: рядом с бывалым политиком можно многое узнать и многому научиться.

Секстон торжествовал. Он сумел научить девушку куда большему, чем просто хорошей работе. После продвижения по службе сенатор пригласил ее в свой личный кабинет поздно вечером, намереваясь ввести в курс дела. Как и предполагалось, молодая ассистентка явилась, преклоняясь перед звездным блеском босса и стремясь угодить. Со своим фирменным неторопливым терпением, отточенным десятилетиями практики, сенатор творил чудо: добился полного доверия Гэбриэл, постепенно освободил ее от комплексов, продемонстрировал поразительное самообладание и в конце концов соблазнил девушку прямо здесь, в офисе.

Секстон не сомневался, что это событие оказалось самым ярким в сексуальной жизни молодой особы. Он ошибся. Уже наутро, при свете дня, Гэбриэл пожалела о собственной несдержанности. Смущенная, она предложила уйти в отставку. Секстон отверг этот вариант. Гэбриэл осталась, но совершенно ясно определила свои намерения. С тех самых пор между боссом и помощницей установились исключительно деловые отношения.

Губы Гэбриэл все еще двигались. Она давала боссу ценные советы:

— Не будьте чересчур сентиментальны, когда отправитесь на теледебаты на Си-эн-эн сегодня днем. Мы до сих пор не знаем, кого Белый дом пришлет в качестве оппонента. Вам потребуется просмотреть вот эти заметки.

Девушка передала сенатору папку с бумагами.

Секстон взял папку, с удовольствием вдыхая приятный аромат, вернее, целый букет ароматов: тонкие духи ассистентки соединились с богатым запахом замшевых сидений автомобиля.

— Вы меня не слушаете, — заметила наставница.

— Что вы, очень даже слушаю. — Сенатор ухмыльнулся. — Забудьте о теледебатах. Самое худшее, что может сделать Белый дом, — это прислать мне в пику кого-нибудь из самых нижних чинов, например, интерна избирательной кампании. Ну а если в ход пойдет лучший сценарий, они пошлют какую-нибудь важную шишку, и я съем ее на обед.

— Отлично. Вот список наиболее вероятных нежелательных тем.

— Все это мне давно известно.

— Один новый пункт. Мне кажется, возможен враждебный выпад со стороны гомосексуалистов — относительно вашего вчерашнего заявления.

Секстон пожал плечами:

— Действительно. Вопрос об однополых браках.

Гэбриэл нахмурилась:

— Вы чрезвычайно решительно выступили против них.

Однополые браки, с отвращением подумал Секстон. Если бы это зависело от него, гомики лишились бы даже избирательных прав.

— Ну ладно, — нехотя согласился он, — так и быть, немножко сбавлю обороты.

— Вот и хорошо. А то в последнее время вы стали переживать в отношении этих больных тем. Не увлекайтесь. Аудитория может изменить мнение в одну секунду. Сейчас вы впереди и набираете силу. Так пользуйтесь этим, оседлайте волну! Не нужно отбивать мяч за площадку. Подержите его в игре.

— А из Белого дома есть новости?

Гэбриэл казалась озадаченной, и это порадовало сенатора.

— Молчание продолжается. Ваш оппонент превратился в человека-невидимку.

В последнее время Секстон боялся верить в свою удачу. Президент несколько месяцев упорно разрабатывал тактику своей избирательной кампании. И вдруг примерно неделю назад он внезапно уединился в Овальном кабинете, и с этого момента никто его не видел и не слышал. Казалось, могучий соперник просто не в силах терпеть все возрастающую популярность сенатора.

Гэбриэл пригладила прямые черные волосы.

— До меня дошли слухи, что те, кто работает в его избирательной кампании, сами удивлены и растеряны. Президент категорически отказывается комментировать свое исчезновение. Естественно, все просто в шоке.

— Ну и какие возможны объяснения?

Гэбриэл взглянула на него. Очки придавали ей очень серьезный вид.

— Сегодня мне удалось получить интересную информацию непосредственно из Белого дома, по собственным каналам.

Секстон узнал этот взгляд. Гэбриэл Эш опять раздобыла какие-то сугубо внутренние, секретные сведения. Интересно, как она расплачивается со своими источниками? А собственно, какое ему до этого дело? Главное, что информация продолжает поступать.

— Поговаривают, — продолжала ассистентка, перейдя на шепот, — что президент начал вести себя странно с прошлой недели, после неожиданной частной беседы с администратором НАСА. Президент вернулся со встречи озадаченный и растерянный. Немедленно отменил все, что было запланировано, и с тех пор поддерживает самую тесную связь с НАСА.

Секстону определенно понравилось то, что он услышал.

— Так вы считаете, космическое агентство могло сообщить ему какие-то плохие новости?

— Вполне возможно, — с надеждой ответила Гэбриэл, — хотя должно было произойти что-то из ряда вон выходящее, чтобы президент вот так все бросил.

Секстон помолчал, размышляя. Очевидно, события в НАСА разворачиваются неблагоприятно, иначе президент наверняка швырнул бы новости в лицо сопернику. Ведь в последнее время Секстон безудержно критиковал президента за финансирование космического агентства. Цепь недавних неудач и колоссальный перерасход бюджета оказались на руку сенатору, сделавшему критику этих промахов правительства отдельным направлением своей избирательной кампании. Скорее всего атаки на НАСА — этот один из самых значительных символов Америки и предмет национальной гордости — вряд ли можно было назвать лучшим способом завоевать голоса избирателей, однако сенатор Секстон обладал оружием, которого не имел больше никто из политиков, — ассистенткой по имени Гэбриэл Эш, с ее неподражаемой интуицией и чуткостью.

Эта одаренная молодая женщина привлекла внимание Секстона несколько месяцев назад, когда работала координатором в вашингтонском офисе избирательной кампании сенатора. В то время его рейтинг оставался еще очень низким, на первичных выборах он показал плохой результат, а его критика безмерного мотовства правительства не достигала цели. И именно в тот момент Гэбриэл Эш представила боссу свою концепцию избирательной кампании. Это оказалась совершенно иная, свежая и оригинальная точка зрения и на происходящие события, и на первоочередные действия. Гэбриэл предлагала сенатору в качестве объекта нападений огромный бюджет НАСА, который агентство к тому же регулярно превышало. А постоянные уступки агентству со стороны правительства, как оказалось, было очень легко представить ярким примером легкомысленной финансовой политики президента Харни.

«НАСА стоит Америке целого состояния, — писала Гэбриэл, приложив к справке анализ расходов, ссуд и дотаций. — Избиратели не имеют обо всем этом ни малейшего понятия. А узнав, они придут в ужас. Думаю, вы просто обязаны сделать вопрос о НАСА политическим аргументом».

Секстон едва не застонал от подобной наивности сотрудницы.

— Конечно! И одновременно с этим мне придется выступать против исполнения гимна страны на бейсбольных матчах.

Однако Гэбриэл оказалась настойчивой. В последующие недели она продолжала поставлять сенатору информацию о космическом агентстве. И чем больше Секстон углублялся в проблему, тем яснее видел, что эта девочка во многом права. Даже для правительственного агентства НАСА представляло собой страшно неудачный финансовый проект — оно оказалось дорогой, громоздкой структурой, работало неэффективно, а в последние годы откровенно плохо.

Как-то раз Секстон давал интервью в прямом эфире относительно проблем в сфере образования. Журналист нажимал на сенатора, пытаясь узнать, где тот рассчитывает найти средства на обещанную реформу школ. В ответ сенатор решил полушутя запустить теорию Гэбриэл Эш относительно НАСА.

— Деньги на образование? — притворно удивился он. — Ну, например, я наполовину сокращу космическую программу. Полагаю, что если космическое агентство может пускать пятнадцать миллиардов в год на ветер, я буду вправе потратить семь с половиной из них на детишек здесь, на земле.

За стеклом кабины звукорежиссера люди из команды сенатора, сопровождавшие его, лишь развели руками: настолько непродуманным и неосторожным показалось это замечание. Ведь бывали случаи, когда избирательные кампании рушились из-за менее лихих высказываний в адрес всемогущего департамента. Мгновенно ожили телефоны. Сотрудники Секстона растерянно переглядывались: сторонники покорения космического пространства пошли в атаку, чтобы прикончить врага.

И тут произошло нечто совершенно неожиданное.

— Пятнадцать миллиардов в год? — недоверчиво уточнил первый из звонивших. — Я не ослышался? То есть вы хотите сказать, что класс, где учится мой сын, переполнен из-за того, что школы не могут нанять на работу достаточное количество учителей, в то время как НАСА тратит в год пятнадцать миллиардов на то, чтобы фотографировать звездную пыль?

— Ну да, примерно так, — уклончиво подтвердил Секстон.

— Но это же абсурд! А президент обладает достаточной властью, чтобы изменить это?

— Разумеется, — на сей раз уверенно ответил сенатор. — Президент имеет полное право наложить вето на бюджетную заявку любого ведомства, которое, по его мнению, требует слишком много средств.

— Тогда я отдаю свой голос вам, сенатор Секстон. Пятнадцать миллиардов на исследование космоса, тогда как дети не получают достойного образования. Просто невероятно! Желаю удачи, сэр. Надеюсь, у вас хватит выдержки пройти весь путь до победного конца.

В эфир вывели следующий звонок.

— Сенатор, я только что прочитал, что международная космическая станция, работающая под эгидой НАСА, получает колоссальные деньги, к тому же президент собирается усилить финансирование за счет резервного фонда, чтобы продлить сроки ее эксплуатации. Это правда?

Секстон получил именно тот вопрос, который и был ему нужен.

— Правда!

Он подробно объяснил, что космическая станция изначально задумывалась как совместное предприятие, стоимость которого делили бы между собой двенадцать стран. Но после того как началось строительство, бюджет станции неожиданно взлетел, выйдя из-под контроля. Поэтому многие страны отказались в нем участвовать. Однако президент США, вместо того чтобы отменить проект, решил возместить ущерб, тем самым покрыв и чужие расходы.

— Наша доля в финансировании международной космической станции возросла с восьми миллиардов долларов, как предполагалось изначально, до невероятной цифры в сто миллиардов!

Звонивший негодовал:

— Так почему же, дьявол побери, президент ввязался в такую чудовищную авантюру?

Секстон, имей он возможность, расцеловал бы его за это восклицание.

— Чертовски хороший вопрос. К сожалению, треть проекта уже летает в космосе, причем запущена станция тоже на ваши денежки. Так что закрытие проекта означало бы признание страшной ошибки, совершенной за счет налогоплательщиков.

Звонки не прекращались. Казалось, американцы только сейчас начали отчетливо сознавать, что НАСА для страны вовсе не стратегически необходимая структура, а всего лишь организация, ставящая перед собой довольно авантюрные задачи.

В итоге, кроме нескольких ярых приверженцев освоения космоса, затянувших старую песню насчет вечной и неизбывной тяги человечества к знаниям, все, кто был тогда в студии, сошлись в одном: Секстон обнаружил Святой Грааль успеха, «горячую клавишу» — еще никем не исследованный, болезненный вопрос, задевший избирателей за живое.

Результат не заставил себя ждать. Буквально за несколько недель Секстон обошел своих оппонентов в пяти первичных округах, особенно важных. Он тут же назначил Гэбриэл Эш личной ассистенткой. Это стало наградой за работу, которую проделала молодая женщина, чтобы довести до Секстона и избирателей информацию о положении дел в НАСА. Легким движением руки сенатор поднял никому не известную афроамериканку до уровня восходящей звезды политического небосклона и одновременно отмел все возможные обвинения в расизме и ущемлении прав женщин.

И вот сейчас, сидя напротив Гэбриэл в роскошном лимузине, Секстон понимал, что она вновь демонстрирует свою независимость. Та информация, которую раздобыла его ассистентка о состоявшейся на прошлой неделе секретной встрече между руководителем НАСА и президентом, определенно доказывала: космическое агентство ожидают новые трудности. Возможно, от финансирования проекта отказывается еще одна из стран-участниц.

В тот самый момент, когда автомобиль проезжал мимо памятника Джорджу Вашингтону, сенатор Секстон почувствовал, как судьба осеняет его своим крылом.

ГЛАВА 8

Несмотря на исключительно успешную карьеру, которая привела его в самый желанный из всех политических кабинетов мира, президент Закери Харни не мог похвастаться внешностью кинозвезды. Он был среднего роста, достаточно худощав, неширок в плечах. Веснушчатое лицо, очки с двойными стеклами, редеющие темные волосы. Однако несмотря на скромную наружность, он пользовался необычайной, граничащей с поклонением, любовью всех, кто его знал. Даже сложилась поговорка, уверяющая, что если тебе довелось хотя бы раз встретить Зака Харни, ты пойдешь за ним куда угодно.

— Очень рад, что вам удалось выбраться ко мне, — заговорил президент, протягивая Рейчел руку.

Его пожатие было теплым и искренне радушным.

Рейчел собралась с духом, едва найдя в себе силы для ответа.

— Встреча с вами, господин президент, огромная честь для меня.

Он ободряюще улыбнулся, и Рейчел мгновенно ощутила легендарное обаяние мистера Харни. Президент обладал приятной, располагающей манерой общения. Это больше всего ценили в нем карикатуристы. Каким бы искаженным ни получался шарж, он все равно передавал и теплую улыбку, и дружелюбное выражение лица. А в глазах всегда отражались искренность и чувство собственного достоинства.

— Если позволите, — сказал Харни, — то я предложу вам чашечку кофе.

— Благодарю, сэр.

Президент нажал кнопку связи и попросил принести кофе в кабинет.

Рейчел направилась по коридору самолета вслед за хозяином. Трудно было не отметить, что для человека, имеющего невысокий политический рейтинг, он выглядит вполне довольным и ничем не обремененным. Да и одет неофициально: синие джинсы, рубашка с открытым воротом, массивные тяжелые ботинки, как у туриста.

— Вы занимаетесь туризмом, господин президент? — спросила Рейчел, чтобы нарушить молчание.

— Да нет, на самом деле я вовсе этим не увлекаюсь. Просто мои имиджмейкеры решили, что теперь я должен выглядеть именно так. А как думаете вы?

Рейчел очень хотелось верить, что Харни просто шутит.

— Это придает вам очень... очень мужественный вид, сэр.

Лицо президента оставалось совершенно непроницаемым.

— Хорошо. Мы считаем, что этот образ поможет вернуть голоса женщин, которые отвоевал ваш отец. — Он продемонстрировал чарующую улыбку. — Мисс Секстон, не пугайтесь, я шучу. Мы ведь прекрасно понимаем: чтобы победить на выборах, потребуется нечто большее, чем синие джинсы и рубашка с распахнутым воротом.

Его добродушие и открытость моментально растопили лед, до этого момента сковывавший душу Рейчел. Если президенту и недоставало внушительности и импозантности, он с лихвой компенсировал это умением общаться и врожденным тактом. Дипломатичность — редкий, ценный дар, и Зак Харни обладал им в полной мере.

Рейчел шла вслед за президентом в хвостовой отсек. И чем глубже в святая святых они проникали, тем меньше интерьер напоминал салон самолета. Извилистый коридор, оклеенные обоями стены, даже спортивный зал с тренажерами и беговой дорожкой. Странным, однако, казалось отсутствие других людей.

— Вы путешествуете в одиночестве, господин президент?

Он покачал головой:

— Нет, но мы лишь недавно приземлились.

Рейчел удивилась. Приземлились? Значит, откуда-то прилетели? А у нее не было никакой информации о поездках президента. Ясно только, что авиабазу Уоллопс он использовал, когда хотел сохранить в тайне свое местопребывание.

— Персонал покинул самолет как раз перед вашим появлением, — пояснил Харни. — Скоро я отправлюсь обратно в Белый дом. Но мне хотелось встретиться с вами именно здесь, а не там, в официальном кабинете.

— Чтобы ошеломить и напугать?

— Напротив! Чтобы выказать вам уважение, мисс Секстон. Дело в том, что Белому дому очень не хватает конфиденциальности, а известие о встрече со мной может осложнить ваши отношения с отцом.

— Ценю вашу деликатность, сэр.

— Вам удается сохранять дружеское семейное равновесие, хотя это и нелегко. Мне не хочется нарушать его своим вмешательством.

Рейчел невольно вспомнила недавнюю встречу с отцом за завтраком и решила, что ее трудно определить как «дружескую». И тем не менее Зак Харни совершил этот явно незапланированный перелет только ради того, чтобы проявить тактичность. А ведь вполне мог бы этого и не делать!

— Можно мне называть вас по имени, Рейчел? — поинтересовался президент.

— Конечно.

«Интересно, а могу ли я называть его Зак?» — мелькнула у Рейчел лукавая мысль.

— Ну, вот и мой кабинет, — пригласил хозяин, распахивая перед гостьей резную кленовую дверь.

Президентский кабинет на «Борту номер 1» ВВС казался гораздо уютнее того, которым первый человек страны располагал в своей официальной резиденции, в Белом доме. Однако и здесь в интерьере присутствовал налет излишней строгости и сдержанности. Огромный рабочий стол, заваленный бумагами; на стене картина, где была изображена поднявшая паруса классическая трехмачтовая шхуна. Парусник пытался уйти от надвигавшегося шторма. Яркая метафора, если иметь в виду текущий момент жизни президента.

Президент указал на один из трех достаточно скромных стульев, окружавших стол. Рейчел присела. Она ожидала, конечно, что хозяин сядет за стол, но вместо этого он подвинул один из стульев и расположился рядом.

Пытается держаться на равных, отметила она. Мастер дипломатии.

— Ну так вот, Рейчел, — наконец приступил к делу президент, устало вздохнув. — Мне почему-то кажется, что вас смущает мое неожиданное приглашение. Я не ошибаюсь?

Если какая-то напряженность и оставалась в душе гостьи, то после этих слов она исчезла.

— Честно говоря, сэр, я озадачена и растеряна.

Харни добродушно, покровительственно рассмеялся:

— Вот как! Не каждый день мне удается озадачить агента Национального разведывательного управления.

— Но согласитесь, ведь не каждый день агент Национального разведывательного управления является на «Борт номер 1» по личному приглашению президента, который встречает гостя в джинсах и спортивных ботинках.

Президент снова засмеялся.

Негромкий стук в дверь означал, что принесли кофе. Вошла стюардесса, держа в руках поднос, на котором стоял, выпуская тонкую струйку ароматного пара, оловянный кофейник, а рядом с ним две оловянные кружки. Президент кивнул, и девушка, опустив поднос на стол, моментально исчезла.

— Сливки, сахар? — предложил хозяин, поднимаясь, чтобы наполнить чашки.

— Сливки, если можно.

Рейчел с удовольствием вдохнула приятный аромат.

Неужели это не сон и президент Соединенных Штатов действительно наливает ей кофе?

Зак Харни передал гостье тяжелую горячую кружку.

— Настоящий «Поль Ревир», — пояснил он.

Рейчел попробовала кофе. Он оказался восхитительным. Такого вкусного кофе она не пробовала ни разу в жизни.

— Что ни говори, — заметил президент, наливая и себе, а потом удобнее устраиваясь на стуле, — время у меня ограничено, а потому давайте сразу приступим к делу. — Опустив в чашку кубик сахара, он взглянул на собеседницу: — Полагаю, Билл Пикеринг предупредил, что единственная цель моего приглашения связана с намерением, использовать вас в собственных политических интересах?

— Если честно, сэр, то примерно это он и сделал.

Президент усмехнулся:

— Циничен, как всегда. Не изменяет себе.

— Так, значит, он ошибается?

— Шутите? — Харни весело рассмеялся. — Разве Билл Пикеринг ошибся хотя бы раз в жизни? Он, как обычно, попал в «десятку».

ГЛАВА 9

Лимузин сенатора Секстона пробирался по запруженным улицам столицы Соединенных Штатов к зданию, в котором располагался его офис. Гэбриэл Эш рассеянно смотрела в окно. Она пыталась понять, какое чудо помогло ей взлететь на такую высоту. Личная ассистентка сенатора Седжвика Секстона. Ведь именно к этому она и стремилась, разве не так?

Вот она сидит в лимузине рядом с будущим президентом страны.

Гэбриэл взглянула на сенатора, сидящего в другом конце просторного, обитого замшей салона огромного автомобиля. Казалось, тот всецело погружен в собственные мысли. Трудно было не восхититься его красивой, даже величественной внешностью и изысканной манерой одеваться. Воистину он был рожден, чтобы стать президентом.

Впервые Гэбриэл увидела сенатора и услышала его выступление три года назад, будучи еще студенткой политехнического факультета Корнеллского университета. Невозможно забыть, как его пронзительный взгляд проникал в самую глубину зала, словно он обращался именно к ней.

«Верь мне», — казалось, без слов призывал он.

После окончания его речи Гэбриэл встала в очередь, чтобы поприветствовать гостя лично.

— Гэбриэл Эш, — прочитал сенатор на карточке, приколотой к отвороту жакета, — прелестное имя для прелестной юной дамы.

Он смотрел на нее оценивающе и в то же время с одобрением.

— Благодарю вас, сэр, — вежливо ответила Гэбриэл. Рукопожатие сенатора было крепким, внимание искренним. — Ваше выступление произвело на меня глубокое впечатление.

— Рад это слышать! — Секстон дал ей визитную карточку. — Я веду постоянный поиск энергичных молодых людей, способных разделить мои воззрения. Когда закончите университет, свяжитесь со мной. Может случиться, что именно для вас найдется подходящее дело.

Гэбриэл открыла было рот, чтобы поблагодарить, но сенатор уже обратился к следующему в очереди. После этой встречи Гэбриэл неотступно следила за политической карьерой сенатора — читала о нем в газетах и смотрела телепередачи. Особенно восхищали его выступления против непомерных расходов правительства, яростная, цепкая критика увеличений бюджетных ассигнований, призывы к департаментам действовать более эффективно, урезая лишние административные траты, и даже требование отменить некоторые программы, касающиеся государственных служащих.

Позже, когда в автомобильной катастрофе погибла жена сенатора, Гэбриэл с каким-то священным трепетом наблюдала, как этот человек даже личное несчастье сумел обратить на пользу делу. Секстон нашел в себе силы подняться над собственной болью и объявил миру, что непременно будет баллотироваться в президенты и все свои достижения как политика посвятит памяти супруги. Именно тогда, в тот самый момент

Гэбриэл твердо решила, что будет работать с сенатором, помогая ему достичь поставленной цели.

И ей удалось оказаться рядом со своим кумиром — быть ближе просто невозможно.

Она вспомнила ночь, которую провела с сенатором в его шикарном офисе. Не слишком приятные воспоминания. Гэбриэл едва заметно поежилась.

Она ведь прекрасно знала, что не должна поддаваться искушению, но почему-то не нашла в себе достаточно сил, чтобы сопротивляться. Седжвик Секстон так долго оставался ее идеалом, воплощением мечты... и вдруг он захотел ее, подумать только!

Лимузин тряхнуло на какой-то неровности. Мысли ассистентки сенатора моментально вернулись к текущему моменту.

— С вами все в порядке? — Сенатор внимательно смотрел на нее.

Гэбриэл изобразила улыбку:

— Да, все отлично.

— Но вы же не думаете о вынюхивании, так ведь?

Гэбриэл пожала плечами:

— Я все еще немного беспокоюсь, это правда.

— Бросьте! Это самое лучшее из всего, что было в моей кампании.

Слово «вынюхивание», как на собственном горьком опыте узнала Гэбриэл, означало некий тайный процесс утечки информации, такой как, например, сообщения, что оппонент использует средства, повышающие эрекцию, или выписывает порнографический журнал для гомосексуалистов «Стад маффин».

«Вынюхивание» было грязным делом, но когда оно приносило плоды, эти плоды оказывались куда как хороши.

Но когда наступала расплата...

А расплата наступала. Для Белого дома. Примерно месяц назад участники избирательной команды президента, разочарованные и расстроенные его снижающимся рейтингом, решили пойти в атаку и запустить информацию, в правдивости которой не сомневались. Они утверждали, что сенатор Секстон состоит в сексуальной связи со своей личной ассистенткой Гэбриэл Эш. К сожалению, у Белого дома не нашлось прямых доказательств. А сенатор Секстон, твердо помня, что лучшая защита заключается в нападении, воспользовался моментом для ответного удара. Он, ни много ни мало, созвал национальную пресс-конференцию — чтобы возмущенно заявить о своей невиновности.

— Не могу поверить, — говорил он, с болью глядя в объектив телекамеры, — что президент очернил память моей покойной жены подобной циничной ложью.

Выступление сенатора по телевидению оказалось настолько убедительным, что Гэбриэл и сама почти поверила ему. Видя, с какой легкостью лжет этот человек, она не могла не осознать с абсолютной ясностью, насколько опасен сенатор Седжвик Секстон.

Хотя Гэбриэл не сомневалась в том, что поставила на самую сильную лошадь в нынешних скачках, в последнее время она все чаще спрашивала себя: действительно ли эта лошадь лучше и достойнее остальных? Работа рядом с сенатором открыла ей глаза на многое, подобно экскурсии в недра киностудии, где детское восхищение чудесами экрана моментально омрачается пониманием того факта, что Голливуд на самом деле вовсе не приют волшебников и магов.

Хотя вера Гэбриэл в идеи, которые проповедовал Секстон, и не поколебалась, она начала задаваться вопросом о праведности самого проповедника.

ГЛАВА 10

— То, что я собираюсь вам сейчас сказать, Рейчел, — приступил к делу президент, — классифицируется как фантом и выходит далеко за рамки дозволенного вашей службой безопасности.

Агент Секстон почувствовала, как стены «Борта номер 1» начинают давить на нее. Президент вызвал ее в Уоллопс, пригласил на борт своего самолета, угостил вкуснейшим кофе, прямо заявил, что намерен использовать гостью как политическое оружие против ее же собственного отца, а теперь еще решил сообщить какую-то секретную информацию. Каким бы обаятельным, милым и симпатичным Зак Харни ни казался на первый взгляд, Рейчел Секстон видела сейчас только одно: этот человек слишком быстр и напорист, чтобы упустить из рук власть.

— Две недели назад, — продолжал президент, не отводя внимательного взгляда от лица собеседницы, — НАСА совершило открытие.

Слова повисли в воздухе, Харни словно дожидался, когда Рейчел их полностью воспримет. Открытие НАСА? Новейшие данные разведки не сообщали ни о чем экстраординарном, что происходило бы в космическом агентстве. К тому же в последнее время слова «открытие НАСА» значили, как правило, то, что в агентстве осознали, насколько плохо финансируется тот или иной проект.

— Прежде чем продолжить беседу, мне хотелось бы узнать, в какой мере вы разделяете цинизм отца по отношению к исследованию космоса.

Рейчел чрезвычайно не понравилось это замечание, сделанное словно вскользь.

— Позволю себе выразить надежду, что вы пригласили меня сюда вовсе не для того, чтобы попросить контролировать выпады сенатора Секстона против НАСА.

Президент рассмеялся:

— Черт возьми, конечно, нет! Я нахожусь неподалеку от сената и тех, кто там заседает, уже достаточно долго и в состоянии понять, что мистера Секстона не в силах контролировать никто.

— Мой отец — представитель оппозиции, сэр. Впрочем, в этом качестве выступает большинство удачливых политиков. И к сожалению, НАСА само превратило себя в удобную мишень.

Цепь недавних ошибок, совершенных космическим агентством, была настолько длинной, что оставалось лишь смеяться или плакать: спутники разваливались прямо на орбите, космические зонды оказывались не в состоянии передавать полученные данные на Землю, бюджет космической станции подскочил в десять раз, а страны, участвовавшие в этом международном проекте, словно крысы, покидали тонущий корабль... Потеряны миллиарды, и сенатор Секстон неутомимо фиксировал каждый провал, чтобы вскоре оказаться на Пенсильвания-авеню, в доме номер 1600.

— Признаюсь, — продолжал президент, — в последнее время неудачи преследуют НАСА. Стоит мне только отвернуться, как эти ребята подкидывают очередной повод, чтобы сократить финансирование.

Рейчел почувствовала точку опоры и моментально этим воспользовалась:

— И все же, сэр, совсем недавно я читала, что на прошлой неделе вы отстегнули этим самым ребятам еще три миллиона на непредвиденные расходы.

Президент хмыкнул:

— Вашему отцу это понравилось, верно?

— Почти так же, как если бы кто-то вложил оружие в руки вашего палача.

— А вы не слышали его выступление в программе «Ночной разговор»? «Космос для Зака Харни, — сказал он, — все равно что зелье для наркомана, а налогоплательщики оплачивают его пагубное пристрастие».

— Но ведь вы даете повод для подобных выводов, сэр.

Харни кивнул:

— Верно, я не делаю секрета из своей приверженности интересам НАСА. Всегда очень ценил космическую отрасль. Я — ребенок космической эпохи: спутник, Джон Гленн, «Аполлон-11». Поэтому и не стесняюсь выражать свое восхищение и гордость по отношению к космическим программам. Уверен, что люди, работающие в космонавтике, создают историю. Они берутся за невозможное, стоически переносят неудачи, чтобы начать все заново — в то самое время, когда большинство предпочитает стоять в сторонке и критиковать.

Рейчел молчала, ощущая, как под маской спокойствия в душе президента кипит яростное негодование по поводу риторики сенатора Секстона. Но она никак не могла понять, какое же открытие совершило НАСА. А президент явно не спешил приступать к сути вопроса.

— Сегодня, — произнес Харни с особой силой, — я намерен коренным образом изменить ваше мнение о космическом агентстве.

Рейчел озадаченно посмотрела на него:

— Мой голос и так принадлежит вам, сэр. Так что вы можете не тратить на меня усилий, а сосредоточиться на других избирателях.

— Конечно. — Президент сделал еще один глоток кофе и улыбнулся. — Но вас я собираюсь попросить о помощи. — Он склонился к гостье: — Причем самым необычным способом.

Рейчел чувствовала, что Харни пристально следит за каждым ее движением, словно охотник, пытающийся угадать намерения жертвы — что она будет делать: убегать или бороться? Но бежать было некуда.

— Полагаю, — наконец заговорил президент, вновь наполняя кружки, — вы слышали о проекте НАСА, носящем название СНЗ?

Она кивнула:

— «Система наблюдения за Землей». Мне кажется, отец пару раз упоминал об этом.

Президент уловил в ее ответе нотку сарказма и нахмурился. На самом деле отец Рейчел упоминал «Систему наблюдения за Землей» при малейшей возможности. Этот проект оставался одним из самых спорных начинаний космического ведомства. Он предусматривал вывод на орбиту пяти спутников, которые, изучая Землю, анализировали бы экологию планеты: истощение озонового слоя, таяние полярных льдов, глобальное потепление, исчезновение тропических лесов. Подобное наблюдение было необходимо для получения из космоса всесторонних данных и разработки на их основе глобального прогноза будущего Земли.

К сожалению, проект оказался далеко не безупречным: в его алгоритм вкралась серьезная погрешность. Как и многие программы НАСА последнего времени, эта с самого начала потребовала серьезного перерасхода средств. А Зак Харни, как всегда, принимал удары на себя. Он использовал поддержку экологического лобби, чтобы протолкнуть в конгрессе этот проект стоимостью полтора миллиарда долларов. Однако вместо того чтобы внести обещанный вклад в мировую науку о Земле, проект очень быстро превратился в сплошной кошмар: неудачные запуски спутников, компьютерные сбои, мрачные пресс-конференции представителей космического агентства. А с лица сенатора Секстона не сходила победная улыбка. Он не забывал регулярно напоминать избирателям, какую именно сумму президент потратил на очередную безумную затею и насколько мизерными оказались полученные результаты.

Президент помешал кофе ложечкой.

— Как бы удивительно это ни звучало, открытие, о котором я говорю, сделано именно в рамках проекта СНЗ.

Рейчел почувствовала растерянность. Если программа СНЗ оказалась успешной, то почему НАСА вопреки собственным принципам не объявило о нем? Отец буквально топтал этот неуклюжий и бесполезный проект в прессе, а космическое агентство со своей стороны старалось использовать для зарабатывания очков малейшую возможность, даже тень успеха.

— Но я ничего не слышала об открытиях, совершенных СНЗ, — откровенно призналась она.

— Знаю. НАСА предпочитает пока хранить эту отличную новость в секрете.

Рейчел позволила себе усомниться:

— Мой опыт подсказывает, сэр, что когда дело касается НАСА, то отсутствие новостей, как правило, само по себе оказывается плохой новостью. Сдержанность никогда не считалась сильной стороной специалистов по связям с общественностью, работающих на космическое ведомство. В НРУ шутят, что это ведомство созывает пресс-конференцию каждый раз, когда кто-нибудь из сотрудников сделал хоть что-то, например, испортил воздух.

Президент нахмурился:

— Ах да. Я совсем забыл, что имею дело с ученицей Пикеринга по курсу «Национальная безопасность». Что, он все еще стонет и вздыхает по поводу болтливости НАСА?

— Безопасность — его работа, сэр. Он относится к ней очень серьезно.

— И правильно делает. С трудом верится, что два столь солидных ведомства постоянно из-за чего-то грызутся.

Рейчел еще в самом начале службы под крылышком Пикеринга поняла, что хотя и НАСА, и НРУ имеют дело с космосом, философия их разительно отличается. НРУ представляло собой оборонное ведомство и потому хранило в строжайшем секрете все свои действия, в то время как НАСА склонялось в сторону науки и стремилось оповестить весь мир о собственных достижениях — часто, как не без основания утверждал Уильям Пикеринг, ставя под угрозу национальную безопасность. Некоторые передовые технологии, разработанные НАСА — например, линзы высокого разрешения для спутниковых телескопов, системы дальней связи, радиолокационные приборы, — с пугающей частотой появлялись в арсеналах разведывательного оборудования других, враждебных стран и помогали, попросту говоря, шпионить против Соединенных Штатов. Билл Пикеринг не переставал ворчать, что специалисты НАСА могут похвастаться умными головами и длинными языками.

Однако самым больным вопросом в отношениях двух ведомств оставался тот факт, что, поскольку НАСА осуществляло запуск спутников по заказу НРУ, многие недавние неудачи также непосредственно касались именно разведки. Но конечно, самым драматичным из всех провалов оказалась катастрофа 12 августа 1998 года. В этот день ракета «Титан», принадлежавшая сразу двум хозяевам, взорвалась через сорок секунд после запуска. Был уничтожен ценнейший, стоимостью в 1,2 миллиарда долларов, груз — спутник под кодовым названием «Вортекс-2». Пикеринг никак не мог простить партнерам этой неудачи.

— И все-таки почему НАСА так упорно молчит относительно недавнего успеха? — бросила вызов Рейчел. — Хорошие новости лучше запускать в оборот немедленно, получая от этого дивиденды.

— НАСА хранит молчание, — с долей торжества в голосе сообщил президент, — потому что так приказал я.

Рейчел с трудом верила собственным ушам. Если это правда, то президент, несомненно, совершает своего рода политическое харакири, объяснить которое невозможно.

— Это открытие, — пояснил президент, — определенно является... ну, скажем так, эпохальным и приведет к поразительным переменам.

Рейчел ощутила неприятный, пугающий холод. В мире разведки «поразительные перемены» редко означали что-нибудь хорошее, а тем более редко сулили приятные известия. Сейчас ей хотелось понять, была ли вся эта секретность следствием того, что спутниковая система заметила какую-то экологическую катастрофу, сулящую крупные неприятности.

— Возникла какая-то проблема?

— Совершенно никаких проблем. То, что обнаружила СНЗ, просто удивительно.

Рейчел молчала.

— Представьте на минутку, — начал объяснять президент, — будто я сообщил вам о том, что НАСА совершило открытие огромной научной важности... потрясающей значимости... и это открытие моментально оправдало каждый доллар, потраченный американцами на исследование космического пространства.

Рейчел почему-то не удавалось вообразить подобное.

Президент поднялся:

— Разрешите пригласить вас на небольшую прогулку?

ГЛАВА 11

Рейчел Секстон молча последовала за президентом Харни. Они вышли на сияющий трап «Борта номер 1». Спускаясь по ступеням, гостья почувствовала, как холодный мартовский воздух освежает голову, возвращая ясность мышления. Теперь отчетливее стали видны необоснованность и фантастичность заявления президента.

НАСА совершило открытие огромной научной важности и потрясающей значимости, моментально оправдав каждый доллар, потраченный американцами на исследование космического пространства, мысленно повторила Рейчел только что услышанное.

Можно предположить лишь одно-единственное: открытие такого масштаба означает, что найден Святой Грааль космического ведомства, то есть обнаружена жизнь вне Земли. Но Рейчел достаточно хорошо была знакома с этой областью исследований, чтобы ни на секунду не поверить в подобное предложение.

Работая аналитиком секретной информации, Рейчел уже привыкла постоянно отвечать на вопросы знакомых, желавших знать, каким именно образом правительство осуществляет контакты с инопланетянами. Теории, на которые «покупались» эти люди, мнившие себя просвещенными, — в частности, рассказы о потерпевших крушение летающих тарелках, спрятанных в секретных бункерах, о трупах инопланетян, хранящихся в холодильниках, о похищенных пришельцами для разных опытов землянах — все эти бредни вызывали у нее лишь отвращение.

Разумеется, все это абсурд. Никаких инопланетян. Никаких секретных контактов.

Люди, имеющие отношение к разведслужбам, отлично знали, что подавляющее большинство случаев «встреч с инопланетянами», похищений и тому подобной чепухи на поверку оказывалось чистой воды враньем — порождением чересчур активного воображения или, что еще хуже, сочинениями шарлатанов, зарабатывающих на своих вымыслах немалые деньги. Когда вдруг появлялась фотография НЛО, выяснялось, что сделана она возле одной из военно-воздушных баз США, которая, по странному совпадению, именно в это время проводила испытания новейших секретных разработок. Когда компания «Локхид» начала воздушные испытания принципиально нового реактивного самолета, получившего название «Стелс», количество НЛО, замеченных в районе военно-воздушной базы Эдвардс, тут же возросло в пятнадцать раз.

Президент искоса взглянул на гостью.

— У вас на лице написан явный скептицизм, — заметил он.

Звук его голоса заставил Рейчел вздрогнуть. Она посмотрела на Харни, не зная, что ответить.

— Ну... — заколебалась она, — могу ли я предположить, сэр, что речь идет не об инопланетных космических кораблях и не о маленьких зеленых человечках?

Похоже, слова ее позабавили президента.

— Мисс Секстон, я уверен, что это открытие покажется вам куда более интригующим и занятным, чем научно-фантастический фильм.

Рейчел с облегчением подумала, что НАСА еще не опустилось до того, чтобы начать подсовывать первому лицу государства детские сказки. И тем не менее все его замечания лишь усугубляли таинственность происходящего.

— Ну хорошо, — наконец произнесла она, — что бы там ни обнаружило НАСА, время для открытия выбрано просто гениально.

Харни остановился на трапе.

— Гениально? Что вы хотите этим сказать?

— Что хочу сказать? — Рейчел тоже остановилась и внимательно взглянула на собеседника. — Господин президент, НАСА сейчас ведет отчаянную борьбу за выживание, а на вас со всех сторон нападают за то, что вы продолжаете финансировать агентство. В этой ситуации любой серьезный прорыв НАСА оказался бы спасением и для самого космического ведомства, и для вашей избирательной кампании. Все ваши критики наверняка отметят, что это очень своевременное открытие весьма и весьма подозрительно.

— Так, значит... Кем вы меня считаете — лжецом или круглым дураком?

Рейчел смутилась. В горле внезапно пересохло.

— Я вовсе не имела в виду вас, господин президент. Я просто...

— Расслабьтесь. — Едва заметная усмешка искривила губы президента. Он снова стал спускаться по ступеням. — Когда директор космического ведомства рассказал мне об этом открытии, я сначала решительно отверг его как совершенно абсурдное. Обвинил человека в том, что он замышляет самую неудачную политическую фальсификацию в истории.

Рейчел почувствовала себя немного лучше.

Внизу, у основания трапа, Харни остановился, взглянув на спутницу.

— Одна из причин, по которой я просил людей из НАСА не обнародовать открытие, — это их же собственная безопасность. По своему масштабу оно превосходит все, что когда-либо выходило из-под крыла НАСА. Даже высадка людей на Луне покажется по сравнению с ним очень незначительным событием. Каждому из нас, включая меня самого, есть что приобретать — и что терять! — поэтому я решил, что куда благоразумнее сначала перепроверить данные НАСА и лишь после этого выступить перед всеми с официальным объявлением.

Рейчел не верила собственным ушам.

— Но вы же не хотите сказать, сэр, что рассчитываете на меня?

Президент рассмеялся:

— Конечно, нет! Это совсем не ваша область. А кроме того, я уже получил подтверждение по неправительственным каналам.

Рейчел, вздохнувшая было свободно, вновь насторожилась:

— Неправительственные, сэр? То есть вы имеете в виду, что пользовались услугами частного сектора?

Президент кивнул:

— Я собрал комиссию из четырех независимых ученых — людей, не имеющих отношения к НАСА. У них нет ни мировых имен, ни репутации непогрешимых экспертов, которую необходимо защищать. Для наблюдений они использовали собственное оборудование, и выводы их должны быть объективными и беспристрастными. В течение последних двух суток эти ученые полностью подтвердили открытие НАСА, не оставив и тени сомнения.

Рейчел не смогла не уступить такому натиску. Президент защищался с апломбом, вполне характерным для него. Он нанял команду квалифицированных скептиков, совершенно посторонних людей, которым подтверждение открытия НАСА не давало ровным счетом никакой выгоды. Этим Харни надежно оградил себя от нападок и подозрений относительно отчаянного шага НАСА, будто бы предпринятого для того, чтобы хоть как-то оправдать раздутый бюджет, поддержать лояльно настроенного к агентству президента и отразить атаки сенатора Секстона.

— Сегодня вечером, в восемь часов, я соберу в Белом доме пресс-конференцию для того, чтобы объявить миру результаты удивительного открытия НАСА.

Рейчел чувствовала себя подавленно. Ведь до сих пор Харни ничего не сказал ей о сути дела.

— Что же это, в конце концов, за потрясающее открытие?

Президент улыбнулся:

— Сегодня вы поймете, что терпение — истинная добродетель. Вы непременно должны увидеть все собственными глазами. Прежде чем продолжится наша экскурсия, постарайтесь полностью осознать ситуацию. Администратор НАСА готов к встрече с вами. Он расскажет все, что вам необходимо знать. Ну а уж потом мы обсудим вашу роль в этом деле.

Во взгляде президента сквозило предвкушение грядущего триумфа. Рейчел невольно вспомнила слова Пикеринга о том, что Белый дом что-то скрывает. Похоже, он, как всегда, прав.

Харни показал в сторону ближайшего самолетного ангара:

— Следуйте за мной.

Рейчел растерянно подчинилась. Возвышавшееся перед ними строение не имело окон, а огромные ворота были заперты. Но можно было войти через маленькую боковую дверь, распахнутую настежь. В нескольких футах от нее президент остановился.

— Все, дальше вам придется идти одной.

Рейчел колебалась:

— Вы оставляете меня?

— Мне необходимо вернуться в Белый дом. Скоро я свяжусь с вами. Сотовый телефон у вас есть?

— Разумеется, сэр.

— Дайте-ка его мне.

Рейчел достала из сумки телефон и передала президенту, полагая, что тот собирается набрать на нем номер для связи. Но вместо этого он положил телефон в карман.

— Ну вот, теперь вы вне досягаемости, — заметил он, — и с работы вам уже не позвонят. А главное, сегодня вам не удастся ни с кем связаться без моего личного на то разрешения. Или без разрешения администратора НАСА. Понимаете?

Рейчел пристально смотрела на президента. Она не могла поверить, что он украл ее сотовый!

— После того как администратор разъяснит вам суть открытия, по секретным каналам он свяжет нас с вами. Тогда и поговорим. Желаю удачи!

Рейчел окинула взглядом огромный ангар, крошечную дверь и поежилась.

Президент Харни положил ей на плечо руку, словно желая успокоить, и кивнул в сторону двери.

— Уверяю вас, Рейчел, вы не пожалеете о том, что помогли мне.

После этого, ни разу не оглянувшись на нее, Харни сел в ожидавший его неподалеку автомобиль и уехал.

ГЛАВА 12

В полном одиночестве Рейчел Секстон стояла у входа в огромный ангар авиабазы Уоллопс, стараясь разглядеть в темноте его чрева хоть что-нибудь. Однако сразу за порогом начинался абсолютный мрак. Она чувствовала себя так, словно перед ней открылись двери иного мира. Тьма, похожая на пещерную, обдавала прохладой; казалось, она рождает порывы странного колючего ветра, словно здание дышало.

— Эй! — позвала Рейчел дрожащим голосом.

Молчание.

Все больше волнуясь, Рейчел переступила через порог. На мгновение ее накрыл мрак, пришлось остановиться, ожидая, пока глаза привыкнут к темноте.

— Мисс Секстон, полагаю? — раздался в нескольких ярдах от нее мужской голос.

Рейчел едва не подпрыгнула, резко обернувшись на звук.

— Да, сэр.

Из тьмы показалась неясная приближающаяся фигура.

Постепенно глаза Рейчел обрели способность видеть, и она обнаружила, что стоит лицом к лицу с молодым, уверенным в себе, полным энергии и силы самцом. Летный костюм с множеством карманов и кармашков не мог скрыть его мускулистого тела с широкими плечами и мощным торсом.

— Капитан Уэйн Ласигейн, — представился мужчина. — Извините, если напугал, мисс. Здесь темновато. Я еще не успел открыть ворота. — Прежде чем Рейчел успела ответить, он продолжил: — Сочту за честь быть сегодня вашим пилотом и гидом.

— Пилотом? — удивилась Рейчел. — У меня сегодня уже был один пилот. Я ожидала увидеть администратора.

— Так точно, мисс. Мне приказано немедленно доставить вас к нему.

Для того чтобы осознать сказанное, ей потребовалось некоторое время. Судя по всему, странствия на сегодня еще не закончились.

— Так все-таки где же администратор? — уже настороженно поинтересовалась Рейчел.

— Не обладаю такой информацией, мисс, — сдержанно ответил пилот. — Его координаты будут сообщены мне, когда мы окажемся на борту.

Рейчел не сомневалась, что Ласигейн говорит правду. Очевидно, директор Пикеринг и она сама — отнюдь не единственные люди, которых сегодня решили держать в неведении. Президент очень серьезно относился к вопросам безопасности, и

Рейчел не могла не оценить ловкость, с какой он лишил ее связи с миром.

Полчаса в вертолете, и она уже отрезана от всех и от всего. А главное, Пикеринг и понятия не имеет, где ее искать.

Стоя лицом к лицу с пилотом НАСА, Рейчел размышляла о том, что все ее сегодняшние перемещения предопределены заранее. Хочется ей того или нет, она все равно окажется в воздухе с этим типом голливудской внешности. Вопрос лишь в том, куда ее помчат дальше.

Пилот подошел к стене и нажал какую-то кнопку. В дальнем конце ангара начали медленно раздвигаться створки. Свет с улицы показался необыкновенно ярким, четко обрисовав контуры стоящего посреди громоздкого предмета.

От изумления Рейчел едва не вскрикнула. Боже!

Перед ней стоял устрашающего вида черный истребитель. Такого совершенного, внушающего трепет творения рук человеческих Рейчел не видела за всю свою жизнь.

— Господи!.. Что это? — едва шевеля губами, пробормотала она.

— Ваша реакция понятна, мисс. Это «Эф-14», «Томкэт», как мы его называем... вполне надежная и проверенная машина, можете не сомневаться.

«Но это же ракета с крыльями!» — пронеслось в голове у Рейчел, потрясенной зрелищем.

Пилот подвел Рейчел к машине. Кивнул в сторону двойной кабины:

— Вы сядете сзади.

— Правда? — Она натянуто улыбнулась. — Вы действительно хотите меня немножко покатать?

Поверх своей одежды она натянула летный комбинезон и забралась в кабину. Довольно неуклюже втиснулась в узкое кресло.

— Да уж, пилоты НАСА явно не отличаются широкими бедрами, — заметила она.

Ласигейн, пристегивая пассажирку, лишь ухмыльнулся. Потом ловко надел ей на голову шлем.

— Полетим довольно высоко, — пояснил он, — потребуется кислород.

Он вытащил из ящика кислородную маску и начал надевать ее поверх шлема.

— Я и сама могу! — Рейчел протянула руку.

— Конечно, мисс.

Немного помучившись с непривычной конструкцией, она все-таки приспособила ее на шлем. Маска оказалась жутко неудобной и громоздкой.

Пилот внимательно следил за ней. На лице его появился интерес.

— Что-то не так? — с вызовом поинтересовалась пассажирка.

— Нет, мисс, — ухмыльнулся он, — все в порядке. Пакеты под сиденьем. В первый раз почти всем становится плохо.

— Со мной ничего не случится, — заверила Рейчел глухим из-за маски голосом. — Меня никогда не укачивает.

Пилот лишь пожал плечами.

— Моряки говорят то же самое, — спокойно возразил он, — а потом мне приходится убирать за ними.

Рейчел слабо кивнула. Прелестно!

— Есть вопросы до того, как поднимемся в воздух?

На мгновение задумавшись, она постучала по врезавшейся в подбородок маске:

— Она сдавливает мне лицо. Как вы терпите эти штуки в долгих полетах?

Пилот снисходительно улыбнулся:

— Мы просто не надеваем их вверх ногами.

Самолет, ревя двигателями, словно в нетерпении рвался вперед. Рейчел чувствовала себя так, будто сидела в снаряде, ожидая, когда нажмут на гашетку. Но вот пилот сдвинул рычаг газа, хвостовые двигатели, два «Локхида-345», заработали, дождавшись своей очереди, и весь мир задрожал. Рейчел моментально прилипла к спинке сиденья. Истребитель рванул по взлетной полосе и уже через несколько секунд оказался в воздухе. Земля удалялась с головокружительной скоростью. Самолет, возомнив себя ракетой, почти в вертикальном положении набирал высоту. Рейчел закрыла глаза. Не был ли весь сегодняшний день ошибкой? Чьей-то шуткой, розыгрышем? Она ведь должна сидеть сейчас за столом и писать синопсисы. А вместо этого уносится в небо взбесившейся торпедой и дышит через кислородную маску.

К тому времени как «Томкэт» на высоте сорока пяти тысяч футов перешел в горизонтальный полет, его пассажирка из последних сил боролась с тошнотой. Пыталась заставить себя сосредоточиться на чем-то постороннем. Взглянула вниз, на океан, и неожиданно ощутила себя безнадежно оторванной от дома.

Пилот, сидящий перед ней, разговаривал с кем-то по рации. Закончив, он неожиданно резко дернул какую-то ручку. Сразу же положение машины изменилось на почти вертикальное, и Рейчел почувствовала, как желудок ее совершил кульбит. Но самолет скоро снова выровнялся.

Рейчел застонала.

— Вы не могли бы предупреждать?

— Прошу прощения, мисс, мне только что сообщили, куда именно я должен доставить вас.

— Сейчас отгадаю, — предложила она, — нам на север?

Казалось, пилот растерялся.

— Откуда вам это известно?

Рейчел вздохнула. Ох уж эти асы, обученные на компьютерных тренажерах!

— Сейчас девять утра, солнце справа, а значит, мы летим на север.

Ответом ей было долгое молчание.

— Да, мисс, вы правы, — наконец собрался с духом летчик, — нам предстоит путешествие на север.

— И как далеко нам предстоит путешествовать?

Пилот сверил координаты.

— Приблизительно три тысячи миль.

Рейчел резко выпрямилась:

— Что?! — Она попыталась представить карту, но не смогла вообразить такое огромное расстояние. — Четыре часа полета!..

— При такой скорости, как сейчас, — да, — невозмутимо согласился пилот. — Пожалуйста, держитесь.

Прежде чем Рейчел смогла как-то прореагировать, крылья самолета изменили форму. Через мгновение она ощутила, как ее опять с силой вжало в сиденье. Самолет настолько мощно рванулся вперед, что стало казаться, будто до этого он стоял на месте. А еще через минуту они мчались со скоростью почти полторы тысячи миль в час.

Рейчел стало совсем плохо. Облака проносилось мимо с чудовищной скоростью. Волнами накатывала мучительная тошнота. В голове прозвучал отголосок слов президента: «Уверяю вас, Рейчел, вы не пожалеете о том, что помогли мне...»

Громко застонав, она пошарила рукой под сиденьем. Никогда не доверяй политикам!

ГЛАВА 13

Сенатор Секстон терпеть не мог такси за их плебейскую грязь. Однако по дороге к славе порой приходится терпеть и неудобства.

Обшарпанный драндулет довез его до нижнего гаража отеля. В подобном способе передвижения было нечто, чего не мог дать роскошный лимузин, а именно анонимность.

Приятно было видеть, что нижний гараж совершенно пуст. Лишь несколько пыльных машин разнообразили монотонность цементного леса колонн. Сенатор прошел через гараж по диагонали, на ходу машинально взглянув на часы.

Четверть двенадцатого. Точь-в-точь.

Человек, с которым Секстону предстояло встретиться, всегда делал акцент на пунктуальности. Впрочем, учитывая все обстоятельства, в частности, то, кого именно он представлял, он имел полное право делать акцент на чем угодно.

Секстон увидел белый фургончик «форд-уиндстар», припаркованный в том же месте, что и во время их прошлых встреч, — в восточном углу гаража, позади мусорных баков. Секстон предпочел бы встретиться где-нибудь повыше, например, в апартаментах отеля, но предосторожности, конечно, были полностью оправданы. Те, кого представлял этот человек, взлетели так высоко отнюдь не с помощью безоглядной лихости.

Секстон направился к фургону, ощущая знакомое волнение, всегда подступающее в подобные моменты, за минуту до встречи. Заставив себя распрямить плечи, жизнерадостно улыбнувшись и приветливо взмахнув рукой, он забрался на пассажирское сиденье. Темноволосый джентльмен на водительском месте не потрудился улыбнуться в ответ. Ему было почти семьдесят, однако смуглое, с жестким выражением лицо излучало силу, вполне подобающую той должности, которую он занимал, — главы целой армии отчаянных фантазеров и бесшабашных авантюристов.

— Закройте дверь, — холодно приказал он.

Секстон подчинился, благосклонно снося грубость партнера. В конце концов, этот невежда представлял тех, кто ворочает огромными деньгами, значительная часть которых недавно перетекла в водоемы, что питали успех сенатора, поставив его на порог самого желанного и многообещающего кабинета в мире. Секстон начал понимать, что цель этих встреч — не столько уточнять и координировать его стратегию, сколько регулярно напоминать ему, в какой мере он обязан благодетелям своим успехом. Да, эти люди ожидали от своих вложений серьезных дивидендов. Та «отдача», о которой они сразу условились, поражала своей дерзостью. И все же, хотя это и кажется невероятным, если бы сенатору удалось попасть в Овальный кабинет, он смог бы выполнить их требования.

— Насколько я понимаю, — заговорил Секстон, зная, что связной не любит ходить вокруг да около, — очередной взнос уже сделан?

— Именно. Как обычно, вы можете свободно использовать эти деньги в целях избирательной кампании. Нам было приятно узнать, что общественное мнение заметно сдвинулось в вашу сторону. Похоже, ваши менеджеры умело использовали средства.

— Да, мы быстро набираем очки.

— Я по телефону уже сказал, — продолжал старик, — что убедил еще шестерых встретиться с вами сегодня вечером.

— Отлично.

Секстон мысленно назначил для этого время.

Старик протянул ему папку:

— Вот информация. Изучите ее. Они хотят быть уверены, что вы полностью осознаете их проблемы. И хотят знать о вашей готовности помочь. Я предлагаю встретиться с ними у вас дома.

— Дома? Но обычно я встречаюсь...

— Сенатор, эти шесть человек управляют компаниями, активы которых намного превосходят все, что вы имели до сих пор. Эти люди — очень крупная рыба, и они очень осторожны. Мне стоило немалых трудов убедить их встретиться с вами. Не забудьте, к ним потребуется особый подход. Персональное внимание к каждому.

Секстон согласно кивнул:

— Я все понял. И могу организовать встречу дома.

— Им потребуется полная секретность.

— То же самое необходимо и мне.

— Удачи, — пожелал старик. — Если сегодня вечером все пройдет гладко, встреча может оказаться последней. Будьте уверены, эти люди в состоянии обеспечить все необходимое, чтобы поднять сенатора Секстона на самую вершину.

Сенатору эти слова понравились. Он улыбнулся старику.

— Если удача окажется на нашей стороне, друг мой, то после выборов мы все будем праздновать победу.

— Победу? — Старик нахмурился, окинув Секстона осуждающим взглядом. — Нет уж! Место в Белом доме — лишь первый шаг на пути к победе, сенатор. Надеюсь, вы это не забудете.

ГЛАВА 14

Белый дом — одна из самых маленьких президентских резиденций в мире. Ее длина сто семьдесят футов, ширина восемьдесят футов, а площадь лишь восемнадцать акров ухоженной земли. План дома создал архитектор Джеймс Хобан. Конечно, замысел не отличался оригинальностью, однако был выбран в открытом конкурсе дизайнерских проектов специальной комиссией, оценившей его как «привлекательный, достойный и гибкий». Здание являло собой похожее на ящик сооружение с ребристой крышей, балюстрадой и украшенным колоннами парадным входом.

Президент Зак Харни провел в Белом доме уже три с половиной года, однако редко чувствовал себя здесь уютно. Его стесняло и смущало это собрание канделябров и других старинных вещей, охраняемое вооруженными морскими пехотинцами. Но сейчас, шагая в сторону Западного крыла, Зак ощущал странный подъем и легкость, а ноги сами несли его по мягкому толстому ковру.

Несколько служащих Белого дома при его приближении оторвались от своих дел. Харни махал рукой и приветствовал каждого по имени. Ответные приветствия звучали хотя и вежливо, но достаточно сухо, а улыбки выглядели искусственными.

— Доброе утро, господин президент.

— Приятно видеть вас, господин президент.

— Добрый день, сэр.

Направляясь в кабинет, президент ощущал у себя за спиной переглядывания и перешептывания. В Белом доме назревал мятеж. В течение последних недель разочарованность в доме номер 1600 по Пенсильвания-авеню выросла до такой степени, что Харни чувствовал себя почти капитаном Блаем: он словно командовал кораблем, который готовился к бунту.

Президент не винил их. Его люди трудились на протяжении долгих, тяжелых дней и недель, чтобы принести ему победу на предстоящих выборах, и вот сейчас, совершенно внезапно, их лидер словно потерял ко всему интерес.

«Скоро они все поймут, — попытался успокоить себя Харни, — скоро я вновь окажусь героем».

Ему было неприятно так долго держать собственных сотрудников в неведении, но секретность в этом деле казалась жизненно необходимой. Стены Белого дома были слишком ненадежным препятствием для распространения секретов.

Харни вошел в приемную Овального кабинета и приветливо кивнул секретарше:

— Вы сегодня очаровательно выглядите, Долорес.

— И вы тоже в прекрасной форме, сэр, — вежливо ответила та, неодобрительно оглядывая облачение президента.

Харни понизил голос:

— Попрошу вас организовать мне одну встречу.

— С кем, сэр?

— Со всеми сотрудниками Белого дома.

Секретарша удивилась:

— Со всеми вашими сотрудниками, сэр? Со всеми ста сорока семью сотрудниками?

— Именно так.

Долорес выглядела смущенной.

— Хорошо. А где их собрать? В зале для пресс-конференций?

Харни отрицательно покачал головой:

— Нет. Давайте сделаем это в моем кабинете.

Секретарша не смогла сдержать своих чувств:

— Вы хотите видеть всех в Овальном кабинете?

— Да-да, вы правильно поняли.

— И всех одновременно, сэр?

— Почему бы и нет? Назначьте встречу на четыре часа.

Секретарша кивнула, соглашаясь — как соглашаются, чтобы успокоить душевнобольного.

— Хорошо, сэр. А тема встречи?..

— Сегодня вечером я должен сделать американскому народу важное заявление. И хочу, чтобы мои ближайшие сотрудники услышали его первыми.

На лице секретарши внезапно появилось тревожное, даже испуганное выражение, словно она ожидала чего-то ужасного. Она поинтересовалась почти шепотом:

— Сэр, не хотите же вы сказать, что отказываетесь от дальнейшей борьбы за второй срок?

Харни рассмеялся:

— Ради Бога, только не это, Долорес! Я прямо-таки рвусь в бой!

Секретарша явно не спешила поверить в это. Средства массовой информации в один голос кричали, что президент игнорирует предстоящие выборы.

Харни весело подмигнул:

— Долорес, все эти годы вы так замечательно, преданно мне служили! Но вам придется поработать с таким же упорством еще четыре года. Клянусь, в этот раз мы не покинем Белый дом!

Теперь Долорес смотрела на него так, словно очень хотела верить его словам.

— Да, сэр. Я обязательно соберу всех. Ровно в четыре.

* * *

Входя в Овальный кабинет, Зак Харни не мог сдержать улыбку: он представил, как все его сотрудники столпятся в этой кажущейся совсем небольшой комнате.

Знаменитый кабинет за свою долгую историю приобрел множество различных прозвищ. Как только его не называли: мужская комната, берлога Дика, спальня Клинтона. Харни предпочитал называть его «ловушкой для омаров». Это казалось самым подходящим. Каждый раз, когда в кабинет входил новый человек, он моментально терял равновесие и точку опоры. Симметрия комнаты, ее мягко закругляющиеся стены, искусно замаскированные двери, отдельные для входа и выхода, заставляли посетителя ощущать некое подобие головокружения и даже расстройство зрения. Нередко какой-нибудь важный человек, поднявшись после беседы с президентом, торжественно пожимал хозяину кабинета руку и целеустремленно направлялся прямиком в шкаф. Дальнейшее зависело от исхода встречи: президент или сразу останавливал гостя, или же с интересом наблюдал, как тот смущенно пытается выпутаться из затруднительного положения.

Харни всегда считал, что самой важной и эффектной особенностью Овального кабинета является многоцветный американский орел, вытканный на ковре, покрывающем пол. Левой лапой птица сжимает оливковую ветвь, а правой — пучок стрел. Мало кому из посторонних было известно об одной интересной детали: в мирное время орел смотрел влево, по направлению оливковой ветви. Когда США вступали в войну, он таинственным образом поворачивал голову вправо, в сторону стрел. Секрет этого небольшого, но очаровательного трюка служил постоянным источником раздумий для всех сотрудников аппарата, поскольку лишь сам президент и руководитель хозяйственной части знали, как это делается. Когда пришло его время, Харни с разочарованием обнаружил, что все объясняется чересчур просто: в подвале в кладовой хранился еще один овальный ковер, и при необходимости ночью их меняли местами.

Сейчас, взирая на мирно смотрящего влево орла, Харни улыбнулся собственной мысли: а что, если в честь небольшой войны, которую он намерен развернуть против сенатора Седжвика Секстона, сменить ковер?

ГЛАВА 15

Американское военное подразделение «Дельта» — единственная команда, которая президентским указом полностью ограждена от власти закона.

Директива президента за номером двадцать пять обеспечивает служащим подразделения «Дельта» «полную свободу от юридической подотчетности», в том числе выводит из-под действия акта «Posse Comitatus» — документа, предписывающего наказание для всякого, кто использует военную силу в личных интересах, с целью нарушения закона или для несанкционированных тайных операций.

Набор в подразделение «Дельта» ведется из служащих Группы военных действий — организации при Специальной оперативной команде, базирующейся в штате Северная Каролина, в местечке Форт-Брэгг.

Бойцы подразделения «Дельта» — хорошо обученные и вышколенные убийцы, специалисты по освобождению заложников, асы в разного рода спецоперациях, внезапных рейдах, в уничтожении замаскированных сил врага.

Задания, выполняемые подразделением «Дельта», обычно характеризуются высоким уровнем секретности, поэтому традиционная многоуровневая система руководства заменена здесь единоличным командованием. Во главе спецгруппы встает один-единственный человек, взваливающий на свои плечи всю тяжесть принятия решений и ответственности за предпринимаемые действия. Этим руководителем обычно становится опытный военный или правительственный чиновник высокого ранга, обладающий к тому же значительными влиянием и авторитетом, необходимыми при выполнении сложных заданий. Все миссии, возлагаемые на подразделение «Дельта», характеризуются высшей степенью сложности. Выполнив задание, бойцы никогда больше его не обсуждают — ни между собой, ни с командирами.

«Вылетаем. Сражаемся. Забываем».

Команде подразделения «Дельта», заброшенной в пустынную местность выше восемьдесят второй параллели, не нужно было никуда лететь и сражаться. Она просто наблюдала.

Дельта-1 вынужден был признать, что нынешнее задание — самое необычное в его практике. Однако он давно научился ничему не удивляться. За последние пять лет ему довелось участвовать в освобождении заложников на Ближнем Востоке, выслеживать и уничтожать террористические группировки в самих Соединенных Штатах и даже содействовать тайному бесследному исчезновению нескольких представляющих опасность мужчин и женщин в разных частях света.

Всего месяц назад его команде пришлось с помощью летающего миниатюрного робота организовать сердечный приступ со смертельным исходом. В результате в одной из стран Южной Америки скончался крупный и влиятельный наркобарон. Дельта-2 запустил робота, оснащенного титановой иглой толщиной с волос, через окно второго этажа. Микробот проник в дом, нашел спальню и сделал спящему «клиенту» укол препарата, резко сужающего сосуды. После чего вылетел обратно на улицу, не оставив после себя ни следа. А «клиент» через некоторое время проснулся от боли в сердце. Когда его жена вызывала «скорую», команда подразделения «Дельта» уже летела домой.

Никакого шума, взломов, нападений, никакой борьбы и стрельбы.

Смерть, вызванная естественными причинами.

Все было сделано самым изящным образом.

Пару недель назад еще один микробот, внедренный в офис небезызвестного сенатора, запечатлел очень интересную сексуальную сцену. Команда шутливо определила это задание как «проникновение за линию фронта».

Сейчас, после почти десяти дней, проведенных в палатке на наблюдательном пункте, словно в ловушке, Дельта-1 готовился к завершению миссии.

Оставаться в засаде.

Наблюдать за куполом — и снаружи, и изнутри.

Сообщать контролеру обо всех непредвиденных ситуациях на объекте.

Дельта-1 прошел специальную подготовку и никогда не испытывал никаких эмоций относительно получаемых заданий. Но эта операция все же заставила и его с товарищами немного поволноваться, когда они готовили первый отчет. Отчет проходил заочно — по секретным каналам электронной связи. Дельта-1 не мог сказать, кто именно принимал их отчеты.

Он занимался приготовлением протеиновой еды, когда неожиданно зазвучали все личные хронометры команды. Через несколько секунд ожил аппарат криптографической связи. Дельта-1 схватил трубку. Товарищи молча наблюдали.

— Дельта-1, — произнес он в трансмиттер.

Расположенная внутри аппарата компьютерная программа распознавания голоса зафиксировала оба произнесенных слова. Каждому слову был присвоен референтный номер, тут же зашифрованный и отправленный адресату. Аналогичный прибор на другом конце связи расшифровал номера и при помощи заранее составленного тезауруса снова перевел их в слова. Синтезированный голос озвучил их. Весь процесс занял восемьдесят миллисекунд.

— На связи контролер, — произнес человек, руководивший операцией. Криптограф передавал его слова неживым, бесполым тембром. — Доложите обстановку.

— Все идет точно по плану, — ответил Дельта-1.

— Прекрасно. У меня имеются временны́е коррективы. Информация будет обнародована сегодня в восемь вечера по восточному времени.

Дельта-1 сверился с хронометром. Оставалось восемь часов. Скоро их работа здесь закончится.

— Еще изменения, — произнес контролер. — На сцене новый игрок.

— Какой новый игрок?

Дельта-1 внимательно слушал. Интересная игра. Кто-то там, далеко, играет ва-банк.

— Вы считаете, ей можно доверять?

— Надо очень внимательно за ней следить.

— А если последуют неприятности?

Контролер не колебался:

— Все распоряжения остаются в силе.

ГЛАВА 16

Вот уже час Рейчел Секстон летела на север. На протяжении всего пути она видела внизу лишь воду. Только один раз промелькнула земля — Ньюфаундленд.

— Ну почему же столько воды? — пробормотала она.

В возрасте семи лет, катаясь на коньках по замерзшему пруду, Рейчел провалилась под лед. Оказавшись в страшной ловушке, она уже не сомневалась, что умрет, когда неожиданно сильные руки матери вытащили ее из воды. С того страшного дня Рейчел нередко испытывала ужасные приступы гидрофобии. Особенно пугали ее бескрайние морские пространства и холодная вода. И вот сейчас, когда вокруг не было ничего, кроме неба и Северного Ледовитого океана, страх снова пробудился в ней.

До той минуты, когда Ласигейн вышел на связь с военной базой Туле на севере Гренландии, чтобы сверить координаты, Рейчел и не представляла, как далеко они залетели.

Неужели они за Полярным кругом? Открытие оказалось не из приятных. Куда ее везут? Что такое обнаружило НАСА?

Вскоре серо-голубое пространство внизу покрылось тысячами белых точек.

Айсберги.

Рейчел видела айсберги всего лишь раз в жизни. Произошло это шесть лет назад, когда мать уговорила ее поехать с ней в круиз к берегам Аляски. Рейчел упорно предлагала множество других вариантов совместного путешествия. Естественно, по земле, а не по воде.

— Рейчел, милая, — бархатно ворковала мать, — но ведь две трети планеты покрыты водой. Так что рано или поздно тебе придется иметь с ней дело.

Миссис Секстон представляла собой образец неунывающей дамы из Новой Англии. Она хотела видеть в дочери сильную личность.

Этот круиз стал последним их с матерью путешествием.

Кэтрин Уэнтворд Секстон. Рейчел ощутила внезапную тоску одиночества. Подобные завывающему за обшивкой самолета ветру, в душу хлынули воспоминания — так же стремительно, как и всегда. Последний раз они с матерью разговаривали по телефону. Это было утро Дня благодарения.

— Извини, мам. — Рейчел позвонила домой из занесенного снегом аэропорта О'Хара. — Я знаю, что в нашей семье никогда не проводили День благодарения врозь. Но похоже, что сегодня это произойдет.

Казалось, мать ужасно расстроилась.

— Я так мечтала тебя увидеть!

— Да и я тоже. Когда будете с папой смаковать индейку, представляй себе, как я здесь, в аэропорту, питаюсь всякой гадостью.

Повисло долгое молчание. Потом миссис Секстон вновь заговорила, но ее голос звучал как-то странно.

— Дочка, я не хотела говорить до твоего приезда, но отец утверждает, что слишком занят и не сможет в этом году выбраться на праздник домой. Останется в своей квартире там, в Вашингтоне, на весь уик-энд.

— Что?! — Рейчел не смогла скрыть изумления, но оно тут же сменилось гневом. — Ведь это же День благодарения! Сенат не заседает! А до дома ему добираться меньше двух часов! Он просто обязан быть с тобой!

— Я знаю. Но он говорит, что измучился. Слишком устал, чтобы вести машину. И решил поработать в выходные.

— Поработать?

В вопросе слышалось явное недоверие. Скорее всего сенатор Секстон намерен погрузиться в общение с другой женщиной. Его измены жене, которые он пытался скрывать, начались много лет назад. Миссис Секстон не была дурочкой, но интрижки мужа всегда сопровождались убедительным алиби и болезненным неприятием малейшего подозрения в неверности. В конце концов миссис Секстон решила, что единственный возможный выход для нее — просто не обращать внимания на похождения супруга.

Рейчел пыталась убедить мать в необходимости развода, однако Кэтрин Уэнтворд Секстон умела держать слово.

— «Пока смерть не разлучит нас», — процитировала она. — Твой отец подарил мне тебя, прекрасную, замечательную дочь. За это я ему благодарна. А за свои поступки он когда-нибудь сам ответит перед высшим судом.

И вот, находясь в аэропорту, Рейчел буквально кипела от гнева.

— Но тебе придется провести День благодарения в одиночестве!..

Она едва сдерживалась. Бросить семью в День благодарения — это было чересчур даже для сенатора Секстона.

— Ну... — бодро сказала миссис Секстон, — разумеется, я не могу позволить всей этой еде испортиться. Отвезу к тетушке Энн. Она ведь всегда приглашала нас на День благодарения. Позвоню прямо сейчас.

Рейчел ощутила, как острое чувство вины чуть отступило.

— Договорились. А я приеду домой сразу, как только смогу. Целую, мамочка.

— Счастливо долететь, милая.

В десять тридцать вечера такси, в котором ехала Рейчел, наконец свернуло на аллею роскошного поместья Секстонов. Она сразу поняла: что-то случилось. Возле дома — три полицейских машины. Несколько телевизионных фургончиков. Во всем доме горит свет. С бешено колотящимся сердцем Рейчел взлетела по ступеням.

Полицейский встретил ее в дверях. Лицо его было мрачным и угрюмым. Говорить ему ничего не пришлось. Рейчел поняла без слов. Произошел несчастный случай.

— Шоссе номер 25 сейчас очень скользкое — шел дождь, а потом подмерзло, — пояснил офицер. — Машина вашей матери вылетела в глубокий овраг. Мне очень жаль. Она погибла мгновенно.

Рейчел словно окоченела. Отец, вернувшийся домой сразу, как только получил сообщение, давал интервью в гостиной. Он объявлял всему миру, что его жена погибла в автомобильной катастрофе, возвращаясь с семейного обеда в честь Дня благодарения.

Рейчел стояла в коридоре. Теперь ее душили рыдания.

— Единственное, чего бы я хотел, так это иметь возможность быть в праздник дома, рядом с ней. Тогда этого бы не случилось, — говорил отец, глядя в камеру. Его глаза были полны слез.

— Тебе бы подумать об этом давным-давно, много лет назад, — плакала Рейчел.

Ненависть к отцу крепла с каждой минутой.

Именно с этого дня Рейчел мысленно разошлась с отцом. Она сделала то, что упорно отказывалась делать мать. Сенатор, впрочем, едва ли заметил это. Он тут же пустил состояние покойной жены в оборот, начав хлопотать, чтобы партия выдвинула его кандидатуру на президентских выборах. То, что он использует естественное стремление людей сочувствовать чужому горю, вовсе его не смущало.

И вот три года спустя сенатор снова обрекал ее на одиночество. Стремление отца во что бы то ни стало попасть в Белый дом отодвигало в неопределенную перспективу осуществление мечты Рейчел о встрече с единственным мужчиной, о создании семьи. Ей было бы намного легче устраниться от всех политических игр, чем иметь дело с нескончаемой вереницей жадных до власти вашингтонских женихов, стремящихся овладеть сердцем одинокой и печальной потенциальной «первой дочери» страны, пока она еще не сделала свой выбор.

За стеклом кабины «Эф-14» дневной свет начал понемногу меркнуть. В Арктике стояла поздняя зима. Время полярной ночи. Рейчел наблюдала, как все вокруг погружается в темноту.

Наконец солнце окончательно исчезло за горизонтом. Самолет, не меняя курса, летел на север. Появилась сияющая луна в третьей четверти. В ледяном прозрачном воздухе она висела неровным белым овалом. Далеко внизу мерцали океанские волны, а айсберги напоминали бриллианты на темном бархате с блестками.

В конце концов Рейчел заметила туманные очертания земли. Но это оказалось совсем не то, что она ожидала увидеть. Впереди из океана выступал огромный, покрытый снегами горный хребет.

— Горы? — растерянно спросила Рейчел. — Неужели к северу от Гренландии есть горы?

— Очевидно, — ответил пилот.

Казалось, он был удивлен ничуть не меньше.

Нос «Эф-14» ушел вниз, и Рейчел ощутила головокружение невесомости. Сквозь нескончаемый звон в ушах она слышала ритмичный электронный писк. Очевидно, пилот настроился на какой-то маяк и ориентировался по нему.

Они опустились ниже трех тысяч футов, и теперь можно было разглядеть массивы залитой лунным светом земли. У подножия гор простиралась обширная снежная равнина. Плоскость плавно изгибалась, опускаясь к океану, на протяжении примерно десяти миль, а потом внезапно упиралась в ледяную скалу, уходящую другим склоном в воду.

Только теперь Рейчел увидела это. Зрелище, подобное которому трудно даже представить здесь, на земле. Сначала она решила, что это играет в свои колдовские игры луна. Прищурившись, начала рассматривать снежную равнину внизу, но все равно не могла понять, что же там такое. Чем ниже опускался самолет, тем яснее вырисовывалась картина.

— Что же это? Ради Бога, что это такое?

Плато внизу, под самолетом, казалось полосатым... словно кто-то раскрасил снег тремя гигантскими мазками серебряной краски. Мерцающие призрачные полосы тянулись параллельно прибрежным скалам. Лишь когда самолет опустился до пятисот футов, оптическая иллюзия прояснилась. Три серебряных полосы оказались глубокими впадинами, каждая шириной примерно в тридцать ярдов. Заполненные замерзшей водой широкие каналы, идущие параллельно.

Самолет начал быстро снижаться, и плато под его крыльями запрыгало и закачалось, словно при сильной буре. Рейчел услышала, как с тяжелым скрипом выдвинулось шасси, однако посадочной полосы нигде не было. Пилот сражался с машиной, а Рейчел тем временем внимательно рассматривала землю. Наконец она заметила две мерцающие линии, тянущиеся по крайней серебристой полосе. И с ужасом поняла, что именно собирается предпринять пилот.

— Мы садимся на лед? — Она не спросила, а потребовала ответа.

Летчик ничего не ответил. Казалось, все его внимание сосредоточено на борьбе с бешеным ветром. Самолет резко сбросил скорость, а потом почти упал на ледяную трассу. Внутри у Рейчел все перевернулось в который уже раз. Высокие снежные завалы потянулись по обе стороны машины. Рейчел затаила дыхание, прекрасно сознавая, что малейшая ошибка пилота будет означать неминуемую смерть. Самолет опустился между сугробами еще ниже, и внезапно тряска прекратилась. Оказавшись вне досягаемости ветра, самолет аккуратно коснулся льда.

Взревели двигатели задней тяги, тормозя самолет. Рейчел наконец позволила себе выдохнуть. Машина продвинулась еще примерно на сотню ярдов и остановилась точно у красной линии, нанесенной спреем прямо на лед.

Справа пейзаж ограничивался мерцающей в лунном свете ледяной стеной. Слева — то же самое. Только сквозь ветровое стекло Рейчел могла что-то рассмотреть... это что-то было бесконечным заснеженным пространством. Ощущение было такое, словно после долгого полета они приземлились на мертвую планету. Единственным признаком жизни служила красная полоса на льду.

А потом Рейчел услышала... Издалека приближался звук другого двигателя. Тон его казался выше. Шум становился все громче, и наконец машина возникла в поле зрения. К ним приближался большой снегоход. Он тяжело пробирался вдоль ледяной ложбины. Высокий, разлапистый, он напоминал огромное фантастическое насекомое, шагающее на мощных, все сметающих на своем пути ногах. Вознесенная на верхотуру плексигласовая кабина была снабжена мощными фарами, посылающими вперед и вокруг широкие полосы света.

Снегоход, задрожав, замер рядом с самолетом. Дверь кабины открылась, и по лестнице на лед спустился человек. Он был одет в толстый белый комбинезон и казался словно надутым.

Безумный Макс встречается с Пончиком Пиллсбери, невольно подумала Рейчел. Увидеть, что странная планета в действительности населена, необыкновенно приятно.

Человек знаком показал, чтобы пилот откинул фонарь кабины.

Тот исполнил требуемое.

Едва кабина открылась, поток холодного воздуха моментально пробрал все существо Рейчел и, казалось, заморозил ее до глубины души.

«Закройте же этот чертов фонарь!»

— Мисс Секстон? — обратилась к ней белая надутая фигура. — Я приветствую вас от имени НАСА.

Рейчел тряслась от холода. «Вот уж спасибо!»

— Будьте добры, отстегните ремни, снимите шлем и оставьте его в кабине, а потом спуститесь, держась за выступы на фюзеляже. Вопросы есть?

— Есть! — прокричала в ответ Рейчел. — Где, черт возьми, я нахожусь?

ГЛАВА 17

Марджори Тенч — старший советник президента — больше походила на ходячий скелет, а не на живого человека. Ее костлявая фигура высотой в шесть футов напоминала конструкцию, собранную из отдельных деталей — конечностей, сочленений. Над всем этим непрочным сооружением возвышалась, покачиваясь, голова с желтушным лицом, словно вырезанным из пергамента, с двумя отверстиями ничего не выражающих глаз. В пятьдесят один год она выглядела на все семьдесят.

Тенч в Вашингтоне глубоко почитали. Она имела репутацию богини политического олимпа. Говорили, что ее аналитические способности граничат с ясновидением. Десять лет работы в разведывательном бюро госдепартамента помогли отточить критически мыслящий ум до убийственной остроты. К сожалению, вместе с политической прозорливостью выработался и ледяной темперамент.

Как правило, люди выдерживали общение с ней не дольше десяти минут. Природа наградила Марджори Тенч всеми свойствами самого совершенного, мощного компьютера, в том числе его эмоциональностью и душевной теплотой. Однако президент Зак Харни с легкостью выносил характер этой дамы. Ведь это именно ее интеллект и работоспособность привели его к власти.

— Марджори! — Президент встал, чтобы поприветствовать входящую в Овальный кабинет даму. — Чем могу помочь?

Он не предложил ей присесть. Общепринятые нормы вежливости теряли свою актуальность в присутствии особ, подобных Марджори Тенч. Если Тенч желала сесть, то она и без всякого приглашения прекрасно могла это сделать.

— Насколько я поняла, сегодня в четыре часа вы собираете пресс-конференцию для сотрудников. — Прокуренный голос ее звучал хрипло. — Это превосходно.

Тенч мгновение помолчала, и президент почувствовал, как работает механизм ее компьютера. Он испытывал к ней искреннюю признательность. Среди сотрудников аппарата Белого дома Марджори Тенч была одной из тех немногих избранных, кто находился в курсе новейших разработок НАСА, в том числе и последнего открытия. Ее политическая интуиция помогала президенту принимать решения и разрабатывать стратегию.

— Дебаты на Си-эн-эн сегодня в час, — кашлянув, заметила советница. — Кого мы пошлем на спарринг с Секстоном?

Харни улыбнулся:

— Кого-нибудь из младших сотрудников, участвующих в избирательной кампании.

Прием целенаправленного унижения соперника стар, как сама практика политических дебатов. Противнику просто подсовывают для «отстрела» самую мелкую дичь.

— Есть идея получше, — заметила Тенч, заглядывая своими невыразительными глазами в глаза президента. — Позвольте мне самой туда отправиться.

Зак Харни непроизвольно вскинул голову:

— Вы? — О чем, интересно, она думает? — Марджори, но ведь общение с прессой не входит в ваши обязанности. А кроме того, это дневное шоу для кабельного телевидения. И если я отправлю своего старшего советника участвовать в нем, то какое впечатление это произведет? Все решат, что мы запаниковали.

— Совершенно верно.

Харни внимательно посмотрел на советника. Какую бы сложную схему она ни придумала, он ни за что не позволит ей принять участие в дебатах на Си-эн-эн. Каждый, кто хоть раз видел эту умнейшую даму собственными глазами, знал, почему она работает за кулисами. Выглядела она просто ужасно — совсем не с такой внешностью следует представать перед широкими массами, чтобы донести до них идеи Белого дома.

— Я займусь этими дебатами, — решительно повторила советник.

Она уже не спрашивала разрешения.

— Марджори! — Президент попытался подсластить пилюлю. — Люди Секстона непременно заявят, что ваше присутствие на Си-эн-эн означает не что иное, как панику и тревогу в Белом доме. Мы не можем слишком рано выставлять тяжелую артиллерию. Это будет выглядеть так, словно мы отчаялись.

Марджори спокойно кивнула и закурила сигарету.

— Чем отчаяннее мы выглядим, тем лучше.

В течение следующих шестидесяти секунд Марджори Тенч убедительно продемонстрировала президенту, почему он должен послать на теледебаты именно ее, а не какую-нибудь мелкую рыбешку. Когда она замолчала, президенту уже нечего было оспаривать. Он лишь изумленно моргал.

Марджори Тенч еще раз доказала свой политический гений.

ГЛАВА 18

Шельфовый ледник Милна представляет собой самую обширную ледовую поверхность в северном полушарии. Расположенный выше восьмидесятой параллели на северном побережье арктического острова Элсмир, этот кусок льда насчитывает четыре километра в ширину. Толщина же его более трехсот футов.

Когда Рейчел забралась в плексигласовую кабину снегохода, она по достоинству оценила теплую куртку и рукавицы, которые ожидали ее на сиденье. Весьма кстати оказалась и работавшая в кабине печка. Снаружи, на ледовой взлетной полосе, вновь взревели двигатели «Эф-14». Самолет разгонялся.

Рейчел с тревогой посмотрела ему вслед:

— Он что, улетает?

Ее новый провожатый уселся на водительское место и кивнул:

— Здесь могут находиться исключительно научные сотрудники и команда непосредственной поддержки НАСА.

Самолет взмыл в темное небо, и Рейчел почувствовала себя так, словно ее оставили на необитаемом острове.

— Мы с вами поедем на снегоходе, — успокоил ее сопровождающий, — администратор уже ждет вас.

Рейчел взглянула на простиравшуюся впереди серебристую ледовую дорогу и постаралась представить, какого черта здесь делает администратор НАСА.

— Держитесь! — скомандовал водитель, нажимая на какие-то рычаги.

Со скрипом и рычанием машина развернулась на девяносто градусов, словно тяжелый танк. Рейчел взглянула на крутой склон и в очередной раз испугалась. Не собирается же он...

— Рок-н-ролл!

Водитель сдвинул рычаг, и, набирая скорость, машина направилась прямиком к склону. Рейчел негромко вскрикнула и ухватилась за поручень. Удивительная машина врезалась в стену, шипованные гусеницы вгрызлись в лед, и они поползли вверх по склону. Рейчел не сомневалась, что с минуты на минуту машина перевернется, однако, как ни странно, кабина сохраняла горизонтальное положение на протяжении всего восхождения. Когда гигантский паук оказался на вершине горы, водитель повернулся и с улыбкой взглянул на побелевшую от ужаса пассажирку:

— Недурно, правда? Принцип мы позаимствовали у марсохода. Работает безотказно!

Рейчел слабо кивнула:

— Здорово!

С вершины ледяного увала она окинула взглядом немыслимый пейзаж. Невдалеке возвышалась еще одна гряда, а за ней волнообразный рельеф переходил в плоскость — слегка наклонное, сияющее белизной пространство. Залитая лунным светом равнина уходила вдаль, сужаясь и змеей извиваясь между гор.

— Ледник Милна. — Водитель показал на горы. — Начинается он вон там и спускается в эту широкую низину, где мы с вами находимся.

Он снова включил двигатель, и Рейчел пришлось опять покрепче ухватиться за поручень. Теперь машина набирала скорость, спускаясь со склона. Внизу они пересекли еще одну ледяную реку и взобрались на вторую снежную гряду. Быстро спустившись с другой стороны, выбрались на гладкую поверхность и начали пробираться через ледник.

— Далеко еще?

Рейчел не видела вокруг ничего, кроме льда.

— Примерно две мили.

Рейчел подумала, что это очень далеко. Ветер безжалостно бил по кабине, словно стараясь перевернуть снегоход.

— Ветер дует сверху, — прокричал водитель, — постарайтесь привыкнуть к нему!

Он объяснил, что для здешних мест это обычное явление — ветер, дующий с гор вниз, по направлению к морю. Холодный воздух словно стекал по ледяной поверхности гор, подобно стремительной реке.

— Это единственное место на земле, — смеясь, добавил водитель, — где и ад мог бы замерзнуть.

Через несколько минут Рейчел сумела рассмотреть вдалеке смутные очертания. Изо льда поднимался огромный белый купол. Рейчел потерла глаза. Что это может быть?..

— Большой эскимос, верно? — шутливо поинтересовался водитель.

Рейчел гадала, что за зрелище предстает ее глазам. Все сооружение выглядело уменьшенной копией космодрома в Хьюстоне.

— НАСА построило эту штуковину недели полторы назад, — пояснил провожатый, — материал называется очень мудрено: плексиполисорбат. Эта штука надувается в несколько приемов. Нужно надуть составные части, потом соединить их в одно целое, прикрепить все это ко льду тросами, и готово. Выглядит словно огромная палатка, но на самом деле это разработанный НАСА образец из нескольких сегментов искусственной среды обитания, которые мы надеемся использовать когда-нибудь на Марсе. А называем мы его «хабисфера».

— Хабисфера?

— Да. Понимаете почему? Это же не натуральная сфера, а хабисфера*.

Рейчел улыбнулась шутке и принялась с интересом рассматривать странное здание.

— А поскольку НАСА еще не добралось до Марса, то парни, подобные вам, решили использовать ее здесь в качестве большого дома?

Водитель рассмеялся:

— Ну, честно говоря, лично я предпочел бы Таити, но не все зависит от моих желаний.

Рейчел продолжала изучать сооружение. Призрачным контуром оно выделялась на фоне темного неба. Снегоход приблизился к куполу и остановился у маленькой боковой двери, которая как раз начала открываться. На снег легла полоска

---

* Habi — первая часть английского слова, означающего «жилище», «обиталище».

электрического света. Появилась человеческая фигура. Это был крупный, высокий мужчина в толстом шерстяном свитере, который еще больше увеличивал его габариты, делая похожим на огромного медведя. Мужчина шагнул к снегоходу.

Рейчел ни на минуту не усомнилась, что наконец видит перед собой администратора НАСА Лоуренса Экстрома.

Водитель ободряюще улыбнулся ей:

— Пусть его габариты вас не пугают. На самом деле он котенок.

Рейчел подумала, что вернее всего было бы назвать его тигром. Она прекрасно знала о репутации Экстрома. Он мог моментально откусить голову любому, кто становился на пути его мечты.

Гостья спустилась из кабины на землю, от порывов ветра едва держась на ногах. Собравшись с духом, поплотнее запахнула куртку и направилась к куполу.

Администратор НАСА встретил ее на полпути, дружески протягивая огромную лапу в кожаной рукавице.

— Мисс Секстон! Приветствую вас. Спасибо, что приехали.

Рейчел неуверенно кивнула и в ответ прокричала, стараясь пересилить рев ветра:

— Честно говоря, сэр, совсем не уверена, что у меня был выбор!

В тысяче метров вверх по леднику Дельта-1 внимательно наблюдал в инфракрасный бинокль, как администратор НАСА повел Рейчел Секстон в купол.

ГЛАВА 19

Администратор НАСА Лоуренс Экстром, рыжий неотесанный гигант, очень напоминал северного бога. По-военному ежиком остриженные светлые волосы торчали над нахмуренным лбом, широкий, с толстой переносицей нос был покрыт паутинкой вен. Глаза потускнели от целой вереницы бессонных ночей. До назначения в НАСА Экстром, влиятельный аэрокосмический стратег и советник, служил в Пентагоне, где имел репутацию человека чрезвычайно мрачного и необщительного. Но эти его качества компенсировались безмерной преданностью делу и ответственностью за выполняемую задачу.

Рейчел Секстон шла за администратором НАСА по запутанному лабиринту просторных светлых залов и коридоров хабисферы. Стенки лабиринта представляли собой панели непрозрачного пластика, прикрепленные к туго натянутой проволоке. Пол был из чистого льда, покрытого резиновыми полосами, чтобы не скользить при ходьбе. Рейчел с интересом оглядела подобие жилого помещения, которое они миновали, — в нем был только ряд коек и биотуалетов.

К счастью, воздух в хабисфере казался теплым, хотя свежим его назвать было нельзя: смесь трудноразличимых запахов, всегда сопровождающих скопление людей в замкнутом пространстве, заметно отягощала его. Где-то негромко урчал генератор. Он производил ток, который питал лампы, свисавшие с потолка и придававшие внутреннему пространству купола жилой облик.

— Мисс Секстон, — пророкотал Экстром на ходу, ведя гостью к какой-то ему одному известной цели, — позвольте мне быть совершенно откровенным с самого начала.

Тон его подразумевал все, что угодно, только не удовольствие от ее присутствия и необходимости уделять ей внимание.

— Вы сейчас здесь только потому, что этого хочет президент. Ему нужно, чтобы мы вас приняли. Зак Харни — мой личный друг. Кроме того, он оказывает НАСА постоянную поддержку. Я уважаю его. Преклоняюсь перед ним. Доверяю ему. А потому не позволяю себе ставить под сомнение те указания, которые он отдает, даже если лично я с ними не совсем согласен. Для полной ясности хочу подчеркнуть, что вовсе не разделяю энтузиазма президента по поводу вашего здесь присутствия и вообще участия в деле.

Рейчел внимательно слушала. Да, ради такого вот радушного приема она и явилась сюда — за три тысячи миль. Этот парень, конечно, не Марта Стюарт*.

---

* Марта Стюарт — бывшая фотомодель, брокер на Уолл-стрит. Создала собственную финансовую и медиа-империю. Ведущая ток-шоу на телевидении.

— При всем моем уважении, — ответила она в тон Экстрому, — я также всего лишь выполняю приказ президента. Более того, мне даже не объяснили, зачем меня сюда везут. И вовсе не спрашивали моего согласия.

— Замечательно, — коротко заключил Экстром, — тогда я буду говорить прямо и откровенно.

— По-моему, вы и так уже начали это делать.

Ответ Рейчел, казалось, удивил администратора. Он замедлил шаг и внимательно посмотрел на гостью, при этом взгляд его немного прояснился. Потом он глубоко вздохнул и пошел дальше.

— Надеюсь, вы понимаете, — снова заговорил Экстром, — что находитесь здесь, на секретном объекте НАСА, против моей воли и вопреки всем моим возражениям. Вы не только представитель Национального разведывательного управления, директор которого не стесняется обходиться с сотрудниками НАСА, словно с сопливыми ребятишками, но вы еще к тому же дочь человека, который считает делом чести уничтожить мое агентство. Сейчас настал счастливый момент для НАСА: мы подвергались массированному огню критики и вполне заслужили награду. Но из-за волны скептицизма, которую породил ваш отец, НАСА оказалось в ситуации, при которой мои трудолюбивые и самоотверженные люди вынуждены делить интерес и внимание всего мира с горсткой совершенно случайных, примазавшихся ученых и даже с дочерью человека, открыто пытающегося нас уничтожить.

— Я прилетела сюда вовсе не для того, чтобы привлечь к себе внимание мира, сэр, — ответила Рейчел.

Экстром вновь внимательно на нее посмотрел.

— Может оказаться, что альтернативы не будет.

Это замечание удивило Рейчел. Хотя президент Харни и не говорил ничего конкретного относительно ее возможной помощи в каком-либо публичном деле, все же Уильям Пикеринг недвусмысленно высказал подозрение по поводу того, что Рейчел вполне может оказаться в роли политической пешки.

— Я хочу знать, что мне предстоит делать, — заявила она.

— И вы, и я — мы оба хотим это знать. Я не обладаю такой информацией.

— Простите?

— Президент попросил меня ввести вас в курс дела относительно нашего открытия. А роль, которую вам предстоит исполнять в этой игре, определит только он сам.

— Он сказал, что открытие совершила ваша «Система наблюдения за Землей», это так?

Экстром взглянул на гостью искоса:

— В какой мере вы знакомы с проектом?

— «Система наблюдения за Землей» — это созвездие из пяти спутников, каждый изучает Землю по своей программе: картографирование океана, анализ геологических изменений, наблюдение за процессом таяния полярных льдов, поиск ископаемых топливных ресурсов... — Рейчел словно отвечала школьный урок.

— Прекрасно, — остановил ее Экстром, отнюдь не восхищенный ее знаниями. — А известно ли вам о недавнем пополнении этого созвездия спутников? Сокращенно он называется ПОСП.

Рейчел кивнула. Полярный орбитальный сканер плотности был создан для того, чтобы тщательнее контролировать последствия глобального потепления.

— Насколько я понимаю, ПОСП измеряет толщину и плотность полярных льдов?

— В конечном итоге так и есть. Он использует технологию спектрального анализа и измеряет плотность льда по всей его площади. Выявляет аномалии в плотности льда, то есть его размягчение, места поверхностного таяния, внутренние проталины, большие расщелины. Все это признаки, свидетельствующие о глобальном потеплении.

Рейчел слышала о методе сложного сканирования. Спутники Национального разведывательного управления использовали аналогичные технологии для определения разницы плотности земной поверхности в Восточной Европе и нахождения таким образом мест массовых захоронений. Они доказывали, что там действительно происходили этнические чистки.

— Две недели назад, — продолжал Экстром, — ПОСП проходил над этим самым ледником и отметил аномалию, не похожую ни на что другое. Такого мы не ожидали увидеть. На глубине двухсот футов под поверхностью льда, совершенно

замкнутая пластами твердого льда, проявилась аморфная гло-
була диаметром в десять футов.

— Водяной карман? — быстро уточнила Рейчел.

— В том-то и дело, что нет. Не жидкая. Аномалия оказалась тверже того льда, который ее окружает.

Рейчел помолчала, раздумывая.

— Там что, какой-то валун, булыжник или что-то подобное?
Экстром уверенно кивнул:

— Именно.

Рейчел ждала продолжения рассказа. Однако его не последовало. Значит, она прилетела сюда просто потому, что НАСА
обнаружило во льдах очень большой камень?

— Пока сканер не определил плотность камня, мы и не
обратили на него внимания. А потом срочно выслали команду
для анализа находки. Этот камень вот здесь, под нами, и он
оказался намного плотнее других камней на острове Элсмир.
Значительно плотнее всех камней в радиусе четырехсот миль.

Рейчел внимательно взглянула под ноги, на лед, ясно представив где-то там, в глубине, громадный валун.

— Вы хотите сказать, что кто-то передвинул его сюда?
Казалось, Экстрома ее вопрос развеселил.

— Камушек весит больше восьми тонн. Он лежит под двумя сотнями футов плотного льда. Следовательно, находится
здесь, без малейшего движения, уже триста лет.

Рейчел устало брела за Экстромом по длинному узкому
коридору в самое сердце этого сложного сооружения. Они миновали двух неподвижно стоявших вооруженных охранников.
Она взглянула на своего гида:

— Но я полагаю, что логическое объяснение все-таки существует?

— Скорее всего объяснение, конечно, есть, — невозмутимо ответил Экстром. — Обнаруженный спутником камень —
метеорит.

Рейчел остановилась как вкопанная посреди коридора и
внимательно посмотрела на администратора. Метеорит? Ее
захлестнула волна разочарования. После того пафоса, с которым обставил все это предприятие президент, метеорит был
подобен мухе. Как там говорил Харни? Открытие моментально и бесповоротно оправдает все прошлые расходы и ошиб-

ки НАСА?.. Интересно, о чем он думал? Конечно, метеориты имеют определенную ценность, но НАСА постоянно их находит.

— Этот метеорит — один из самых больших, которые когда-либо находили, — заговорил, тоже остановившись, Экстром. — Мы считаем, что он является частью гораздо большего метеорита, который, по документальным свидетельствам, упал в Северный Ледовитый океан в восемнадцатом веке. Скорее всего этот камень откололся при ударе, отлетел в сторону и упал сюда, на ледник Милна, а потом медленно зарывался в лед на протяжении последних трехсот лет.

Рейчел поморщилась. Нет, это открытие не меняет ровным счетом ничего. Ее оскорбляло крепнущее подозрение: ее хотят сделать участницей публичного трюка, за который в отчаянии ухватились и НАСА, и Белый дом. Они изо всех сил пытаются вытянуть подвернувшуюся под руку находку на уровень крупнейшего, способного потрясти мир, открытия, совершенного НАСА.

— Вас это не слишком удивило, — заметил Экстром.

— Мне кажется, я ожидала чего-то... другого.

Гигант прищурился:

— Метеорит таких размеров — исключительно редкая находка, мисс Секстон. В мире существует всего несколько экземпляров большего размера...

— Но насколько я понимаю...

— ...однако дело в том, что нас впечатляет не сам размер метеорита.

Рейчел внимательно слушала собеседника.

— Этот метеорит обладает некоторыми совершенно поразительными свойствами, которых раньше не встречали ни в одном из других небесных тел такого типа. Ни больших, ни маленьких. — Он махнул рукой вдоль коридора. — Если вы не против, я познакомлю вас с человеком, который разбирается в этих вопросах куда лучше меня.

Рейчел немного удивилась.

— Неужели существует кто-то, обладающий более высокой квалификацией, чем сам администратор НАСА?

Экстром внимательно изучал ее своими тусклыми глазами.

— Он обладает более высокой квалификацией, мисс Секстон, потому что он не военный, а гражданский. Я решил, что поскольку вы профессиональный аналитик информации, то предпочтете получить сведения у него.

Рейчел проглотила пилюлю.

Они снова двинулись по коридору. Наконец уткнулись в тяжелый черный занавес. За ним можно было расслышать приглушенный гул множества голосов, словно на огромном открытом пространстве собралась толпа людей.

Не произнося ни слова, администратор отдернул занавес. Рейчел зажмурилась от невыносимо яркого света. Осторожно, неуверенно сделала шаг вперед, в ослепительное сияние. Когда глаза немного привыкли и начали различать что-то, помимо света, она увидела перед собой огромный зал и невольно вздохнула, пораженная зрелищем.

— Господи, — прошептала она, — что это такое?

ГЛАВА 20

Студия корпорации Си-эн-эн, что на окраине Вашингтона, округ Колумбия, — это одна из двухсот двенадцати студий, разбросанных по всему миру и связанных через спутник с всемирной штаб-квартирой телесети Тернера в Атланте.

Когда лимузин Седжвика Секстона затормозил на стоянке, было тринадцать сорок пять. Сенатор вышел из машины и непринужденным, неторопливым шагом направился к подъезду, чувствуя себя очень уверенно. В холле их с Гэбриэл приветствовал тучный продюсер, приклеивший на физиономию улыбку.

— Сенатор Секстон, — возбужденно заговорил он, — добро пожаловать! Замечательная новость! Мы только что узнали, кого именно Белый дом выбрал в качестве вашего спарринг-партнера. — Продюсер добавил обаяния своей улыбке. — Надеюсь, вы сегодня в боевой форме?

Он сделал жест в сторону стеклянной стенки, отделявшей студию.

Секстон взглянул туда и едва не споткнулся от неожиданности. Сквозь дым вечной сигареты на него смотрело самое некрасивое лицо политического олимпа.

— Марджори Тенч? — Сенатор едва не прокричал это имя. — Какого черта она здесь делает?

Секстон не подозревал подвоха, но, в чем бы ни заключался фокус, присутствие этой дамы само по себе казалось фантастичным. Оно, несомненно, означало, что президент в отчаянии. Иначе с какой стати он посылает на линию огня своего старшего советника? Президент Зак Харни явно выдвигает тяжелую артиллерию. Секстон порадовался открывающейся перспективе.Чем сильнее оппонент, тем значительнее окажется его поражение.

Сенатор ни на секунду не сомневался, что Тенч — достойная, умная соперница. И тем не менее, глядя через стекло на эту женщину, он не мог не подумать, что президент совершил серьезную тактическую ошибку. Марджори Тенч выглядела поистине ужасно. Сейчас она расслабленно сидела в кресле, спокойно затягиваясь и вдыхая дым. Правая рука неспешно подносила сигарету к губам, напоминая переднюю конечность жука-богомола.

Да уж, невольно подумал Секстон, с таким лицом лучше выступать по радио.

Когда Седжвику Секстону приходилось видеть в газетах фотографию старшего советника Белого дома, он каждый раз с трудом верил, что разглядывает одну из самых влиятельных персон государства.

— Мне это совсем не нравится, — прошептала Гэбриэл.

Секстон ее почти не слышал. Чем больше он обдумывал ситуацию, тем больше прелестей в ней находил. Еще больше, чем совершенно нетелегеничное лицо Тенч, была на руку сенатору ее репутация. Марджори Тенч не уставала подчеркивать при каждой возможности, что ведущая роль США в мире должна быть обеспечена исключительно путем технологического прогресса и технического превосходства. Она была ярой сторонницей правительственных исследовательских программ и демонстрировала активную приверженность НАСА. Многие считали, что именно под влиянием

Тенч президент настаивает на финансировании не слишком успешных проектов космического агентства.

Секстон раздумывал, не решил ли президент наказать Тенч за все ее дурные советы относительно поддержки НАСА. Может быть, он сознательно решил отдать своего старшего советника на растерзание?

Гэбриэл Эш смотрела сквозь стекло на Марджори Тенч и не могла подавить все возрастающее предчувствие беды. Во-первых, эта дама чертовски умна. А во-вторых, ее появление здесь и сейчас казалось слишком уж неожиданным ходом. Сочетание двух этих фактов не сулило ничего хорошего. Если учесть приверженность Тенч делу НАСА, то сегодняшнее ее выступление в качестве оппонента сенатора Секстона кажется невыгодным для Белого дома. Но ведь президент далеко не дурак. Предчувствие подсказывало Гэбриэл Эш, что дебаты могут закончиться весьма плачевно.

Она понимала, что сенатор уже предвкушает победу, и это лишь усиливало ее тревогу. Стоит Секстону хоть немного возомнить о себе, как он начнет хватать через край. Конечно, вопрос о НАСА оставался выигрышной картой, и тем не менее Гэбриэл полагала, что в последнее время Секстон слишком уж козырял ею. Множество избирательных кампаний провалились лишь потому, что кандидат терял бдительность и шел напролом, тогда как требовалось всего лишь осторожно закончить раунд.

Продюсер, казалось, с радостью предвкушал предстоящий кровавый матч.

— Давайте посмотрим, как вы будете сидеть, сенатор.

Секстон направился в студию, но Гэбриэл успела предупредить его.

— Я знаю, о чем вы думаете, — прошептала она, — но, ради Бога, будьте умницей. Не хватайте через край.

— Через край? — улыбнулся Секстон.

— Не забывайте, эта женщина делает все очень хорошо.

Сенатор многозначительно подмигнул:

— Я тоже.

ГЛАВА 21

Напоминающий огромную пещеру главный зал хабисферы НАСА в любом месте планеты показался бы чрезвычайно странным зрелищем. И то, что он находился среди арктических льдов, никак не заслоняло его фантастичности.

Глядя вверх, на купол, собранный из сцепленных между собой треугольных пластин, Рейчел чувствовала себя словно в колоссальном изоляторе. Стены врастали в пол из чистого льда, на котором по периметру, словно часовые, замерли многочисленные галогенные лампы. Они бросали вверх резкий свет и превращали зал в какое-то нереальное, призрачное царство.

По ледяному полу в разных направлениях вились, словно змеи, резиновые дорожки. Будто мостики, они соединяли между собой бесконечные, заполнявшие все пространство научные приборы и комплексы оборудования. Среди леса электроники усердно трудились тридцать — сорок сотрудников НАСА. Одетые в белое люди оживленно переговаривались, возбужденно обсуждая что-то. Рейчел сразу поняла настроение, царившее в зале. Оно было вызвано творческим волнением, радостью открытия.

Вместе с администратором Рейчел отправилась вдоль периметра зала. От нее не укрылись удивленные и откровенно неодобрительные взгляды тех, кто узнал сотрудницу НРУ и дочь известного сенатора. В гулком пространстве отчетливо раздавался шепот:

— Это что, дочка сенатора Секстона?

— Какого черта она здесь делает?

— Трудно поверить, что Экстрому не противно с ней разговаривать!

Рейчел не удивилась бы, увидев здесь изрезанные портреты своего отца. Однако тут ощущалась не только враждебность, но и настроение победителей, упивающихся своим превосходством, точно все твердо знали, кто на сей раз будет смеяться последним.

Администратор подвел гостью к ряду столов, из которых лишь один был занят: за ним сидел человек, погрузившись в работу на компьютере. Он был одет в черную водолазку, вельветовые, в широкий рубчик, брюки и тяжелые ботинки на толстой подошве. В отличие от остальных он не утеплился соответственно обстоятельствам. Человек сидел спиной к подошедшим.

Администратор попросил Рейчел немного подождать, а сам подошел к нему, начав что-то объяснять.

Послушав с минуту, человек в водолазке кивнул и начал выключать компьютер. Администратор вернулся к гостье.

— Дальше вас поведет мистер Толланд, — пояснил он, — он тоже завербован президентом, поэтому вы поладите. А я присоединюсь к вам позже.

— Спасибо.

— Надеюсь, вы слышали о Майкле Толланде?

Рейчел пожала плечами, не переставая с интересом рассматривать все вокруг.

— Имя не слишком известное.

Человек в водолазке подошел, широко улыбаясь:

— Не слишком известное? — Голос звучал дружелюбно. — Это лучшая новость, которую я услышал за весь сегодняшний день. Но похоже, я уже утратил способность поражать с первого взгляда.

Рейчел взглянула на лицо подошедшего и едва не потеряла дар речи. На нее смотрел красивый, спортивного вида мужчина, которого просто невозможно было не узнать. Его в Америке знали все.

— Ох! — не сдержавшись, произнесла она, пока ученый пожимал ей руку. — Так вы тот самый Майкл Толланд!

Когда президент сказал Рейчел, что собрал для подтверждения открытия авторитетных независимых ученых, она представила себе четырех старых зануд с программируемыми калькуляторами в руках. Но Майкл Толланд был совершенно иным. Один из самых известных людей в мире науки, он вел еженедельную документальную телепрограмму «Удивительные моря». Он знакомил зрителей с необычными океанскими явлениями: подводными вулканами, морскими червями длиной в десять футов, огромными, способными убить человека приливными волнами. Пресса видела в Майкле Толланде удачное сочетание лучших качеств Жака Кусто и Карла Сагана. Все наперебой воспевали его обширные и глубокие знания, искренний энтузиазм, страсть к приключениям. Считалось, что на этих китах держится интерес зрителей к программе: она прочно удерживала верхние позиции в рейтингах. Вдобавок большинство критиков не упускали возможности отметить также откровенно сексапильную внешность ученого и несомненную харизматичность его натуры. А это, подчеркивали они, особенно способствует его успеху у женской части аудитории.

— Мистер Толланд... — промямлила Рейчел растерянно. — Я — Рейчел Секстон.

Толланд одарил новую знакомую обворожительной, слегка плутовской улыбкой.

— Привет, Рейчел. Зови меня просто Майк.

Рейчел удивлялась собственной скованности. Это вовсе не было ей свойственно. Очевидно, давали себя знать и напряжение перелета, и обилие впечатлений: хабисфера, метеорит, обстановка секретности и вот наконец встреча нос к носу с этим телевизионным красавцем и умником.

— Честно говоря, я очень удивлена тем, что вы здесь, — призналась она, стремясь обрести привычную уверенность в себе. — Когда президент сказал, что набрал независимых ученых для подтверждения истинности открытия НАСА, я представила...

Она заколебалась, стоит ли продолжать.

— Настоящих ученых? — снова широко улыбнулся Толланд.

Рейчел покраснела, поняв свою оплошность и смутившись еще больше.

— Я не это имела в виду.

— Не волнуйтесь, — успокоил ее Толланд, — с самого приезда сюда я только и слышу подобные слова. А ваш отец — сенатор Секстон?

Рейчел молча кивнула. Ей очень хотелось добавить «К сожалению».

— Шпионка из лагеря Секстона за линией фронта?

— Линия фронта далеко не всегда проходит там, где кажется.

Повисло неловкое, тяжелое молчание.

— Ну так объясните же мне, — попыталась исправить положение гостья, — что делает знаменитый океанограф здесь, на леднике, в компании космических исследователей НАСА?

Толланд издал странный, больше всего похожий на хихиканье звук.

— Честно говоря, один парень, очень похожий на президента нашей страны, попросил сделать ему одолжение. Я уже открыл было рот, чтобы смело отказаться и произнести «Пошел ты к черту!», но вместо этого почему-то проблеял «Хорошо, сэр».

Рейчел рассмеялась почти весело — впервые за все утро.

— Значит, мы из одного клуба.

Хотя обычно знаменитости в жизни оказываются ниже ростом, чем их себе представляешь, Майкл Толланд выглядел, напротив, высоким. Карие глаза смотрели так же живо, пронзительно и страстно, как и с телеэкрана, а голос звучал настолько же тепло и заинтересованно. Прямые непокорные черные волосы падали на лоб, заставляя его время от времени совершать быстрое характерное движение рукой. На вид этому человеку было лет сорок пять, причем он явно не проводил жизнь на диване: спортивный, подтянутый и энергичный облик определенно свидетельствовал о противоположном. Резко очерченный, сильный подбородок и свободные манеры говорили об уверенности в себе. Пожимая его руку, Рейчел не могла не отметить, что ладонь телезвезды не мягкая и изнеженная, как можно было бы ожидать, а плотная, мозолистая и сильная, куда больше подходящая моряку и полевому исследователю.

— Вообще-то, — несколько расстроенно признался Толланд, — мне кажется, я оказался здесь вовсе не как авторитетный ученый, а скорее как специалист по связям с общественностью. Президент попросил слетать сюда и смастерить для него документальный фильм.

— Документальный фильм? О метеорите? Но ведь вы океанограф!

— Вот-вот! Я пытался втолковать ему то же самое. Но он ответил, что не знает ни одного документалиста, специализирующегося на метеоритах. Зато мое участие позволит придать открытию широкий общественный резонанс. Не иначе как он собирается показать мою программу сегодня — как часть большой пресс-конференции, на которой объявит об открытии.

Телезвезда в роли сторонника-агитатора. Рейчел поняла, что политическая хитрость Зака Харни не дремлет. НАСА часто обвиняли в том, что оно смотрит на налогоплательщиков сверху вниз и не считается с необходимостью держать их в курсе своих дел. На сей раз этого не скажешь. Они привлекли искусного и страстного популяризатора науки, которого все американцы прекрасно знали и которому могли доверять в самых сложных и непонятных вопросах.

Толланд указал на противоположную стену зала. Там было организовано место для прессы. Лед застелен голубым ковром, длинный стол с несколькими микрофонами, прожектора, телекамеры — настоящая студия. Сейчас к стене за столом прикрепляли американский флаг, чтобы все сидящие оказались на его фоне.

— Готовят к сегодняшнему вечеру, — пояснил ученый. — Администратор НАСА и некоторые известные ученые страны свяжутся через спутник с Белым домом в прямом эфире — чтобы принять участие в президентском выступлении, намеченном на восемь часов.

Отлично, подумала Рейчел. Ей было приятно узнать, что Зак Харни запланировал участие в этом мероприятии представителей космического агентства.

— И все-таки, — вздохнув, произнесла она, — кто-нибудь объяснит мне толком, что же такое жутко сенсационное заключено в этом метеорите?

Толланд комично поднял брови и одарил новую знакомую загадочной улыбкой.

— Всю необычность этого метеорита лучше увидеть своими глазами, а не объяснять, — ответил он. Жестом он пригласил Рейчел следовать за ним и направился к рабочей зоне. — Вон тот парень как раз занимается образцами породы. Он сможет показать вам массу интересного.

— Образцами? У вас уже есть осколки метеорита?

— Именно так. Мы смогли добыть их в достаточном количество. Если говорить точно, то именно анализ образцов и привел НАСА к мысли о важности открытия.

Не представляя, чего можно ожидать, Рейчел пошла вслед за своим гидом в рабочую зону. Казалось, там не было ни души. На столе, заваленном образцами породы, уставленном измерителями каверн, микроскопами и другим оборудованием, одиноко стояла чашка кофе. Из нее поднимался пар.

— Мэрлинсон! — крикнул Толланд, оглядываясь.

Ответа не последовало. Ученый разочарованно вздохнул и повернулся к спутнице:

— Наверное, он потерялся, отправившись искать сливки к кофе. Я вместе с этим парнем учился в аспирантуре в Принстоне, так он умудрялся заблудиться даже в общежитии. А теперь он лауреат Национальной научной премии по астрофизике. Величина!

Рейчел напряглась:

— Мэрлинсон? Вы, случайно, говорите не о знаменитом Корки Мэрлинсоне?

Толланд весело рассмеялся:

— Да-да, именно о нем, угадали!

Рейчел потрясенно замолчала. Потом наконец вновь обрела дар речи.

— Так что же, Корки Мэрлинсон здесь? — Идеи Мэрлинсона насчет природы гравитационных полей обрели громкую славу и признание среди инженеров и космических специалистов НРУ. — Мэрлинсон тоже состоит в команде, собранной президентом?

— Конечно. Он один из настоящих ученых в этой компании.

Действительно, настоящий, молча согласилась Рейчел. Она знала, что Корки Мэрлинсон — блестящий и всеми уважаемый физик.

— Корки живет парадоксальной жизнью, — заметил Толланд. — Самое интересное в нем то, что он с точностью до миллиметра помнит расстояние до Альфы Центавра, но не умеет самостоятельно завязать галстук.

— Вот потому-то и ношу галстуки на кнопках, — послышался за спиной чуть гнусавый, добродушный голос. — Наука превыше внешнего вида, Майк. Вы, голливудские звезды, этого, конечно, не понимаете.

И Рейчел, и Толланд обернулись к говорившему. Он как раз выходил из-за стеллажа, уставленного электронным оборудованием. Физик оказался невысоким, полным, немного напоминающим бульдога: такие же выпученные глаза, короткая толстая шея. Коротко подстриженные волосы уже редели. Увидев Рейчел, он остановился как вкопанный.

— Боже мой, Майк! Мы тут замерзаем на Северном полюсе, а он умудряется даже здесь отыскать себе подружку! Я всегда знал, что надо непременно засветиться в ящике!

Майкл Толланд выглядел чуть смущенным.

— Мисс Секстон, пожалуйста, постарайтесь не обижаться на доктора Мэрлинсона. Свою нетактичность он вполне компенсирует массой бесполезных, никому не нужных знаний о нашей великой и бескрайней Вселенной.

Корки подошел ближе:

— Искренне рад видеть вас, мисс. Простите, не расслышал ваше имя.

— Рейчел, — представилась гостья, — Рейчел Секстон.

— Секстон? — Корки шутливо закатил глаза и глубоко вздохнул, словно пытаясь прийти в себя. — Надеюсь, не родственница того самого недальновидного и неразумного сенатора?

Толланд поморщился:

— Говоря по правде, Корки, сенатор Секстон — отец Рейчел.

Корки перестал веселиться и как-то сразу погрустнел.

— Знаешь, Майк, думаю, не случайно мне так не везет в отношениях с дамами.

ГЛАВА 22

Всеми признанный и многократно увенчанный лаврами астрофизик Корки Мэрлинсон повел Рейчел и Толланда в свою святая святых. Подойдя к столу, он начал увлеченно перебирать образцы породы. Следить за движениями этого человека было чрезвычайно интересно: он напоминал плотно сжатую, готовую в любой момент выстрелить пружину.

— Ну вот, — не скрывая возбуждения, проговорил он, — мисс Секстон, сейчас вы услышите минутный вводный курс по теории метеоритов.

Толланд шутливо поморщился.

— Потерпите, — обратился он к Рейчел, — этот человек всю жизнь мечтает выступить на театральной сцене.

— Да-да, именно. А Майк всю жизнь мечтает стать уважаемым ученым. — С этими словами Корки начал перебирать содержимое коробки из-под обуви. Через несколько секунд он выложил на стол несколько камней. — Вот. Три основных типа метеоритов, встречающихся на планете Земля.

Рейчел внимательно взглянула на образцы. Все они были неправильными, корявыми сфероидами, а по размеру не крупнее мяча для гольфа. Каждый рассекли пополам, чтобы исследовать внутреннее строение.

— Все метеориты, — пояснил Корки, — это различные сочетания железоникелевых сплавов, силикатов и сульфидов. Мы их классифицируем на основе соотношения металлов и силикатов.

Рейчел поняла, что вводный курс Мэрлинсона займет куда больше объявленной минуты.

— Вот этот самый первый образец, — продолжал Корки, показывая на блестящий угольно-черный камень, — метеорит с железной сердцевиной. Жутко тяжелый. Парнишка приземлился в Антарктике всего несколько лет назад.

Рейчел внимательно рассмотрела метеорит. Он и в самом деле походил на инопланетянина: тяжеленный, напоминающий кусок сероватого железа. Внешний его слой обгорел и почернел.

— Обгоревший верхний слой называется коркой сплава, — пояснил Корки, — она образуется в результате нагревания до исключительно высоких температур — ведь метеорит летит сквозь плотные слои атмосферы. Все метеориты имеют такую корку.

Ученый быстро взял другой образец.

— А вот этот мы называем каменно-железным метеоритом.

Рейчел рассмотрела образец. Он тоже был обугленным снаружи. Однако этот камешек казался зеленоватым, а внутреннее сечение выглядело словно набор цветных остроугольных кусочков, напоминающих картинку калейдоскопа.

— Как красиво! — не сдержала она восхищения.

— Шутите?! Это не просто красиво. Это великолепно, потрясающе!

С минуту Корки рассуждал о высоком содержании оливина, дающего зеленый оттенок. Наконец он театральным жестом протянул гостье третий, последний образец.

Рейчел держала на ладони камень серо-коричневого цвета, немного похожий на гранит. Он был явно тяжелее обычного камня такого же размера, поднятого с земли, однако ненамного. Единственное, что указывало на его внеземное происхождение, — это корка сплава, обожженная поверхность.

— Этот, — коротко пояснил Корки, — называется каменным метеоритом. Он наиболее распространен. Больше девяноста процентов всех метеоритов, найденных на Земле, относятся именно к этой категории.

Рейчел не смогла сдержать удивления. Метеориты всегда представлялись ей похожими на первый из образцов — металлические, явно неземные куски породы. Но то, что она держала сейчас на ладони, внешне меньше всего подразумевало внеземное происхождение. Если бы не обугленный внешний слой, то камешек вполне можно было бы принять за самый обычный прибрежный голыш.

Глаза Корки сияли торжеством и возбуждением.

— Тот метеорит, который сейчас покоится во льдах под нами, как раз относится к каменным породам. Он очень похож на этот камешек, который вы сейчас держите. Каменные метеориты выглядят почти так же, как наши земные камни. Поэтому их трудно отыскать. Обычно они сочетают в себе легкие силикаты: полевой шпат, оливин, пироксен. Ничего особо выдающегося.

— Интересно, — задумчиво сказала Рейчел, отдавая ему образец, — этот камень выглядит так, словно кто-то положил его в камин и обжег.

Корки рассмеялся:

— Черта с два камин! Даже самая мощная доменная печь не в состоянии создать температуру, которую испытывает метеорит, проходя сквозь плотные слои атмосферы. Это просто кошмарные величины!

Толланд сочувственно улыбнулся Рейчел:

— Каков актер, а?

— Представьте себе, — продолжал Корки, принимая из рук гостьи образец, — на секунду вообразите, что этот малыш имеет размеры... ну, примерно с дом или около того. — Он поднял камешек над головой. — Ну вот... Он летит в космосе... пролетает по нашей Солнечной системе... Он ужасно замерз, потому что температура там около минус ста по Цельсию.

Толланд посмеивался в душе. Он, разумеется, видел раньше, как Корки изображает падение метеорита на остров Элсмир.

Ученый начал опускать камень.

— Наш метеорит приближается к Земле... он оказывается все ближе и ближе, попадает в сферу земного притяжения... летит все быстрее, быстрее...

Рейчел с интересом наблюдала, как Мэрлинсон все быстрее опускает образец, имитируя действие закона гравитации.

— И вот он мчится уже с бешеной скоростью! — воскликнул ученый. — Больше десяти миль в секунду — тридцать шесть тысяч миль в час! Только представьте! В ста тридцати пяти километрах над поверхностью Земли метеорит начинает испытывать атмосферное трение. — Корки потряс камень. — А оказавшись ниже ста километров, он начинает светиться! Книзу плотность атмосферы повышается, и трение становится просто невероятным! Воздух вокруг метеорита раскаляется, а его поверхность плавится от страшной жары! — Корки начал издавать забавные звуки, изображая, как плавится метеорит. — Вот он падает ниже восьмидесяти километров, и поверхность его нагревается выше тысячи восьмисот градусов Цельсия!

Рейчел с любопытством смотрела, как всеми уважаемый, приглашенный самим президентом астрофизик все сильнее трясет камень, издавая смешные звуки, словно мальчишка, играющий в машинки.

— Шестьдесят километров! — Теперь Корки кричал. — Наш метеорит достигает границы стратосферы. Воздух слишком плотен для него. Он резко тормозит, с силой, в триста раз превышающей силу земного притяжения! — Корки заскрипел, изображая звук тормозов, и театрально замедлил движение камня. — В один миг метеорит остывает и прекращает светиться. И на Землю падает черным. Поверхность его застывает — из расплавленной массы она превращается в обугленную корку сплава.

Рейчел услышала, как тихонько застонал Толланд, предвкушая исполнение Мэрлинсоном последнего акта драмы — приземления метеорита и удара его о поверхность нашей планеты. Войдя в роль, ученый даже присел на корточки, скорчившись и явно очень сочувствуя пришельцу из космоса.

— Ну вот, — продолжал Корки, — наш огромный камень продирается сквозь нижние слои атмосферы... — Опустившись на колени, он рукой описал в воздухе дугу. — Направляется прямиком к Северному Ледовитому океану... скользит... падает... кажется, сейчас он пролетит мимо океана... падает... и... — Он наконец с силой воткнул образец в лед. — Бамм!

Рейчел невольно вздрогнула.

— Удар оказывается потрясающе сильным! Метеорит взрывается. Куски его разлетаются, проносясь над океаном. — Теперь Корки начал медленно кружиться, словно перекатывая камень по невидимому океану к ногам Рейчел. — Один из осколков несется по направлению к острову Элсмир. Выскакивает из океана, попадает на Землю... — Корки поднял камень над ногами Рейчел, а потом положил его у самой ступни. — И вот наконец наш странник находит покой на ледовом шельфе Милна, снег и лед быстро покрывают его, защищая от разрушительного воздействия атмосферы.

Закончив представление, Корки с улыбкой выпрямился.

У Рейчел пересохло во рту. Она рассмеялась, даже не пытаясь скрыть впечатление:

— Ну, доктор Мэрлинсон, должна признаться, что это объяснение исключительно...

— Наглядное? — предложил слово Корки.

Рейчел кивнула:

— Именно так.

Корки протянул ей камень:

— Посмотрите на срез.

Гостья с минуту внимательно разглядывала образец, не замечая в нем ровным счетом ничего необычного.

— Поднесите поближе к свету, — посоветовал Толланд. Голос его звучал тепло, дружески. — И посмотрите повнимательнее.

Рейчел поднесла камень поближе к глазам и повертела его в лучах мощных сияющих галогеновых ламп. Теперь она хорошо различала в срезе блестящие крошечные металлические вкрапления. Они усеивали все поперечное сечение, словно капли ртути. Каждая точка была не больше миллиметра в диаметре.

— Эти вкрапления называются хондрами, — пояснил Корки, — и встречаются они исключительно в метеоритах.

Рейчел прищурилась, пытаясь получше рассмотреть вкрапления.

— Должна признаться, в жизни не встречала ничего подобного в земных камнях!

— И не встретите никогда! — торжествующе провозгласил Корки. — Хондры — геологическая структура, которую на нашей планете встретить просто невозможно. Некоторые из хондр, особенно древние — возможно, они состоят из самых первых пород во Вселенной. Другие гораздо моложе, как в этом камне, который вы держите. Хондры в этом метеорите насчитывают всего-то сто девяносто миллионов лет.

— Сто девяносто миллионов лет — это мало?

— Черт подери, конечно! Для космоса и его временны́х рамок это просто вчера! Смысл, однако, в том, что этот метеорит вообще содержит хондры — геологическое свидетельство его происхождения.

— Хорошо, — согласилась Рейчел. — Хондры решают все. Согласна.

— И наконец, — вздохнув, заключил Корки, — если корка сплава и хондры кажутся вам недостаточно убедительными, то мы, астрономы, обладаем еще одним неопровержимым доказательством его метеоритного происхождения.

— А именно?

Корки небрежно пожал плечами:

— Мы используем петрографический поляризационный микроскоп, рентгеновский спектрометр свечения, анализатор нейтронной активности или же индукционно-плазменный спектрометр, измеряющий ферромагнитное отношение.

Толланд громко застонал:

— Ну вот, теперь он начинает еще и задаваться! Корки говорит, мы можем доказать, что камень является метеоритом, просто исследовав его химический состав.

— Эй ты, океанский парень! — не выдержал Корки. — Давай оставим науку тем, кто ею занимается, хорошо? — Он снова повернулся к Рейчел: — В земных камнях такой минерал, как никель, встречается или в очень больших, или в очень малых количествах. Третьего не дано. В метеоритах же содержание никеля обычно занимает среднюю позицию. Поэтому если проанализировать образец и при этом обнаружить, что содержание никеля в нем находится на среднем уровне, то можно с уверенностью утверждать, что образец представляет собой именно метеорит.

Рейчел ощутила легкое раздражение.

— Прекрасно, джентльмены! Корки сплава, хондра, средний уровень содержания никеля — все это определенно доказывает, что камень прилетел к нам из космоса. Я четко представляю себе всю картину. — Она положила образец на стол Мэрлинсона. — Но почему все-таки я здесь?

Корки выразительно вздохнул.

— А вам не хочется увидеть образец метеорита, который лежит как раз под нами?

— С удовольствием, только желательно еще до того, как я здесь умру.

На этот раз Корки запустил руку в нагрудный карман и достал маленький плоский камешек. По форме он напоминал компакт-диск толщиной примерно в полдюйма, а по составу, на глаз, был похож на тот самый метеорит, который только что разглядывала Рейчел.

— Это образец породы, который мы высверлили только вчера.

Корки протянул диск Рейчел.

Ничего необычного. Оранжево-белый тяжелый камень. Часть ободка оказалась черной, обожженной — очевидно, это была внешняя сторона метеорита.

— Вижу корку сплава, — с ученым видом заявила Рейчел.

Корки кивнул:

— Именно так. Образец высверлили с края породы, поэтому на нем корка.

Рейчел повернула диск к свету и разглядела крошечные металлические вкрапления.

— И хондры тоже вижу, — заметила она.

— Хорошо! — похвалил Корки звенящим от волнения голосом. — А я могу подтвердить, что результаты спектрографического анализа показали именно средний уровень содержания никеля — ничего общего с породами нашей планеты. Поздравляю вас, вы только что подтвердили, что камень, который вы держите в руках, прилетел из космоса.

Рейчел посмотрела на ученого несколько растерянно:

— Доктор Мэрлинсон, но это же метеорит. Он и должен прилететь из космоса — по определению. Может быть, я просто чего-то не понимаю?

Толланд и Корки обменялись взглядами, словно заговорщики. Толланд положил руку на плечо гостьи и прошептал ей в самое ухо:

— Переверните его.

Рейчел внимательно посмотрела на обратную сторону. Ей потребовалось всего несколько секунд, чтобы осознать увиденное. Словно гром грянул среди ясного неба.

— Невероятно, невозможно! — выдохнула она.

Однако, продолжая рассматривать образец, Рейчел четко понимала, что само значение этих слов изменилось навсегда. В камне ясно отпечатался след, который на земной породе был бы вполне обычным, но в метеорите его трудно было представить.

— Но ведь это... — Рейчел запнулась, почти не в силах выговорить слово. — Это же... жук! В метеорите отпечаток ископаемого жука!

И Толланд, и Мэрлинсон сияли.

— Добро пожаловать в нашу компанию! — весело приветствовал изумление гостьи Корки.

Буря чувств, мгновенно захлестнувших Рейчел, лишила ее дара речи. Но даже в своем потрясении она ясно видела, что отпечаток, вне всякого сомнения, когда-то оставил живой организм. Окаменевший отпечаток занимал в длину примерно три дюйма и представлял собой след брюшка какого-то большого жука или другого ползающего насекомого. Семь пар членистых ног, выходящих из нижнего покрова, который, подобно панцирю броненосца, состоял из отдельных сегментов.

У Рейчел внезапно закружилась голова.

— Насекомое из космоса...

— Это создание относится к классу равноногих, — пояснил Корки. — У насекомых три пары ног, а не семь.

Но гостья даже не слышала его разъяснений. Она внимательно разглядывала окаменелость, не в силах произнести ни слова.

— Вы, конечно, видите, — продолжал ученый, — что брюшко разделено на отдельные сегменты, как и у земного жука. И все же два ясно различимых, похожих на хвосты, отростка говорят о близости этого существа к земным вшам.

Рейчел было все равно: какая разница, как именно классифицировать жука? Фрагменты головоломки теперь сами вставали на свои места: обстановка секретности, которую создавал президент, возбуждение, царившее среди сотрудников НАСА...

В этом метеорите ископаемое животное! Окаменелость! Даже не намек на бактерию или микроб, а вполне развитая биологическая форма! Доказательство того, что где-то еще во Вселенной существует жизнь!

ГЛАВА 23

После десяти минут дебатов на Си-эн-эн сенатор Секстон начал удивляться, не понимая, с какой стати он вообще волновался. Марджори Тенч с очевидностью опровергала ту молву, которая упорно превозносила ее необычайные способности. Как оппонент она вовсе не поражала. Несмотря на приписываемую ей проницательность и безжалостную критичность, Тенч куда больше напоминала жертвенного агнца, явно не дотягивая до звания достойного соперника. В самом начале разговора мадам старший советник президента еще как-то пыталась завоевать преимущество, осуждая выступления сенатора против абортов. Аргументы были не новы: Секстон не думает о женщинах и стремится к ущемлению их прав. Но в ходе дискуссии, когда уже казалось, что перевес на ее стороне, Марджори вдруг допустила досадную оплошность. Расспрашивая оппонента, каким именно способом он планирует улучшить систему образования, не поднимая налоги, она вдруг неосторожно намекнула на его постоянное бурчание насчет расходов НАСА.

Тему НАСА Секстон собирался затронуть ближе к концу дискуссии, но Тенч подняла ее слишком рано. Дура!

— Кстати, о НАСА, — небрежно вставил он. — Не могли бы вы прокомментировать стремительно распространяющиеся слухи об очередной неудаче, постигшей наше уважаемое космическое агентство?

Марджори Тенч и глазом не моргнула:

— Боюсь, что не в курсе этих слухов.

Прокуренный голос шелестел, словно папиросная бумага.

— Значит, без комментариев?

— Боюсь, что так.

Секстон торжествовал. На языке прессы «без комментариев» означало признание вины, подразумеваемой в вопросе.

— Понятно, — взбодрился сенатор, — а что вы скажете насчет тайной встречи президента с администратором НАСА?

На сей раз, казалось, Тенч удивилась.

— Я не очень понимаю, о какой именно встрече вы изволите говорить. Президент проводит множество встреч.

— Ну разумеется. — Секстон решил идти напролом. — Мисс Тенч, вы ведь ярая сторонница космического агентства, правда?

Тенч вздохнула, словно устав от обсуждения любимой темы сенатора.

— Я верю в важность сохранения технологических преимуществ Америки, будь то военная, промышленная, научная сфера или область телекоммуникаций. И НАСА, несомненно, представляет собой часть этого техногенного комплекса. Да, именно так.

Посмотрев через стекло в комнату режиссера, где сидела Гэбриэл Эш, Секстон увидел, что ассистентка посылает ему умоляющие взгляды, словно упрашивая отступить, закрыть опасную тему. Но было уже поздно. Сенатор почувствовал вкус крови.

— Все-таки интересно, мадам, не под вашим ли влиянием президент упорно продолжает поддерживать эту умирающую организацию?

Тенч решительно покачала головой:

— Нет. Президент и сам искренне верит в возможности НАСА. И уж, разумеется, решения он принимает самостоятельно.

Секстон не верил собственным ушам. Он только что предоставил советнику шанс частично оправдать президента, взяв на себя долю вины за финансирование НАСА. А вместо этого она отбила мяч в сторону Харни. «Президент сам принимает решения». Неужели Тенч решила дистанцироваться от неудачно повернувшейся избирательной кампании? Ничего удивительного. Ведь когда пыль осядет, Марджори Тенч придется подыскивать себе работу.

В течение следующих нескольких минут сенатор Секстон и старший советник президента Марджори Тенч обменивались репликами, словно ударами на теннисном корте. Тенч попыталась было сменить тему, но сенатор не поддался, вновь вернувшись к теме бюджета НАСА.

— Сенатор, стремясь урезать бюджет НАСА, вы представляете себе, сколько рабочих мест потеряет наша страна? — Советник выдвинула сильный аргумент. — Притом не просто рабочих мест, а требующих самой высокой квалификации, долгих лет учебы и научной работы!

Секстон едва не рассмеялся в лицо этой женщине. Неужели это и есть самая умная голова в Вашингтоне? Ей, несомненно, предстоит еще многое узнать о демографической ситуации в стране. Профессионалы высоких технологий представляли собой крошечную долю от общей численности занятого в техносфере населения Америки, всех тех, кого называют «голубыми воротничками».

Секстон даже надулся от важности.

— Сейчас мы говорим о миллиардах экономии, Марджори. И если в конце концов кучке ученых из НАСА придется сесть в «БМВ» и отвезти свои драгоценные знания в какое-то другое место, то пусть так и случится. Я намерен твердо придерживаться своей позиции в отношении расходов НАСА.

Марджори Тенч замолчала, словно пытаясь оправиться от этого последнего тычка.

Ведущий Си-эн-эн не выдержал.

— Мисс Тенч, ваша реакция, — подсказал он.

Помолчав, дама откашлялась и заговорила:

— Наверное, я просто слишком удивилась, услышав, что мистер Секстон намерен так твердо противопоставить себя НАСА.

Секстон прищурился. «Хорошо, милая, хорошо!»

— Я вовсе не против НАСА и не согласен с подобным обвинением. Я лишь утверждаю, что бюджет агентства показателен как пример бездумных, ненужных затрат, которые поддерживает нынешний президент. НАСА заявило, что может построить корабль многоразового использования стоимостью в пять миллиардов долларов. На самом деле он обошелся в двенадцать миллиардов. Потом они говорят, что могут построить космическую станцию за восемь миллиардов. Сейчас в нее уже вложено сто миллиардов.

— Америка потому и лидирует, — возразила советник, — что мы не боимся ставить перед собой значительные цели и достигать их даже в сложных обстоятельствах.

— Эта риторика в духе национальной гордости вовсе на меня не действует, мисс Тенч. За последние два года НАСА уже в три раза превысило свой бюджет. А потом, поджав хвост, приползло к президенту, чтобы выпросить дополнительные суммы... Если вы хотите говорить о национальной гордости, то лучше подумайте о хороших, оснащенных всем необходимым школах. Вспомните об охране здоровья нашего населения. О тех умненьких детках, которые подрастают в стране равных возможностей. Вот на что должна опираться национальная гордость!

Тенч взглянула на оппонента с вызовом:

— А могу я задать вам прямой вопрос, сенатор?

Секстон ничего не ответил. Он просто ждал продолжения.

Она заговорила медленно, словно смакуя каждое слово:

— Так вот, сенатор, если бы я сказала вам, что мы не в состоянии исследовать космическое пространство, затрачивая меньшие средства, чем те, которые НАСА получает сейчас, вы бы полностью отказались от космического агентства?

Вопрос прозвучал так, словно на глазах всей страны на колени сенатору положили огромный булыжник. Может быть, Тенч не так уж и глупа? Она усыпила бдительность оппонента и тут же поставила перед ним прямой, требующий однозначного — да или нет — ответа вопрос. Настал миг раз и навсегда определить свою позицию по этой важнейшей проблеме.

Секстон инстинктивно попытался отступить:

— Не сомневаюсь, что при должном руководстве НАСА окажется в состоянии продолжать свои исследования со значительно меньшими затратами, чем те, которые имеют место сейчас...

— Сенатор Секстон, ответьте, пожалуйста, на вопрос. Исследование космоса — дело опасное и дорогое. Очень похоже на строительство пассажирского самолета. Надо или делать его как следует, или же не делать вовсе. Риск слишком велик. Мой вопрос все-таки остается: если вы станете президентом и окажетесь перед необходимостью принять решение: продолжать финансировать НАСА на нынешнем уровне или же полностью отменить космическую программу, что вы тогда предпочтете?

Черт! Секстон сквозь стекло взглянул на Гэбриэл. Выражение лица ассистентки говорило о том, что сенатор и так уже понял. Его приперли к стенке. Необходимо отвечать прямо, а не юлить. Выхода нет. Секстон решительно поднял голову:

— Да. В таком случае я перевел бы средства НАСА в образовательную систему. Именно такое решение я бы принял. Космосу я предпочел бы наших детей.

На лице Марджори Тенч появилось выражение шокированности.

— Я поражена. Может быть, я ослышалась? Став президентом, вы собираетесь направить свои усилия на уничтожение космических исследований в нашей стране?

Секстон чувствовал, что закипает. Он попытался возразить, но советник продолжала гнуть свое:

— Итак, вы хотите сказать, сенатор, здесь, в прямом эфире, что готовы запросто разделаться с тем самым агентством, которое послало человека на Луну?

— Я пытаюсь доказать, что вся эта космическая возня и мировое соперничество устарели и никому не нужны! Времена изменились. НАСА уже не играет определяющей роли в жизни рядовых американцев, тем не менее мы продолжаем финансировать его, как будто ничего не произошло.

— Значит, вы не считаете, что в космосе заключено наше будущее?

— Разумеется, космос — это будущее, однако НАСА — истинный динозавр! Пусть изучением космического пространства занимается частный сектор. Американские налогоплательщики вовсе не должны опустошать свои кошельки всякий раз, когда какой-нибудь вашингтонский инженер захочет сделать фотографию Юпитера стоимостью в миллиард долларов. Американцы устали от необходимости продавать будущее собственных детей, чтобы кормить ненасытное обезумевшее агентство, которое так мало дает взамен!

Тенч театрально вздохнула:

— Так мало дает взамен? Но ведь за исключением отдельных программ, в частности, проекта поиска внеземных цивилизаций, НАСА обычно получает огромные дивиденды на вложенные средства.

Секстон поразился тому, что Тенч признала безуспешность отдельных программ. Какая оплошность! Ну, спасибо ей, что напомнила. Этот проект в свое время оказался самой страшной финансовой ямой, в которую провалилось НАСА. И хотя в настоящее время ученые пытались как-то реанимировать программу, изменив название и грубо перетасовав некоторые ее задачи, все равно она оставалась той же самой неудачной игрой.

— Марджори, — Секстон решил, что просто грех упустить представившуюся возможность, — я буду говорить об этом проекте лишь потому, что вы сами упомянули его.

Странно, но, казалось, Тенч с удовольствием услышала эти слова.

Секстон откашлялся.

— Многие люди и не подозревают, что НАСА занимается поисками внеземных цивилизаций на протяжении вот уже почти тридцати пяти лет. Причем эта охота за сокровищами дорого стоит: системы спутниковых антенн, мощные передатчики, миллионы долларов на зарплату ученым, которые сидят в темных комнатах, упорно прослушивая пустые пленки. Но все это лишь трата денег.

— И вы считаете, что во всем этом нет абсолютно ничего?

— Я считаю, что если правительство за тридцать пять лет истратило сорок пять миллиардов долларов и не получило ни единого положительного результата, то проект должен был быть уничтожен еще давным-давно. — Секстон сделал паузу, чтобы смысл утверждения дошел до всех и каждого. — После тридцати пяти лет безуспешных попыток нам вряд ли уже удастся обнаружить жизнь где-нибудь за пределами Земли.

— Ну а если вы все-таки ошибаетесь?

Секстон закатил глаза.

— О, ради Бога, мисс Тенч! — раздосадованно воскликнул он. — Если я вдруг окажусь не прав, то готов съесть собственную шляпу.

— Я постараюсь запомнить ваши слова, сенатор. — Марджори Тенч впервые за все время дискуссии улыбнулась. — И думаю, что и все остальные тоже запомнят.

***

На расстоянии шести миль от студии, в Овальном кабинете, президент Зак Харни выключил телевизор и налил себе виски. Как и обещала Марджори, сенатор Секстон клюнул; ну а дальше все просто — крючок, леска, ведерко...

ГЛАВА 24

Майкл Толланд и сам чувствовал, как неудержимо сияет — такое впечатление производил на него вид потрясенной Рейчел Секстон, застывшей с куском метеорита в руке. Красивое лицо этой умной и привлекательной женщины сейчас словно окуталось дымкой изумления. На нем появилось выражение недоверчивого восторга: маленькая девочка впервые в жизни увидела Санта-Клауса.

Майклу хотелось рассказать, как он понимает ее чувства, ее полную растерянность.

Всего двое суток назад Толланд испытал аналогичное потрясение. Он тоже долго молчал, не в силах найти подходящие слова. И даже сейчас еще научные и философские последствия этого открытия обескураживали его, заставляя заново обдумывать все, что он знал о природе.

Перечень океанографических открытий самого Толланда включал несколько ранее неизвестных глубоководных видов. Но этот «космический жук» представлял собой совершенно иной уровень научного прорыва. Несмотря на упорное стремление Голливуда изображать инопланетян в виде маленьких зеленых человечков, и астробиологи, и популяризаторы науки сошлись во мнении, что если жизнь вне Земли будет когда-нибудь обнаружена, то ее представителями окажутся именно жуки. В пользу этой теории свидетельствовали разнообразие видов и способность к адаптации наземных насекомых.

Насекомые принадлежат к классу существ с внешним скелетом и членистыми ногами. В мире насчитывается примерно миллион двести пятьдесят тысяч видов, около пятисот тысяч из которых все еще ожидают соответствующей классификации.

Они составляют девяносто пять процентов всех земных видов вообще и сорок процентов биомассы планеты.

Но еще большее впечатление, чем изобилие насекомых, производит их многообразие и адаптивность. От антарктического ледового жука до солнечного скорпиона, обитающего в Долине Смерти, все они прекрасно переносят невероятные температуры, засуху и давление. Они даже научились приспосабливаться к самой смертоносной из всех известных на Земле сил — к радиации. После ядерных испытаний 1945 года военные надевали защитные скафандры и изучали последствия взрыва, при этом обнаруживая, что и тараканы, и муравьи чувствуют себя прекрасно, так, словно ничего не произошло. Астрономы пришли к выводу, что членистоногие, имеющие защитный панцирь, — чрезвычайно подходящие кандидаты на заселение бесчисленных радиоактивных планет, где ничто иное просто не имеет возможности выжить.

Толланд не мог не согласиться с астрономами. Действительно, жизнь вне Земли должна существовать в форме жуков.

У Рейчел подкашивались ноги.

— Я... я не могу поверить, — пролепетала она, не выпуская из рук кусок метеорита. — Никогда не думала...

— Не спешите. Должно пройти некоторое время, прежде чем потрясение уляжется, — улыбаясь, посоветовал Толланд. — Мне лично потребовались сутки, чтобы почувствовать, что снова твердо стою на ногах.

— Вижу, у нас новенькие, — вступил в разговор подошедший человек азиатской внешности и нехарактерного для людей его расы высокого роста.

Увидев его, и Корки, и Майкл моментально сникли. Волшебный миг исчез бесследно.

— Доктор Уэйли Мин, — представился незнакомец, — главный палеонтолог проекта.

Главный палеонтолог держался прямо и гордо, с церемонностью аристократа эпохи Возрождения. Он, очевидно, имел привычку поглаживать свой галстук-бабочку. Под длинным, до колен, жакетом из верблюжьей шерсти тот выглядел совершенно неуместно. Впрочем, Уэйли Мин явно старался не позволить таким мелким обстоятельствам повредить его безукоризненно аристократическому облику.

— Меня зовут Рейчел Секстон.

Пожимая гладкую мягкую ладонь Мина, Рейчел почувствовала, что дрожь в руке еще не унялась. Мин, конечно, был еще одним из независимых специалистов, которых собрал здесь президент.

— Я к вашим услугам, мисс Секстон, — рассыпался в любезностях палеонтолог, — готов рассказать об этих окаменелостях все, что угодно... все, что захотите узнать.

— А кроме того, еще и массу всего, чего не захотите, — проворчал Корки.

Мин снова погладил галстук-бабочку.

— Моя специализация в палеонтологии — исчезнувшие виды членистоногих. Конечно, самой впечатляющей характеристикой этих организмов является...

— Является то, что они прилетели с другой планеты, — вставил Корки.

Мин зло взглянул на встревающего в разговор товарища и откашлялся.

— Так вот, самой впечатляющей характеристикой этого организма является то, что он совершенно точно вписывается в систему земной таксономии и классификации.

Рейчел подняла взгляд на ученого. Неужели им удастся классифицировать эту штуку?

— Вы имеете в виду вид, тип и все такое?

— Именно, — подтвердил Мин. — Найденный в земных условиях, этот образец был бы отнесен к классу равноногих и попал бы в одну семью с двумя тысячами разнообразных типов вшей.

— Вшей? — не поверила ушам Рейчел. — Но ведь он же огромный!

— Таксономия не принимает в расчет размер животного. Домашние кошки и тигры — близкие родственники. Образцы классифицируются согласно их физиологии. А с этой точки зрения наш образец, несомненно, относится к отряду вшей: смотрите, он имеет плоское тело, семь пар ног и репродуктивную сумку, то есть совершенно идентичен лесным вшам, навозным жукам и подобным близким родственникам. Другие же окаменелости ясно отображают более специализированную...

— Другие окаменелости?

Мин многозначительно посмотрел на Корки и Толланда:

— Она что, не знает?

Толланд покачал головой.

Глаза Мина загорелись.

— Мисс Секстон, оказывается, вы еще многого не слышали.

— Есть и другие отпечатки, — вступил в разговор Мэрлинсон, стараясь отобрать пальму первенства у Мина, — причем очень много.

Корки достал из ящика большой конверт, а из него сложенную в несколько раз распечатку рентгеновского снимка. Положил ее на стол перед Рейчел.

— Просверлив отверстия, мы погрузили в метеорит рентгеновскую камеру. Вот графическое изображение поперечного сечения.

Рейчел внимательно посмотрела на лежащую перед ней распечатку. Пришлось тут же сесть, чтобы не упасть. Срез метеорита оказался буквально напичкан отпечатками.

— Палеонтологические свидетельства обычно встречаются в значительной концентрации, — заметил Мин. — Это объясняется тем, что зачастую грязевые потоки, сели и другие стихийные явления захватывают целые скопления организмов — гнезда или даже сообщества.

Корки ухмыльнулся:

— Нам кажется, коллекция, заключенная в метеорите, представляет собой гнездо. — Он показал на отпечаток одного, очень крупного, жука: — Вот матка.

Рейчел присмотрелась и буквально раскрыла рот от изумления. Жук имел в длину около двух футов.

— Немаленькая вошка, правда? — довольным тоном поинтересовался Мэрлинсон.

Рейчел молча кивнула: дара речи она давно лишилась. Она живо представила себе, как по неведомой далекой планете бродят вши размером с рождественский пирог.

— На нашей планете, — заметил Мин, — жуки остаются сравнительно небольшими, поскольку им не дает расти сила притяжения. Они не могут вырасти больше, чем им позволяет их внешний скелет. Однако вполне можно представить, что на планете с меньшей гравитацией насекомые способны достичь куда больших размеров.

— Вообразите только, что вас кусают комарики величиной с кондоров, — пошутил Мэрлинсон, забирая из руки Рейчел камень с отпечатком, который она все еще крепко сжимала, и опуская его себе в карман.

Мин не оставил без внимания его движение.

— Ты бы не прикарманивал образцы! — полушутя-полусерьезно сказал он.

— Успокойся! У нас этого добра еще целых восемь тонн, — беззлобно огрызнулся астрофизик.

Аналитический ум Рейчел жадно переваривал полученную информацию.

— Каким же образом жизнь из глубокого космоса может в столь значительной степени походить на земную? Я имею в виду ваши слова о том, что эти жуки соответствуют нашей земной классификации.

— Полностью соответствуют, — подтвердил Корки. — Хотите верьте, хотите нет, но многие астрономы предрекали, что внеземная жизнь окажется очень похожей на жизнь на Земле.

— Почему же? — настаивала Рейчел. — Как такое может случиться? Эти образцы жили в совершенно ином окружении.

Широко улыбаясь, Мэрлинсон произнес одно-единственное мудреное слово:

— Панспермия.

— Простите?

— Теория панспермии утверждает, что жизнь на Земле была посеяна из космоса.

Рейчел поднялась:

— По-моему, я что-то...

Мэрлинсон повернулся к Толланду:

— Майк, давай! Ты же у нас главный специалист по первобытному океану.

Толланд, казалось, был счастлив завладеть инициативой.

— Когда-то жизни на Земле не было, Рейчел. А потом внезапно, буквально в момент, за одну ночь, она появилась. Многие биологи считают, что подобный взрыв оказался результатом идеального сочетания элементов в первобытных морях. Однако нам так и не удалось воспроизвести эту ситуацию в лабораторных условиях, а потому богословы ухватились за наш провал как за доказательство существования высших сил, божественного провидения. Они утверждали, что жизнь не могла существовать, пока Бог не дотронулся до первобытного океана и не насытил его жизнью.

— Но мы, астрономы, — провозгласил Корки, — предложили иное объяснение внезапному взрыву жизни на Земле.

— Панспермия, — повторила Рейчел, теперь уже понимая, о чем идет речь.

Она и раньше слышала о теории панспермии, хотя не имела понятия, в чем ее смысл. Теперь выходит, что жизнь — это следствие падения метеорита в первобытный океан, в результате чего на Земле появились первые микроорганизмы.

— Они проникли к нам, — добавил Корки, — и начали развиваться.

— И если это соответствует действительности, — вставила Рейчел, — то формы, которые существовали до появления жизни на Земле и вне ее, должны быть идентичными земным.

— Именно так, — похвалил ученицу астрофизик.

Панспермия, мысленно повторила Рейчел, все еще с трудом представляя себе эту картину.

— Значит, эти окаменелости подтверждают не только то, что жизнь существует где-то еще во Вселенной, но они практически доказывают панспермию... то есть теорию о том, что жизнь была занесена к нам откуда-то извне.

— И снова верно! — Корки энергично кивнул. — Говоря по правде, мы все вполне можем оказаться инопланетянами.

Он приставил руки к голове в виде двух антенн, скосил к переносице глаза и высунул язык, изображая пришельца из космоса.

Толланд посмотрел на Рейчел и широко, словно перед телевизионной камерой, улыбнулся:

— Ну а этот парень представляет собой вершину нашей эволюции.

ГЛАВА 25

Рейчел Секстон медленно шла по хабисфере рядом с Майклом Толландом. Мэрлинсон и Мин отстали на пару шагов. В голове у агента НРУ царил туман, окутавший мысли дымкой неопределенности.

— С вами все в порядке? — участливо поинтересовался Толланд.

Рейчел взглянула на него и слабо улыбнулась:

— Да, спасибо. Просто... так много всего.

Она вернулась мыслями к печально знаменитому открытию НАСА 1996 года, носящему кодовое название ALH84001, — оно представляло собой метеорит с Марса, который, как считало космическое агентство, содержал окаменелые следы бактерий. Однако всего через несколько недель после триумфальной пресс-конференции, устроенной руководителями НАСА, несколько независимых ученых выступили с убедительным опровержением. Они доказали, что «следы жизни», обнаруженные в камне, на самом деле были не более чем результатом земного загрязнения. Доверие к компетентности НАСА оказалось подорвано. Газета «Нью-Йорк таймс» немедленно воспользовалась этим, обвинив агентство в обнародовании «не всегда проверенных данных».

В том же самом издании, которое напечатало опровержение ученых, палеобиолог Стивен Джей Гулд обобщил проблему ALH84001, указав на тот факт, что аргументы НАСА носили скорее полемический и логический характер и не были «истинными», как, например, не вызывающие сомнения кость или раковина.

Но теперь не оставалось ни малейшего сомнения, что НАСА удалось наконец обнаружить самые надежные доказательства. Ни один, даже самый скептически настроенный, ученый не мог выступить с опровержением этих свидетельств. НАСА уже не раздувало какие-то непонятные и туманные домыслы, не пыталось строить аргументацию на основе увеличенных фотографий якобы обнаруженных микроскопических бактерий. Агентство предоставляло самые настоящие образцы метеорита, в которых невооруженным глазом можно разглядеть отпечатки биологических организмов. Надо же! Равноногая вошь! Ни много ни мало!

Рейчел усмехнулась: подростком она обожала песню Дэвида Боуи, в которой речь шла о «пауках с Марса». Разве можно было предугадать, насколько прозорливым окажется этот странноватый рок-кумир? Он словно предсказал великий момент астрофизики.

Рейчел шагала, напевая про себя строчки из песни. С ней поравнялся Корки Мэрлинсон:

— Ну как, Майк уже успел похвастаться насчет своего документального сериала?

— Нет еще, — созналась Рейчел, — но я с удовольствием послушала бы.

Корки похлопал Толланда по плечу:

— Вперед, мой мальчик! Расскажи красивой девушке, почему в этот важнейший для истории науки момент президенту понадобилась именно такая подводная телезвезда, как ты!

Толланд застонал:

— Корки, может, не стоит?

— Ну хорошо, тогда объясню я, — согласился тот, втискиваясь между Рейчел и Майком. — Как вы, возможно, знаете, мисс Секстон, сегодня вечером президент устраивает пресс-конференцию, чтобы поведать всему миру о метеорите. А поскольку значительная часть человечества состоит из недоумков, то господин президент и попросил Майка встать рядом и все популярно разъяснить.

— О, спасибо тебе, Корки, — не выдержал Толланд, — очень мило с твоей стороны. — Он посмотрел на Рейчел: — На самом деле Корки хочет сказать, что, поскольку вопрос заключает в себе массу научных подробностей, президент вполне справедливо решил, что небольшой документальный сериал о метеорите — всего несколько коротких выпусков — поможет сделать информацию более доступной для населения Америки. К сожалению, далеко не все наши сограждане успели получить ученую степень по астрофизике.

— Вы, конечно, еще не в курсе, — снова принялся ехидничать Мэрлинсон, — а я вот недавно узнал, что президент нашей страны — страстный поклонник программы «Удивительные моря». — Шутливо сокрушаясь, он покачал головой. — Зак Харни, главный человек свободного мира, заставляет секретаршу записывать серии на видеомагнитофон, а потом расслабляется после напряженного трудового дня.

Толланд пожал плечами:

— Что я могу на это сказать? Только то, что господин президент обладает хорошим вкусом.

Рейчел начала понимать, насколько интересен и хитроумен план президента. Политика базируется на игре средств массовой информации, и Рейчел уже могла себе представить тот интерес и доверительность, которые обеспечит пресс-конференции появление на телеэкране всеми любимого ведущего Майкла Толланда. Для нанесения своего главного, мощного удара Зак Харни точно и безошибочно выбрал подходящих людей. Скептики окажутся в трудном положении. Как они смогут оспорить слова президента, если их подтверждают несколько наиболее уважаемых в стране ученых и самый любимый телеведущий?

Мэрлинсон пояснил:

— Майк уже снял фильм для всех нас, гражданских, равно как и большинство специалистов НАСА. И ставлю на кон свою Национальную медаль: готов спорить, что следующая в его списке — вы.

Рейчел обернулась к нему:

— Я? О чем вы говорите? Для этого нет никаких оснований, я не могу этого делать хотя бы по роду своей работы.

— Тогда зачем же президент вас сюда прислал?

— А вот этого он мне еще не объяснил.

На губах Мэрлинсона расцвела улыбка.

— Вы ведь сотрудница аппарата разведки Белого дома? Причем именно та сотрудница, которая занимается анализом поступающих сведений. Так?

— Вы правы. Но к науке я не имею ни малейшего отношения.

— Кроме всего прочего, вы еще и дочь человека, который умудрился всю свою избирательную кампанию построить на критике действий НАСА, в частности, на чрезмерной трате этим агентством денег налогоплательщиков.

Рейчел чувствовала, что приближается бурная развязка.

— Вам придется признать, мисс Секстон, — вступил в разговор Мин, — что ваше участие в фильме придало бы ему совершенно новое звучание и новые краски, не говоря уж о большей степени доверия зрителей в этом случае. Если президент прислал вас сюда, то скорее всего ему нужно ваше участие — в той или иной форме.

Рейчел снова вспомнила слова Уильяма Пикеринга, тревожившегося о том, что ее попробуют использовать против собственной воли.

Толланд взглянул на часы.

— Нам нужно спешить, — проговорил он, направляясь в центр хабисферы, — уже скоро.

— Что скоро? — не поняла Рейчел.

— Самое главное событие. НАСА пытается поднять метеорит на поверхность. Это произойдет с минуты на минуту.

— Что, эти парни в самом деле вытаскивают камешек весом в восемь тонн из слоя льда толщиной в двести футов?

Мэрлинсон выглядел счастливым.

— Но вы же не думали, что НАСА собирается оставить подобную находку там, где она лежит уже невесть сколько, скрытая льдами?

— Нет, конечно, но... — Рейчел оглянулась. Никаких следов крупномасштабного, как можно было бы ожидать, подъемного оборудования заметно не было. — Но как же именно они собираются это осуществить?

Корки гордо задрал нос:

— Без проблем. Вы ведь находитесь в месте, буквально набитом учеными-ракетчиками!

— Ерунда! — осадил товарища Мин. — Доктор Мэрлинсон просто очень любит вешать людям лапшу на уши. А правда состоит в том, что все здесь только этим и заняты — думают, как бы половчее вытащить метеорит. А лучший вариант принадлежит доктору Мэнгор.

— Я не знакома с доктором Мэнгор.

— Это гляциолог из Университета Нью-Хэмпшира, — пояснил Толланд. — Четвертый и последний из независимых ученых, собранных здесь президентом. Мин прав, Мэнгор умнее всех.

— Хорошо, — заинтересовалась Рейчел, — и что же именно предложил этот парень?

— Не парень, — поправил Мин, явно смутившись. — Доктор Мэнгор — женщина.

— Ну, это еще надо доказать, — проворчал Мэрлинсон. Он искоса взглянул на Рейчел: — И кстати, доктор Мэнгор скорее всего примет вас отнюдь не любезно.

Толланд сердито взглянул на товарища.

— Точно-точно! — подтвердил тот. — Конкуренция ей вовсе не понравится.

Рейчел растерялась, ничего не поняв.

— Простите... О какой конкуренции вы говорите?

— Не обращайте на него внимания, — посоветовал Толланд. — К сожалению, Национальный научный комитет почему-то не понял, что Мэрлинсон — полный идиот. Вы с доктором Мэнгор прекрасно поладите. Она прекрасный профессионал, считается одним из самых авторитетных гляциологов мира. Несколько лет она жила в Антарктике, изучала движение льдов.

— Странно, — вставил Корки, — а я слышал, что университет добился гранта и отправил ее подальше, во льды, чтобы хоть немного пожить спокойно и мирно.

— А вам известно, — почти закричал Мин, принявший все эти разговоры близко к сердцу, — что доктор Мэнгор там едва не погибла? Она потерялась в бурю и целых пять недель питалась одним тюленьим жиром — пока кто-то ее не нашел!

Мэрлинсон и здесь не смолчал. Наклонившись к гостье, он прошептал:

— Говорят, никто особенно и не искал.

ГЛАВА 26

Гэбриэл Эш показалось, что лимузин чересчур долго ехал от студии Си-эн-эн до офиса сенатора Секстона. Сам сенатор сидел напротив своей ассистентки, рассеянно глядя в окно и явно торжествуя победу в теледебатах.

— На дневное кабельное шоу они прислали Тенч, — произнес он наконец, взглянув на спутницу с многозначительной улыбкой. — Кажется, Белый дом сходит с ума.

Гэбриэл лишь кивнула, не желая начинать обсуждение. Она заметила, что когда Марджори уходила из студии, лицо ее сияло торжеством. Наблюдательная и умная ассистентка нервничала.

У Секстона зазвонил сотовый телефон, и он полез в карман. Как и большинство политиков, сенатор имел целую иерархию телефонных номеров, по которым его можно было найти. Все зависело от степени важности звонившего. Тот, кто набрал номер сейчас, несомненно, числился в верхних строчках списка; звонок прошел по личной линии Секстона, по тому номеру, на который не осмеливалась звонить даже Гэбриэл.

— Сенатор Седжвик Секстон, — пропел он сладким голосом, наслаждаясь звуком собственного имени.

Гэбриэл не расслышала, что говорил звонивший, но сенатор явственно напрягся, стараясь не проронить ни единого слова. Отвечал он с энтузиазмом.

— Просто фантастика! Я так рад, что вы позвонили! В шесть? Прекрасно. У меня здесь, в Вашингтоне, квартира. Частная. Удобная. Адрес вы знаете? Ну и хорошо. Жду встречи. До вечера.

Секстон отключился, очень довольный собой.

— Новый сторонник Секстона? — поинтересовалась Гэбриэл.

— Их число стремительно растет, — ответил сенатор. — А этот парень — тяжелая артиллерия.

— Надо полагать, встречаетесь у вас дома?

Гэбриэл знала, как дорожит сенатор уединенностью вашингтонской квартиры — ведь она оставалась его последней возможностью скрыться от чужих глаз.

Секстон пожал плечами:

— Да. Придется добавить сердечного тепла. Этот человек имеет немалое влияние. Вы же знаете, что необходимо устанавливать и личные связи. Все играет в мою пользу.

Гэбриэл кивнула, открывая ежедневник сенатора.

— Занести его в расписание?

— Да нет, не стоит. Я все равно планировал провести сегодняшний вечер дома.

Гэбриэл нашла нужную страницу и увидела, что рукой сенатора уже сделана пометка — жирные буквы «Р.Е.». Это могло означать и свободный вечер, и дружескую встречу, и даже то, что босс посылает всех к чертям собачьим. Определить точнее значение этого сокращения было невозможно. Время от времени сенатор брал ежедневник и рисовал на нужной странице эти буквы, имея явное желание спрятаться в собственной квартире, отключить все телефоны и делать то, что любил больше всего на свете, — потягивать бренди со старыми приятелями, притворяясь, что в этот вечер совсем не помнит и не думает о политике.

Гэбриэл с удивлением взглянула на сенатора:

— Вы собираетесь позволить бизнесу отнять у вас заранее запланированное личное время? Интересно!

— Парню просто повезло. Он умудрился поймать меня именно тогда, когда у меня есть немного свободного времени. Поговорю с ним о том о сем. Послушаю, что он скажет.

Помощнице очень хотелось спросить, кто же этот таинственный человек, однако Секстон явно не хотел раскрывать секрет. А Гэбриэл уже научилась понимать его настроение.

Они свернули с окружной дороги и направились непосредственно к офису. Гэбриэл снова взглянула на перечеркнутую рукой сенатора страницу ежедневника и внезапно поняла, что босс ожидал этого звонка.

ГЛАВА 27

На льду посреди хабисферы НАСА возвышалась странная конструкция на трех опорах высотой примерно восемнадцать футов. Выглядела она чем-то средним между нефтяной вышкой и неуклюжей моделью Эйфелевой башни. Рейчел внимательно рассматривала сооружение, не в силах понять, как именно с ее помощью можно достать гигантский метеорит.

Под конструкцией к металлическим пластинам, торчащим изо льда, тяжелыми болтами было прикручено несколько лебедок. Металлические тросы спускались в узкие, просверленные во льду отверстия. Несколько крупных, отличающихся физической силой сотрудников НАСА по очереди вращали лебедки. С каждым усилием тросы в просверленных отверстиях поднимались на несколько дюймов.

Казалось, они собираются вытащить метеорит прямо через лед...

— Черт возьми, тяните ровнее! — раздался неподалеку громкий женский голос, звучавший с мелодичностью пилы.

Рейчел оглянулась и увидела невысокую женщину в яркожелтом комбинезоне, перепачканном машинным маслом. Она стояла спиной к зрителям, однако не приходилось сомневаться, что именно она руководит ходом всей операции. Делая какие-то отметки на планшете, женщина бегала взад-вперед, словно заправский бурильных дел мастер.

— Только не говорите, что устали! — подгоняла она работающих.

Мэрлинсон подал голос:

— Эй, Нора! Бросай мучить парнишек из НАСА и пофлиртуй-ка лучше со мной!

Женщина даже не повернулась к нему.

— Ты, что ли, Корки? Твой голосок я сразу узнаю. Приходи, когда повзрослеешь и возмужаешь!

Мэрлинсон бросил взгляд на Рейчел:

— Нора не устает согревать нас всех своим обаянием.

— Учти, я все слышу, космический мальчик, — огрызнулась доктор Мэнгор, что-то помечая на планшете. — А если ты сейчас занят тем, что рассматриваешь мой зад, то учти: штаны прибавляют фунтов тридцать веса, не меньше.

— Не волнуйся, — успокоил Мэрлинсон, — меня сводит с ума вовсе не эта восхитительная слоновья задница, а вся твоя неуемная творческая натура!

— Ну так иди приласкай меня!

Корки рассмеялся.

— У меня новости, Нора. Похоже, ты не единственная женщина, которую президент послал сюда.

— Черт подери, конечно, нет! Он ведь еще и тебя пригласил.

Толланд решил, что пора вмешаться в этот обмен любезностями.

— Нора! У тебя найдется минутка, чтобы кое с кем познакомиться?

Услышав голос телезвезды, Нора тут же прекратила писать и обернулась. Суровое выражение исчезло с ее лица.

— Майк! — Она буквально бросилась к нему. — Давненько я тебя не видела!

— Редактировал фильм.

— И как мой кусок?

— Ты выглядишь совершенно блистательно. И к тому же поистине очаровательно.

— Он использовал спецэффекты, — не сдержался Мэрлинсон.

Нора словно и не заметила колкости. Сейчас она смотрела на Рейчел. На лице появилась любезная, но отчужденная улыбка. Потом взгляд ее вернулся к Толланду.

— Надеюсь, ты не смеешься надо мной, Майк?

Толланд почему-то покраснел.

— Нора, хочу познакомить тебя с Рейчел Секстон. Мисс Секстон работает в разведывательной службе, а здесь оказалась по просьбе президента. Ее отец — сенатор Седжвик Секстон.

— Не хочу даже притворяться, что понимаю суть дела. — Нора подала Рейчел руку, не потрудившись снять перчатку. Рукопожатие ее не отличалось сердечностью. — Добро пожаловать на вершину мира.

Рейчел улыбнулась:

— Спасибо.

Ее удивило, что Нора Мэнгор, обладательница такого громкого и резкого голоса, оказалась симпатичной, миловидной женщиной. Коротко подстриженные, каштановые с проседью волосы аккуратно уложены, большие глаза смотрят внимательно и ясно, словно два ледяных кристалла. Рейчел импонировала стальная уверенность, которую излучала эта хрупкая особа.

— Нора, — вновь заговорил Толланд, — найдешь пару минут, чтобы разъяснить Рейчел, чем вы здесь занимаетесь?

Нора удивленно подняла брови:

— Вы уже так близко знакомы, что зовете друг друга по имени? Ах-ах!

Мэрлинсон застонал:

— Майк, я тебя предупреждал!

Нора Мэнгор организовала Рейчел экскурсию вокруг установки, а Толланд вместе с остальными шли сзади, беседуя.

— Видите эти отверстия во льду, прямо под треногой? — спросила Нора, показывая под ноги. Ее резкий, вызывающий тон смягчился. Она явно любила свое дело.

Рейчел кивнула, внимательно разглядывая все, что ей показывали. Каждая из дырок имела в диаметре примерно фут и свободно пропускала стальной трос.

— Отверстия остались еще с того времени, когда мы здесь высверливали образцы породы и спускали рентгеновский аппарат. Теперь они послужили входами для мощных винтов, которые вгрызлись в метеорит. Закрепив винты, мы в каждую из дырок спустили примерно по паре сотен футов прочного плетеного троса, прикрепили к винтам мощными крюками, а теперь просто поднимаем камешек. Потребуется всего несколько часов, чтобы вытащить его на поверхность. Он нас слушается.

— По-моему, я не все понимаю, — призналась Рейчел. — Метеорит лежит в толще льда, под тяжестью в несколько тысяч тонн. Как же вы его тащите?

Нора показала на вершину конструкции, откуда вертикально, сверху вниз, светил тонкий красный луч. Рейчел и раньше его видела, но решила, что это просто какая-то оптическая наводка, может быть, указывающая точное место, где находится метеорит.

— Галлиевый полупроводниковый лазер, — не совсем внятно объяснила Нора.

Рейчел внимательно присмотрелась к лучу и наконец заметила, что он успел проделать во льду крохотное отверстие и теперь уходит вглубь, в самую толщу льда.

— Это очень горячий лучик, — ласково произнесла Нора, — им мы постепенно нагреваем метеорит по мере того, как он поднимается выше.

Рейчел наконец-то осознала суть плана собеседницы. Нора просто направила лазерный луч вниз, растапливая лед и нагревая сам метеорит. Камень был слишком плотным, чтобы лазер мог повредить ему, но он вбирал в себя его тепло, постепенно становясь достаточно горячим для того, чтобы растопить лед вокруг. Он сам прокладывал себе путь на поверхность. А растаявший лед над метеоритом водой стекал вниз, заполняя шахту.

Так разогретым ножом режут замерзший кусок масла.

Нора показала на людей у лебедки:

— Генераторы не выдерживают такого напряжения, вот я и использую человеческую силу.

— Неправда! — весело отозвался один из работающих. — Она поставила нас сюда просто потому, что любит смотреть, как мы потеем.

— Ты себе льстишь! — дружески огрызнулась Нора. — Вы, ребята, два дня жаловались на холод. Ну а я вас согрела. За работу, милашки!

Рабочие рассмеялись.

— А зачем эти пилоны?

Рейчел показала на несколько оранжевых вертикальных конусов, установленных вокруг башни на первый взгляд совершенно произвольно. Такие же конусы Рейчел видела и вокруг самого купола.

— Важнейший инструмент гляциолога, — пояснила Нора. — Мы зовем их «ВЗИСН». Сокращенное от «Встань здесь и сломай ногу».

Она подняла один из пилонов. Под ним оказалось круглое отверстие, словно бездонный колодец, уходящее в глубину льда.

— Плохое место для прогулок. — Нора поставила конус на место. — Мы сверлили эти дырки по всему леднику, чтобы изучить состав льда и его толщину. Как и в археологии, время, в течение которого объект пролежал скрытым от глаз, определяется глубиной, на которой он обнаружен. Чем глубже зарыт камень, тем дольше он там лежит. Точно так же, когда что-то вдруг обнаруживается под толщей льда, можно установить, когда это «что-то» туда попало, по тому, сколько льда наросло сверху. А чтобы удостовериться в точности измерений, мы измеряем и толщину соседних участков. Этим мы также подтверждаем, что лед однороден, то есть не подвергался воздействию землетрясений, сжатий, обвалов и тому подобного.

— И как же выглядит этот ледник?

— Совершенно безупречно, — с явным удовольствием ответила Нора. — Единый, цельный монолит. Ни разломов, ни ледовых завихрений. А метеорит представляет собой то, что мы называем «статическим объектом». И лежит он здесь, милый, нетронутым с того самого момента, как приземлился. А именно с 1716 года.

Рейчел не смогла сдержать восхищения:

— Вы смогли установить точный год падения?

Казалось, собеседница удивилась.

— Черт возьми, разумеется! Для того меня сюда и позвали. Я же умею читать лед. — Она показала на аккуратно сложенный штабель ледовых «бревен». Каждый из этих прозрачных столбов был помечен оранжевой биркой. — Эти вот ледовые палки представляют собой ценнейшие геологические образцы. — Она подвела Рейчел к «бревнам». — Посмотрите внимательно и увидите отдельные слои льда.

Наклонившись, гостья действительно смогла рассмотреть, что столбы состоят из фрагментов, отличающихся и по прозрачности, и по оттенку. Даже по толщине слои были очень разными, от нескольких миллиметров до четверти дюйма.

— Зимой на шельфовый лед падает снег, — пояснила Нора, — а весной бывает частичное таяние. Поэтому каждый сезон добавляет новый компрессионный слой. Мы начинаем сверху, с последней зимы, и считаем в обратном направлении.

— Словно кольца на деревьях? — изумилась Рейчел.

— Не так просто, мисс Секстон. Не забывайте, что приходится измерять сотни футов наслоений. Необходимо сверяться с климатическими маркерами, чтобы не наделать ошибок. А такими маркерами служат отчеты о количестве осадков, сведения о загрязнении воздуха и тому подобная информация.

Толланд с коллегами догнал увлеченных беседой дам. Майкл улыбнулся Рейчел.

— Она знает много интересного про лед, правда?

Рейчел странно обрадовалась, увидев этого человека.

— Да, просто удивительно.

— Что касается даты, — кивнул Толланд, — то доктор Мэнгор совершенно права. 1716 год. НАСА вычислило тот же самый год удара метеорита о землю еще до нашего прибытия сюда. А доктор Мэнгор сверлила свои отверстия, изучала образцы и пришла к тому же выводу, подтвердив результаты космического агентства.

Все это впечатляло.

— И кстати, — заметила мисс Мэнгор, — именно в этом году наблюдатели видели светящийся шар. Он летел по небу севернее Канады. Этот случай вошел в историю под названием «Юнгерсольское падение», по имени человека, который зафиксировал его.

— То есть, — вступил в разговор Мэрлинсон, — соответствие исторического свидетельства и опытным путем установленной даты свидетельствует о том, что наш камень — кусок того самого метеорита, падение которого зарегистрировано в 1716 году.

— Доктор Мэнгор! — позвал один из рабочих. — Показались крюки.

— Экскурсия закончена, ребята, — торжественно объявила Нора. — Наступает момент истины. — Она схватила складной стул, взобралась на него и закричала: — Все сюда! Через пять минут вытаскиваем!

Все, кто находился в куполе, словно подопытные собаки Павлова, реагирующие на звонок к обеду, бросили свои дела, инструменты, чертежи, книги и направились в центральную зону.

Нора Мэнгор, прижав руки к лицу, созерцала свое детище.

— Вперед! Поднимаем «Титаник»!

ГЛАВА 28

— Разойдись! — потребовала Нора, пробираясь сквозь стремительно растущую толпу.

Люди расступились. Нора взялась за дело, несколько театрально проверяя натяжение тросов и крепления.

— Вверх! — скомандовал один из высших чинов НАСА.

Рабочие натянули лебедки, и тросы поднялись из просверленных колодцев еще на шесть дюймов.

Чем выше поднимались тросы, подтягивая за собой груз, тем более нетерпеливой выглядела толпа. Мэрлинсон и Толланд пробрались в первый ряд, едва не прыгая от возбуждения, словно дети в ожидании Санта-Клауса. Появилась огромная фигура администратора НАСА Лоуренса Экстрома.

— Крюки! — воскликнул он. — Уже видны крепления!

Стальные плетеные кабели в просверленных гнездах уступили место желтым цепям креплений.

— Еще шесть футов! Держи крепче!

Наступило напряженное, словно натянутая струна, молчание. Собравшиеся как будто ожидали появления какого-то удивительного призрака. И конечно, каждый хотел узреть чудо первым.

И вот наконец Рейчел увидела это торжественное событие.

Плавя над собой лед, к поверхности приближалась пока еще неясная, бесформенная глыба метеорита. Она казалась темным пятном, поначалу расплывчатым, но по мере приближения к поверхности все более проясняющимся.

— Давайте! — закричала Нора.

Рабочие налегли на лебедки, и все подъемное сооружение жалобно заскрипело.

— Еще пять футов! Ровнее держи!

Теперь Рейчел видела, как вздымается неуклонно подпираемый снизу лед. Он словно готовился родить метеорит, с трудом, неохотно выпуская его из своих недр. На самой вершине образовавшегося бугра, вокруг точки погружения лазерного луча, лед начал быстро таять, образовав на поверхности сначала темный круг, а потом все более расширяющееся углубление.

— Площадь расширяется! — крикнул кто-то из наблюдающих. — Уже девяносто сантиметров!

В ответ послышался напряженный, нервный смех.

— Хорошо, уберите лазер!

Кто-то повернул выключатель, и луч исчез.

И вот это произошло.

Подобно древнему огненному богу, окруженный клубами свистящего пара, на поверхность вырвался огромный камень. Во влажном тумане он казался бесформенной темной глыбой. Люди, управляющие лебедками, напряглись из последних сил, и наконец ледяные оковы выпустили весь метеорит целиком. Горячий, мокрый, он повис над бурлящим ледовым котлом, из которого только что родился.

Рейчел смотрела, словно загипнотизированная.

Покачиваясь на креплениях, окруженный горячим паром, метеорит таинственно, приглушенно мерцал в свете галогеновых ламп, больше всего похожий на огромную окаменевшую сливу. Одна из сторон камня казалась гладкой и округлой, отполированная силой трения атмосферы.

Глядя на обугленную корку сплава, Рейчел ясно представила себе, как огненный шар метеорита неудержимо несся к Земле. Даже не верилось, что это произошло несколько веков назад. И вот он здесь, беспомощно, словно попавший в капкан зверь, висит на тросах перед толпой изумленных, потерявших дар речи людей.

Охота закончена.

Только сейчас Рейчел ясно осознала значимость события, невольной участницей которого она стала. Висящий здесь, прямо перед ней, «объект» явился совершенно из другого мира, пролетев миллионы миль. И прилетел не напрасно. В своих недрах он принес людям так давно ожидаемое подтверждение их чаяний — в огромной, бескрайней Вселенной они не одиноки.

Эйфория одновременно захлестнула всех, и толпа разразилась громкими радостными криками и аплодисментами. Даже администратор поддался общему ликованию. Поздравляя сотрудников, он жал им руки, обнимал, похлопывая по спине, некоторых даже целовал. Рейчел искренне радовалась за НАСА. Последнее время этим самоотверженным и увлеченным людям очень не везло. И вот наконец долгожданный момент победы настал. Они заслужили его.

Зияющая во льду дыра, успокоившись, приобрела очень мирный вид и стала походить на бассейн, который кто-то устроил в самой середине хабисферы. Некоторое время о ледяные берега его била волна, но постепенно все успокоилось. Вода стояла низко, почти на четыре фута ниже окружающего льда. Разница в уровне возникла и из-за того, что вытащили огромную глыбу метеорита, и из-за свойства льда уменьшать при таянии объем.

Нора Мэнгор немедленно обошла вокруг бассейна, расставляя по его периметру свои знаменитые оранжевые конусы. Разумеется, не заметить ледяной купели было невозможно, тем не менее оставалась опасность, что какой-нибудь излишне любознательный и неосторожный служащий НАСА подберется чересчур близко к краю и, поскользнувшись, упадет в воду. Стенки бассейна, словно отлитые изо льда, были настолько скользкими и гладкими, что выбраться оттуда казалось немыслимым. А помощь при царивших здесь температурах вполне могла опоздать.

Неуклюже шагая по льду, подошел Лоуренс Экстром. Решительно протянув Норе Мэнгор руку, он долго и с жаром тряс ее.

— Браво, доктор Мэнгор!

— Надеюсь увидеть немало хвалебных статей в печати, — отозвалась Нора.

— Непременно!

Администратор повернулся к Рейчел. Сейчас он выглядел куда более спокойным, расслабленным и даже почти счастливым.

— Ну как, мисс Секстон, ваш профессиональный скепсис побежден?

Рейчел не смогла сдержать улыбку.

— Вернее будет сказать, раздавлен.

— Отлично. Следуйте за мной.

Рейчел направилась вслед за администратором через всю хабисферу к огромному металлическому ящику, больше всего похожему на космический контейнер. Он был раскрашен в маскировочные цвета и помечен нарисованными с помощью трафарета буквами «PSC».

— Отсюда вы сможете позвонить президенту, — обыденно пояснил Экстром.

Рейчел поняла, что получила доступ в святая святых, к аппарату правительственной связи. Подобные передвижные кабины обычно использовались в местах военных действий, и Рейчел никак не ожидала увидеть нечто подобное здесь, в условиях мирной операции НАСА. Сразу подумалось, что администратор Экстром работал в Пентагоне и поэтому наверняка имел доступ к подобным игрушкам. Рядом с пунктом связи стояли два очень серьезных охранника, из чего гостья сделала вывод, что поболтать с президентом можно только с разрешения самого Экстрома.

Судя по всему, Рейчел была здесь вовсе не единственной, кого насильно лишили всех связей с внешним миром.

Экстром подошел к одному из охранников и что-то сказал. Потом вернулся к гостье:

— Желаю удачи. — С этими словами он ушел, оскальзываясь на льду.

Охранник постучал в дверь контейнера, и она открылась изнутри. Ящик оказался обитаемым. Из него выглянул техник, тут же жестом пригласив Рейчел войти.

Внутри кабины правительственной связи было очень темно и душно. В голубоватом свете компьютерного монитора Рейчел различила нагромождение телефонного оборудования, радиоприемников и спутниковых приборов связи. Она испугалась приступа клаустрофобии. Воздух в ящике был горьким и неприятным, словно в подвале зимой.

— Сядьте сюда, пожалуйста, мисс Секстон.

Техник придвинул к плоскому монитору вращающуюся табуретку. Потом надел Рейчел на голову громоздкие наушники, а перед ней установил солидного вида микрофон. Время от времени заглядывая в список кодов, набрал длинный многозначный номер.

На дисплее перед глазами Рейчел показался таймер.

00.60 секунд

Техник удовлетворенно кивнул, и таймер, словно получив приказ, начал обратный отсчет.

— Минута до связи.

После этого техник вышел, захлопнув за собой дверь. Раздался звук запираемого снаружи замка.

Отлично! Теперь ее заперли в клетке.

Рейчел сидела в темноте и смотрела на экран, следя за тем, как медленно, зримо истекает минута. С самого раннего утра она впервые получила возможность остаться в одиночестве. Проснувшись сегодня, Рейчел и понятия не имела, какой день ее ожидает.

Жизнь вне Земли! Сегодня самый популярный в истории человечества миф перестал быть мифом.

Только сейчас Рейчел начала понимать, каким ударом по избирательной кампании отца окажется этот метеорит. Хотя работа НАСА и финансирование агентства не имели ни малейшей связи с такими политическими темами, как право на аборт, социальные нужды и охрана здоровья, отец поставил все в один ряд. Сейчас его стратегия рушилась на глазах, грозя нанести серьезный удар и по кампании, и по имиджу самого сенатора.

Уже через несколько часов вся страна будет торжествовать вместе с НАСА, потрясенно вслушиваясь в сообщения о великом открытии. Вновь воспрянут духом мечтатели, готовые пустить слезу умиления. Ученые начнут озадаченно чесать затылки. Воображение детей разыграется с новой силой. Разговоры о долларах и центах, потраченных на исследования, сойдут на нет, не в силах устоять перед важностью момента. Доверие к президенту возродится, словно птица феникс, моментально превратив его в героя. И среди всеобщего торжества деловитый, трезвомыслящий сенатор неожиданно окажется узколобым и мелочным обывателем, скупым, словно дядюшка Скрудж, лишенным истинно американского духа приключений и дерзаний.

Компьютер пискнул, и Рейчел посмотрела на дисплей. Оставалось пять секунд.

Дисплей ожил, и на нем появилась эмблема Белого дома. А через несколько мгновений она превратилась в лицо президента Харни.

— Привет, Рейчел! — произнес президент, широко улыбаясь. — Надеюсь, вы сегодня не скучаете?

ГЛАВА 29

Офис сенатора Секстона располагался в новом здании, принадлежащем сенату и носящем имя Филиппа А. Харта, на улице к северу от Капитолия. Здание представляло собой самую современную конструкцию из белых прямоугольных блоков. Недоброжелатели утверждали, что оно больше похоже на тюрьму, чем на государственное учреждение. То же ощущали и многие его сотрудники.

На третьем этаже здания Гэбриэл стремительно расхаживала перед столом с компьютером. На дисплее появилось новое электронное послание. Ассистентка пока не могла решить, как к нему отнестись и что конкретно предпринять.

Две первых строчки гласили:

Седжвик очень удачно выступил на Си-эн-эн.
У меня имеется для вас информация.

Подобные письма Гэбриэл получала на протяжении двух последних недель. Обратный адрес оставался неясным, хотя ей и удалось проследить его до домена «whitehouse.gov». Судя по всему, таинственный корреспондент принадлежал к числу сотрудников Белого дома. Кто бы он ни был, в последнее время

Гэбриэл получала от него самую разнообразную ценную политическую информацию, включая сообщение о тайной встрече президента с администратором НАСА.

Поначалу сообщения вызывали лишь недоверие, но постепенно оказалось, что информация, которая содержится в них, точна и крайне полезна. Именно из этого источника поступали никогда не разглашающиеся сведения о постоянном превышении НАСА своего бюджета, о предстоящих дорогостоящих исследованиях. Оттуда же Гэбриэл почерпнула данные, подтверждающие факт, что поиск НАСА внеземной жизни обходится исключительно дорого, а результаты приносит минимальные — настолько плачевные, что даже внутренний опрос мнений показал, что работа НАСА — именно тот камень преткновения, который отнимает у президента голоса избирателей.

Чтобы повысить свой вес в глазах сенатора, ассистентка не сообщила ему, откуда черпает сведения, предпочитая регулярно удивлять его собственной осведомленностью. Она просто передавала информацию, скромно замечая, что получила ее «из одного из своих источников». Секстон очень ценил подобную осведомленность молодой сотрудницы. Он, конечно, приобрел уже достаточный опыт политической жизни, чтобы не интересоваться подробностями. Гэбриэл даже казалось, что он подозревает ее в оказании кому-то тайных сексуальных услуг, за которые платят таким вот изысканным способом. И самое неприятное, что его это нисколько не обескураживало.

Гэбриэл наконец устала ходить по кабинету. Взглянула на дисплей с сообщением. Смысл этих посланий не вызывал никакого сомнения: кто-то из сотрудников Белого дома очень хотел, чтобы на выборах победил именно сенатор Секстон, и поэтому помогал ему как мог, поставляя сведения из вражеского лагеря, особенно те, что касались НАСА.

Но кто? Зачем? Почему?

Гэбриэл решила, что это именно тот случай, когда крысы бегут с тонущего корабля. В Вашингтоне подобные действия вовсе не редкость: порой кто-нибудь из сотрудников Белого дома, опасаясь, что его нынешнего хозяина попросят освободить помещение, начинал потихоньку оказывать услуги претенденту. Этим ренегат надеялся получить высокую должность в новой администрации или благосклонность очередного хозяина Белого дома. Судя по всему, кто-то уже предвкушал победу Секстона, а потому стремился как можно раньше заполучить необходимые акции.

Сообщение, которое она прочитала сейчас, заставило ее занервничать. Таких писем она еще не получала. Первые две строчки ее не волновали. Но две последние... они гласили:

> Увидимся у Восточных ворот в 16.30.
> Приходите одна.

Еще ни разу ее не приглашали. Более того, сама Гэбриэл предпочла бы более укромное место для личной беседы. Восточные ворота? Насколько ей известно, в Вашингтоне существуют лишь одни такие ворота. А именно возле Белого дома. Это что, шутка?

Гэбриэл понимала, что ответить по электронной почте не сможет; все ее письма постоянно возвращались с пометкой о том, что адресат недоступен. Корреспондент неизменно сохранял анонимность. Впрочем, это вполне естественно.

Может, все-таки проконсультироваться с Секстоном? Взвесив «за» и «против», ассистентка решила не делать этого. Во-первых, он сейчас занят, у него встреча. Во-вторых, если она скажет об этом письме, то придется говорить и об остальных. Скорее всего решение неизвестного осведомителя встретиться среди бела дня в людном месте продиктовано соображениями безопасности, и прежде всего ее собственной. В конце концов, незнакомец вот уже две недели изо всех сил помогал ходу избирательной кампании сенатора. Так что он (или она) явный друг. Внимательно, обдумывая каждое слово, Гэбриэл Эш еще раз прочитала электронное письмо. Потом взглянула на часы. У нее в запасе оставался час.

ГЛАВА 30

Когда метеорит был извлечен на поверхность, администратор НАСА успокоился и даже немного расслабился. Постепенно все вставало на свои места. Остановить исследования уже невозможно. С этой мыслью он и направился через весь огромный купол туда, где работал Майкл Толланд.

— Как продвигается? — поинтересовался Экстром, останавливаясь за спиной Майкла.

Тот отвернулся от монитора, усталый, однако полный энтузиазма.

— Почти закончил редактировать. Сейчас поменяю местами некоторые из вставных кадров, которые снимали твои люди. Приходится работать очень оперативно.

— Хорошо.

Президент просил Экстрома прислать фильм в Белый дом как можно скорее. Поначалу администратор НАСА весьма скептически отнесся к намерению Харни задействовать в проекте Майкла Толланда. Однако, посмотрев кое-какие черновые отрывки, он в корне изменил мнение. Вдохновенный рассказ любимого всей страной ведущего, интервью независимых специалистов тонко и умно слиты в единое целое с блоком чисто научной информации, который длился почти пятнадцать минут. Толланду с легкостью удалось сделать именно то, на чем НАСА так часто проваливалось: описать серьезнейшее научное открытие на уровне, доступном среднему американскому уму, и при этом не впасть в высокомерно-снисходительный менторский тон.

— Как только закончишь, принеси фильм в сектор прессы. Переведем его в цифровой формат и отправим в Белый дом.

— Слушаюсь, сэр!

Толланд повернулся к компьютеру и вновь с головой ушел в работу.

Экстром двинулся дальше. Добравшись наконец до северной стены, он с удовольствием заметил, как хорошо сейчас выглядит пресс-зона. Лед застелен большим голубым ковром. В центре стоит длинный стол с несколькими микрофонами и вымпелом НАСА. Фоном служит огромный флаг Соединенных Штатов Америки. Но главное, на самом почетном месте, перед столом, красовался виновник торжества — метеорит. Его перетащили сюда на специально сконструированных плоских санках.

Администратор также отметил, что в секторе прессы царит праздничная атмосфера. Большинство обитателей хабисферы, разумеется, собрались вокруг метеорита. Люди протягивали руки к его все еще теплой поверхности, словно грелись возле костра.

Экстром решил, что момент настал. Он прошел за американский флаг. Там на льду стояло несколько картонных ящиков, которые сегодня утром по его просьбе доставили из Гренландии.

— Выпивка за мой счет! — как можно громче объявил он, передавая радостным людям ящики с банками пива.

— Эй, босс! — прокричал кто-то в ответ. — Спасибо! Ты даже позаботился о том, чтобы оно не согрелось!

На лице Экстрома показалась вовсе не свойственная ему улыбка.

— Еще как старался! Даже лед нашел!

Все добродушно рассмеялись.

— Подождите минутку! — воскликнул кто-то, внимательно рассмотрев банку. — Пиво канадское! И где только наш патриотизм?

— Ребята, мы же на бюджете. Это самое дешевое пиво, которое удалось достать.

Снова послышался дружный смех.

— Аудитория, внимание! — объявил в мегафон один из членов телевизионной команды. — Переключаемся на студийный свет. Вы можете временно потерять зрение.

— В темноте не целоваться, — предупредил кто-то, — программа предназначена для семейного просмотра.

Экстром тоже рассмеялся. Ему нравился всеобщий эмоциональный подъем. Ответственные за трансляцию тем временем заканчивали последние приготовления, устанавливая общее освещение и локальную подсветку.

— Переключаемся на студийный свет через пять, четыре, три, две...

Галогеновые лампы погасли, и все внутри купола погрузилось во тьму.

В толпе раздался шум.

— Кто это ущипнул меня за задницу? — со смехом спросил кто-то.

Через пару мгновений темноту разорвало сияние студийных ламп. Все невольно зажмурились. Метаморфоза оказалась радикальной: северная секция превратилась в настоящую телестудию. А остальная центральная часть купола выглядела словно темный амбар глубокой ночью. Опустевшие рабочие отсеки скрывались в плотной, густой тени.

Экстром отступил подальше, туда, где сумрак надежно скрыл его от людских глаз. Ему нравилось наблюдать, как ликуют, словно возле рождественской елки, его сотрудники. Он чувствовал себя Санта-Клаусом, вокруг которого прыгают довольные, радостные дети.

Видит Бог, они это заслужили, подумал Экстром, даже не подозревая, что ждет их всех впереди.

ГЛАВА 31

Погода менялась.

Словно печальный вестник неотвратимо приближающегося бедствия, жалобно выл ветер, пытаясь опрокинуть палатку команды подразделения «Дельта». Дельта-1 закончил укреплять штормовое укрытие и вернулся к товарищам. Подобное для них не впервые. Все это скоро закончится.

Дельта-2 внимательно следил за картинкой дисплея. Микробот успешно нес службу, снимая на видеокамеру все, что происходило внутри хабисферы.

— Посмотри-ка, — позвал Дельта-2.

Дельта-1 подошел ближе. Все внутри купола было погружено во тьму, за исключением одного-единственного ярко освещенного сегмента в северной части. Остальное пространство хабисферы едва просматривалось.

— Ничего страшного, — пояснил он, — они просто проверяют освещение, готовятся к вечерней трансляции.

— Дело не в свете. — Дельта-2 показал на темное пятно посреди льда, ту самую заполненную водой яму, из которой вытащили метеорит. — Проблема в этом.

Дельта-1 взглянул на яму. Она все еще была окружена оранжевыми пилонами, а поверхность воды казалась такой же спокойной, как и раньше.

— Не вижу ничего особенного.

— Посмотри внимательнее.

Дельта-2 двинул джойстик, направляя микробот вниз, ближе к поверхности воды.

Дельта-1 всмотрелся и потрясенно отпрянул:

— Что за?..

Подошел Дельта-3, взглянул пристально. И тоже испытал шок.

— Господи! Это то самое место, откуда извлекли метеорит? Что происходит с водой?

— Нет, — решительно сказал Дельта-1. — Ничего подобного происходить не должно.

ГЛАВА 32

Сидя в большом металлическом ящике за три тысячи миль от Вашингтона, Рейчел Секстон ощущала такое же напряжение, как если бы ее вызвали в Белый дом. Монитор видеотелефона четко показывал лицо президента Зака Харни, сидящего в комнате связи на фоне президентского герба. Цифровая радиосвязь оказалась безупречной, и если бы не едва заметное отставание звука от движения губ на экране, то можно было подумать, что собеседник находится в соседней комнате.

Разговор их был откровенным и оптимистичным. Казалось, президент доволен, хотя вовсе не удивлен восторженной оценкой, которую Рейчел дала открытию НАСА и тому факту, что стране это открытие представит столь обаятельный человек, как Майкл Толланд. Харни пребывал в добродушном и шутливом настроении.

— Уверен, вы согласитесь. — Президент посерьезнел. — В идеальном мире последствия этого открытия оказались бы исключительно научными по своему характеру. — Он помолчал, склонившись вперед, так что его лицо заполнило почти весь экран. — К сожалению, мы живем в мире далеко не совершенном. А поэтому, как только я объявлю об открытии, оно моментально превратится в мячик для политического футбола.

— Если учесть неопровержимые доказательства и подтверждение самых авторитетных ученых, трудно даже представить, что широкая публика или кто-то из ваших оппонентов смогут проявить недоверие и принять открытие как-то иначе, чем в качестве истинно научного факта.

Харни улыбнулся почти печально.

— Мои политические оппоненты поверят тому, что увидят. Меня куда больше беспокоит то, что им это очень не понравится.

Рейчел не могла не заметить, насколько старательно президент избегает упоминания о ее отце. Говорил он лишь об «оппозиции» и о «политических оппонентах».

— Так вы думаете, оппозиция будет кричать об обмане из политических соображений? — уточнила она.

— Такова природа игры. Необходимо посеять хотя бы небольшое сомнение, заявив, что наше открытие — политическое мошенничество, организованное НАСА и Белым домом. Расследования не миновать. Газеты моментально забудут о том, что НАСА обнаружило доказательства внеземной жизни, и все средства массовой информации дружно сосредоточатся на выявлении фактов заговора. К сожалению, любой вымысел о поддельности этого открытия окажется вредным для науки, порочащим Белый дом, убийственным для НАСА и, честное слово, в конечном итоге губительным для всей страны.

— Именно потому вы и отложили объявление до тех пор, пока не получили полное подтверждение и поддержку авторитетных независимых ученых?

— Моя цель — представить информацию настолько четко и продуманно, чтобы в зародыше задушить любой цинизм. Открытие должно праздноваться с тем триумфом, которого оно заслуживает. И которого, несомненно, заслуживает работа НАСА.

Рейчел насторожилась. Она интуитивно пыталась определить, какая роль в этом деле предназначена конкретно ей.

— Нечего скрывать, что вы занимаете уникальную позицию и можете мне помочь. И опыт аналитика, и тесная связь с моим оппонентом придают вашему имени огромную значимость в оценке открытия.

Рейчел невольно ощутила растущее разочарование. Да, Пикеринг, как всегда, не ошибся. Президент готовится использовать ее в своих интересах.

— Так вот, — продолжал Харни, — учитывая все эти обстоятельства, я хотел бы попросить вас лично поддержать НАСА именно в качестве сотрудника разведывательной службы... и дочери моего главного политического оппонента.

Все. Просто и ясно. Харни требует прямой поддержки.

Рейчел до последнего момента верила, что президент все-таки сумеет оказаться выше подобной недостойной игры. Публичное выступление Рейчел на стороне президента немедленно превратит это открытие для ее отца в дело чести, лишит сенатора возможности поставить под сомнение его истинность, не нанося удар по репутации собственной дочери. Это смертельный приговор для кандидата, объявившего своей главной ценностью именно семью.

— Честно говоря, сэр, — заговорила Рейчел, — меня поражает ваша просьба.

Казалось, президент не ожидал подобного ответа.

— Мне представлялось, что вы с готовностью придете на помощь.

— С готовностью? Сэр, даже если не принимать во внимание мои разногласия с отцом, вы ставите меня в невозможную ситуацию. В наших с ним взаимоотношениях вполне достаточно проблем, чтобы еще усугублять их. А вы хотите буквально столкнуть нас лбами на глазах у всех. А ведь он остается моим отцом. Недостойно президента пытаться втравить нас в драку.

— Стоп-стоп! — Харни поднял руки, словно сдаваясь. — Разве кто-то что-то говорил о публичности, открытости и всем прочем в этом роде?

Рейчел помолчала.

— Насколько я поняла, вы хотите, чтобы я заняла место рядом с администратором НАСА на пресс-конференции, которая планируется на вечер.

Президент расхохотался так, что в наушниках затрещало.

— Рейчел, да за кого же вы меня принимаете? Неужели вы действительно считаете, что я способен попросить дочь ткнуть собственного отца ножом в спину на глазах у всей страны?

— Но вы сказали...

— И вы готовы поверить в то, что я заставлю администратора НАСА сесть перед камерой рядом с дочерью его заклятого врага? Вы слишком много возомнили о себе, Рейчел. Эта пресс-конференция — чисто научная презентация. Честно говоря, я вовсе не уверен, что ваши познания в теории метеоритов, в характере окаменелостей и структуре льда придадут событию больший вес.

Рейчел почувствовала, что краснеет.

— Но тогда... какую же именно поддержку вы имеете в виду?

— Более соответствующую вашему положению.

— Сэр?

— Вы — сотрудница службы безопасности, связанная с Белым домом. Мой персонал общается с вами по вопросам государственной важности.

— Так вы хотите, чтобы я поддержала открытие перед сотрудниками аппарата?

Казалось, Харни все еще забавляется недоразумением.

— Именно. Тот скептицизм, с которым мне предстоит столкнуться за стенами Белого дома, ничто по сравнению с тем, что я сейчас терплю от своих непосредственных подчиненных. Мне откровенно не доверяют. Сотрудники умоляют прекратить финансировать работы НАСА. Я их игнорирую, тем самым нанося себе как политику колоссальный ущерб.

— Но это все в прошлом.

— Верно. Как мы с вами уже решили сегодня утром, своевременность нашего открытия покажется политическим циникам очень подозрительной. А самыми отъявленными циниками сейчас выступают именно мои подчиненные. Поэтому я очень хочу, чтобы впервые они услышали эту информацию от...

— Вы до сих пор не сообщили персоналу Белого дома о метеорите?

— Только нескольким самым близким советникам. Секретность открытия оставалась приоритетной.

Рейчел чувствовала себя сраженной. Неудивительно, что его не понимают даже в Белом доме.

— Но это вовсе не моя сфера. Метеорит вряд ли может выступать в качестве объекта внимания разведки.

— Конечно, не в обычном смысле. Но эта тема, несомненно, имеет точки соприкосновения с вашей работой: это сложная комплексная информация, которая требует анализа; существенные политические последствия...

— Я не специалист по метеоритам, сэр. Разве не может выступить перед вашими сотрудниками сам администратор НАСА?

— Вы шутите? Да его же здесь все ненавидят. По мнению моих людей, Экстром — скользкая змея, продувной тип, который обманом завлекает меня во все новые дорогостоящие авантюры.

— А как насчет Корки Мэрлинсона? Лауреата Национальной премии по астрофизике? Он обладает куда большим научным весом, чем я.

— Со мной работают политики, Рейчел, а не ученые. Вы познакомились с доктором Мэрлинсоном лично и теперь знаете, что это за человек. Сам я считаю его просто потрясающим. Но если выпустить его перед моими рафинированными, манерными интеллектуалами, то все закончится красивой цветной заставкой на экране. Здесь нужен кто-то менее экзотичный, не шокирующий своей необычностью и оригинальностью. Вы, Рейчел. Мой персонал знает вашу работу. А учитывая ваше имя, никто не заподозрит вас в предвзятости. Поэтому именно вас я могу спокойно выпустить перед своими скептиками.

Рейчел почувствовала, что не в силах сопротивляться дружеским уговорам президента.

— Наконец-то вы признали, что мои родственные связи повлияли на ваш выбор, — заметила она.

Президент смущенно усмехнулся:

— Разумеется, так и есть. Но, как можно себе представить, мои люди все равно получат информацию независимо от вашего решения. Вы вовсе не пирожное, Рейчел, а всего-навсего крем, взбитые сливки. И конечно, не самый квалифицированный в данном случае специалист. А кроме того, вдобавок еще и ближайшая родственница того самого человека, который твердо намерен в ближайшем будущем вышвырнуть меня и моих людей из Белого дома.

— Вам бы следовало заниматься торговлей.

— По сути, я именно ею и занимаюсь. Так же, как и ваш уважаемый родитель. И если быть честным, мне хотелось бы побыстрее закончить сделку.

Президент снял очки и взглянул далекой собеседнице прямо в глаза. Рейчел почувствовала, что от него исходит сила, подобная той, которую излучал отец.

— Я прошу вас как об одолжении о том, что является, по сути, частью вашей работы. Так как же? Да или нет? Согласны вы поставить мой персонал в известность о ходе событий?

Рейчел почувствовала себя в ловушке. Железный ящик крепко держал ее. Не продаваться! Даже за три тысячи миль она ощущала силу воли президента. Нравилось Рейчел положение вещей или нет, но она была вынуждена признать разумность просьбы.

— Я выдвину свои условия, — ответила она.

Харни приподнял брови:

— А именно?

— Я встречусь с вашим персоналом без посторонних свидетелей, в тесной компании. Без репортеров. Это частная встреча, а не публичная поддержка претендента.

— Даю слово. Встреча уже назначена в очень закрытом, малодоступном месте.

Рейчел вздохнула.

— Хорошо. Договорились.

Президент широко, радостно улыбнулся:

— Ну вот и отлично.

Рейчел глянула на часы и с удивлением осознала, что уже перевалило за четыре.

— Но послушайте, — заметила она, — если вы собираетесь назначить прямую трансляцию на восемь, то у нас просто нет времени. Даже если вспомнить, с какой дикой скоростью меня сюда привезли, за оставшиеся несколько часов я все равно не успею вернуться в Белый дом. А мне необходимо подготовиться и...

Президент покачал головой:

— Боюсь, я недостаточно ясно высказался. Вы будете говорить оттуда, где находитесь сейчас, в режиме реального времени.

— О! — Рейчел засомневалась. — Какое время вы планируете?

— Честно говоря, — улыбаясь, произнес президент, — я хотел предложить начать прямо сейчас. Все уже собрались. Смотрят на огромный пустой экран телевизора. И ждут вас.

Рейчел окаменела.

— Сэр, я совершенно не готова. Я не могу...

— Просто сообщите им правду. Это трудно?

— Но...

— Рейчел, — проговорил президент, склоняясь к экрану, — вспомните, ведь вы зарабатываете на жизнь именно тем, что анализируете и определенным образом подаете информацию. Ну так и сделайте это. — Он уже протянул руку, чтобы нажать кнопку передающего устройства, однако помедлил. — Да, кстати, наверное, вам приятно будет узнать, что через секунду вы окажетесь в положении представителя высшей власти.

Рейчел не поняла, что он имел в виду, но спрашивать было уже слишком поздно. Президент нажал кнопку.

На мгновение экран перед Рейчел опустел. Потом вновь ожил, и она увидела впечатляющую картину. Прямо перед ней был Овальный кабинет Белого дома, переполненный людьми. Только стоячие места. Казалось, здесь собрались все до единого сотрудники Белого дома. И все они смотрели на нее. Рейчел поняла, что камера, которая передает изображение, находится на президентском столе, на уровне глаз сидящего за столом человека.

Положение представителя высшей власти. Рейчел ощутила, что не в состоянии справиться с захлестнувшей ее горячей волной чувств.

По выражению лиц присутствующих она поняла, что все смотрят на нее с таким же удивлением, как и она на них.

— Мисс Секстон, — раздался резкий голос.

Рейчел оглядела море лиц и нашла ту, кто произнес эти два слова. Костлявая женщина в первом ряду. Марджори Тенч. Ее ни с кем не спутаешь даже в толпе.

— Спасибо за то, что составили нам компанию, мисс Секстон. — Голос Тенч звучал удовлетворенно. — Президент сказал, что у вас интересные новости.

ГЛАВА 33

Палеонтолог Уэйли Мин сидел в своем рабочем отсеке, наслаждаясь спокойствием, темнотой и неторопливо размышляя. С удовольствием предвкушал он намеченное на вечер событие. Еще бы! Совсем скоро он окажется самым известным палеонтологом в мире! Мин очень надеялся, что Майкл Толланд не поскупился и вставил его пространный комментарий в окончательную версию фильма.

Размышляя о грядущей славе, Мин внезапно заметил, как по льду, прямо под его ногами, прошла слабая, но вполне ощутимая вибрация, заставившая его подпрыгнуть. Мин жил в Лос-Анджелесе и потому хорошо знал, что такое землетрясение, и замечал даже малейшие колебания почвы. Впрочем, Мин успокоил себя, решив, что вибрация вполне естественна: просто где-то откололась льдина, так что волноваться и убегать совсем незачем. Он никак не мог привыкнуть к этому: регулярно, с интервалом в несколько часов, в темноте полярной ночи раздавался далекий взрыв — где-то вдоль границы ледника отрывалась огромная глыба и падала в море. Очень хорошо говорила об этом процессе Нора Мэнгор: так рождаются новые айсберги...

Мин не сел обратно за стол. Потянувшись, он посмотрел туда, где вдалеке, в свете телевизионных софитов, готовилось торжество. Мин не очень любил празднования, поэтому направился в противоположном направлении.

Лабиринт покинутых рабочих отсеков сейчас напоминал призрачный город, а сам купол больше всего походил на огромный могильник. Становилось холодновато, и Мин застегнул свой длинный верблюжий жакет.

Впереди виднелась прорубь, откуда недавно подняли метеорит. Эта ледяная шахта подарила миру самые великолепные окаменелости, которые когда-либо удавалось найти. Огромную металлическую треногу уже убрали, и бассейн был оставлен всеми, окруженный пилонами, словно опасная рытвина на дороге. Мин, не торопясь, подошел к воде, остановился на безопасном расстоянии и посмотрел на спокойный, неподвижный водоем глубиной в две сотни футов. Скоро он снова замерзнет, не оставив никаких следов пребывания здесь людей.

Даже в сумраке чистая вода выглядела прекрасно. Мин смотрел на нее, как вдруг в душе его возникло какое-то смутное беспокойство. Постепенно оно оформилось в ощущение: что-то определенно не так.

Мин сосредоточился, присмотрелся внимательнее, и недавнюю безмятежность сменил водоворот смятения. Мин зажмурился, потом снова посмотрел на воду и быстро повернулся к освещенной части купола... В пятидесяти ярдах от него, в отсеке прессы, разворачивался праздник. Мин понимал, что здесь, в темноте, его никто не видит.

Но он обязательно должен кому-то рассказать о том, что сейчас заметил.

Мин снова взглянул на воду, обдумывая, что именно нужно сказать. Может быть, имеет место оптическая иллюзия? Или он видит какое-то странное отражение?

В нерешительности Мин остановился за пилонами, потом присел на корточки на краю полыньи. Уровень воды оставался примерно на четыре фута ниже уровня льда, и ученый наклонился, чтобы рассмотреть получше. Потом выпрямился. Что-то не так, молчать нельзя. Невозможно. Обязательно нужно поделиться с кем-то. Он быстро направился в сектор прессы. Однако через несколько метров резко затормозил. Господи! Мин со всех ног бросился обратно к воде, вглядываясь в нее расширенными от изумления глазами. Он понял!

— Невероятно! — почти прокричал Мин.

Иного объяснения не было и быть не могло.

«Осторожно, обдумай все как следует, — остановил он себя. — Может существовать и более рациональная версия». Но чем напряженнее размышлял Мин, тем меньше у него оставалось сомнений в собственной правоте. Иного объяснения нет! Трудно даже поверить, что НАСА и сам Корки Мэрлинсон умудрились просмотреть столь важную, невероятную деталь.

Что ж, теперь собственное открытие есть и у Уэйли Мина!

Дрожа от возбуждения и нетерпения, ученый бросился к ближайшему рабочему отсеку, чтобы найти мензурку. Все, что ему сейчас нужно, — это небольшая проба воды. Они просто с ума сойдут!

ГЛАВА 34

— В качестве посредника между НРУ и Белым домом, — говорила Рейчел Секстон, обращаясь к толпе на экране и стараясь унять дрожь в голосе, — мне приходится много ездить по горячим политическим точкам мира, анализировать взрывоопасные ситуации и сообщать свои выводы президенту и сотрудникам государственного аппарата.

На лбу выступил пот, и Рейчел машинально подняла руку, мысленно проклиная президента за то, что он взвалил на нее это дело, даже не предупредив заранее.

— Однако еще ни разу судьба не заносила меня в столь экзотические географические точки, — продолжала она, показав себе за спину. — Хотите верьте, хотите нет, но в эту самую минуту я обращаюсь к вам с огромной льдины толщиной более трехсот футов. А находится эта льдина севернее Полярного круга.

На лицах людей изобразилось озадаченное, выжидающее внимание. Они, разумеется, понимали, что их всех не просто так втиснули в Овальный кабинет. Для этого должна существовать веская причина. Однако никто из них не мог и представить, что речь пойдет о событиях, происходящих за Полярным кругом.

На лбу Рейчел снова выступил пот. «Соберись, — приказала она себе, — ближе к делу! Короче и точнее!»

— В эту минуту я сижу здесь, перед вами, испытывая чувство огромной гордости, торжества и... прежде всего, конечно, волнения.

Взгляды на экране ничего не выражали.

«К черту! Я вовсе не обязана это делать!»

Она знала, что сказала бы сейчас мать, будь она жива: «Если сомневаешься, просто говори не думая!» Старинная поговорка янки очень точно выражала мамино кредо. «Говори правду, и будь что будет!»

Набрав в легкие побольше воздуха, Рейчел выпрямилась и посмотрела на аудиторию:

— Извините, но, наверное, вы думаете, с какой это стати я вот здесь, на Северном полюсе, истекаю потом. Все дело в том, что я немного нервничаю.

Лица на экране выразили удивление. Кто-то неловко рассмеялся.

— Видите ли, ваш босс лишь десять секунд тому назад предупредил меня о предстоящем выступлении перед всем его персоналом. И это боевое крещение как-то не очень совпадает с моим личным представлением о первом визите в Овальный кабинет.

На сей раз смех прозвучал дружнее.

— Более того, — продолжала Рейчел, глядя на нижнюю часть экрана, — уж конечно, я никак не могла представить, что буду сидеть за президентским столом, а вернее, на президентском столе.

Ремарка вызвала искренний смех и широкие улыбки. Рейчел почувствовала, что нервная дрожь отступает. Надо говорить прямо!

— Ситуация такова. — Голос ее звучал теперь именно так, как и должен был звучать — ясно и твердо. — Президент Харни на протяжении последней недели скрывался от прессы вовсе не потому, что потерял интерес к своей избирательной кампании. Он просто погрузился в иные дела. И дела эти оказались куда важнее всех остальных.

Рейчел замолчала, стараясь смотреть прямо в глаза своим слушателям.

— В Арктике, в месте, называемом шельфовым ледником Милна, совершено научное открытие. Сегодня вечером, в восемь, президент сообщит о нем всему миру. Честь находки принадлежит группе самоотверженных и трудолюбивых американцев, которых в последнее время преследовали неудачи. Они заслужили свой успех. Я говорю о НАСА. Вы можете гордиться президентом, ведь он с редкой настойчивостью поддерживал космическое агентство в самые трудные его дни. И вот теперь наконец его вера в НАСА оправдалась и принесла плоды.

Только сейчас Рейчел ясно поняла всю историческую важность момента. Горло ее сжалось, но она решила не поддаваться чувствам и продолжала:

— В разведывательном управлении я специализируюсь на анализе и проверке поступающей информации. И наверное, именно поэтому оказалась в той небольшой группе, которую президент направил сюда для освидетельствования данных, полученных НАСА. Я изучила все лично и проконсультировалась со специалистами — как сотрудниками НАСА, так и независимыми лицами. Все это люди, чья компетентность никоим образом не может быть поставлена под сомнение, равно как и их политическая непредвзятость. Так что с полной профессиональной ответственностью могу заявить, что информация, которую я вам сейчас доложу, реальна по своей сути и никак не ангажирована. Больше того, лично я совершенно уверена, что президент проявил уважение и к собственному кабинету, и ко всему американскому народу, отложив сообщение о сенсационном открытии на целую неделю.

От Рейчел не укрылось, что люди на экране обменялись озадаченными взглядами. Теперь они ловили каждое слово, внимание сосредоточилось до предела.

— Леди и джентльмены, сейчас вы услышите то, что наверняка окажется одним из самых волнующих известий из всех, какие когда-либо звучали в этом кабинете.

ГЛАВА 35

Микробот летал по хабисфере и передавал все, что мог заснять, на наблюдательный пункт «Дельта». Сейчас картинка напоминала кадры фантастического фильма: приглушенное освещение, мерцающая вода полыньи, из которой подняли метеорит, и лежащий на самом краю человек. Верблюжий жакет раскинут по льду, словно крылья. Мужчина, судя по всему, пытался дотянуться до воды, чтобы взять пробу в мензурку.

— Нужно остановить его! — не выдержал Дельта-3.

Дельта-1 согласился. Ледник Милна таил в себе секреты, которые команда должна была охранять любыми средствами.

— Как же мы остановим его? — с тревогой повернулся Дельта-2, не выпуская джойстик. — Эти микроботы не оснащены обратной связью.

Дельта-1 нахмурился. Миниатюрный прибор, который сейчас летал по хабисфере, принадлежал ко второму поколению. И срок его жизни равнялся сроку жизни домашней мухи.

— Необходимо связаться с контролером, — решил Дельта-3.

Дельта-1 внимательно посмотрел на Уэйли Мина, рискованно распластавшегося на самом краю бассейна. Поблизости никого, а ледяная вода может моментально лишить человека способности кричать.

— Дай прибор! — коротко скомандовал Дельта-1.

— Что ты собираешься делать? — потребовал объяснений Дельта-2.

— То, что нас учили делать в случае непредвиденных обстоятельств, — отчеканил Дельта-1, садясь и забирая управление в свои руки. — Импровизировать.

ГЛАВА 36

Уэйли Мин лежал на животе на краю полыньи, из которой совсем недавно извлекли огромный метеорит. Правой рукой он изо всех сил пытался достать до воды и мензуркой зачерпнуть пробу. Нет, зрение его не обмануло; сейчас, в нескольких ярдах от поверхности воды, он все прекрасно видел.

— Невероятно!

Еще немного вытянувшись, Мин перехватил мензурку за самый краешек. Не хватало нескольких дюймов!

Ничего не получалось. Рука не доставала. Мин передвинулся еще немного вперед. Носками ботинок твердо уперся в лед, а левой рукой крепко взялся за край, вновь до отказа вытянув правую. Почти! Еще чуть ближе к краю. Есть! Краешек мензурки чиркнул по воде. Взяв пробу, Мин внимательно всмотрелся в содержимое мензурки, не веря собственным глазам.

И в это мгновение неожиданно случилось нечто странное и необъяснимое. Откуда-то из темноты, словно пуля из-за угла, прилетел крошечный кусочек металла. Мин видел его лишь долю секунды, а потом странный предмет угодил ему прямо в глаз.

Инстинкт неумолимо приказывает человеку защищать глаза, поэтому Мин, даже несмотря на боязнь сделать резкое движение, чтобы не потерять равновесие, подчинился ему. Реакция была вызвана скорее неожиданностью, чем болью. Левой рукой, поскольку она была ближе к лицу, он схватился за глаз. И в ту же секунду понял, что совершил ошибку. Его потянуло вперед, и держаться оказалось нечем. Среагировал Мин слишком поздно. Выронив мензурку, он попытался ухватиться за край полыньи, но лед был слишком скользким. Отчаянно извиваясь, ученый упал в ледяную черную воду.

Расстояние до воды составляло всего четыре фута, но Мин рухнул головой вперед, и ощущение было такое, словно он упал с высоты лицом на асфальт при скорости пятьдесят миль в час. Вода оказалась настолько холодной, что обжигала, точно жгучая кислота. Ученого охватила паника.

В темноте, вверх ногами, Мин моментально потерял ориентацию, не зная, куда двигаться, где воздух, а где бездна. Толстый верблюжий жакет лишь секунду-другую предохранял от ледяной воды. Мину все-таки удалось вырваться на поверхность, отплевываясь и отфыркиваясь. Он набрал воздуха, но жакет уже промок, и ледяная вода цепко, словно тисками, сжала все его тело.

— Помогите! — выдохнул Мин.

Воздуха в легких оказалось настолько мало, что крика не получилось. Прозвучало что-то похожее на негромкий вой. Ощущение было такое, словно из него выкачали все жизненные силы.

— Помогите!

Он сам едва слышал свой голос. Мин сумел приблизиться к краю полыньи и попытался уцепиться за что-нибудь. Перед ним вздымалась вертикальная, зеркально ровная ледяная стена. Ухватиться совершенно не за что. Под водой он попытался упереться в стену носками ботинок. Бесполезно. Вытянулся, стремясь рукой достать до края льда. Всего несколько футов!

Мышцы уже отказывались подчиняться. Он сильнее заработал ногами, пытаясь вытолкнуть тело как можно выше, чтобы дотянуться до края. Тело казалось отлитым из свинца, а легкие сжались до предела, словно грудь сдавил громадный питон. Пропитанный водой жакет тяжелел с каждой секундой. Теперь он отчаянно тянул вниз. Мин попытался снять его, но мокрая шерсть никак не поддавалась.

— Помогите... мне!

Страх накатил огромной черной волной, заслонив все другие чувства и мысли.

Мин когда-то читал, что самый страшный способ умереть — это именно утонуть. Разве он мог представить, что сам когда-либо окажется в таком положении? Мышцы не повиновались, и сейчас он уже боролся лишь за то, чтобы держать голову над водой. Промокшая одежда тянула вниз, а окоченевшие пальцы беспомощно царапали ледяные стенки полыньи.

Кричать он мог лишь мысленно.

И наконец произошло неминуемое.

Мин ушел под воду. Он никогда не представлял себе, каково это — осознавать близость смерти. Но теперь пришел именно такой момент. Он медленно погружался вдоль ледяной стены высотой в двести футов. Перед мысленным взором проходили образы — множество самых разных картин из его жизни. Сцены детства. Работа. Он спросил себя, найдут ли его когда-нибудь или он замерзнет вместе с этой водой — навеки погребенный в леднике?

Легкие молили о глотке воздуха. Мин сдерживал дыхание, все еще пытаясь подняться. Дышать! Он боролся с рефлексом, упорно сжимая замерзшие губы. Дышать! Он рвался вверх. Дышать! И в этот миг в смертельной схватке человеческого инстинкта с разумом победила потребность в дыхании. Мин открыл рот и жадно вдохнул.

Вода, ворвавшаяся в легкие, ощущалась чувствительными внутренними тканями словно обжигающе горячее масло. Казалось, он сгорает изнутри. Вода — жестокая стихия. Она не убивает немедленно. Мин провел семь долгих страшных секунд, вбирая в себя ледяную воду. Каждый следующий вдох оказывался болезненнее предыдущего, не давая ничего из того, о чем так просило страдающее в муках тело.

Мин опускался в ледяную мглу, чувствуя, что сознание покидает его. И наконец он с радостью принял избавление. Вокруг ученый видел крошечные светящиеся точки. Это необыкновенное, ни с чем не сравнимое впечатление было последним в его жизни.

ГЛАВА 37

Восточные ворота Белого дома расположены на Ист-Экзекьютив-авеню, между Финансовым департаментом и Восточной лужайкой. Мощная ограда с крепкими столбами, установленная после нападения на казармы морских пехотинцев в Бейруте, придавала этому входу вид, который труднее всего было назвать гостеприимным.

Стоя у ворот, Гэбриэл Эш проверила часы. Нервозность нарастала. Уже 16.45, а с ней до сих пор никто не связался.

Восточные ворота, 16.30. Приходите одна.

Так было написано в электронном послании.

«Я пришла, — подумала она. — Но где же вы?»

Гэбриэл внимательно смотрела на лица неторопливо прохаживающихся по улице туристов, ожидая, что кто-то из них зацепит ее взглядом. Несколько мужчин оценивающе оглядели ее с головы до ног и отправились дальше. Гэбриэл уже стала спрашивать себя, правильно ли она сделала, что пришла. Она заметила, что служащий в будке охраны начал пристально на нее поглядывать. Наверное, автор писем просто испугался. В последний раз взглянув сквозь толстые прутья ограды на Белый дом, Гэбриэл вздохнула и повернулась, чтобы уйти.

— Гэбриэл Эш? — окликнул ее служащий.

Она стремительно обернулась, почувствовав, как гулко стукнуло сердце.

Человек в будке махнул рукой. Он был худ, а лицо казалось очень серьезным.

— Ваш корреспондент готов к встрече.

С этими словами служащий отпер ворота и жестом пригласил Гэбриэл внутрь.

Ноги отказывались ей подчиняться.

— Я должна войти?

Служащий кивнул:

— Меня просили извиниться за то, что вам пришлось ждать.

Гэбриэл взглянула на открытые ворота, но с места не сдвинулась. Что происходит? Она ожидала совсем не этого!

— Вы ведь Гэбриэл Эш, не так ли? — сухо поинтересовался служащий.

Терпение его явно истощалось.

— Да, сэр, но...

— Тогда настоятельно рекомендую следовать за мной.

Ноги Гэбриэл осторожно переступили за ворота, тотчас захлопнувшиеся за ней.

ГЛАВА 38

Два дня, проведенные при полном отсутствии солнечного света, перестроили биологический ритм Майкла Толланда. Хотя часы его утверждали, что сейчас всего лишь самое начало вечера, организм настаивал на том, что уже середина ночи.

Окончательно отредактировав свое новое детище, документальный фильм о метеорите, Майкл загрузил видеофайл на компакт-диск и направился в сектор прессы. Попав в ярко освещенное пространство, он отдал диск технику НАСА, отвечающему за средства коммуникации вообще и за сегодняшнюю передачу в частности.

— Спасибо, Майк, — поблагодарил техник и подмигнул, показывая на диск: — Расширяем горизонты телевидения, а?

Толланд лишь устало усмехнулся:

— Надеюсь, президенту понравится.

— Не сомневаюсь. Во всяком случае, твоя работа закончена. Теперь можешь спокойно сидеть и наслаждаться шоу.

— Благодарю.

Толланд стоял в ярко освещенном секторе прессы и наблюдал, как сотрудники НАСА празднуют победу, чокаясь банками канадского пива. Толланду тоже хотелось радоваться, однако сил не осталось. Он слишком устал и был эмоционально истощен. Оглянувшись вокруг, Толланд поискал глазами Рейчел Секстон, но она скорее всего все еще разговаривала с президентом.

Ее выпустят в прямой эфир, подумал Толланд. Не то чтобы он винил президента. Рейчел, конечно, окажется прекрасным дополнением к той компании, которая со знанием дела будет рассуждать о метеорите. Помимо внешней привлекательности, эта особа имела несомненное самообладание и уверенность в себе, которые редко встречаются в женщинах. Но опять же большинство женщин Толланд встречал именно на телевидении. И оказывались они или властными, безжалостными железными леди, или роскошными экранными куклами, которым не хватало индивидуальности.

Не привлекая внимания, Толланд отошел от ликующей толпы профессионалов НАСА и направился по лабиринту проходов и дорожек, пытаясь выяснить, куда исчезли остальные независимые ученые. Если они так же устали, как он, то наверняка лежат сейчас на своих кроватях, пытаясь хотя бы немного прийти в себя перед важным вечерним выступлением.

Далеко впереди Толланд заметил оранжевые пилоны, окружавшие полынью, из которой вытащили виновника сегодняшнего торжества. Огромный купол над головой, казалось, эхом отвечал на тихие голоса далеких воспоминаний. Майкл попытался освободиться от них.

«Забудь о призраках!» — приказал он себе. В минуты, подобные этой, когда он уставал и оставался один, они часто посещали его. В минуты счастья, личной славы, радости, торжества.

«Она должна была бы сейчас быть рядом с тобой», — нашептывал странный голос. Один, в темноте, Толланд почувствовал, как погружается в туманное озеро прошлого.

С Шейлой Берч он дружил еще в университете. Однажды, в День святого Валентина, он пригласил девушку в их любимый ресторан. На десерт ей принесли розу и кольцо с бриллиантом. Шейла сразу все поняла. Со слезами на глазах она произнесла одно-единственное слово, но это слово сделало Майкла самым счастливым человеком на свете.

— Да.

Полные радужных планов и надежд, они купили маленький домик недалеко от Пасадены. Шейла поступила в школу учительницей биологии. Зарплата, конечно, оставляла желать лучшего, но это было лишь начало. А кроме того, недалеко, в Сан-Диего, находился Институт океанологии Скрипса, где Майкл, осуществив свою мечту, устроился на геологическое научно-исследовательское судно. Работа занимала его по три-четыре дня подряд, но тем нежнее и страстнее оказывались их встречи.

Плавая в море, Толланд начал снимать для Шейлы некоторые из своих приключений, монтируя из них миниатюрные документальные фильмы о собственной океанографической деятельности. Однажды он вернулся с удивительным фильмом, снятым из глубоководного батискафа. На пленке впервые оказалась заснята кемотропическая каракатица, о существовании которой до того времени никто и не подозревал. Описывая зрелище, Толланд пылал энтузиазмом.

— Поистине тысячи еще не открытых и не изученных видов живут в этих глубинах! — вдохновенно рассказывал он. — Ведь мы едва царапнули по дну! Там кроются тайны, которые никто из нас даже не может себе представить!

Шейлу восхищали и энтузиазм мужа, и его способность ясно, прозрачно и увлекательно, но в то же время научно обоснованно все объяснить. На волне эмоционального подъема она показала фильм своим ученикам. Успех был огромным. Другие учителя стали просить пленку, чтобы показать ее на уроках. Родители стремились снять копию. А главное, все с нетерпением ожидали следующего произведения Майкла. И неожиданно Шейле в голову пришла идея. Она позвонила университетской подруге, теперь работавшей на телевидении, а потом отослала ей пленку.

Спустя два месяца Майкл Толланд попросил Шейлу пройтись с ним по пляжу Кингмэн. Это место казалось обоим совершенно особенным. Именно там они любили поверять друг другу самые заветные свои мечты и тайны.

— Хочу кое-что тебе сказать, — начал Майкл.

Шейла остановилась и взяла мужа за руку. У ног их плескалась вода.

— В чем дело?

Толланд сиял.

— На прошлой неделе мне позвонили из Эн-би-си. Они считают, что я вполне могу вести программу о жизни океана. Представляешь? Пилотный выпуск планируется в будущем году. Ты можешь поверить в это?

Шейла поцеловала любимого, искренне радуясь его успеху.

— Конечно, могу. Все правильно. Ты обязательно станешь знаменитым!

Через полгода Майкл и Шейла плавали на яхте недалеко от Каталины. Неожиданно Шейла начала жаловаться на боль в боку. Несколько недель они пытались не обращать на это внимания, но в конце концов Шейле пришлось лечь в больницу.

В одно мгновение фантастически счастливая жизнь Майкла разбилась вдребезги, превратившись в кошмар. Жена больна. Очень больна.

— Лимфома в поздней стадии, — вынесли приговор врачи, — редко бывает в столь молодом возрасте, но, к сожалению, это случается.

Молодые люди посетили множество госпиталей и клиник, надеясь, что где-то им смогут сказать иное. Но ответ везде звучал одинаково. Неизлечимо.

Как принять такое?! Толланд тут же бросил работу в институте Скрипса, напрочь забыл о телевидении и всю свою энергию сосредоточил на Шейле. Она должна поправиться! Да и сама Шейла упорно сражалась, перенося боль с такими мужеством и терпением, что Майкл не мог не восхищаться ею. Он водил жену гулять на их любимый пляж, кормил полезными для здоровья блюдами, которые сам и готовил, и бесконечно рассказывал о том, что они будут делать, когда она вылечится.

Однако этому не суждено было произойти.

Через семь месяцев Майкл Толланд сидел у постели умирающей жены в унылой больничной палате. Он с трудом узнавал свою Шейлу. Безжалостность рака можно сравнить лишь с жестокостью химиотерапии. Цветущая молодая женщина превратилась в настоящий скелет. Последние ее часы оказались самыми страшными.

— Майкл, — произнесла она слабым, бесцветным голосом, — пора уходить. Отпусти меня.

— Не могу.

Толланд не скрывал слез.

— Но ты ведь такой сильный, — настаивала Шейла. — Ты все сможешь. Обещай, что найдешь новую любовь.

— Я больше не захочу и не смогу любить! — отрезал Майкл.

— Придется научиться.

Шейла умерла кристально чистым воскресным утром, в июне. Майкл Толланд чувствовал себя сорванным с якоря кораблем, бесцельно, не подчиняясь управлению, дрейфующим в бескрайнем бурном море. Целыми неделями он не отдавал себе отчета в происходящем вокруг. Друзья искренне пытались помочь, но его гордость не выдерживала их сочувствия.

И наконец он понял, что пришла пора сделать окончательный выбор. Или работа, или смерть.

Не позволяя себе расслабиться, он с головой окунулся в «Удивительные моря». Программа буквально спасла Майклу жизнь. За четыре года она окончательно оформилась и стала необычайно популярной. Несмотря на усилия друзей найти Майклу пару, больше нескольких свиданий с женщинами он не выдерживал. Все знакомства заканчивались или ничем, или взаимным разочарованием. В недостатке общения с представительницами прекрасного пола он винил напряженный график работы: поездки, съемки, подготовка программ — бесконечный замкнутый круг. Друзья, однако, понимали, что причина в ином. Майкл Толланд просто не был готов к новым серьезным отношениям.

Волшебная картина мерцающего впереди бассейна отвлекла его от мрачных раздумий. Майкл стряхнул с себя холод воспоминаний и подошел к воде. В сумраке купола водяная гладь, казавшаяся столь неожиданной среди ледовой пустыни, поражала магической, сюрреалистической красотой. Поверхность бассейна светилась, словно залитый лунным светом пруд. Глаза Толланда не могли оторваться от световых точек, искрящихся на поверхности. Казалось, кто-то щедрой рукой рассыпал здесь голубые блестки. Майкл остановился и долго смотрел на необычное сияние.

Что-то в нем казалось странным.

Поначалу он подумал, что сияние представляет собой лишь отражение далекого света софитов. Но нет, дело вовсе не в этом. Искры сияли зеленоватым оттенком и ритмично пульсировали, словно поверхность воды жила собственной жизнью, освещаясь изнутри.

Удивленный, Толланд зашел за пилоны и остановился у края бассейна, чтобы рассмотреть все повнимательнее.

А в другом конце хабисферы в это же самое время Рейчел Секстон наконец вышла из будки правительственной связи. На минуту она остановилась, с трудом понимая, где она и что происходит вокруг. Хабисфера сейчас казалась огромной пещерой, освещенной лишь в одном отсеке — у северной стены, там, где находился сектор прессы. Сбитая с толку темнотой, Рейчел инстинктивно направилась к свету.

Она осталась довольна результатами своей беседы с сотрудниками Белого дома. Придя в себя после ловкого трюка президента, Рейчел смогла складно, логично и доступно рассказать все, что знала о метеорите. А рассказывая, видела, как меняется выражение лиц аудитории: поначалу, казалось, люди не верили ни единому слову, проявляя упрямый скептицизм. Но постепенно скептицизм сменился полным надежды интересом, а за ним пришел почти священный трепет.

— Жизнь вне Земли? — воскликнул один из слушателей. — Вы понимаете, что это означает?

— Да, — тут же ответили ему, — это означает, что мы победим на выборах.

Рейчел шла к свету, в сектор прессы, размышляя о предстоящей пресс-конференции. Она не могла не задавать себе вопрос, выдержит ли отец подобную атаку и заслуживает ли он этого. Удар наверняка оглушит сенатора и одновременно повергнет в прах всю его избирательную кампанию.

Ответ, конечно, мог быть только один: да, заслуживает.

Если Рейчел Секстон и сочувствовала сейчас отцу, ей достаточно было вспомнить мать, чтобы моментально излечиться от этого. Кэтрин Секстон. Сколько боли, унижения и стыда доставил ей муж, сенатор Седжвик Секстон! Каждую ночь, возвращаясь домой очень поздно, он выглядел таким довольным, от него так пахло духами... он словно забыл о своей былой религиозности, о заповедях. Обманывая, выкручиваясь, он не сомневался, что жена никогда от него не уйдет.

И его дочь твердо решила: этот человек в полной мере заслужил то, что его ожидает.

В секторе прессы люди веселились от души. Каждый держал в руке банку с пивом. Рейчел пробиралась сквозь толпу, ощущая себя странно чужой — словно она неожиданно попала на вечеринку незнакомой студенческой группы. Невольно она спросила себя, куда мог деться Майкл Толланд.

Рядом материализовался Корки Мэрлинсон.

— Ищете Майка?

Рейчел от неожиданности вздрогнула.

— Да нет... Вернее... в некотором роде.

Корки покачал головой:

— Я так и знал. Майкл только что ушел. Думаю, отправился немного вздремнуть. — Он прищурился, глядя в темноту. — Хотя, вполне возможно, вы сможете его догнать. — Корки улыбнулся, на мгновение став еще больше похожим на бульдога, и показал в сторону полыньи: — Майкл словно впадает в транс каждый раз, когда видит воду.

Рейчел посмотрела туда, где в темноте светились оранжевые фосфоресцирующие пилоны: на самом краю бассейна одиноко стоял Майкл Толланд и смотрел в воду.

— Что он делает? — забеспокоилась Рейчел. — Там небезопасно.

Мэрлинсон усмехнулся:

— Наверное, тоскует по родной стихии. Пойдемте столкнем его.

Вдвоем они пересекли погруженную во мрак хабисферу и подошли к полынье. Корки подал голос:

— Эй, водяной! Забыл плавки?

Толланд обернулся. Даже во мраке невозможно было не заметить странно печальное, замкнутое выражение его лица. Да и выглядел он необычно, так, словно стоял в лучах таинственного, идущего откуда-то снизу света.

— Все в порядке, Майк? — осторожно поинтересовалась Рейчел.

— Не совсем.

Толланд показал на воду.

Корки Мэрлинсон зашел за пилоны и встал рядом с Майклом у самого края полыньи. Посмотрев на воду, он моментально притих, став серьезнее. Через минуту к мужчинам присоединилась и Рейчел. Теперь на самом краю, в опасной близости к воде, стояли уже трое. Все они словно завороженные смотрели на искры зеленовато-голубого света, пульсирующие на поверхности ледяной воды. Создавалось впечатление, что в бассейне плавают частицы неоновой пыли. Они таинственно, необыкновенно мерцали. Эффект создавался поистине волшебный.

Толланд поднял с ледяного пола отколовшийся кусочек и бросил его в воду. Там, куда он упал, вода тут же засветилась ярче, словно вспыхнув зелеными лучами.

— Майк, — проговорил Корки неуверенным, настороженным голосом. Ему явно было не по себе. — Пожалуйста, скажи, что ты понимаешь, в чем дело.

Толланд нахмурился:

— Я очень хорошо понимаю, в чем дело. Вопрос только в том, при чем здесь это.

ГЛАВА 39

— Мы имеем дело с флагеллатами, — произнес Толланд, не отрывая взгляда от светящейся воды.

— Что-что? — нахмурился Мэрлинсон.

Рейчел видела, что обоим не до шуток.

— Не понимаю, как такое могло произойти, — продолжал Толланд, — но почему-то эта вода содержит биолюминесцентные динофлагеллаты.

— Биолюминесцентное что? — переспросила Рейчел. — Говорите по-английски!

— Одноклеточные организмы, жгутиковые, способные окислять люминесцентный катализатор, называемый люциферином.

— И что это значит по-английски?

Толланд вздохнул и повернулся к другу:

— Корки, послушай, существует ли возможность, что метеорит, который мы вытащили из полыньи, содержал в себе живые организмы?

Мэрлинсон не смог удержаться от смеха:

— Майк, веди себя солидно!

— Я и так солиден и серьезен.

— Майк, такой возможности нет и быть не может. Поверь мне, если бы люди из НАСА хоть на мгновение усомнились в том, что в камне нет живых организмов, они ни за что на свете не вытащили бы его на воздух.

Толланд, однако, казался лишь частично удовлетворенным этим ответом.

— Конечно, без микроскопа я не смогу сказать наверняка, — заговорил он, — но мне представляется, что это биолюминесцентный планктон, принадлежащий к классу пирофитов. Название это означает «огненное растение». В Северном Ледовитом океане таких существ немало.

Мэрлинсон пожал плечами:

— Почему же ты спрашиваешь, не из космоса ли они прилетели?

— Да потому, что метеорит лежал в ледниковой массе — то есть в замерзшей пресной воде, которая образуется из снега.

Вода в этой полынье имеет свойства растаявшего ледника. А в замерзшем состоянии она пребывала в течение трех веков. Так каким образом в ней могли появиться океанские живые существа?

За этими словами Толланда последовало долгое напряженное молчание.

Рейчел стояла на краю бассейна и пыталась понять, что же все-таки происходит. В полынье, из которой вытащили метеорит, присутствует биолюминесцентный планктон. Что это может означать?

— Где-то должна быть трещина, — наконец проговорил Толланд. — Это единственное возможное объяснение. Планктон мог проникнуть в шахту исключительно через щель во льду, которая открыла доступ океанской воде.

Рейчел ничего не поняла.

— Доступ океанской воде? Но откуда? — Она вспомнила продолжительную поездку на снегоходе. Они двигались как раз от океана. — Ведь до берега без малого две мили.

И Мэрлинсон, и Толланд одарили ее странными взглядами.

— Говоря по правде, — пояснил Мэрлинсон, — океан находится прямо под нами. Дело в том, что эта льдина на самом деле стоит на воде.

Рейчел смотрела на мужчин, совершенно сбитая с толку.

— На воде? Но... это же ледник.

— Совершенно верно, ледник, — подтвердил Толланд, — но он не на земле. Часто ледники уходят далеко от земли и плавают на воде. Это происходит из-за того, что лед легче воды. Ледник просто стоит в открытом океане, словно гигантский ледяной плот. Шельфовый лед, собственно, и является прибрежным ледником. — Он помолчал. — На самом деле мы сейчас находимся в океане, почти в миле от берега.

Пораженная Рейчел сразу насторожилась. Она представила себе всю картину, и мысль о пребывании за Полярным кругом внезапно показалась ей пугающей.

Похоже, Толланд понимал ее опасения.

— Не бойтесь. Толщина льда составляет триста футов. Причем двести футов ниже поверхности воды, словно кубик льда в стакане. А это делает ледник исключительно устойчивым. Здесь можно построить даже небоскреб.

Рейчел слабо кивнула. Чувство неуютности лишь усилилось. Зато, если отбросить в сторону дурные предчувствия, она теперь вполне уяснила гипотезу Толланда о появлении планктона. Он считал, что во льду существует трещина и именно через эту трещину планктон попал в полынью. Это казалось вполне правдоподобным и все же заключало в себе странный, тревожный парадокс. Нора Мэнгор очень уверенно заявляла, что этот ледник представляет собой прочный монолит. А ведь она высверлила десятки проверочных ледяных «бревен», чтобы исследовать его прочность.

Рейчел внимательно посмотрела на Толланда:

— Мне казалось, что именно целостность ледника легла в основу всех данных по датировке его пластов. Разве доктор Мэнгор не утверждала, что лед абсолютно монолитен, не имеет ни трещин, ни щелей?

Мэрлинсон нахмурился:

— Судя по всему, Снежная королева тоже способна ошибаться.

Рейчел подумала, что за такие слова вполне можно получить удар в спину ледяной шпагой.

Рассеянно поглаживая подбородок, Толланд наблюдал за свечением.

— Других объяснений нет и просто быть не может. Трещина должна существовать. А вес ледника должен способствовать проникновению в эту шахту через трещину океанской воды.

— Чертова щель! — не сдержалась Рейчел. — Ведь если толщина льда здесь составляет триста футов, а глубина шахты — двести футов, то, значит, щель проходит через целых сто футов ледового монолита. А Нора Мэнгор утверждает, что лед цел и не имеет трещин!

— Сделай милость, — обратился Толланд к Мэрлинсону, — найди, пожалуйста, Нору. Будем надеяться на лучшее — возможно, она знает что-то еще об этом леднике и просто не сочла нужным рассказать нам, непосвященным. И Мина поищи. Он сумеет лучше определить, кто же все-таки эти маленькие светящиеся зверюшки.

Корки отправился на поиски.

— Давай быстрее! — крикнул Толланд ему вслед, взглянув в полынью. — Честное слово, свечение становится слабее.

Рейчел тоже посмотрела на воду. Действительно, зеленое сияние уже не казалось столь ярким.

Толланд снял куртку и улегся прямо на лед.

Рейчел в замешательстве наблюдала за его действиями.

— Майк...

— Хочу выяснить, поступает ли соленая вода.

— Каким образом?

— Оп!

Толланд на животе подтянулся к краю бассейна. Держа куртку, он опустил один рукав в воду.

— Это очень точный тест на соленость, применяемый океанографами мирового класса, — совершенно серьезно пояснил он. — Называется «метод облизывания рукава куртки».

Недалеко от хабисферы Дельта-1 пытался удержать поврежденного микробота над группой людей, собравшихся на краю бассейна. Судя по их разговору, ситуация выходила из-под контроля.

— Срочно свяжись с контролером, — велел он Дельте-2, — у нас назревает серьезная проблема.

ГЛАВА 40

В юности Гэбриэл Эш не раз ходила на экскурсии в Белый дом. Она тайно мечтала о том времени, когда будет работать в президентском особняке, став неотъемлемой частью политической элиты, которая определяет будущее страны.

Однако сейчас она предпочла бы оказаться в любой другой точке земного шара.

Когда охранник Восточных ворот привел Гэбриэл в богато украшенное фойе, она терялась в догадках о том, что задумал ее анонимный информатор. Пригласить Гэбриэл Эш в Белый дом казалось совершенно безумным поступком. Вдруг ее увидят и узнают? В последнее время в качестве правой руки сенатора Секстона ей доводилось часто показываться на людях. Поэтому вполне вероятно, что кто-нибудь ее заметит.

— Мисс Эш!

Гэбриэл оглянулась. Ей улыбался охранник фойе.

— Посмотрите, пожалуйста, вон туда... — Он показал пальцем.

Гэбриэл автоматически взглянула туда, куда просили, и в то же мгновение ее ослепила яркая вспышка света.

— Спасибо, мэм. — Охранник подвел ее к столу и протянул ручку: — Заполните, пожалуйста, входную форму.

Он подвинул к ней тяжелую кожаную папку.

Гэбриэл посмотрела на форму. Перед ней лежала совершенно чистая страница. Она вспомнила, как когда-то слышала, будто каждый из посетителей Белого дома расписывается на отдельной чистой странице, чтобы сохранить свое имя в тайне от других приходящих.

Она поставила четкую, разборчивую подпись.

Итак, ее секретная встреча перестала быть секретной.

Гэбриэл прошла через металлоискатель, а потом ее быстро обыскали, вернее, охлопали.

Охранник улыбнулся:

— Желаю приятного и удачного визита, мисс Эш.

Гэбриэл направилась вслед за охранником Восточных ворот по выложенному плиткой коридору. Пройти пришлось примерно пятьдесят футов. Там предстояла остановка возле очередного пропускного пункта. Здесь ей вручили гостевой пропуск, который просто выскочил из ламинирующего аппарата. Служащий проткнул в карточке небольшое отверстие, продел в него бечевку и повесил пропуск на шею Гэбриэл. Пластик был еще теплым. Фотография на пропуске оказалась той самой, которую сделали пятнадцать секунд назад в холле.

Все это производило сильное впечатление. Кто посмеет сказать, что правительство работает неэффективно?

Путь продолжался. Охранник вел посетительницу дальше, в недра внушительного здания. И с каждым шагом Гэбриэл чувствовала себя все более напряженно и неуверенно. Тот, кто вызвал ее на свидание, явно не заботился о сохранении тайны. Ей выдали официальный пропуск, заставили подписать стандартную гостевую форму, а теперь на виду у всех

открыто вели по коридорам первого этажа, где вовсю разгу-
ливали экскурсии.

— А это Фарфоровая комната, — рассказывал гид группе
туристов. — Здесь хранится любимый сервиз Нэнси Рейган с
красной каемкой. В свое время, в восемьдесят первом, он вызвал бурные споры по поводу неумеренных трат. И немудрено,
ведь каждый из его предметов стоит девятьсот пятьдесят два
доллара.

Агент службы охраны провел Гэбриэл мимо туристов к огромной мраморной лестнице, по которой поднималась еще
одна группа.

— Сейчас мы войдем в Восточную комнату, площадь которой составляет три тысячи двести квадратных метров, — рассказывал гид. — Здесь Эбигайль Адамс однажды развесила сти-
раное белье Джона Адамса. А потом перейдем в Красную комнату, в которой Долли Мэдисон допьяна поила приехавших с
визитом глав государств — еще до того, как Джеймс Мэдисон
начинал с ними переговоры.

Туристы, разумеется, смеялись.

Гэбриэл послушно следовала за провожатым. Вот наконец
они прошли за ограждения, войдя в недоступную для экскур-
сий часть здания. И вдруг Гэбриэл оказалась в комнате, которую видела лишь в книгах и по телевизору. Дыхание ее сбилось.

Господи, да это же Комната карт!

Сюда туристы не попадали никогда. Панели на стенах
здесь могли раздвигаться, слой за слоем открывая карты разных регионов мира. Именно здесь Рузвельт планировал операции Второй мировой войны. И именно в этой комнате
Клинтон признался в своей интрижке с Моникой Левинс-
ки. Гэбриэл постаралась побыстрее выкинуть эту мысль из
головы. Куда более важным казалось то, что через Комнату
карт лежал путь в Западное крыло, то есть ту часть здания,
где работали власти предержащие. Уж куда-куда, а в эти стены Гэбриэл Эш попасть и не надеялась. Она полагала, что
электронные письма приходили от кого-нибудь из предпри-
имчивых молодых служащих или секретарш, работающих в
одном из более открытых офисов. Судя по всему, дело об-
стояло совсем не так.

Она идет в Западное крыло...

Сопровождающий привел Гэбриэл в самый конец покрытого ковровой дорожкой коридора и остановился у двери, на которой не было ни номера, ни таблички. Постучал. Сердце невольной посетительницы неуемно билось.

— Открыто, входите, — отозвался голос.

Сопровождающий распахнул дверь и знаком пригласил Гэбриэл войти.

Она переступила через порог. Уже начинало смеркаться, свет в комнате не горел, и поэтому обстановка казалась сумрачной. В темноте за письменным столом сидел человек, которого можно было различить лишь по смутным очертаниям.

— Мисс Эш? — донесся до нее голос из-за завесы сигаретного дыма. — Добро пожаловать.

Постепенно глаза Гэбриэл привыкли к темноте. Она начала различать что-то тревожно знакомое и в фигуре, и в лице хозяина кабинета. И внезапно узнала. Моментально все чувства обострились до предела: слишком сильным оказалось изумление. Так вот кто присылал ей письма! Разве такое возможно?

— Спасибо за то, что согласились прийти, — ледяным тоном поблагодарила Марджори Тенч.

— Мисс... Тенч? — заикаясь, с трудом выдавила Гэбриэл, едва осмеливаясь дышать.

— Называйте меня просто Марджори. — Устрашающая женщина поднялась из-за стола, словно дракон, выпуская из ноздрей клубы дыма. — Мы с вами должны стать лучшими подругами.

ГЛАВА 41

Нора Мэнгор стояла у края шахты рядом с Толландом, Рейчел и Мэрлинсоном. Все они напряженно вглядывались в черную, без единого проблеска, воду.

— Майк, — наконец заговорила она, — ты, конечно, необычайно умен и талантлив, но, к сожалению, сошел с ума. Здесь нет никакого биолюминесцентного свечения.

Толланд переживал, что не догадался снять удивительное явление на пленку; едва Корки отправился на поиски Норы и Мина, мерцание начало быстро меркнуть и скоро совсем пропало. Не прошло и пары минут, как вода потемнела.

Толланд снова бросил в полынью кусочек льда. Нет, ничего не произошло. Всплеска зеленого свечения не было.

— Куда же все вдруг исчезло? — Казалось, Мэрлинсон даже расстроился.

Толланд мог предложить свою версию необычного явления. Биолюминесцентность — один из основных защитных механизмов в природе. С его помощью планктон отвечает на внешние раздражения. Работает этот механизм следующим образом: планктон, чувствуя опасность быть съеденным каким-то другим организмом, начинает светиться, чтобы привлечь более крупных хищников, которые смогут отогнать непосредственного врага. Следовательно, планктон, сквозь трещину во льду попавший из океана в шахту с пресной водой, начал светиться, чувствуя опасность, — ведь чуждая среда его медленно убивала.

— Я думаю, что все организмы уже погибли.

— Ага, конечно! — саркастически фыркнула Нора. — Приплыл пасхальный зайчик и всех их съел.

Мэрлинсон смерил недоверчивую особу тяжелым взглядом:

— Но я тоже видел свечение, Нора. Это вовсе не шутка.

— А случилось это до или после приема дозы ЛСД?

— Зачем же нам врать и что-то придумывать?

— Зачем мужчины вообще врут?

— Ну да, врут насчет того, что спят с другими женщинами, но не насчет биолюминесцентного планктона.

Толланд вздохнул:

— Нора, ты, разумеется, знаешь, что планктон действительно живет в океане подо льдом.

— Майк, — с жаром огрызнулась мадам гляциолог, — пожалуйста, не учи меня моему делу! Если желаешь точной информации, то изволь: под арктическими льдами существует и процветает более двух сотен видов диатомовых водорослей. Кроме того, четырнадцать видов аутотрофических нанофлагеллатов, двадцать видов гетеротрофических флагеллатов, сорок видов гетеротрофических динофлагеллатов, несколько видов метазонов, включая полихетов, амфиподов, копиподов, эвфазидов и рыб. Есть вопросы?

Толланд нахмурился:

— Несомненно, ты куда больше меня знаешь об арктической фауне и поэтому согласишься, что прямо под нами бушует жизнь. Так откуда же столь скептическое отношение к биолюминесцентному планктону?

— А оттуда, милый мой Майк, что шахта запечатана. Это замкнутая среда с пресной водой. Никакой океанский планктон туда попасть просто не может!

— Я пробовал воду и почувствовал в ней соль, — настаивал Толланд. — Концентрация очень слаба, но, несомненно, присутствует. Так что каким-то образом сюда поступает соленая вода.

— Правильно, — скептически произнесла Нора, — ты почувствовал соль. Лизнул рукав старой, пропитанной пóтом куртки и решил, что все результаты сканирования плотности и пятнадцать образцов ледовой субстанции ничего не значат.

Толланд в доказательство протянул мокрую куртку.

— Майк, я не собираюсь лизать твой чертов рукав! — Нора заглянула в полынью. — А можно спросить, с какой стати целые стаи якобы существующего планктона заплыли в предположительно образовавшуюся щель во льду?

— Может быть, их привлекло тепло? — предположил Толланд. — Многие морские обитатели плывут на тепло. Когда мы вытаскивали метеорит, вода сильно нагрелась. И возможно, планктон устремился в теплые слои воды в шахте.

Мэрлинсон одобрительно кивнул:

— Звучит логично и убедительно.

— Логично? Убедительно? — Нора закатила глаза. — Знаете, для физика-лауреата и знаменитого на весь мир океанографа вы выглядите довольно чудной парочкой. А вам, господа ученые, не приходило в голову, что даже если эта трещина и существует — а я уверяю, что на самом деле ее нет, — то все равно никакая океанская вода просто физически не может попасть в шахту?

Она задиристо, с театральным презрением взглянула на своих оппонентов.

— Нора... — начал было Корки.

— Джентльмены! Мы с вами находимся выше уровня моря. И если бы в леднике появилась щель, то вода начала бы вытекать из шахты, а не поступать в нее. Так уж действует гравитация, господин физик.

Толланд и Мэрлинсон переглянулись.

— Черт! — восхитился Корки. — А я об этом и не подумал.

Нора показала вниз, на полынью:

— Наверное, вы в состоянии заметить, что уровень воды не изменяется?

Толланд чувствовал себя полным идиотом. Нора была абсолютно права. Если бы во льду образовалась трещина, вода непременно бы вытекала, а ни в коем случае не поступала в шахту. Он долго стоял, не произнося ни слова, раздумывая, что делать дальше.

— Хорошо, — наконец вздохнул он, — ты победила. Теория щели не выдержала научной критики. Но мы действительно наблюдали люминесцентное свечение в воде. Единственный вывод напрашивается сам собой: это вовсе не замкнутая среда. Я понимаю, что твои данные о возрасте льда в значительной степени основаны на постулате о его монолитности. Однако...

— На постулате? — Нора, очевидно, входила во вкус спора. — Запомни, Майк, это вовсе не мои данные. НАСА пришло к тем же выводам. Мы все подтвердили монолитность льда. Трещин в нем нет.

Толланд посмотрел в сторону, туда, где вокруг сектора прессы собралась толпа.

— Что бы там ни было, мне кажется, нам обязательно надо предупредить администратора и...

— Чушь! — буквально прошипела Нора. — Еще раз говорю: льдина монолитна. Я не собираюсь отказываться от своих данных, полученных путем серьезных исследований, и верить методу соленого рукава и нелепым галлюцинациям. — Она почти бегом бросилась к ближайшему складу инструментов и начала собирать необходимое оборудование. — Я возьму контрольную пробу воды и докажу, что в ней нет планктона, характерного для океанской соленой воды, ни живого, ни мертвого!

Все внимательно наблюдали, как Нора стерильной пипеткой, привязанной к шнуру, забирает пробу из полыньи. Несколько капель она выдавила в крошечный прибор, напоминающий миниатюрный телескоп. Потом приникла к окуляру, предварительно повернув прибор к свету, мчавшемуся с другой стороны купола. Через секунду послышались громкие проклятия.

— Черт возьми! — Нора потрясла прибор и посмотрела снова. — Дело дрянь! Что-то с рефрактометром!

— Соленая вода? — ехидно поинтересовался Мэрлинсон.

Нора нахмурилась:

— Частично. Прибор показывает трехпроцентный солевой раствор. А это совершенно невозможно, ведь ледник представляет собой кладовую снега. Чистая пресная вода. Соли здесь быть не должно.

Нора перенесла пробу на ближайший микроскоп и вновь начала рассматривать ее. Через пару минут она не то зарычала, не то застонала.

— Что, планктон? — не выдержал Толланд.

— Полиэдра, — коротко ответила Нора. Голос ее звучал теперь ровнее. — Один из видов планктона, который гляциологи обычно находят в океане под ледниками. — Она оторвалась от окуляра и взглянула на Толланда. — Но организмы мертвые. Очевидно, в трехпроцентном растворе долго не протянули.

Все четверо стояли в молчании на краю глубокой водной шахты.

Рейчел пыталась понять, какими могут оказаться последствия этого парадокса для открытия в целом. По сравнению с тем, что дал им метеорит, проблема не казалась серьезной. И все же, как аналитик информации, Рейчел знала случаи, когда из-за совсем незначительных зацепок рушились целые теории.

— Что здесь происходит? — Раздавшийся голос больше всего напоминал рев медведя.

Все, как по команде, обернулись. К ним приближался массивный администратор НАСА.

— Да вот... кое-какие небольшие вопросы относительно воды в шахте, — пояснил Толланд, — и мы пытаемся разобраться.

Мэрлинсон добавил, почти сияя:

— Данные Норы оказались неверными.

— Ну, давай, давай, кусай! — прошептала Нора.

Администратор подошел, настороженно сдвинув брови.

— Так что же с данными?

Толланд неуверенно вздохнул:

— Анализ показывает, что в шахте трехпроцентный солевой раствор. А это противоречит гляциологическому отчету, утверждающему, что метеорит находился в девственном, неповрежденном пресноводном леднике. — Он немного помолчал, словно собираясь с духом, и добавил: — Кроме того, здесь еще присутствует и планктон.

Экстром казался почти рассерженным.

— Невозможно! В леднике нет трещин. Это подтвердило сканирование. Метеорит лежал в толще монолитного льда.

Рейчел знала, что именно так и обстоит дело. По данным сканирования плотности, предпринятого НАСА, лед представлял собой единое целое. Вокруг метеорита были сотни футов замерзшего льда. Никаких трещин. Но, представив, как сканируется плотность льда, она вдруг поймала себя на странной мысли...

— А кроме того, — продолжал Экстром, — образцы субстанции, полученные доктором Мэнгор, подтвердили целостность ледника.

— Совершенно верно! — воскликнула Нора, убирая рефрактометр. — Двойное подтверждение. Лед не имеет никаких подозрительных особенностей. А это отклоняет все возможные объяснения появления в шахте соли и планктона.

— На самом деле, — вступила в разговор Рейчел, сама удивляясь собственной смелости, — объяснение есть.

Идею ей подарило одно воспоминание.

Теперь все смотрели на нее, даже не пытаясь скрыть скептицизма.

Рейчел улыбнулась:

— Есть вполне рациональное объяснение присутствию в шахте и соли, и планктона. — Она искоса взглянула на Толланда: — Честно говоря, Майк, удивительно, что ты сразу не догадался.

ГЛАВА 42

— Планктон замерз в леднике? — Казалось, Корки Мэрлинсон вовсе не клюнул на объяснение Рейчел. — Не хочется портить вам праздник, но обычно, когда живые организмы замерзают, они умирают. А эта мелочь светилась, помните?

— Говоря по правде, — перебил товарища Толланд, признательно взглянув на Рейчел, — мисс Секстон не ошибается. Существуют виды, способные в подходящих условиях, вызванных окружающей средой, восстанавливать жизнедеятельность. Я когда-то даже посвятил этой теме одну из своих передач.

Рейчел кивнула:

— Ты показывал северную щуку, которая замерзла в озере и была вынуждена ждать оттепели, чтобы уплыть. А еще ты рассказывал о микроорганизмах, называемых «водяными медведями». Они полностью теряли влагу, находясь в районах засухи, и оставались в таком состоянии в течение десятилетий. А потом, когда выпадали дожди, «отмокали» и оживали.

Толланд улыбнулся:

— Ты что, действительно смотришь мою программу?

Рейчел лишь смущенно пожала плечами.

— Так в чем же заключается ваша идея, мисс Секстон? — потребовала продолжения Нора.

— Идея, которая должна была сразу осенить меня, — пришел на помощь Толланд, — состоит в том, что одним из видов, упомянутых мной в той программе, является планктон, каждую зиму замерзающий в полярном льду, дремлющий там до весны, а летом, когда лед тает, уплывающий по своим делам. — Толланд помолчал. — Необходимо отметить, что я говорил тогда не о биолюминесцентных видах, с которыми мы встретились здесь, но ведь могут быть и аналоги.

— Замерзание планктона, — продолжила Рейчел, вдохновленная энтузиазмом Майкла Толланда, — может объяснить все, что мы здесь видели. Когда-то в прошлом в леднике могли образоваться щели. Пропустив соленую океанскую воду, они вновь замерзли. Вот таким образом в леднике и образовались карманы замерзшей соленой воды. То есть замерзшей соленой воды, содержащей замерзший планктон.

Представьте, что когда вы поднимали метеорит, он прошел как раз через подобный карман. Соленый лед растаял, пробудив от спячки планктон и дав нам тот самый небольшой процент соли в пресной воде.

— О, ради всего святого! — возмущенно простонала Нора. — Все здесь вдруг оказались гляциологами!

Корки тоже смотрел недоверчиво.

— Разве во время сканирования плотности льда эти карманы не обнаружились бы? Ведь соленый лед и пресный лед должны обладать совершенно различной плотностью.

— Очень мало различимой, — предположила Рейчел.

— Четыре процента — весьма значительная разница, — с вызовом вставила Нора.

— Конечно, если измерения проводятся в лаборатории, — возразила Рейчел. — Но ведь спутник проводит измерения с высоты в сто двадцать миль. И его компьютеры запрограммированы на определение очевидной разницы — между льдом и грунтом, гранитом и известняком. — Она повернулась к администратору НАСА: — Я права, предполагая, что когда спутник измеряет плотность из космоса, то ему, возможно, недостает разрешения, необходимого, чтобы различить замерзший солевой раствор и лед из пресной воды?

Администратор кивнул:

— Совершенно верно. Дифференциал в четыре процента находится ниже порога разрешения спутника. Его приборы воспримут соленый и пресный лед как совершенно идентичную субстанцию.

Толланд, казалось, увлекся идеей.

— Это также объясняет постоянный уровень воды в шахте. — Он посмотрел на Нору: — Ты сказала, что планктон, который ты видела под микроскопом, называется...

— Полиэдра, — торжественно провозгласила Нора. — И что же, теперь ты размышляешь о том, способна ли полиэдра сохранить жизнь во льду? Тебе будет приятно узнать, что ответ положителен. Это так. Во всех шельфовых ледниках полиэдра встречается в изобилии. Она светится и способна зимовать во льду. Еще вопросы есть?

Все стоящие на краю шахты переглянулись. Тон Норы подразумевал определенное «но». Однако она подтвердила теорию Рейчел.

— Итак, — набрался храбрости Толланд, — ты говоришь, что такое вполне возможно? Теория имеет смысл?

— Разумеется, — подтвердила Нора, — если вы все совершенно глупы.

Рейчел не ожидала подобной резкости.

— Прошу прощения?

Нора Мэнгор посмотрела на нее в упор:

— Полагаю, что в вашем деле небольшая доля знания — очень опасная вещь, так ведь? Поэтому поверьте мне, когда я скажу, что совершенно то же самое относится и к гляциологии. — Нора окинула взглядом всех четверых по очереди. — Позвольте мне прояснить это раз и навсегда для каждого из вас. Те карманы замерзшей соленой воды, о которых говорит мисс Секстон, действительно существуют. Гляциологи называют их расщелинами. Расщелины, однако, выглядят не как резервуары, а скорее как разветвленная сеть, волокна которой не толще человеческого волоса. Так что метеориту пришлось бы пройти через невиданное количество подобных расщелин, чтобы освободить достаточный объем соленой воды для получения в нашей шахте трехпроцентного раствора.

Экстром нахмурился:

— Так все-таки возможно это или нет?

— Ни за что на свете, — резко заключила Нора, — совершенно невозможно! В таком случае я непременно наткнулась бы на прослойки соленого льда в своих образцах.

— Но ведь образцы высверливались в произвольных местах, верно? — уточнила Рейчел. — Существует ли шанс, что чисто случайно бур прошел мимо солевых карманов?

— Я сверлила непосредственно над метеоритом. А также и во многих местах по сторонам от него, всего в нескольких ярдах. Пропустить что-то было невозможно.

— И все-таки...

— Вопрос очень спорный, — продолжала Нора. — Солевые расщелины встречаются исключительно в сезонных льдах, а именно в тех, которые образуются в прибрежных зонах и тают каждый сезон. А шельфовый ледник Милна — это «быстрый лед», который образуется в горах, сдвигается и уходит в море. Какой бы удобной ни оказалась теория замерзшего планктона для объяснения вашего странного феномена, тем не менее я могу гарантировать, что в этом леднике не существует сети замерзшего планктона.

Все снова замолчали.

Несмотря на опровержение теории замерзшего планктона, системный анализ данных, к которому привыкла Рейчел, не позволял ей покорно принять отказ. Она инстинктивно понимала, что признание наличия замерзшего планктона во льду под ними является простейшим решением проблемы. Этот логический постулат определялся законом экономии. Инструкторы НРУ внедряли его в подсознание агентов. В случае если существует много объяснений какой-то проблемы, правильным обычно оказывается простейшее.

Несомненно, если бы данные гляциологического исследования оказались неверными, Нора Мэнгор теряла многое. Рейчел обдумывала вариант, при котором Нора увидела планктон, поняла, что она совершила ошибку, определив лед как монолитный, и теперь просто пыталась отвлечь от себя внимание.

— Единственное, что я знаю, — произнесла Рейчел, — так это то, что совсем недавно я выступала перед сотрудниками Белого дома и сказала им, что метеорит обнаружен в монолитном леднике, что он пролежал там, не подвергаясь внешним воздействиям, с 1716 года, когда было знаменитое «Юргенсольское падение». А теперь сей факт оказывается под сомнением.

Администратор НАСА мрачно смотрел на черную воду.

Толланд откашлялся.

— Я вынужден согласиться с Рейчел. В полынье присутствует и соленая вода, и планктон. Независимо от возможного объяснения, шахта определенно не представляет собой замкнутое пространство. Мы не можем это утверждать.

Мэрлинсон выглядел смущенным.

— Ну, ребята, конечно, не мне, как астрофизику, здесь что-то говорить, но в моей области когда мы ошибаемся, то обычно примерно на миллиард лет. И с этой точки зрения так ли уж действительно важна небольшая путаница с планктоном и соленой водой? То есть я хочу сказать, что состояние окружающего метеорит льда ни в коем случае не влияет на сам метеорит. Окаменелости-то все равно остаются. И никто не оспаривает их истинность. Если вдруг мы и совершили ошибку с образцами ледовой субстанции, до этого все равно никому не будет никакого дела. Важными остаются лишь доказательства внеземной жизни.

— Извините, доктор Мэрлинсон, — возразила Рейчел, — как человек, зарабатывающий на жизнь анализом информации, я не могу с вами согласиться. Малейшее несоответствие в данных, которые НАСА представляет сегодня, моментально поставит под удар достоверность всего открытия. Включая и аутентичность окаменелостей.

Мэрлинсон буквально открыл рот от изумления.

— Что вы говорите? — возмутился он. — Окаменелости не вызывают ни малейшего сомнения!

— Я это знаю. И вы знаете. Но если до общественности дойдет слух, что НАСА, зная правду, представило недостоверные сведения о леднике, то, поверьте мне, тут же окажется под сомнением и все остальное.

С горящими глазами в разговор вмешалась Нора:

— Мои данные о леднике вовсе не недостоверны! — Она повернулась к администратору: — Я могу представить неопровержимые доказательства того, что в леднике нет расщелины!

Администратор смерил ее долгим взглядом:

— Как?

Нора изложила свой план. Когда она закончила, Рейчел была готова признать, что он звучит разумно.

Однако администратор, похоже, сомневался.

— И что же, результаты будут положительными?

— Гарантирую стопроцентное подтверждение, — заверила его Нора. — Если где-нибудь возле шахты окажется чертова унция замерзшей соленой воды, вы все сразу это увидите. Даже несколько капель под микроскопом будут выглядеть словно Таймс-сквер.

Лоб администратора под коротким ежиком волос превратился в гармошку — настолько он сморщился.

— Времени совсем мало. Через пару часов должна начаться пресс-конференция.

— Я вернусь через двадцать минут.

— Как далеко по леднику вам придется пройти?

— Совсем близко. Двести ярдов — вполне достаточное расстояние.

Экстром кивнул.

— Вы уверены, что это безопасно?

— Я возьму сигнальные ракеты, — ответила Нора, — а кроме того, со мной пойдет Майк.

Толланд вскинул голову:

— Я?

— Ты, Майк! Пойдем в связке. Пара сильных, надежных рук совсем не помешает, особенно если поднимется резкий ветер.

— Но...

— Доктор Мэнгор права, — вмешался администратор, поворачиваясь к Толланду. — Если уж она намерена идти, то ни в коем случае не должна быть одна. Я бы послал кого-нибудь из своих людей, но, честно говоря, хотелось бы сохранить всю эту планктонную чепуху между нами, во всяком случае, до тех пор, пока не выяснится, проблема это на самом деле или нет.

Толланд с явной неохотой кивнул.

— Я тоже хочу пойти, — сказала Рейчел.

Нора вскинулась, словно кобра:

— Черта с два!

— Мне кажется, — начал администратор таким тоном, словно идея только что пришла ему в голову, — будет куда безопаснее, если мы используем стандартную квадратную конфигурацию связки. Если вы пойдете вдвоем и, не дай Бог, Майк поскользнется, вы его ни за что не удержите. Четыре человека куда надежнее, чем два. — Он замолчал и посмотрел на Мэрлинсона: — То есть должны отправиться или вы, или доктор Мин. — Экстром оглянулся. — А кстати, где доктор Мин?

— Я уже давно его не видел, — ответил Толланд, — должно быть, он прилег отдохнуть перед пресс-конференцией.

Экстром повернулся к Корки:

— Доктор Мэрлинсон, я не вправе требовать, чтобы вы пошли с ними, однако...

— Какого черта?! — воскликнул Корки. — Разумеется, я отправлюсь со всеми.

— Нет! — возразила Нора. — Вчетвером мы будем двигаться намного медленнее. Мы с Майком пойдем вдвоем.

— Вдвоем вы не пойдете. — Тон администратора не допускал возражений. — Существует весомая причина того, почему в связке ходят именно вчетвером, и мы должны соблюдать все меры предосторожности. Меньше всего мне нужен несчастный случай за пару часов до самой важной в истории НАСА пресс-конференции.

ГЛАВА 43

В сумрачной атмосфере кабинета Марджори Тенч Гэбриэл Эш ощущала себя крайне неуверенно. Чего все-таки хочет от нее эта женщина?

Сидя за своим столом, Тенч расслабленно откинулась на спинку кресла, и резкие, грубые черты ее лица выражали необычайное удовлетворение от того дискомфорта, который испытывала Гэбриэл.

— Табачный дым вам не мешает? — любезно поинтересовалась она, доставая из пачки очередную сигарету. И, не дожидаясь ответа, закурила.

— Нет, — солгала Гэбриэл.

— В вашей избирательной кампании и вы сама, и ваш кандидат уделяете чрезвычайное внимание делам НАСА, — приступила Тенч к делу.

— Действительно, это так! — резко выпалила Гэбриэл, не пытаясь скрыть раздражение. — И надо сказать, не без посторонней поддержки. Мне бы хотелось получить разъяснения.

Тенч бросила на нее невинный взгляд:

— Вам хотелось бы знать, почему я посылала вам по электронной почте материалы для атак на космическое агентство?

— Та информация, которой вы меня снабжали, не идет на пользу рейтингу президента.

— В ближайшей перспективе — да.

Зловещий тон, которым были произнесены эти слова, обескуражил Гэбриэл.

— Что вы хотите сказать?

— Остыньте, мисс Эш. Мои послания на самом деле мало что изменили. Сенатор Секстон выступал против НАСА задолго до того, как в игру вступила я. А я просто помогла ему прояснить позицию и упрочить положение.

— Упрочить положение?

— Именно так. — Тенч улыбнулась, показав пожелтевшие от табака зубы. — И должна признаться, он отлично сделал это сегодня днем на Си-эн-эн.

Гэбриэл вспомнила реакцию сенатора на лобовой вопрос Марджори: «Да, я бы упразднил НАСА». Секстон оказался загнанным в угол, но нашел в себе силы действовать прямо и решительно. Шаг оказался верным. А может быть, нет? Судя по довольному виду Тенч, существовала какая-то неизвестная им информация.

Тенч неожиданно резко поднялась, заняв своей высокой костлявой фигурой почти все небольшое пространство кабинета. Не выпуская изо рта сигарету, она подошла к сейфу в стене, достала большой конверт из оберточной бумаги, вернулась к столу и вновь уселась в кресло.

Гэбриэл внимательно разглядывала пухлый конверт. Тенч улыбнулась, держа его с видом игрока в покер, у которого на руках оказались десятка, валет, дама, король и туз одной масти. Пожелтевшими от сигарет пальцами, словно в предвкушении удовольствия, она мяла уголок, неприятно шуршавший.

Гэбриэл понимала, что в ней говорит сознание собственной вины, и тем не менее очень боялась увидеть, как из конверта появляются неопровержимые доказательства ее сексуальной связи с сенатором. Она одернула себя. Это невозможно! Все случилось в нерабочее время, в запертом офисе сенатора. А кроме того, если бы Белый дом и обладал какими-то данными, то уже наверняка выступил бы с ними публично. Так что даже если они что-то и подозревают, то скорее всего доказательств не имеют.

Тенч погасила сигарету.

— Мисс Эш, вы случайно оказались в самой гуще борьбы, которая идет в Вашингтоне с 1996 года, правда, только за кулисами.

Этот ход удивил Гэбриэл.

— Прошу прощения?

Тенч зажгла новую сигарету, плотно сжала ее тонкими губами. Сигарета светилась в полумраке, словно зрачок хищника.

— Что вам известно о законопроекте под названием «Акт содействия коммерциализации космоса»?

Гэбриэл никогда ничего подобного не слышала. Она растерянно пожала плечами.

— Ничего? — переспросила Тенч. — Честно говоря, меня это несколько удивляет. Особенно если учесть предвыборную платформу вашего кандидата. Так вот... Законопроект был внесен сенатором Уокером. И в нем утверждалось, что после высадки человека на Луну космическое агентство оказалось больше не в состоянии сделать ничего достойного. Документ требовал немедленной приватизации НАСА путем распродажи его активов частным аэрокосмическим компаниям. Он предусматривал более эффективное использование космического пространства в рамках свободного рынка, что облегчило бы тот груз, который агентство возлагает на налогоплательщиков.

Гэбриэл, разумеется, слышала, что критики НАСА предлагали приватизацию в качестве средства разрешения всех проблем, но она не знала, что идея уже воплощена в виде законопроекта.

— Так вот, — продолжала советник, — этот план коммерциализации уже четыре раза обсуждался конгрессом. Он аналогичен тем программам, по которым были успешно приватизированы государственные отрасли промышленности, в частности, переработка урановой руды. Конгресс одобрил законопроект коммерциализации космического пространства все четыре раза. К счастью, каждый раз Белый дом накладывал на него вето. Президенту Харни пришлось сказать «нет» дважды.

— Так в чем же заключается ваша идея?

— Моя идея заключается в том, что если сенатор Секстон придет к власти, он обязательно поддержит законопроект. У меня есть все основания считать, что Секстон не замедлит распродать акции НАСА коммерческим структурам при первой же удобной возможности. Короче говоря, ваш кандидат предпочтет приватизацию необходимости финансировать изучение и использование космоса за счет налогоплательщиков.

— Насколько мне известно, сенатор никогда не высказывал публично своей позиции в отношении «Акта содействия коммерциализации космоса».

— Это правда. И все-таки мне кажется, что, зная его программу, вы не удивитесь, если он его поддержит.

— Система свободного рынка способствует эффективности любой созидательной деятельности.

— Я воспринимаю это высказывание как согласие. — Тенч внимательно посмотрела на собеседницу. — К сожалению, приватизация НАСА — ужасная идея, и существует немало веских причин, почему законопроект тормозился несколькими администрациями Белого дома.

— Я знакома с аргументами против приватизации космоса, — вставила Гэбриэл, — и вполне понимаю вашу озабоченность.

— Правда? — Тенч наклонилась к собеседнице. — Какие же именно аргументы вы слышали?

Гэбриэл стало не по себе.

— Ну, главным образом стандартные околонаучные страхи. Самые распространенные заключаются в том, что если мы приватизируем НАСА, то стремление к научному исследованию уступит место коммерческим интересам.

— Правильно. Космическая наука погибнет в одночасье. Вместо того чтобы вкладывать деньги в изучение Вселенной, частные космические компании будут заниматься ловлей астероидов, строить в космосе отели для туристов, обеспечивать работу коммерческих спутников. Зачем частным компаниям беспокоиться об изучении происхождения Вселенной, если это требует миллиардных вложений и вовсе не гарантирует финансовой отдачи?

— И не надо, — возразила Гэбриэл. — Но несомненно, одновременно может быть основан Национальный фонд изучения космоса. И он будет финансировать академические проекты.

— Но мы уже и так имеем подобную систему. И называется она НАСА.

Гэбриэл промолчала.

— Отход от науки в сторону коммерческих прибылей — всего лишь побочное явление, — продолжала аргументировать Тенч. — И оно вряд ли представляется существенным по сравнению с тем абсолютным хаосом, который воцарится в том случае, если частный сектор получит доступ в космическое пространство. Мы просто вновь создадим Дикий Запад. Окажемся свидетелями того, как пионеры начнут предъявлять права на Луну и астероиды и будут подкреплять свои требования грубой силой. Мы уже слышали заявления некоторых компаний о намерении создать неоновую рекламу в ночном небе. Видела я и проекты будущих космических отелей и туристических центров, намеренных выбрасывать отходы в космическое пространство и создавать орбитальные мусорные свалки. Более того, вчера я прочитала предложение одной предприимчивой фирмы, которая собирается превратить космическое пространство в мавзолей, отправляя на орбиту покойников. Как вам нравится мысль о столкновении наших телевизионных спутников с телами усопших? А на прошлой неделе мне пришлось принимать одного миллиардера-предпринимателя. Так он собирается запустить экспедицию к ближайшему астероиду, подтянуть его поближе к Земле и начать добывать там редкие минералы. Пришлось объяснить этому парню, что втягивание астероидов в земную орбиту чревато глобальной катастрофой... Мисс Эш, могу вас заверить, что если этот законопроект пройдет, люди, толпами устремившиеся в космос, вовсе не будут учеными-энтузиастами. Это будут люди с набитыми кошельками и пустыми головами.

— Весьма убедительные доводы, — согласилась Гэбриэл, — и я не сомневаюсь, что если бы сенатор Секстон получил возможность одобрить законопроект или отвергнуть его, он непременно принял бы их к сведению. Но могу ли спросить, какое отношение ко всему этому имею я?

Тенч прищурилась, затягиваясь:

— Множество людей готовятся делать в космосе огромные деньги, поэтому растет политическое лобби, стремящееся снять все заграждения и открыть шлюзы. То право вето, которым обладает президент Соединенных Штатов, остается единственным крепким барьером против приватизации... то есть против полнейшей анархии в космосе.

— Можно лишь одобрить действия Зака Харни в отношении законопроекта.

— Боюсь, что в случае прихода к власти ваш кандидат окажется не столь дальновидным.

— Я повторю: если возникнет необходимость выразить собственное отношение к документу, сенатор тщательно взвесит все факторы.

Тенч, однако, не удовлетворило такое обещание.

— Знаете ли вы, сколько сенатор тратит на рекламу в средствах массовой информации?

Вопрос показался странным.

— Но ведь эти цифры публикуются.

— Более трех миллионов в месяц?

Гэбриэл пожала плечами:

— Пусть так.

Цифра оказалась близка к истинной.

— Это совсем не малые деньги.

— Он и обладает немалыми деньгами.

— Да, хорошо все спланировал. Вернее, выгодно женился. — Тенч замолчала, выпустив колечко дыма. — История с его женой, Кэтрин, очень печальна. Ее смерть стала для него страшным ударом. — Последовал театрально трагический, тщательно сыгранный вздох. — Она ведь не так давно погибла?

— Давайте вернемся ближе к делу, у меня осталось совсем мало времени.

Тенч гулко откашлялась — курение давало себя знать — и снова взялась за конверт. Вытащила оттуда небольшую стопку скрепленных листков и через стол подала их Гэбриэл.

— Вот финансовые данные Секстона.

Гэбриэл с искренним изумлением просмотрела документы. Отчеты охватывали несколько лет. Хотя Гэбриэл и не была в курсе личных финансовых дел Секстона, она сознавала, что данные правдивы. Банковские счета, состояние кредитных карточек, займы, биржевые акции, долги, финансовые приобретения и потери.

— Но это же частные данные. Где вы их раздобыли?

— Источник информации вас не должен беспокоить. Но если вы уделите некоторое время изучению этих бумаг, то сразу поймете, что сенатор Секстон вовсе не имеет тех денег, которые сейчас так вольно тратит. После смерти жены он растратил значительную часть ее состояния на глупые инвестиции, личный комфорт и покупку победы в первичных выборах. Шесть месяцев назад ваш кандидат оказался банкротом.

Гэбриэл чувствовала: что-то не так. Если Секстон — банкрот, каким же образом он ведет дела? С каждой неделей сенатор покупал все больше и больше рекламного времени.

— В настоящее время, — продолжала Тенч, — ваш кандидат тратит куда больше денег, чем действующий президент... В четыре раза больше. И это при том, что практически не имеет личных средств.

— Мы получаем немало добровольных взносов.

— Да, и только некоторые из них легально.

Гэбриэл резко вскинула голову:

— Прошу прощения?

Тенч перегнулась через стол, и посетительница ощутила ее несвежее, прокуренное дыхание.

— Гэбриэл Эш, я собираюсь задать вам вопрос. Предупреждаю: прежде чем отвечать, хорошо подумайте. От вашего ответа будет зависеть, проведете ли вы следующие несколько лет жизни в тюрьме или нет. Известно ли вам, что сенатор Секстон регулярно получает огромные взятки на проведение предвыборной кампании? И что взятки эти ему дают частные аэрокосмические компании, надеющиеся на миллиардные прибыли от приватизации НАСА?

Гэбриэл от неожиданности приоткрыла рот.

— Это абсурдные и наглые инсинуации!

— То есть вы хотите сказать, что ничего об этом не знаете?

— Я думаю, что если бы сенатор действительно брал такие взятки, я непременно знала бы об этом.

Тенч холодно улыбнулась:

— Гэбриэл, я понимаю, что сенатор Секстон щедро делится собой с вами, но уверяю: даже несмотря на это, остается многое, что вам о нем еще неизвестно.

Гэбриэл поднялась:

— Мне пора идти. Наша встреча подошла к концу.

— Что вы, совсем напротив, — возразила Тенч, доставая из конверта оставшиеся в нем бумаги и раскладывая их на столе. — Встреча только начинается.

ГЛАВА 44

В «гардеробной» хабисферы Рейчел Секстон влезла в один из специальных микроклиматических костюмов НАСА, носящих название «Марк-9». Черный сплошной комбинезон с капюшоном очень напоминал подводный скафандр. Пространство между двумя слоями пористой ткани заполнялось густым гелем. Он помогал тому, кто носит костюм, регулировать температуру тела и в жару, и в холод.

Рейчел натянула на голову плотно облегающий капюшон и взглянула на администратора НАСА. Тот стоял возле двери, словно часовой, и был явно не в восторге от этой вылазки.

Нора Мэнгор руководила сборами, не переставая ругаться.

— Вот, как раз подойдет для маленького толстячка, — язвительно прокомментировала она, выдавая костюм Мэрлинсону.

Толланд уже наполовину надел свой «скафандр».

Как только Рейчел полностью застегнула комбинезон, Нора нашла у нее на боку клапан и подсоединила к нему трубку, выходящую из серебристой канистры, очень напоминающей акваланг.

— Ну-ка вдохни! — скомандовала она, открывая клапан.

Рейчел услышала шипение и почувствовала, как костюм наполняется гелем. Теперь он плотно облегал тело, соприкасаясь с одеждой. Ощущение было похожим на то, которое испытываешь, опуская в воду руку в резиновой перчатке. Капюшон теперь слегка сдавливал голову, плотно закрывая уши. От этого все звуки слышались смутно. Рейчел почувствовала себя заключенной в кокон.

— Самое лучшее в «Марке-9» — это подкладка, — пояснила Нора. — Ты можешь очень сильно стукнуться задницей и ничего не почувствуешь.

Рейчел кивнула. Действительно, ощущение было такое, словно ее засунули внутрь толстого матраса.

Нора принесла необходимое снаряжение — ледоруб, крепления для веревки-связки — и подвесила все к толстому ремню на поясе Рейчел.

— Столько всего? — удивилась та, разглядывая снаряжение. — И лишь для того, чтобы пройти двести ярдов?

Нора прищурилась:

— Ты хочешь идти или нет?

Толланд усмехнулся:

— Нора всего лишь выполняет инструкции. Безопасность — прежде всего.

Корки сам подсоединился к баллону с гелем и надул свой костюм. Выглядел он довольным, процедура его явно веселила.

— Ощущение такое, словно залез в гигантский презерватив, — признался он.

Нора презрительно фыркнула:

— Будто ты что-то знаешь об этом, девственник!

Толланд присел рядом с Рейчел, с улыбкой наблюдая, как она натягивает огромные тяжелые ботинки и прицепляет к ним шипы.

— Ты действительно хочешь пойти?

В его глазах светилось участие. Рейчел кивнула, надеясь преодолеть возрастающее волнение. Всего-то двести ярдов, успокаивала она себя, совсем недалеко!

— А ты, наверное, считаешь, что приключения можно встретить только в открытом море?

Толланд усмехнулся, тоже занятый шипами.

— Я подумал и решил, что больше люблю воду в жидком состоянии, чем эту замороженную субстанцию.

— А я никогда особенно не любила ни то ни другое, — призналась Рейчел. — Еще девочкой провалилась под лед. И с тех пор при виде воды страшно нервничаю.

Толланд взглянул сочувственно:

— Жаль слышать это. Когда наша эпопея закончится, ты обязательно погостишь у меня на «Гойе». И я заставлю тебя изменить отношение к воде. Обещаю.

Приглашение удивило. «Гойя» — исследовательское судно Толланда. Оно приобрело известность благодаря телепрограмме «Удивительные моря». Кроме того, оно пользовалось репутацией одного из самых необычных океанских судов. Визит на «Гойю» оказался бы для Рейчел серьезным испытанием, но отказаться от такого приглашения было очень трудно.

— Сейчас судно стоит на якоре в двенадцати милях от побережья Нью-Джерси, — сказал Толланд, борясь с застежками шипов.

— Достаточно странное место.

— Вовсе нет. Побережье Атлантики удивительное, невероятное. Мы как раз собирались снимать новый фильм, и в самый ответственный момент меня грубо вырвали из процесса.

Рейчел рассмеялась:

— Собирались снимать фильм? О чем же?

— Называется он «Sphyrna mokarran* и густоперые».

Рейчел невольно сморщилась.

— Как я рада, что спросила!

Толланд наконец прикрепил шипы и посмотрел на нее:

---

* Sphyrna mokarran — акула-молот гигантская. Самый крупный представитель семейства.

— Нет, серьезно. Я собираюсь снимать в том районе примерно две недели. Вашингтон ведь недалеко от Нью-Джерси. Когда вернешься домой, обязательно приезжай. Нет никакого смысла проводить жизнь в страхе перед водной стихией. Моя команда раскатает для тебя красный ковер.

В эту минуту раздался недовольный, скрипучий голос Норы Мэнгор:

— Ну как, ребята, мы выходим, или принести вам свечи и шампанское?

ГЛАВА 45

Гэбриэл Эш не знала, как реагировать на множество документов, разложенных по всему столу в кабинете Марджори Тенч. Здесь были и фотокопии писем, и факсы, и записи телефонных разговоров. Все они подтверждали слова Тенч о том, что сенатор Секстон поддерживает тайную связь с частными космическими компаниями.

Марджори подвинула к гостье две зернистых черно-белых фотографии:

— Возможно, это покажется вам неожиданным?

Гэбриэл внимательно посмотрела на снимки. Первый показывал сенатора выходящим из такси в каком-то подземном гараже. Гэбриэл удивилась. Секстон никогда не ездил на такси. Потом девушка взглянула на вторую фотографию. На ней ее босс забирался в припаркованный белый фургончик. На водительском месте сидел пожилой человек, явно ожидавший Секстона.

— Кто это? — поинтересовалась она, подозревая, что фотография может оказаться фальшивой.

— Крупная шишка из ФКИ.

Гэбриэл расшифровала аббревиатуру: Фонд космических исследований.

Этот фонд представлял собой своеобразный «союз» частных космических компаний. Он объединял аэрокосмических предпринимателей, строителей, биржевых игроков и вообще всех, кто стремился к прибылям от освоения космического пространства. Они все беспрерывно критиковали НАСА, утверждая, что космическое агентство Соединенных Штатов ведет нечестную политику для того, чтобы помешать частным компаниям посылать собственные экспедиции.

— ФКИ в настоящее время представляет больше ста крупных корпораций. Некоторые из них очень богатые фирмы, с нетерпением ожидающие принятия «Акта содействия коммерциализации космоса».

Гэбриэл задумалась. По понятным причинам ФКИ открыто поддерживал избирательную кампанию Секстона, хотя сенатор и старался соблюдать определенную дистанцию в силу противоречивой лоббистской тактики фонда. Не так давно организация опубликовала резкий материал, заявляя, что НАСА, по сути, представляет собой «незаконную монополию». Смысл заключался в том, что, несмотря на постоянные провалы, монопольное агентство сохраняло возможность продолжать деятельность. А это ставило частные фирмы в условия несправедливой конкуренции. По данным фонда, если какая-нибудь крупная телекоммуникационная компания нуждалась в срочном запуске спутника, несколько частных космических компаний предлагали выполнить работу за вполне разумную плату в пятьдесят миллионов долларов. Но в дело тут же вмешивалось НАСА, предлагая сделать то же самое за двадцать пять миллионов. И это несмотря на то, что самому агентству запуск обходился раз в пять дороже. Юристы ФКИ обвиняли НАСА в том, что оно умудряется оставаться в бизнесе потому, что имеет возможность работать себе в убыток. Но расплачиваются за подобную политику всегда налогоплательщики.

— Это фото ясно показывает, — пояснила Тенч, — что ваш кандидат не брезгует тайными встречами с представителями организации, которая объединяет частные космические предприятия. — Советница сделала жест в сторону других документов, разложенных на столе. — Мы также обладаем данными о внутренних распоряжениях фонда, согласно которым входящие в него компании обязаны выделять средства, причем в огромных масштабах, сопоставимых с их собственной стоимостью. Больше того, эти средства предписывается перечислять на счета, контролируемые сенатором Секстоном. В результате эти частные космические фирмы оплачивают вступление сенатора в Белый дом. Поэтому вполне логично предположить, что он обещал в случае своей победы на выборах поддержать законопроект о коммерциализации космоса и приватизации НАСА.

Гэбриэл смотрела на ворох бумаг, все еще не чувствуя себя полностью убежденной.

— Вы хотите, чтобы я поверила, будто Белый дом обладает свидетельствами нечестного поведения оппонента, в частности, его вовлеченности в нелегальную финансовую деятельность? И в то же время продолжает держать эти свидетельства в тайне от всех?

— А во что бы вы поверили?

Гэбриэл заглянула в глаза собеседнице:

— Честно говоря, зная вашу способность к манипуляциям любого рода, больше всего я верю в то, что вы пытаетесь обмануть меня фальшивыми документами и фотографиями, сделанными каким-нибудь ловким сотрудником Белого дома на компьютере.

— Признаюсь, такое возможно. Но это не так.

— Нет? Тогда каким же образом вам удалось заполучить от корпораций сугубо внутренние документы? Чтобы украсть все эти бумаги у такого количества компаний, нужны огромные ресурсы — вряд ли Белый дом ими обладает.

— Вы правы. Информация поступила к нам в качестве совершенно безвозмездного дара.

Гэбриэл растерялась.

— Да-да, — подтвердила советник. — Мы получаем много подарков. Президент имеет немало могущественных политических союзников, которые хотели бы продлить его пребывание на посту. Не забывайте, что ваш кандидат планирует урезать все, что можно, и везде, где можно. Причем многие сокращения он планирует осуществить прямо здесь, в Вашингтоне. Сенатор Секстон не стесняется приводить в качестве примера расточительности даже раздутый, по его мнению, бюджет ЦРУ. Он нацелился и на исследовательские центры. И вполне естественно, что кто-то из руководителей данных структур слегка обиделся и не желает видеть мистера Секстона в Белом доме.

Гэбриэл прекрасно поняла, о чем идет речь. Люди в ЦРУ, разумеется, знают способы получения подобной информации. А потом вполне могут послать ее в подарок президенту как свой вклад в его избирательную кампанию. И тем не менее она все еще не могла допустить, что ее босс вовлечен в нелегальную финансовую деятельность.

— Если ваши данные правдивы, — с вызовом заговорила она, — в чем я, впрочем, очень сомневаюсь, то почему же Белый дом их не опубликует?

— А что вы сами думаете?

— Ну, они получены незаконным путем.

— Способ, каким они нам достались, не имеет значения.

— Да нет же, как раз имеет. От этого зависит, будут ли сведения приняты к слушанию.

— К какому слушанию? Мы просто отдадим информацию в газету, а журналисты напечатают ее в виде истории «из надежного источника», с фотографиями и документами. И Секстон останется виноватым до тех пор, пока не будет доказано обратное. А его активная антинасавская политика послужит прямым доказательством получения взяток от частных компаний.

Гэбриэл понимала, что все это так.

— Прекрасно, — согласилась она, — тогда почему же вы до сих пор не обнародовали столь ценную информацию?

— Да просто потому, что она негативна. Президент обещал не прибегать в своей избирательной кампании к негативным аргументам и готов, пока может, держать слово.

Гэбриэл скептически поморщилась:

— Вот как? Президент настолько честен, что отказывается опубликовать сильнейший аргумент против своего оппонента лишь потому, что информация может быть воспринята американским народом как негативная?

— Она негативна не для одного человека, а для страны. Затрагивает множество частных компаний, в которых работает немало честных людей. Она очерняет сенат США и может плохо отразиться на настроениях в стране. Нечестные политики вредят всем остальным политикам. Американцы нуждаются в доверии к собственным лидерам. А это расследование окажется очень некрасивым. В результате в тюрьму отправятся и сам сенатор, и многие очень видные деятели аэрокосмической отрасли.

Логика Тенч выглядела непогрешимой, но Гэбриэл всетаки не хотела верить обвинениям.

— Какое же отношение вся эта история имеет ко мне?

— Очень просто, мисс Эш. Если мы обнародуем эти документы, ваш кандидат будет обвинен в незаконном финансировании своей избирательной кампании, а следовательно, потеряет место в сенате. Более того, скорее всего он отправится в тюрьму. — Тенч сделала паузу. — Если...

Гэбриэл не могла не заметить, как по-змеиному блеснули глаза старшего советника.

— Если что?

Тенч не спешила с ответом, с удовольствием вдыхая дым сигареты.

— Если вы не решите помочь нам избежать всех этих неприятностей.

В комнате повисло напряженное молчание.

Тенч хрипло откашлялась.

— Послушайте, Гэбриэл, я решилась поделиться с вами этой неприятной информацией по трем причинам. Во-первых, чтобы показать, что Зак Харни — приличный человек, который ставит хорошую работу правительства выше собственных интересов. Во-вторых, чтобы поставить вас в известность о том, что, к сожалению, ваш кандидат не настолько заслуживает доверия, как вам может казаться. И в-третьих, чтобы убедить вас принять то предложение, которое я сейчас сделаю.

— А именно?

— Хочу дать вам шанс на правильный, разумный поступок. Патриотичный поступок. Осознаете вы сами это или нет, но положение уникально в том смысле, что именно вы в силах избавить Вашингтон от возможного скандала. И если удастся сделать то, что я сейчас вам предложу, то, вполне возможно, вам будет обеспечено место в команде президента.

Место в команде президента? Гэбриэл с трудом верила собственным ушам.

— Мисс Тенч, что бы вы ни имели в виду, мне очень не нравится, когда меня шантажируют, принуждают или унижают. Я работаю в избирательной кампании сенатора потому, что верю в его политику. И если подобный разговор хоть в какой-то степени указывает на те методы, какими Зак Харни добивается политического влияния, то мне совсем не хочется иметь с ним дело. Если вы имеете серьезные аргументы против сенатора Секстона, то я рекомендовала бы опубликовать их в прессе. Честно говоря, я считаю, что все это просто фальшивки.

Тенч устало вздохнула.

— Гэбриэл, противозаконное финансирование кампании вашего кандидата — это факт. Мне очень жаль. Я знаю, что вы искренне ему доверяете. — Она понизила голос. — Послушайте, дело вот в чем. Президент и я — мы бы опубликовали информацию, будь это необходимо, но неприятности окажутся просто огромными. В скандал будут вовлечены несколько крупных корпораций, нарушающих закон. Множество ни в чем не повинных людей окажутся под ударом. Платить за все придется именно им.

Она затянулась, потом не спеша выпустила кольцо дыма.

— Президент надеется найти какой-нибудь иной способ дискредитировать действия сенатора. Более аккуратный, что ли... от которого не пострадают невинные люди. — Тенч положила сигарету в пепельницу и скрестила руки на груди. — Короче говоря, нам хотелось бы, чтобы вы открыто признались в своей интимной связи с сенатором.

Гэбриэл похолодела. Тенч говорила так, будто не сомневалась в обоснованности своих слов. Но почему? Откуда такая уверенность? Доказательств не существовало. Все произошло один-единственный раз, за запертой дверью кабинета Секстона в сенатском офисе. Нет, эта женщина определенно не может ничего знать. Она закидывает удочку просто так, наугад. Гэбриэл постаралась говорить спокойно и уверенно.

— Вы слишком многое домысливаете, мисс Тенч.

— Что именно? Что между вами существует связь? Или что вы способны отвернуться от своего кандидата?

— И то и другое.

Тенч улыбнулась и поднялась из-за стола.

— Ну хорошо, давайте прямо сейчас проясним один из этих пунктов, согласны?

Она снова подошла к сейфу и опять вернулась с конвертом, на сей раз красным. На нем стояла печать Белого дома. Советница сломала печать, перевернула конверт и высыпала перед гостьей его содержимое.

На столе оказались десятки цветных фотографий. Перед глазами Гэбриэл рушилась вся ее так удачно начинавшаяся карьера.

ГЛАВА 46

За стенами хабисферы продолжал дуть сильный ветер. По сравнению с океанскими ветрами, к которым привык Толланд, он представлял собой совсем иную, непривычную и опасную стихию. На океанских просторах ветер — следствие приливов и фронтов повышенного давления, а потому дует порывами. Здесь же это был тяжелый холодный воздух, словно прилив-ная волна, скатывавшийся с ледника. Наиболее мощный по-ток воздушных масс из всех, какие приходилось испытывать Толланду. О таком ветре, дуй он со скоростью в двадцать уз-лов, мечтал бы каждый моряк. Но при восьмидесяти узлах он был проклятием даже для тех, кто ощущает твердую землю под ногами. Толланд чувствовал, что, если сейчас остановиться и расслабиться, ветер легко может сбить с ног.

Эта воздушная река оказывалась еще более неприятной из-за небольшого наклона ледника. Угол был совсем незначитель-ным, понижение продолжалось две мили — до самого океана. Но даже несмотря на острые шипы, прикрепленные к ботин-кам, Толланда не покидало неприятное чувство, что любой неосторожный шаг способен лишить его опоры и отправить в неприятное путешествие по бесконечному ледовому склону. Двухминутная лекция, прочитанная Норой Мэнгор о безопас-ности на леднике, оказалась совершенно бесполезной.

— Это ледоруб «Пиранья», — поясняла она во время сбо-ров, прикрепляя легкое орудие в форме буквы «Т» к его по-ясу. — Лезвие стандартное, в форме банана, полутрубчатое. Если кто-то поскользнется или не сможет устоять перед по-рывом ветра, надо схватить ледоруб одной рукой за рукоятку, другой за головку, с силой воткнуть в лед лезвие и упасть ря-дом, упираясь шипами.

С этим вселяющим уверенность напутствием Нора связа-ла всех четверых подобием упряжи. Все надели защитные очки и вышли в полярную ночь.

Сейчас четыре фигуры двигались вниз по леднику, отде-ленные друг от друга десятью ярдами веревки. Нора шла пер-вой, за ней Мэрлинсон, потом Рейчел, а Толланд выполнял функцию якоря.

Чем дальше уходили они от хабисферы, тем острее становилось беспокойство Толланда. В надутом костюме, хотя и очень теплом, он чувствовал себя лишенным координации астронавтом, который с трудом пробирается по далекой планете. Луна спряталась за плотные штормовые облака, погрузив ледовую пустыню в непроглядную тьму. Ветер с каждой минутой становился все сильнее, ощутимо подгоняя вниз.

Постепенно защищенные очками глаза начали различать огромное пустынное пространство вокруг, а с осознанием пустоты пришло и ощущение грозящей опасности.

Излишни ли предосторожности НАСА или нет, Толланд не переставал удивляться решению администратора рискнуть жизнью четырех человек, хотя можно было ограничиться двумя. Тем более странно, что две дополнительные жизни принадлежат дочери сенатора и знаменитому астрофизику. Толланд испытывал потребность защитить Рейчел и Корки. Как капитан он привык брать на себя ответственность за членов команды и всех, кто находится рядом.

— Держитесь позади меня! — скомандовала Нора, с трудом перекрикивая ветер. — Пусть санки прокладывают путь.

Алюминиевые санки, на которых Нора везла необходимое оборудование, напоминали огромного кузнечика. На них аккуратно поместились исследовательские приборы и средства обеспечения безопасности, которые Нора использовала на протяжении нескольких последних дней. Все оборудование, включая запасные батареи, сигнальные ракеты и мощный фонарь, было спрятано под надежно закрепленным пластиковым чехлом. Несмотря на большой вес, санки легко скользили по гладкой поверхности на длинных, широких полозьях. Даже на почти незаметном склоне они сами ехали вниз, Нора лишь слегка удерживала их, прокладывая путь.

Толланд обернулся, оценивая, как увеличивается расстояние между ними и хабисферой. Они прошли всего-то каких-нибудь пятьдесят ярдов, однако бледный изгиб купола почти совершенно исчез из виду, погрузившись во тьму.

— А как мы найдем обратную дорогу? — прокричал Толланд, обращаясь к Норе. — Хабисфера уже почти...

Он не успел договорить — его голос утонул в громком свисте и шипении. В руке Норы зажглась сигнальная ракета. Яркая красно-белая вспышка озарила пространство десяти ярдов в окружности. Ногой Нора сделала небольшое углубление в снегу, оставив с наветренной стороны защитный бугорок. Потом вставила в углубление горящую ракету.

— Высокотехнологичные хлебные крошки, — пояснила она.

— Хлебные крошки? — переспросила Рейчел, защищая глаза от неожиданно яркого света.

— Гензель и Гретель! — прокричала в ответ Нора. — Ракеты протянут еще с час — с лихвой хватит, чтобы по ним найти обратную дорогу!

И четыре фигуры снова побрели вниз по леднику — в кромешную полярную тьму.

ГЛАВА 47

Гэбриэл Эш пулей выскочила из кабинета Марджори Тенч, почти сбив с ног секретаршу. Перед глазами у нее все еще стояли ужасные фотографии — переплетенные руки и ноги, лица, на которых читается экстаз.

Она не имела ни малейшего понятия, каким образом сделаны снимки, но в их достоверности сомневаться не приходилось. Они действительно показывают то, что происходило в офисе сенатора, причем фотографировали откуда-то сверху, точно с потолка.

Господи, помоги! На одной из фотографий сенатор совокуплялся со своей молодой ассистенткой прямо на рабочем столе, на разложенных там официальных документах.

Марджори Тенч догнала Гэбриэл возле Комнаты карт. В руке она держала тот самый страшный красный конверт.

— Судя по вашей реакции, вы признаете правдивость этих снимков? — Старший советник президента явно наслаждалась. — Думаю, теперь вы не будете сомневаться в неподложности остальных документов. Тем более что они пришли из того же самого источника.

Идя по фойе, Гэбриэл чувствовала, как покраснела с головы до пят. Где же, черт возьми, здесь выход?

Тенч на своих длинных ногах с легкостью поспевала рядом.

— Сенатор Секстон клялся перед всем миром, что вы с ним просто сотрудники. И это его утверждение звучало чрезвычайно убедительно. Если хотите освежить его в памяти, то у меня есть видеозапись.

Гэбриэл вовсе не нуждалась ни в каком освежении. Она прекрасно помнила ту пресс-конференцию. Слова Секстона звучали яростно и искренне.

— Как ни прискорбно, — продолжала Тенч, вовсе не выглядя при этом расстроенной, — сенатор Секстон нагло лгал американскому народу. Но народ имеет право знать. И он узнает. Этим я займусь лично. Остается лишь решить, каким именно способом он узнает истину. Лучше, конечно, если бы это исходило от вас лично.

Гэбриэл остановилась, пораженная.

— И вы действительно надеетесь, что я помогу вам линчевать моего шефа?

Лицо советника приняло непроницаемое выражение.

— Я пытаюсь занять как можно более благородную позицию, Гэбриэл. Даю вам шанс избавить нас всех от неприятностей, признав правду с высоко поднятой головой. Все, что мне нужно, — это подписанное заявление с признанием сексуальной связи.

Гэбриэл подумала, что ослышалась.

— Что-что?

— Именно так. Это заявление даст нам в руки необходимое оружие, чтобы тихо разобраться с сенатором, избавив страну от безобразных сцен. Мое предложение очень простое: подпишите заявление, и эти фотографии никогда не увидят свет.

— Вам нужно мое письменное признание?

— Строго говоря, требуется письменное показание под присягой, но у нас есть нотариус, который может...

— Вы сошли с ума!..

Гэбриэл зашагала дальше.

Тенч шла рядом, не отставая. Она явно сердилась.

— Сенатор Секстон провалится так или иначе, Гэбриэл. А я даю вам шанс выйти из этой переделки, не увидев в утренних газетах собственную голую задницу. Президент — приличный человек, он не хочет публиковать эти снимки. Если вы просто предоставите мне ваши показания и признаете связь, тогда мы все сможем сохранить достоинство.

— Я не продаюсь.

— Ну а ваш кандидат определенно продается. Он очень опасный человек и нарушает закон.

— Он нарушает закон? Да это вы нарушаете все на свете! Устанавливаете слежку, фабрикуете чудовищные улики! Слышали такое слово — «Уотергейт»*?

— Мы не имеем ничего общего со сбором всякой грязи. Фотографии явились из того же самого источника, что и информация о сборе средств на избирательную кампанию путем взяток. Просто кое-кто пристально наблюдает за сенатором.

Гэбриэл пронеслась мимо стола, у которого получала пропуск. Разорвала карточку на мелкие клочки и швырнула в лицо ошарашенному охраннику. Тенч не отставала, держась рядом.

— Вам придется решать все очень быстро, мисс Эш, — говорила она. — Или предоставьте мне показания, подтверждающие вашу связь с сенатором, или уже сегодня, в восемь часов, президент будет вынужден обнародовать все сразу — финансовые махинации Секстона, эти фотографии и еще кое-что. И поверьте, когда люди поймут, что вы стояли рядом с Секстоном и позволяли ему лгать насчет ваших отношений, вы сгорите вместе с ним.

Гэбриэл увидела дверь и стремительно бросилась к ней.

— Мне на стол, до восьми, запомните, Гэбриэл. Будьте умницей!

Уже на выходе Тенч сунула девушке конверт с мерзкими снимками:

— Это вам на память. У нас подобного добра еще полно!

ГЛАВА 48

Шагая по ледовой пустыне в черноте ночи, Рейчел Секстон не могла подавить ужас. В мозгу проносились тревожащие видения и мысли — метеорит, люминесцирующий планктон, предположения об ошибке Норы Мэнгор в анализе образцов льда.

---

* «Уотергейт» — отель в Вашингтоне, где в 1972 г. в период предвыборной кампании была сделана попытка установить подслушивающее устройство в штаб-квартире демократической партии.

Нора утверждала, что лед монолитен и образовался из пресной воды. Она говорила, что сверлила колодцы по всему леднику, в том числе непосредственно над метеоритом. Если ледник содержит соленые пласты с замерзшим в них планктоном, то она бы их непременно обнаружила. Разве не так? Но интуиция Рейчел неизменно возвращала ее к простейшему объяснению свечения в шахте. В этом леднике замерз планктон.

За десять минут, оставив в снегу четыре ракеты, они отошли от хабисферы примерно на двести пятьдесят ярдов. Нора остановилась внезапно, без предупреждения.

— Вот нужное место, — решительно заявила она, словно колдун, точно определивший с помощью лозы, где есть вода.

Рейчел обернулась и посмотрела вверх по склону, откуда они пришли. Хабисфера уже давно скрылась во мраке ночи, однако пятна светящихся ракет ярко выделялись на снегу. Самая первая мерцала тускло, словно далекая звезда. Ракеты летели по безупречно прямой линии, словно кто-то соорудил здесь взлетную полосу. Профессионализм Норы не мог не восхищать.

— Еще одна причина, почему я пустила санки впереди, — сказала доктор Мэнгор, заметив взгляд Рейчел, — полозья ведь прямые. Нужно просто положиться на силы гравитации и не вмешиваться, тогда наверняка получишь прямую линию.

— Ловкий трюк, — оценил Толланд. — Жаль, что в открытом море такое не проходит.

Рейчел подумала, что это и так открытое море, и представила бесконечную океанскую бездну. На долю секунды ее внимание оказалось привлечено каким-то далеким источником света. Потом он исчез, словно заслоненный каким-то движущимся предметом, а вскоре появился вновь. Рейчел стало не по себе.

— Нора, — позвала она, — кажется, ты говорила, что здесь водятся полярные медведи?

Та, однако, готовила последнюю ракету и не слышала вопроса. А может быть, просто не сочла нужным на него ответить.

— Полярные медведи, — прокричал Толланд, — питаются тюленями! А на людей нападают только тогда, когда те заступают на их территорию!

— Но ведь это и есть территория полярных медведей?

Рейчел никак не могла запомнить, на каком из полюсов живут медведи, а на каком — пингвины.

— Да, — кивнул Толланд, — Именно медведи дали Арктике ее название. По-гречески «арктос» — это и есть «медведь».

— Ужас! — Рейчел нервно посмотрела во мрак.

— А в Антарктике полярных медведей нет, — продолжал лекцию Толланд, — поэтому ее назвали «Анти-арктос».

— Спасибо, Майк! — прокричала Рейчел. — Пока о медведях достаточно.

Он рассмеялся:

— Согласен! Извини, увлекся.

Нора укрепила в снегу последнюю ракету. Как и раньше, все четверо оказались в круге красноватого света, похожие в своих черных комбинезонах на привидения. За чертой света мир был совершенно невидим, словно людей накрыло черным саваном.

Все смотрели, как Нора, уперев шипы в лед, несколькими короткими движениями подтянула санки повыше — туда, где стояли они все. Затем наклонилась и рукой поставила санки на тормоза — четыре наклонные подпорки, впившиеся в лед и не позволяющие им соскользнуть вниз. Выпрямившись, бесстрашная маленькая женщина стряхнула с себя снег.

— Ну вот, все в порядке. Пора за работу.

Она зашла с подветренной стороны санок и начала отстегивать защитный чехол, покрывавший оборудование. Рейчел, почему-то чувствуя себя виноватой перед Норой, попыталась помочь, отстегнув сзади одно из креплений.

— Господи, нет! — резко воскликнула Нора, вскинув голову. — Никогда этого не делай!

Сконфуженная Рейчел отошла.

— Никогда не отстегивай с наветренной стороны! — пояснила Нора. — Санки улетят, как под парусом.

Рейчел отодвинулась подальше.

— Извини, я...

Доктор Мэнгор недовольно сморщилась.

— Вам с космическим мальчиком здесь делать нечего.

Рейчел мысленно согласилась. Больше того, она подумала, что здесь вообще нечего делать людям.

— Любители! — шипела Нора, проклиная решение администратора послать на вылазку четверых. — Этим болванам обязательно нужно, чтобы кто-нибудь здесь погиб...

Меньше всего сейчас доктор Мэнгор хотела играть роль няньки.

— Майк, — обратилась она к Толланду, — мне требуется помощь, чтобы снять с санок приборы.

Толланд помог распаковать сканер и установить его на льду. Аппарат напоминал три миниатюрных лезвия снегоочистителя, стоящих параллельно друг другу на алюминиевой раме. Весь прибор имел в длину менее ярда и соединялся проводом с преобразователем тока и солевой батареей, установленными на санках.

— Это сканер? — уточнил Корки, пытаясь перекричать ветер.

Нора молча кивнула. Прибор куда лучше подходил для определения степени солености льда, чем те анализаторы, которые находились на спутнике. Передатчик сканера посылал сквозь лед импульсы электромагнитной энергии, и импульсы эти по-разному отражались от субстанций с различной кристаллической структурой. Чистая пресная вода замерзала плоскими ровными конфигурациями. А морская — более сложными, неровными структурами — из-за содержания в ней натрия. Поэтому импульсы, посылаемые сканером, возвращались неравномерно.

Доктор Мэнгор включила прибор.

— Буду рисовать эхолокационную картину поперечного сечения льда вокруг шахты метеорита, — громко пояснила она. — Аппарат имеет программное обеспечение. Он сфотографирует поперечное сечение, а потом распечатает картинку. И если там есть лед из морской воды, то он изобразится в виде более темных участков.

— Распечатает? — недоверчиво переспросил Толланд. — Ты что, сможешь распечатать прямо здесь?

Нора показала на провод, соединяющий сканер с прибором, все еще спрятанным под чехлом:

— Иначе нельзя. Дисплей компьютера потребляет слишком много драгоценной энергии единственной батареи, поэтому гляциологи, работая в полевых условиях, сразу распечатывают полученные данные на термопринтерах. Цвета, конечно, не блестящие, потому что лазерный принтер скукоживается уже при минус двадцати. Научены горьким опытом на Аляске.

Нора попросила всех встать ниже по спуску и приготовилась направить сканер на область шахты, которая находилась на расстоянии почти в три футбольных поля. Однако, взглянув туда, откуда они спустились, она не увидела ровным счетом ничего.

— Майк, нужно выровнять сканер по шахте, а эта ракета ослепляет. Я поднимусь немного по склону, чтобы отойти от света. Буду держать руки по линии ракет, а ты направь сканер.

Толланд, сразу поняв, чего от него хотят, кивнул и присел возле прибора.

Упираясь шипами в лед и наклонясь вперед, чтобы противостоять ветру, Нора поднялась по склону в направлении к хабисфере. Ветер бил сильнее, чем она ожидала. Судя по всему, приближалась буря. Ничего, через несколько минут дело будет сделано. Все поймут, что она, как всегда, права.

Нора поднялась ярдов на двадцать и вышла за границу света, как раз на расстояние натянувшейся веревки. Она посмотрела вверх, на склон. Как только глаза привыкли к темноте, стала различима линия ракет — на несколько градусов левее. Нора перешагнула, чтобы точно поравняться с ней. Потом, словно компас, вытянула руки, указывая направление.

— Я сейчас с ними точно на линии!

Толланд установил вектор и помахал:

— Порядок, готово!

Нора еще раз взглянула вверх, на склон, с удовольствием отметив, что светящиеся вехи надежно показывают обратную дорогу.

Вдруг случилось что-то странное. На мгновение одна из ближайших ракет вдруг исчезла из виду. Нора еще не успела испугаться от мысли, что она догорела, как свет появился снова. Если бы не уверенность, что ситуация полностью под контролем, она вполне могла бы решить, что кто-то или что-то прошло в полной темноте между ней и ракетой. Но нет, такого просто не могло быть. Кроме них, здесь никого нет... если, конечно, администратор не передумал и не послал вслед за ними команду НАСА. А это весьма сомнительно. Остается думать, что порыв ветра на мгновение притушил ракету.

Нора вернулась к сканеру.

— Точно сориентировал?

Толланд лишь пожал плечами:

— Думаю, да.

Нора подошла к прибору, стоящему на санках, и нажала кнопку. Раздалось резкое жужжание, продолжавшееся, впрочем, совсем недолго.

— Порядок, — произнесла Нора, — снято.

— Так быстро? — не поверил Мэрлинсон.

— Основная работа состоит в настройке. Главное здесь — как следует прицелиться.

С урчанием и пощелкиванием ожил термопринтер. Прозрачный пластмассовый корпус медленно втягивал в себя плотную бумагу. Нора дождалась, пока аппарат закончит свое дело, и, приоткрыв крышку, достала распечатку. Поднося бумагу к свету, она с удовольствием предвкушала, как сейчас докажет всем, что соленого льда здесь нет ни грамма.

Все собрались вокруг Норы, крепко сжимавшей в руках результат анализа. Глубоко вздохнув, она развернула распечатку.

— О Господи!

Нора впилась глазами в лист бумаги, не в силах поверить тому, что видит. Как и предполагалось, распечатка ясно показала поперечное сечение заполненной водой шахты, из которой подняли метеорит. Но разумеется, Нора вовсе не ожидала увидеть смутное сероватое очертание человеческого тела, плавающего примерно на половине глубины. Она похолодела.

— Боже! В шахте — тело человека.

Все ошеломленно молчали, внимательно вглядываясь в изображение.

В узкой шахте вниз головой плавало тело, похожее на призрак. Зловещую ауру картине добавляли словно распростертые крылья по бокам тела. Нора поняла, что это такое. Сканер зафиксировал очертания тяжелого, из верблюжьей шерсти, жакета несчастного.

— Это... это же Мин... — едва слышно прошептала Нора. — Должно быть, он поскользнулся...

Разве могла Нора Мэнгор предположить, что созерцание мертвого тела Мина окажется не самым шокирующим из того, что приготовил для нее принтер? Посмотрев на изображение дна шахты, она моментально заметила кое-что еще.

— Лед под шахтой метеорита...

Гляциолог замолчала, погрузившись в созерцание. Первой мыслью было, что сканер испортился. Однако чем внимательнее она вглядывалась в изображение, тем четче становилось понимание катастрофы, словно грозовая туча надвигающейся на них. Края распечатки трепетали на ветру, и Нора повернулась так, чтобы порывы не мешали смотреть на изображение.

— Но... но это же невозможно, чудовищно!

Неожиданно, придавив ее неимоверной тяжестью, пришло чувство, похожее на безысходность. Похожее на смерть. Правда готовилась похоронить ее, доктора Мэнгор.

Удар оказался настолько силен, что она забыла о Мине. Теперь Нора все поняла. Соленая вода в шахте!

Она упала на колени в снег рядом с ракетой. Дыхание сбилось. Ее начала бить дрожь.

— Господи! Такое никогда не приходило мне в голову...

Внезапно, словно волна гнева захлестнула все ее существо, доктор Мэнгор повернулась туда, где в темноте скрывалась хабисфера НАСА.

— Сволочи! — закричала она, изо всех сил пытаясь перекричать ветер. — Чертовы ублюдки!

Во тьме, на расстоянии пятидесяти ярдов от них, Дельта-1 поднес ко рту микрофон шифрующего переговорного устройства и произнес два слова:

— Они знают.

ГЛАВА 49

Нора Мэнгор стояла в снегу на коленях, не имея сил подняться. Сбитый с толку Майкл Толланд осторожно взял из ее дрожащих рук распечатку результатов сканирования. Сам шокированный видом плавающего в шахте тела Мина, он постарался сосредоточиться и понять, что могло до такой степени потрясти и буквально уничтожить сильную, несокрушимую Нору Мэнгор.

Он внимательно смотрел на шахту. Она шла вниз от поверхности льда на двести футов. Вот тело Мина... Взгляд океанолога опустился ниже. Неожиданно он почувствовал, что чего-то не понимает. Под шахтой вниз, до самого океана, уходила колонна морского льда. Соленый столб был массивным — он имел точно такой же диаметр, как и шахта.

Рейчел тоже взглянула на изображение из-за плеча Майкла.

— Господи! — не сдержалась она. — Выглядит так, словно шахта проходит сквозь весь ледник, спускаясь в океан!

Толланд стоял, не в силах пошевелиться. Ум его отказывался принимать то единственное, что могло послужить объяснением увиденного. Мэрлинсон тоже выглядел очень озадаченным и встревоженным.

Нора вдруг закричала:

— Кто-то просверлил лед! — Глаза ее пылали яростью, доходящей до безумия. — Кто-то намеренно, снизу, из воды, воткнул в лед этот камень!

В характере Толланда присутствовала значительная доля идеализма, и этот идеалист в нем никак не хотел прислушиваться к отчаянным словам доктора Мэнгор. Однако ученый-океанограф все-таки возобладал. А он-то прекрасно понимал, что Нора может оказаться права. Ледник лежал на поверхности океана, поэтому подойти к нему снизу могло любое подводное судно. Под водой предметы теряют большую часть своего веса, поэтому даже самое маленькое суденышко, например, его собственный одноместный «Тритон», с легкостью доставит метеорит куда угодно. Вся операция могла выглядеть так: субмарина проникает под ледник, сверлит нужного диаметра шахту. Потом с помощью крана или надувных баллонов туда заталкивают метеорит. После того как метеорит оказался на месте, океанская вода, поднявшаяся вместе с ним, начинает замерзать. Через некоторое время лед уже способен самостоятельно удерживать метеорит, и субмарина может убрать подпорку и уйти восвояси. Мать-природа запечатает оставшуюся часть шахты и смоет все следы обмана.

— Но почему? — спрашивала Рейчел, держа распечатку и пристально ее рассматривая. — Зачем понадобилось это делать? Вы уверены, что сканер исправен и не искажает картину?

— Разумеется, уверена! Кроме того, это объясняет присутствие в воде люминесцентного планктона!

Толланду пришлось признать логику Норы. К несчастью, логика была убийственно безупречной. Люминесцентные динофлагеллаты попали в шахту вместе с океанской водой; там они оказались в ловушке и вмерзли в лед. Позже, когда Нора нагрела метеорит, лед непосредственно под ним растаял, и планктон оказался на свободе. Он поднялся наверх, достигнув поверхности ледника внутри хабисферы, и в конце концов погиб от недостатка соленой воды.

— Но это же просто безумие! — присоединился к общему отчаянию Мэрлинсон. — НАСА обнаружило метеорит с вкраплениями окаменелостей. Так с какой же стати беспокоиться о том, где именно он найден? Зачем мучиться, засовывая его в лед?

— Это известно одному лишь черту! — огрызнулась в ответ Нора. — Суть в том, что сканер не врет. А мы попались на удочку. Этот метеорит вовсе не откололся при «Юргенсольском падении». Он лишь недавно был искусственно внедрен в лед. Не больше года назад, иначе планктон уже погиб бы! — Она поставила сканер на санки и принялась закрывать его кожухом. — Мы должны как можно быстрее вернуться и поставить всех в известность! Президент не должен выступать перед народом с недостоверной информацией! НАСА его обмануло!

— Подождите минутку! — воскликнула Рейчел. — Нужно проверить другим сканером, чтобы убедиться. Все это кажется полнейшим абсурдом. Кто нам поверит?

— Все и каждый, — мрачно, сурово ответила Нора, готовя санки в обратный путь. — Как только я вернусь в хабисферу и высверлю еще один образец льда, на сей раз непосредственно под тем местом, где лежал метеорит, все моментально нам поверят, нечего и сомневаться!

Нора убрала тормозные подпорки на полозьях, повернула санки и направилась вверх по склону, с силой вдавливая в лед шипы на ботинках и с поразительной легкостью таща за собой нагруженные санки. Она твердо сознавала свою цель.

— Пойдемте! — громко позвала Нора коллег, пытаясь вывести их из ступора. — Понятия не имею, что и зачем собирается предпринять НАСА, однако твердо уверена, что не собираюсь служить пешкой в...

В этот момент голова Норы Мэнгор резко откинулась назад, словно кто-то очень сильно стукнул ее в лоб. Она издала страшный, почти животный крик, покачнулась и рухнула на лед. Почти в тот же момент закричал и Мэрлинсон. Резко повернувшись, как будто его ударили в плечо, он тоже упал, корчась от боли.

Рейчел мгновенно забыла и о распечатке, которую все еще держала в руке, и о несчастном Мине, и о метеорите, и о странном тоннеле во льду. Она почувствовала, как что-то задело ее ухо, едва не угодив прямо в висок. Инстинктивно упав на колени, она увлекла за собой и Толланда.

— Что это такое? — изумленно воскликнул он.

Единственное, что могла представить Рейчел, — это град, кусочки, оторванные ветром от ледника. Но с какой скоростью должны лететь льдинки, чтобы сразить Нору и Корки? Сотни миль в час!

И тут произошло страшное: на Рейчел и Толланда обрушился шквал странных маленьких градин. Все вокруг них словно пришло в движение. Лед превратился в бурлящий от взрывов полигон. Рейчел легла на живот, с силой воткнула шипы в лед и подползла к единственному доступному укрытию — санкам. Через мгновение рядом оказался и Толланд. Ему пришлось преодолеть гораздо большее расстояние.

Толланд взглянул на Нору и Мэрлинсона, лежавших на льду без всякой защиты.

— Давай подтянем их! — закричал он, дергая связывающую всех четверых веревку.

Но оказалось, что веревка запуталась в санках.

Рейчел быстро сунула распечатку в карман комбинезона и попыталась освободить веревку из-под полозьев. Толланд помогал ей.

Град начал барабанить по санкам, словно стихия решила оставить в покое Нору и Корки, направив все внимание на Рейчел и Толланда. Одна из льдинок угодила в чехол, отскочила и приземлилась на рукаве Рейчел.

Рассмотрев ее, она похолодела: недоумение мгновенно обернулось ужасом. «Градины» оказались рукотворными. На ее рукаве лежал ледяной ровный шарик размером с большую вишню. Поверхность была абсолютно гладкой, безупречную форму искажал лишь шов, идущий по окружности. Очень похож на пулю старинного мушкета, обработанную в механическом прессе. Несомненно, это дело рук человека.

Значит, ледяные пули...

Имея дело с секретными документами военных, Рейчел прекрасно знала о существовании нового экспериментального оружия, так называемого импровизированного снаряжения: специальных винтовок, превращающих снег в ледовые шарики, а в пустыне плавящих песок в стеклянные снаряды. Они могли стрелять даже водой — с силой, которой не выдерживали человеческие кости. Огромное преимущество этого оружия перед обычным состояло в том, что оно использовало доступные материалы и здесь же, на месте, их перерабатывало, обеспечивая боеприпасами в неограниченном количестве. Рейчел понимала, что их сейчас обстреливают пулями, изготовленными тут же, на льду. Все, что необходимо сделать для этого стрелку, — затолкать в обойму необходимое количество снега.

Часто в мире разведки случается так, что чем больше человек знает, тем страшнее кажется ему сценарий действий. И настоящий момент не был исключением. Рейчел искренне предпочла бы блаженное неведение, однако познания в области «импровизированного снаряжения» мгновенно привели ее к единственно возможному выводу: их атакует какое-то подразделение сил специального назначения. Только эти отряды имели доступ к данному виду оружия.

За этим заключением следовало еще одно, куда более устрашающее: вероятность пережить атаку равнялась нулю.

Мрачная мысль тут же получила подтверждение. Один из снарядов пробил чехол санок, прошел через стоящее на них оборудование и попал Рейчел в живот. Даже в толстом комбинезоне она ощутила удар, по силе и резкости равный удару хорошего бойца. Перед глазами внезапно пустились в пляс звезды, и Рейчел опрокинулась, пытаясь удержаться рукой за санки. Майкл отпустил веревку, которой подтягивал Нору, и бросился к Рейчел, но опоздал. Она упала, увлекая за собой и его, и санки с оборудованием. Оба моментально оказались завалены приборами.

— Это пули... — тяжело выдохнула Рейчел. — Бежим!

ГЛАВА 50

Поезд вашингтонского метро двигался слишком медленно. Гэбриэл Эш с трудом терпела его черепашью скорость. Застыв, она сидела в углу полупустого вагона, а за окнами проплывали какие-то смутные очертания. Большой красный конверт, который всучила ей Марджори Тенч, пудовым камнем лежал на коленях.

Необходимо срочно поговорить с Секстоном!.. Поезд, набирая скорость, вез ее по направлению к офису сенатора. Быстрее! Быстрее!

В тусклом свете подрагивающего вагона девушка чувствовала себя так, словно отправилась в нереальное, похожее на галлюцинацию путешествие. За окнами проносились огни тоннеля, напоминая сияние дискотечной иллюминации, а стены бесконечного подземного коридора казались отвесными скалами огромного каньона.

Может, всего этого не было?

Она опустила взгляд к конверту на коленях. Отлепив наклейку, достала одну из фотографий. Лампы в вагоне мигнули, а потом безжалостно высветили невыносимое зрелище. Седжвик Секстон лежит обнаженный в собственном офисе. Удовлетворенное лицо смотрит прямо в камеру. Рядом — смуглое обнаженное тело Гэбриэл.

Она задрожала, быстро засунула фотографию обратно в конверт и поспешно заклеила его.

Все кончено.

Едва поезд выехал из тоннеля, Гэбриэл нащупала в сумочке сотовый телефон и набрала номер сенатора. Услышала голос автоответчика. Озадаченная, она позвонила в офис.

— Это Гэбриэл. Он у себя? — спросила она у секретарши.

Та казалась очень раздраженной.

— Где вы были? Он вас искал.

— На встрече. Она затянулась. Мне необходимо немедленно с ним поговорить.

— Теперь придется подождать до утра. Он в Уэстбруке.

Роскошный жилой комплекс Уэстбрук в Вашингтоне. Там у сенатора была квартира.

— Он не отвечает по сотовому, — сказала Гэбриэл.

— Мистер Секстон отключил сегодня все — свободный вечер, — напомнила секретарша. — Он и ушел рано.

Гэбриэл нахмурилась. Свободный вечер. Из-за своих волнений она совсем забыла, что сенатор действительно планировал провести вечер дома. А неприкосновенность подобных вечеров он отстаивал особенно твердо.

«Стучите в мою дверь лишь в том случае, если загорелся дом, — любил повторять Секстон в этих случаях. — Все остальное вполне может подождать до утра».

Сейчас Гэбриэл не сомневалась, что дом горит.

— Необходимо, чтобы вы помогли мне с ним связаться.

— Это невозможно.

— Дело крайне серьезное. Я действительно...

— Да нет, я имею в виду, что это невозможно в самом прямом смысле. Выходя, он даже пейджер положил на мой стол и подчеркнул, чтобы его не беспокоили до самого утра. Очень на этом настаивал. — Секретарша помолчала. — Гораздо решительнее, чем обычно.

— Черт! Ну ладно, спасибо.

Гэбриэл отключилась.

— Площадь Л'Анфан, — прозвучал механический голос. — Пересадка на все направления.

Прикрыв глаза, Гэбриэл попыталась отвлечься, но ужасающие картины и образы буквально преследовали ее. Страшные фотографии их с сенатором игрищ... целая стопка документов, подтверждающих продажность Секстона. Гэбриэл все еще слышала язвительный голос Тенч: «Сделайте то, что необходимо и правильно. Дайте показания. Признайте связь...»

Когда поезд подъезжал к станции, она попыталась представить, что предпринял бы шеф, попади фотографии в газеты. Первый из возможных ответов, пришедших в голову, шокировал и заставил ее покраснеть от стыда.

Секстон начал бы врать.

Неужели это действительно первое, что приходит на ум, когда приходится задуматься о собственном работодателе?

Да, именно так. Он сразу принялся бы врать... причем блестяще.

Если бы фотографии попали в газеты, сенатор просто заявил бы, что это грубая подделка. Цифровая обработка изображения приобретает все большее распространение. В Интернете постоянно попадаются безупречно отретушированные фальшивые фотографии знаменитостей — вернее, их головы, приставленные к чужим телам. Зачастую это оказывались тела звезд порнографического кино. Гэбриэл прекрасно знала об умении сенатора убедительно лгать прямо в телекамеру, поэтому не приходилось сомневаться: он сможет доказать всему миру, что эти фотографии — просто неудачная попытка испортить его карьеру. Секстон непременно разразится гневом и яростью, а возможно, даже обвинит в организации подделки президента.

Неудивительно, что Белый дом не спешит обнародовать свои улики. Гэбриэл справедливо полагала, что факты могли выстрелить и в того, кто их сделал достоянием гласности. Какими бы достоверными ни казались снимки, по сути дела, они ничего не значили.

Она воспрянула духом, ощутив прилив надежды. Белому дому трудно будет доказать обоснованность обвинений и истинность фотографий.

Игра Тенч казалась безжалостной в своей простоте: или признай связь с сенатором, или увидишь, как он отправляется в тюрьму. Но неожиданно все приобрело иной смысл. Белому дому было необходимо, чтобы Гэбриэл признала свое грехопадение на пару с Секстоном, иначе фотографии не стоили ничего. Это рождало уверенность.

Поезд стоял на станции с открытыми дверями, и в душе Гэбриэл тоже словно открылась какая-то потайная дверь, через которую пришла еще одна неожиданная и обнадеживающая догадка.

А может, все рассуждения Тенч о взятках — ложь, попытка поймать ее на удочку неуверенности и неопытности?

В конце концов, что видела Гэбриэл? Какие документы ей представили? Снова ровным счетом ничего убедительного. Несколько отксерокопированных банковских документов, очень плохого качества фотография Секстона в подземном гараже. Все эти улики вполне могут быть сфабрикованными. Хитрая, ловкая Марджори Тенч могла показать фальшивые финансовые бумаги вперемешку с несколькими настоящими — в расчете на то, что Гэбриэл воспримет все целиком. Способ этот носил название «перенос по ассоциации» — политики часто использовали его для проталкивания идей сомнительного содержания.

Гэбриэл попыталась убедить себя в невиновности Секстона. Белый дом в отчаянии, поэтому и решил прибегнуть к дикой азартной игре и запугать Гэбриэл, заставив публично признать предосудительную связь с сенатором. Им очень нужно, чтобы ассистентка Секстона публично, скандально отреклась от собственного работодателя. Тенч пыталась убедить ее выйти из игры, пока это еще возможно. И даже определила время — сегодня до восьми вечера. Прием, аналогичный испытанному методу торговцев, убеждающих покупателя поторопиться. План был четким и выверенным. Из стройной схемы выпадала лишь одна деталь.

Единственным смущающим элементом головоломки оставался тот факт, что Тенч регулярно посылала Гэбриэл электронные письма с информацией, направленной против НАСА.

Не означает ли это, что Белый дом заинтересован в упрочении позиции сенатора относительно НАСА, потому что хочет использовать эту позицию против самого же Секстона? Возможно ли такое? Гэбриэл сознавала, что даже электронные письма имели жесткое логичное объяснение.

Но могло быть и так, что почта приходила вовсе не от Тенч.

Например, Тенч обнаружила среди персонала того самого предателя, который пересылал информацию во вражеский лагерь, уволила его и сама отправила последнее послание, в котором вызвала Гэбриэл на свидание.

Тенч могла притвориться, что намеренно допускала утечку данных НАСА, и тем самым поймать в ловушку ассистентку противника.

Гидравлика поезда зашипела. Сейчас закроются двери.

Гэбриэл невидящими глазами смотрела на платформу. Мысли лихорадочно обгоняли друг друга. Она не знала, имеют ли какой-нибудь смысл ее подозрения или же все это пустые догадки. Однако, как бы то ни было, она ни секунды не сомневалась, что должна немедленно, сейчас же поговорить с сенатором, даже если он сегодня не желает никого видеть и слышать.

Сжав в руке конверт с фотографиями, Гэбриэл быстро вышла из вагона — двери закрылись у нее за спиной, словно дожидались этого момента. Теперь у нее была конкретная цель — жилой комплекс Уэстбрук.

ГЛАВА 51

«Сражайся или убегай».

Как биолог, Толланд прекрасно знал, какие физиологические изменения происходят в организме, ощущающем опасность. В кровь начинает поступать адреналин, значительно ускоряется сердечный ритм, и мозг решает, какой из двух древнейших и жизненно важных вариантов выбрать: вступить в сражение или спасаться бегством...

Инстинкт Толланда подсказывал, что надо немедленно бежать, но разум напоминал, что он накрепко связан с Норой Мэнгор. Убегать некуда. На многие и многие мили вокруг единственным укрытием оставалась лишь хабисфера. Атакующие, кто бы они ни были, заняли выгодную позицию выше по склону, а значит, путь к ней отрезан. За спиной открытая всем ветрам ледяная гладь через две мили резко уходила в океанскую воду. Бежать в ту сторону означало обречь себя на верную смерть, поскольку укрыться было совершенно негде. Однако, помимо этих чисто практических соображений против бегства, существовали и иные: Толланд прекрасно понимал, что не может бросить остальных. Нора и Корки все еще лежали на открытом месте, связанные веревкой и с Рейчел, и с ним самим.

Толланд прижался ко льду, а ледяные пули тем временем продолжали молотить по опрокинутым санкам и оборудованию. Он пошарил среди аппаратуры, пытаясь найти оружие, ракетницу, радиоприемник... хоть что-нибудь.

— Бежим! — снова крикнула Рейчел, неровно, прерывисто дыша.

И тут, совершенно неожиданно, ураганный обстрел ледяными пулями закончился. Даже в резком, свистящем ветре ночь сразу показалась необычайно тихой... словно внезапно закончился сильный шторм.

И в это мгновение, осторожно выглянув из-за санок, Толланд стал нечаянным свидетелем самой страшной в его жизни картины.

Выскользнув из кромешной тьмы в полосу света, появились три очень похожие на привидения фигуры. С головы до ног одетые во все белое, они легко и бесшумно ехали на лыжах. Вместо палок они держали в руках большие ружья, не похожие ни на что из всего виденного Толландом раньше. Лыжи их также выглядели очень странно — короткие, необычные, скорее похожие на продолговатые роликовые коньки.

Спокойно, уверенные в том, что они хозяева положения, фигуры затормозили у ближайшей жертвы — лежащей без сознания Норы Мэнгор. Толланд с трудом поднялся на колени и поверх санок посмотрел на врагов. Те быстро глянули на него сквозь свои жуткие взоры-очки. Никакого интереса к его персоне они не проявили.

По крайней мере пока.

Дельта-1 смотрел на женщину, без сознания лежавшую на льду перед ним. Он не ощущал ни малейшего раскаяния. Отлично натренированный солдат, он лишь четко выполнял приказы, не выясняя их мотивов.

Женщина была одета в толстый черный термокомбинезон. На лице ее, возле уха, виднелась рана. Дышала она тяжело и прерывисто. Ледяная пуля точно нашла свою цель и поразила ее.

Теперь время закончить дело.

Дельта-1 опустился на колени. Товарищи его тем временем занялись другими: один — тоже лежавшим неподалеку без сознания мужчиной, второй — теми двумя, что прятались за перевернутыми санями. Они с легкостью могли закончить дело сию же минуту, поскольку их жертвы не были вооружены и деться им было совершенно некуда. Поспешить и прикончить их прямо сейчас было бы неосторожно. Никогда не действуй второпях, если это не продиктовано острой необходимостью. В точном соответствии с инструкцией они убьют этих людей по одному. И не останется ни малейшего следа, говорящего о том, как именно они умерли.

Дельта-1 снял термоперчатки и набрал целую пригоршню снега. Утрамбовав его, он открыл жертве рот и начал засовывать комок ей в горло, стараясь протолкнуть его как можно глубже в дыхательные пути. Она умрет минуты через три.

Этот способ, изобретенный русской мафией, носил название «белая смерть». Жертва задыхалась еще до того, как снег в горле мог растаять. После смерти тело останется теплым еще некоторое время, достаточное для того, чтобы снег превратился в воду. Даже если кто-то и заподозрит неладное, никаких свидетельств насилия обнаружить все равно не удастся, по крайней мере в ближайшее время. В конце концов кто-нибудь, конечно, догадается, но это будет не так скоро. К тому времени ледяные пули уже утонут в снегу, а рана на лице женщины примет такой вид, словно она сильно ударилась о лед.

Троих остальных предстоит лишить возможности сопротивляться, а потом убить примерно тем же способом. Затем они погрузят их всех на санки, оттащат в сторону на несколько сотен ярдов, развяжут соединяющую их веревку и соответствующим образом уложат тела. Через несколько часов трупы замерзнут — жертвы гипотермии и обморожения. Те, кто их обнаружит, непременно будут гадать, что они делали так далеко от намеченного пути, но никто не удивится их смерти. Ракеты догорели, погода испортилась, а в таких условиях умереть на леднике Милна не проблема.

Дельта-1 закончил свое дело. Горло женщины было полно снега. Прежде чем переключить внимание на других, Дельта-1 отстегнул ремень, к которому крепилась связка. Позднее он снова прикрепит ее, а сейчас вовсе не нужно, чтобы те двое, которые прячутся за санками, вздумали попытаться оттащить тело.

Майкл Толланд стал свидетелем убийства настолько страшного, что с трудом мог бы представить подобное даже в самых мрачных фантазиях. Отцепив от связки Нору Мэнгор, люди-призраки, все трое, повернулись к Корки Мэрлинсону.

Необходимо срочно что-то делать!

Корки пришел в себя и сейчас стонал, пытаясь сесть. Один из убийц опрокинул его на спину и сел на него верхом, коленями придавив руки ко льду. Корки невольно вскрикнул от боли, но крик утонул в порыве яростного ветра.

В каком-то сверхъестественном ужасе Толланд шарил среди вещей, упавших с санок. Должно же быть хоть какое-то оружие! Но рука натыкалась лишь на оборудование для исследования льда, изрешеченное ледяными пулями. Рядом, используя ледоруб в качестве подпорки, пыталась подняться Рейчел.

— Бежим... Майк...

Толланд взглянул на ледоруб, ремешком прикрепленный к руке девушки. А ведь он мог бы стать оружием. Вернее, подобием оружия. Интересно, каковы шансы с крошечным топором в руках осилить трех вооруженных людей?

Это просто самоубийство.

Рейчел все-таки удалось сесть, и Толланд заметил, что за ее спиной что-то лежит. Это был большой полиэтиленовый пакет. В надежде найти ракетницу или радиоприемник он засунул в него руку. Однако нашел лишь большой аккуратный сверток. Совершенно бесполезная вещь. Точно такая же была на его исследовательском судне. Небольшой воздушный шар, предназначенный для метеорологического оборудования. Он мог поднять груз, примерно равный по весу персональному компьютеру. Но без баллона с гелием воздушный шар бесполезен.

Судя по доносившимся звукам, Корки отчаянно сопротивлялся. Толланда внезапно охватило такое ощущение беспомощности, которого он еще ни разу в жизни не испытывал. Полное отчаяние. Абсолютная растерянность. Подобно тому, как перед смертью человек видит картины собственной жизни, так и Толланду неожиданно представились давно забытые образы детства. Вот он плавает на яхте в Сан-Педро, постигая хитрости морской забавы — полетов на спинакере. Игра состояла в том, чтобы повиснуть над океаном на завязанном узлом канате, время от времени со смехом ныряя в воду, поднимаясь и падая, словно раскачиваясь на привязанной к колокольне веревке. Судьба твоя в эти минуты определяется капризами океанских ветров и раздувающимся треугольным парусом — спинакером.

Взгляд Майкла вновь обратился к воздушному шару, который он все еще держал в руке. Он прекрасно сознавал, что ум вовсе не сдался, а, напротив, пытается подсказать решение. Полеты на спинакере. Полеты...

Корки отчаянно боролся со своим убийцей. Толланд открыл пакет, в котором был упакован воздушный шар. Он понимал, что для исполнения плана требуется время. Но оставаться здесь и медлить — значит погибнуть. Он схватил сложенный баллон. Наклейка предупреждала: «Осторожно: не использовать при ветре со скоростью больше десяти узлов».

К черту! Крепко обхватив воздушный шар, чтобы не дать ему развернуться, Толланд подобрался к Рейчел, неловко, боком сидевшей на льду. Устроился рядом и, отвечая на недоумение в ее глазах, прокричал:

— Держи!

Протянул сложенный баллон, потом пристегнул грузовое крепление к своему поясу. Перекатившись на бок, другое крепление застегнул на поясе Рейчел. Теперь они составляли единое целое.

Между ними на снегу лежала веревка. Она тянулась к сопротивлявшемуся из последних сил Корки... и еще ярдов на десять к Норе Мэнгор. Однако там она была отстегнута.

Нора уже ушла в мир иной.

Убийцы сосредоточились вокруг бешено сопротивляющегося, не желающего сдаваться Корки. Они приготовили снежный ком и пытались засунуть его в горло жертве. Толланд понимал, что времени в обрез.

Он выхватил из рук Рейчел сложенный баллон. Ткань была легкой, словно папиросная бумага, и в то же время очень прочной. Наступил критический момент.

— Держись!

— Майк? — удивилась Рейчел. — Что...

Толланд подкинул сложенный воздушный шар в воздух. Порывистый ветер подхватил его и моментально расправил, словно парашют. Уже через пару секунд их «парус» надулся, раскрывшись с громким треском. Толланд почувствовал, как дернулся его ремень, и тут же понял, что недооценил силу ветра. Уже через долю секунды они с Рейчел оказались почти поднятыми на воздух. Их с силой тащило вниз по леднику. А еще через мгновение Толланд ощутил, как натянулась веревка, скреплявшая его с Корки Мэрлинсоном. В двадцати ярдах от него ничего не понимающий астрофизик неожиданно вырвался из рук насевших на него ошеломленных врагов, с силой сбросив одного из них. С душераздирающим криком Мэрлинсон тоже понесся вниз по леднику. При этом он едва не задел перевернутые санки, но сумел вовремя сгруппироваться. Последняя веревка тянулась за Корки пустой... Еще совсем недавно она связывала их с Норой Мэнгор.

Толланд мысленно отметил, что в этой ситуации предпринять что-то очень трудно.

Три человеческих тела скользили по леднику, словно марионетки. Вокруг свистели ледяные пули, но уже было ясно, что нападающие упустили свой шанс. Одетые в белое люди-призраки растворились в снежном пространстве. Едва освещенные догорающими сигнальными ракетами, они казались теперь лишь крохотными точками.

Толланд чувствовал, как его безжалостно, все быстрее и быстрее, несет по неровному льду. Ощущение свободы вкупе с чувством облегчения исчезло. Меньше чем в двух милях перед ними, прямо по курсу, ледник обрывался отвесной стеной. И там... там им предстояло падение с высоты ста футов в смертельно холодный Северный Ледовитый океан.

ГЛАВА 52

Улыбаясь, Марджори Тенч спускалась в Бюро коммуникаций Белого дома — компьютеризованный информационный центр, распространяющий пресс-релизы, составленные на верхних этажах. Встреча с Гэбриэл Эш прошла успешно. Пока еще не ясно, достаточно ли испугалась эта девочка и признает ли она свою связь с Секстоном, но нет сомнений, что попытка не была лишней.

Марджори подумала, что скорее всего Гэбриэл догадается свалить все на сенатора. Бедняжка и понятия не имеет, как жестко предстоит тому падать.

Всего несколько часов осталось до пресс-конференции по поводу метеорита. И это уж точно поставит заносчивого Седжвика на место. Это станет основным ударом. А если еще согласится помочь Гэбриэл, ее показания добьют сенатора окончательно, после чего Секстон с позором уползет зализывать раны. Утром Тенч пустит в эфир признание Гэбриэл вместе с записью прежних опровержений сенатором их связи.

Серия из двух коротких ударов.

В конце концов, нужна не просто победа на выборах, а именно решительная победа, позволяющая в дальнейшем не оглядываться на конкурентов. Если смотреть на результаты выборов в исторической перспективе, то можно сразу заметить: те президенты, которые попали в Белый дом с небольшим отрывом от соперника, добивались потом значительно меньших успехов. С самого начала они стояли на относительно слабых позициях, и, казалось, конгресс не прощал им этого.

В идеальном варианте крушение избирательной кампании Секстона должно быть полным и бесповоротным. Атака по двум направлениям, уничтожающая противника и с политической, и с этической позиции. Стратегия, известная в Вашингтоне под названием «высоко-низко», была украдена у теоретиков ведения военных действий. Суть ее проста: противника надо заставить сражаться сразу на двух фронтах. Если кандидат обладал некой негативной информацией относительно своего оппонента, то зачастую он был готов ждать, пока не подыщется пара для нее, чтобы представить широкой публике все сразу, ударив в двух направлениях.

Двойная атака всегда эффективнее одиночного удара, особенно в том случае, если она направлена на отдельные аспекты: во-первых, против пунктов программы соперника, а во-вторых, против каких-то сторон его личной жизни. Отражение политической атаки требует логики, в то время как отражение атаки на личность требует страсти. Противостоять же тому и другому одновременно оказывается почти невозможно, поскольку в этом случае необходима невероятная скоординированность действий.

Сегодня вечером Секстону придется напрячься изо всех сил, чтобы придумать, чем компенсировать свой политический провал, вызванный поразительным триумфом НАСА. Но участь его окажется еще тяжелее, когда он столкнется с необходимостью защищать свою позицию в отношении НАСА и одновременно отбиваться от обвинений в сексуальной связи с личной ассистенткой.

Подойдя к двери Бюро коммуникаций, Тенч остро ощутила волнение предстоящей схватки. Да, политика — это война. Советница глубоко вздохнула и посмотрела на часы. 18.15. Пора совершить первый выстрел.

Она вошла.

Бюро коммуникаций было крошечным — и вовсе не из-за недостатка места в Белом доме, а в силу отсутствия необходимости расширяться. Оно представляло собой одно из самых эффективных учреждений связи в мире, хотя работали в нем всего пять человек. В тот момент, когда вошла мисс Тенч, все пятеро очень напоминали пловцов, сгруппировавшихся в ожидании выстрела стартового пистолета.

Не оставалось сомнения, что команда готова к сражению.

Марджори не переставала удивляться, каким образом этот крошечный офис, имея в запасе всего пару часов на подготовку, мог установить контакт более чем с третью цивилизованного мира. Поддерживая электронную связь с десятками тысяч источников информации, разбросанных по всему миру, от самых крупных телевизионных конгломератов до крошечных доморощенных газетенок, Бюро коммуникаций Белого дома имело возможность, нажав несколько кнопок, получить доступ к любому из них.

Компьютеры, оснащенные новейшими программами обработки данных, превращали пресс-релизы в сообщения, готовые поступить на радио, телевидение, в печать и на сайты в Интернете. География самая обширная, от штата Мэн до Москвы. Громоздкие электронные программы обеспечивали работу новостных каналов. Автоматическая телефонная связь давала возможность беседовать с тысячами менеджеров, отвечающих за содержание информационных выпусков, равно как и пускать в эфир заранее записанные сообщения и интервью. Страница новостей в Интернете постоянно обновлялась поступающими сведениями. Крупнейшие вещательные корпорации, способные обеспечить прямой эфир, такие как Си-эн-эн, Эн-би-си, Эй-би-си, Си-би-эс, равно как и иностранные синдикаты, получали бесконечные предложения прямых телевизионных репортажей. И уж конечно, все запланированное к показу непременно отменялось ради экстренных президентских обращений.

Охват средств телекоммуникаций должен быть полным.

Словно генерал, инспектирующий вверенные ему войска, Тенч молча подошла к столу и взяла в руки распечатку содержания «срочного выпуска», того самого, который в эту минуту был загружен во все передатчики, словно снаряд, готовый выстрелить в нужную секунду.

Прочитав текст, Тенч тихо рассмеялась. По обычным стандартам загруженный для передачи текст казался туманным. В нем звучала скорее реклама, чем объявление или сообщение. Однако сам президент приказал Бюро коммуникаций убрать все лишнее. Они так и поступили. Текст был написан идеально — с массой ключевых слов, с интригующими намеками. Смертельное оружие. Даже те информационные агентства, которые использовали в своей работе автоматические «уловители ключевых слов», чтобы с помощью их сортировать входящую информацию, непременно увидели бы множество вех в этом сообщении.

Источник: Бюро коммуникаций Белого дома.
Тема: Экстренное сообщение президента.

Президент Соединенных Штатов сегодня вечером, в 20.00 по восточному времени, в пресс-центре Белого дома проводит срочную пресс-конференцию. Содержание ее в

настоящее время систематизируется. Все обычные переда-
ющие средства будут обеспечивать прямую аудио- и видео-
трансляцию.

Положив бумагу на стол, Марджори Тенч взглянула на сотрудников Бюро и одарила их одобрительным кивком. Они выглядели весьма довольными и готовыми к новым победам.

ГЛАВА 53

Рейчел Секстон утратила способность рассуждать логически. Сейчас она не думала ни о метеорите, ни о распечатке полученных сканером данных, лежавшей в кармане, ни о Мине,
ни о страшном нападении на них коммандос. Важным казалось лишь одно-единственное.

Выжить!

Внизу проносился лед, похожий на бесконечное скользкое
шоссе. Рейчел не понимала, что происходит с ее телом: то ли
оно онемело от страха, то ли его защищает плотный костюм.
Боли она не чувствовала. Не чувствовала ничего.

И все-таки...

Пристегнутая в районе пояса к Толланду, Рейчел на миг оказалась с ним лицом к лицу, соединившись в неловком объятии.
Где-то впереди, наполненный ветром, несся баллон шара, больше всего напоминая тормозной парашют гоночного автомобиля. Корки летел следом, яростно вращаясь, словно падающий с
горы валун. Слабое свечение, отмечающее то место, где им пришлось пережить страшную атаку, почти скрылось из виду.

Скорость скольжения все увеличивалась, а с ней все сильнее и слышнее становилось трение нейлоновых костюмов о лед.
Трудно было точно определить, с какой скоростью они движутся. Гладкая поверхность под ними с каждой секундой проносилось все быстрее и быстрее. Сверхнадежный воздушный
шар не собирался ни рваться, ни замедлять полет, ни отпускать от себя «пассажиров».

Рейчел подумала, что нужно немедленно отцепляться. Ведь
они прямой дорогой мчались от одной смертельной опасно-

сти к другой. Океан, наверное, уже не дальше мили! Одна мысль о ледяной воде всколыхнула страшные воспоминания.

Порывы ветра становились все резче, а с ними увеличивалась и скорость. Где-то сзади кричал от ужаса Корки. Рейчел понимала, что уже через несколько минут все трое стремительно перелетят через ледяной обрыв и окажутся во власти мертвящей океанской стихии.

Толланд, очевидно, думал о том же — он пытался отстегнуть удерживающие крепления.

— Не могу расцепить! — прокричал он. — Натяжение слишком велико!

Рейчел надеялась, что минутное ослабление ветра поможет Майклу, но безжалостный ветер дул с неослабевающим упорством. Пытаясь помочь, она изогнулась и с силой воткнула в лед шипованные подошвы. Из-за этого в воздух поднялся целый вихрь ледяных и снежных брызг, очень похожий на петушиный хвост. Стремительность движения чуть ослабла.

— Давай! — прокричала Рейчел.

На мгновение канат воздушного шара немного ослаб. Толланд потянул крепление, пытаясь отстегнуться. Ничего не получилось.

— Попробуй снова! — прокричал он.

На этот раз оба изогнулись одновременно и уперлись в лед шипами, подняв в воздух еще больший фонтан льда и снега. От этого их движение замедлилось уже заметнее.

— Еще! — скомандовал Толланд.

Оба на миг перестали скользить. Натяжение ослабло, и Майкл засунул палец под ремень, дергая крючок и пытаясь расстегнуть замок крепления. На сей раз он оказался ближе к цели, но натяжение еще оставалось слишком сильным. Нора не случайно хвалилась, что крепления на их поясах самого высшего качества — особо прочные, со специальным дополнительным отверстием в металле и особыми замками безопасности для того, чтобы они могли выдержать любое возможное натяжение.

Рейчел подумала, что сейчас они могут погибнуть благодаря этим замкам безопасности. Однако ирония эта почему-то совсем не позабавила ее.

— Попробуем еще разок! — скомандовал Толланд.

Собрав всю свою энергию и силу, Рейчел отчаянно изогнулась и вонзила в лед оба шипованных ботинка. Толланд сделал то же самое. Теперь они заскользили, лежа на спинах. При этом крепление у пояса до предела натянуло соединительный канат. Толланд сильнее уперся ногами в лед, а Рейчел выгнулась почти дугой. Трение о лед едва не ломало ей ноги. Рейчел не на шутку испугалась, что кости не выдержат.

— Давай... давай... — Толланд напрягся изо всех сил, пытаясь освободить замок, пока скольжение оставалось не таким стремительным. — Уже почти...

Внезапно на ботинках Рейчел щелкнули шипы. Металлические клеммы оторвались, и шипованные подошвы полетели назад, в ночь, удачно описав дугу прямо над Мэрлинсоном. Воздушный шар немедленно рванул вперед, а Рейчел и Толланд повалились на бок. От внезапного толчка Майкл выпустил из рук замок крепления.

— Черт!

Воздушный шар, словно разозлившись, что на какое-то время потерял скорость движения, снова помчался вперед под мощными порывами ветра. Теперь он несся по леднику еще быстрее, будто почувствовав близость океана. Рейчел понимала, что они стремительно приближаются к обрыву и до падения в Северный Ледовитый океан с высоты ста футов их ожидает еще одна страшная опасность. Дорогу преграждали три огромных снежных завала. Несмотря на воздушную подушку, которой, по сути, являлись их термокомбинезоны, перспектива перелета через нагромождение снега и льда на полной скорости казалась просто ужасной.

Отчаянно сражаясь с соединительным канатом, Рейчел пыталась найти способ отстегнуть воздушный шар. Внезапно она услышала ритмичное постукивание по льду — быстрое стаккато, звук соприкосновения металла с чистым, не прикрытым снегом льдом.

Ледоруб!

В страхе и панике она забыла, что на поясе у нее надежно закреплен ледоруб. Легкий алюминиевый инструмент подпрыгивал на ремне. Рейчел взглянула на веревку, тянущуюся от воздушного шара. Толстый плетеный нейлоновый канат. Рейчел дотянулась до ледоруба. Схватила рукоятку и с силой потянула, до предела натягивая эластичный шнур. Все еще лежа на боку, подняла руки вверх, за голову, приставив зазубренное лезвие топорика к толстому, туго натянутому канату. Начала неуклюже его пилить.

— Да! — обрадовался Толланд, хватаясь за свой ледоруб.

Скользя вниз по леднику на боку, вытянувшись с поднятыми за голову руками, Рейчел изо всех сил пилила еще совсем недавно спасительный, а теперь несущий смерть канат. Синтетический, очень прочный, он все-таки медленно поддавался ее усилиям. Толланд тоже изогнулся, насколько было возможно, поднял руки и начал пилить в той же точке, но снизу. Так, словно дровосеки, они синхронно работали двумя топориками. Иногда лезвия сталкивались, и тогда раздавался пронзительный металлический стук.

Медленно они перерезали толстый канат.

Мелькнула надежда. Они сделают это! Канат не выдержит мощного натиска двоих!

Неожиданно серебристый шар, стремительно увлекающий их вперед, взлетел, словно попал в вертикальный воздушный поток. К собственному ужасу, Рейчел поняла, что он просто следует контуру земной поверхности.

Приехали.

Белая снежная стена преградила путь лишь на мгновение, а в следующее они уже оказались на ней. От удара, который ощутила Рейчел, стукнувшись о крутой склон, перехватило дыхание. Ледоруб выбило из рук. Словно упавший в волны водный лыжник, не имеющий больше сил сопротивляться, Рейчел чувствовала, как их с Толландом тащит вверх. Внезапно они оказались на самой вершине снежной горы. Низина между увалами простиралась далеко под ними. Наполовину перерезанный канат держал их крепко, унося вниз и по равнине к следующей горе. На мгновение перед глазами возник расстилающийся впереди пейзаж. Еще два увала, за ними небольшое плато, а там и обрыв в океанскую бездну.

Словно выражение немого ужаса, охватившего Рейчел, в воздух взвился высокий отчаянный крик Корки Мэрлинсона. Где-то сзади он сейчас еще кувыркался на склоне первой горы. А шар уносил их все вперед и вперед, словно дикий зверь, вырвавшийся из клетки.

Неожиданно над головой раздался громкий, похожий на выстрел, звук. Перерезанный канат все-таки не выдержал. Конец его угодил Рейчел прямо в лицо. Внезапно она поняла, что стремительно падает. А где-то вверху шар, наконец-то оказавшись на свободе, стремительно понесся к океану.

Запутавшись в веревках, Рейчел и Толланд полетели вниз. Рейчел сжалась в ожидании скорого падения. Едва миновав вершину второго увала, они приземлились на другом ее краю. К счастью, удар немного смягчился за счет костюмов. Мир превратился в путаницу рук, ног и льда. Рейчел ощутила, что ее стремительно уносит под откос, прямо в низину, разделяющую ледяные горки. Инстинктивно она раскинула руки и ноги, пытаясь оттянуть встречу со следующей горой. Движение замедлилось, но очень незначительно, и уже через несколько секунд они с Толландом летели вверх по склону. На самой вершине они снова взлетели в воздух. И скоро Рейчел в ужасе поняла, что они оба начали финальный, смертельный спуск по склону горы на граничащее с океаном плато... последние восемьдесят футов ледника Милна.

Они мчались к обрыву, и в этот момент Рейчел почувствовала, что их немного тормозит Корки, соединенный с ними веревкой. Она понимала, что движение замедляется. К несчастью, торможение началось чуть-чуть позже, чем следовало бы. Обрыв ледника стремительно приближался. Невольно вырвался беспомощный крик.

Край ледовой поверхности легко выскользнул из-под них. Последнее, что запомнила Рейчел, было падение.

ГЛАВА 54

Жилой комплекс Уэстбрук расположен на Н-стрит, 2201, в северо-восточном районе. Обитатели его могут похвастаться тем, что имеют один из немногих совершенно точных адресов в Вашингтоне.

Гэбриэл стремительно прошла сквозь позолоченную вращающуюся дверь в мраморный холл, украшенный шикарным, но очень шумным водопадом.

Портье за конторкой взглянул на Гэбриэл с явным удивлением:

— Мисс Эш? Я и не знал, что вы должны сегодня навестить нас.

— Я опоздала. — Гэбриэл быстро расписалась в книге посетителей. Часы на стене показывали 18.22.

Портье замялся:

— Сенатор дал мне список, но вас в нем...

— Политики всегда забывают о тех людях, которые помогают им больше других.

Она с улыбкой направилась к лифту.

Портье явно пребывал в сомнениях.

— Лучше я позвоню...

— Спасибо, — ответила Гэбриэл, заходя в лифт и нажимая кнопку.

Она-то прекрасно знала, что сенатор отключил все свои телефоны.

Поднявшись на девятый этаж, Гэбриэл вышла из лифта и зашагала по изящно отделанному коридору. В самом его конце, возле двери Секстона, виднелся его личный агент безопасности — славный могучий телохранитель. Сидя на банкетке, великан явно скучал. Гэбриэл удивилась его присутствию. Однако охранник удивился еще больше. Заметив Гэбриэл, он вскочил на ноги.

— Я все знаю, — заговорила она, не пройдя и половины коридора. — Сегодня у сенатора личный вечер. И он не хочет, чтобы его беспокоили.

Охранник кивнул:

— Он очень строго приказал, чтобы никаких посетителей...

— Дело экстренное.

Телохранитель встал перед дверью, создав непреодолимую преграду.

— У него личная встреча.

— Правда? — Гэбриэл вытащила из-под мышки красный конверт. Помахала им перед лицом охранника, показывая печать Белого дома. — Я только что из Овального кабинета. И срочно должна передать сенатору эту информацию. Так что несколько минут тем приятелям, которых он сегодня принимает у себя, придется обойтись без своего радушного хозяина. Ну а теперь пропустите-ка меня.

Увидев печать Белого дома, телохранитель заколебался.

Гэбриэл подумала, что лучше бы обойтись без демонстрации содержимого.

— Оставьте документы, — предложил телохранитель, — я передам.

— Нет! У меня прямые указания Белого дома передать их лично, из рук в руки. Если я сейчас же, немедленно, не поговорю с сенатором, вполне возможно, уже завтра нам всем придется искать работу. Ясно?

На лице охранника изобразилась борьба настолько острая, что Гэбриэл поняла: сенатор действительно строго-настрого приказал, чтобы его не беспокоили. Так что ей пришлось прибегать к крайней мере. Сунув конверт прямо в лицо охраннику, она понизила голос до шепота и произнесла те шесть слов, которых вся вашингтонская служба безопасности боится больше всего:

— Вы просто не понимаете суть ситуации.

Телохранители политических деятелей никогда не понимали сути ситуации, и этот факт чрезвычайно их раздражал. Они выполняли тупую роль орудия защиты, постоянно пребывая в неведении и то и дело оказываясь перед выбором: то ли твердо придерживаться приказа, то ли рисковать работой, вникая в тонкости очередного кризиса.

Охранник тяжело вздохнул, вновь внимательно взглянув на конверт из Белого дома.

— Хорошо, но я скажу сенатору, что вы категорически потребовали впустить вас.

Он открыл дверь, и Гэбриэл поспешила проскочить, пока верный страж не передумал. Вошла в квартиру и тихо закрыла за собой дверь.

Оказавшись в прихожей, она услышала в гостиной мужские голоса. Сегодняшний частный вечер явно не был результатом одного-единственного телефонного разговора, который Гэбриэл слышала в машине сенатора.

Направляясь по коридору в гостиную, девушка прошла мимо открытого шкафа и увидела там с полдюжины дорогих мужских пальто, шерстяных и твидовых. Рядом со шкафом на полу стояло несколько портфелей, также красноречиво свидетельствовавших об уровне достатка их владельцев. Все дела явно остались в коридоре. Гэбриэл, разумеется, прошла бы мимо портфелей, но один из них привлек ее внимание. На именной табличке значился логотип компании. Ярко-красная ракета.

Гэбриэл остановилась, а потом даже опустилась на колени, чтобы прочитать надпись.

«Спейс Америка, инк.», — гласила табличка.

Насторожившись, Гэбриэл внимательно посмотрела на другие портфели.

«Биэл аэроспейс», «Микрокосм, инк.», «Ротэри рокет компани», «Кистлер аэроспейс».

В голове зазвучал резкий голос Марджори Тенч: «А знаете ли вы, что Секстон берет взятки у частных аэрокосмических компаний?»

Гэбриэл взглянула вдоль темного коридора в освещенную гостиную. Сердце ее начало бешено колотиться. Она понимала, что должна заговорить, каким-то образом объявить о своем присутствии, но лишь тихо пошла вперед. Неслышно приблизилась к двери и остановилась в нескольких футах от входа, в тени... Внимательно прислушалась к разговору в комнате.

ГЛАВА 55

Дельта-3 остался на месте, чтобы забрать тело Норы Мэнгор и санки, а двое его товарищей бросились за добычей вниз по леднику.

Они ехали не на простых, а на моторных лыжах. Разработанная на основе гражданских моторных лыж марки «Фаст трэкс», эта специальная модель представляла собой суперсовременную конструкцию с миниатюрными моторчиками — по сути, на каждую ногу лыжник надевал по снегоходу. Скорость контролировалась соединением кончиков указательного и большого пальцев правой руки, когда входили в контакт две пластины, помещенные в перчатке. В ботинки были встроены мощные батареи, шумоизоляция позволяла ехать почти бесшумно. Хитроумная конструкция предусматривала, что кинетическая энергия, порождаемая силой притяжения и вращением моторчика при спуске с горы, автоматически накапливалась, чтобы на следующем же подъеме подзарядить батареи.

Подгоняемый ветром, низко наклонившись, Дельта-1 мчался к океану, внимательно рассматривая поверхность ледника вокруг. Его система ночного видения намного превосходила модель «Патриот», используемую моряками. Дельта-1 смотрел через укрепленное на голове устройство с шестиэлементными линзами размером сорок на девяносто миллиметров, трехэлементным двойным увеличителем и инфракрасным сканером сверхдальнего действия. Окружающий мир представал в холодном голубом свечении, а не в зеленом, как в других приборах. Эта цветовая гамма была специально разработана для активно отражающих поверхностей, подобных льдам Арктики.

Приближаясь к первой из снежных горок, Дельта-1 увидел несколько полосок недавно потревоженного снега. Они поднимались вверх, на склон. Беглецы или не догадались, или не смогли отцепить свой импровизированный парус. Так или иначе, если они не сумели это сделать до того, как взлетели на последнюю, третью горку, то наверняка уже плавают где-нибудь далеко в океане. Дельта-1 знал, что термокомбинезоны, в которые одеты жертвы, продлят им жизнь в ледяной воде, но безжалостное течение вынесет их в открытый океан. И там они непременнс утонут.

Несмотря на уверенность, Дельта-1, как всегда, подчинился инструкции. А она приказывала не оставлять ничего непроверенного. Значит, необходимо увидеть тела. Низко пригнувшись, он сжал пальцы, увеличивая скорость, чтобы подняться на склон.

Майкл Толланд лежал неподвижно, пытаясь определить, все ли у него цело. Он чувствовал себя изрядно избитым, однако кости, кажется, не были сломаны. Сомневаться не приходилось: наполненный гелем термокомбинезон сделал свое дело, уберег от множества серьезных травм. Майкл открыл глаза. Мысли фокусировались медленно. Воздух казался мягче, спокойнее. Ветер все еще завывал, но не с прежней силой.

Судя по всему, они пересекли рубеж.

Собравшись с мыслями, Толланд осознал, что лежит на льду, под прямым углом распростертый на Рейчел Секстон. Их пояса были все еще скреплены между собой. Майкл чувствовал, что Рейчел дышит, однако лица ее не мог рассмотреть. С неимоверным трудом он скатился на лед.

— Рейчел! — позвал он, сам не понимая, говорит ли вслух или только мысленно.

Толланд помнил последние секунды дикого полета: неожиданный рывок баллона вверх, обрыв каната, стремительное движение вниз, по склону, затем столь же мощный подъем на вершину последнего гребня, перелет через него, скольжение к краю, к обрыву, где лед неожиданно кончался.

Толланд и Рейчел упали, однако падение оказалось странно коротким. Вместо того чтобы, как ожидалось, упасть в океан, они пролетели около десяти футов, ударились о лед и наконец-то остановились. За ними этот путь повторил и привязанный к Рейчел Корки Мэрлинсон.

Подняв голову, Толланд посмотрел в сторону океана. Недалеко от них лед заканчивался отвесным обрывом, за которым плескалась вода. Оглянувшись назад, Толланд постарался хоть что-то разглядеть в кромешной тьме. Чуть выше, ярдах в двадцати, взгляд уперся в ледяную стену, словно нависавшую над головой. Только сейчас он осознал, что же произошло. Они соскользнули на нижнюю ледяную террасу. Она была плоской, по площади равной хоккейному полю и частично разрушенной, в любой момент готовой отломиться и уплыть в океан. Лед трескался.

Толланд оглядел непрочную ледовую платформу, которая спасла им жизнь. Широкий квадратный ломоть висел словно огромный балкон, с трех сторон окруженный водной бездной. К леднику он прикреплялся торцом, и даже невооруженным глазом было заметно, что держится он непрочно. По линии соединения террасы с ледником проходила зияющая расщелина шириной почти в четыре фута. Сила земного притяжения неумолимо делала свое дело.

Расщелина представляла собой страшное зрелище. Но еще страшнее было распростертое на льду тело Корки Мэрлинсона. Астрофизик лежал в десяти ярдах, на конце натянутой до отказа связки.

Толланд попытался подняться, но это ему не удалось. Он все еще был накрепко сцеплен с Рейчел. Немного передвинувшись, он начал расстегивать крепления.

Рейчел пошевелилась и попыталась сесть.

— Мы разве не упали в воду? — В ее голосе сквозило искреннее изумление.

— Приземлились на нижний кусок льда, — пояснил Толланд, наконец-то отстегнувшись. — Надо помочь Корки.

Он с трудом поднялся, преодолевая слабость в ногах. Крепко сжал веревку и начал тянуть. Корки заскользил по льду. После дюжины рывков он оказался в нескольких футах от товарищей.

Астрофизик выглядел сильно помятым и избитым. Защитные очки слетели, щека поранена, из носа течет кровь. К счастью, худшие опасения оказались беспочвенными: Мэрлинсон перекатился поближе к Толланду и сердито посмотрел на него.

— Г-господи... — с трудом, заикаясь, произнес он, — что это была за чертова игра?

У Толланда сразу отлегло от сердца.

Рейчел наконец-то села, беспомощно щурясь. Оглянулась.

— Нам бы... как-нибудь отсюда выбраться. Эта льдинка, похоже, собирается упасть.

Спорить никто не стал. Единственным вопросом оставалось, как именно это сделать.

Перебирать варианты не пришлось. Над ними, на леднике, послышался хорошо знакомый высокий звук. Посмотрев вверх, Толланд сразу заметил две белые фигуры. Без малейшего усилия они остановились на краю обрыва. Глядя вниз, на беспомощно ползающих по льду людей, преследователи готовились к последнему, решающему действию.

Дельта-1 поразился, увидев всех троих беглецов живыми. Однако он не сомневался, что это ненадолго. Они упали на ту часть ледника, которая уже начала от него откалываться. Троицу легко можно уничтожить, как и ту женщину, которая осталась лежать далеко позади. Однако сам собой возник другой вариант — идеальный, при котором тела исчезнут бесследно.

Дельта-1 сосредоточился на расширяющейся трещине. Она все отчетливее вырисовывалась между стеной ледника и торчащим в его боку куском льда, на котором находилась троица.

Льдина опасно покосилась, готовая в любую минуту отломиться и рухнуть в бездну.

Почему бы не сейчас?

Здесь, на леднике, безмолвие полярной ночи время от времени прерывалось оглушительными взрывами. Звук этот означал, что от ледника отламываются огромные куски и падают в океан. Это так естественно. Разве кто-нибудь сможет заподозрить неладное?

Ощутив знакомый прилив адреналина, который всегда сопровождал его в деле, Дельта-1 сунул руку в сумку и достал тяжелый округлый предмет. Это была «хлопушка» — несмертельная разрывная граната, способная на какое-то время лишить врага ориентации. Она давала яркую вспышку и оглушительную взрывную волну. Однако Дельта-1 не сомневался, что на этот раз граната окажется именно смертельной.

Он встал на самом краю, пытаясь рассмотреть, насколько глубока трещина. Двадцать футов? Или пятьдесят? Он знал, что это не имеет никакого значения. Его план окажется эффективным в любом случае.

Со спокойной уверенностью, выработанной бесконечными повторениями действия, Дельта-1 установил на таймере отсрочку в десять секунд, снял чеку и бросил гранату в расщелину. Она улетела в темноту и пропала.

Дельта-1 и его товарищ отошли от края льда.

Несмотря на жуткую слабость, Рейчел Секстон ясно поняла, что именно бросили в трещину эти несущие смерть белые фигуры. Знал ли это Майкл Толланд, или же он просто прочитал в ее глазах страх — но он вдруг резко побледнел, окинув полным ужаса взглядом гигантский кусок льда, ставший для них ловушкой.

Словно грозовое облако, освещенное вспышкой молнии, ярко засиял лед под ногами. Во всех направлениях полетели жуткие белые искры. Ледник осветился на сотню ярдов вокруг. А потом раздался взрыв. Не гулкий рокот, как при землетрясении, а оглушающий удар, потрясший все вокруг. Рейчел почувствовала, как ударная волна проходит сквозь лед и опрокидывает ее навзничь.

В то же мгновение, словно кто-то вогнал между стеной ледника и «балконом» огромный клин, плита начала с душераздирающим треском откалываться. Взгляды Рейчел и Толланда застыли в немом ужасе. Корки, не выдержав, закричал.

Льдина ушла из-под ног, проваливаясь в бездну.

На какую-то долю секунды Рейчел ощутила невесомость, повиснув над многотонной ледяной глыбой. А потом полетела вниз, в холодную океанскую бездну.

ГЛАВА 56

Огромная глыба заскользила вдоль отвесной стены ледника, страшным гулом поражая и слух, и душу. В воздух поднялись гигантские водяные волны. Толланд, Рейчел и Корки совершили не очень мягкую посадку на льду.

Глыба начала погружаться в океан, и Рейчел увидела, как стремительно растут вокруг бурлящие волны. Вода расступалась, словно нехотя принимая в свое лоно новорожденный айсберг. Выше... выше... и вот наконец это произошло. Вернулся ночной кошмар. Лед, вода, темнота. Ужас был почти первобытным.

Льдина погрузилась в глубину, и Северный Ледовитый океан бешеным потоком набросился на людей. В этой водной буре Рейчел ощутила, как они опускаются все ниже и ниже. От удара соленой воды кожа на лице словно загорелась. Ледяной пол ушел из-под ног, и Рейчел, поддерживаемая наполненным гелем комбинезоном, отчаянно начала барахтаться, то и дело отплевываясь. Товарищи боролись рядом, и обоим явно мешала связка. Не успела Рейчел выкарабкаться, как услышала голос Толланда:

— Она поднимается!

И тотчас, подобно мощному локомотиву, льдина со стоном остановилась, а потом начала обратный путь. Сквозь толщу воды доносился страшный, низкой частоты гул, словно трясли гигантский лист железа.

Льдина шла наверх, вздымая над собой волны. Океан вокруг ревел, и вот наступил момент, когда лед и человек встретились. Напрасно пыталась Рейчел сохранить равновесие. Льдина вытолкнула ее высоко в воздух, обдав миллионами галлонов соленой океанской воды. Выскочив на поверхность, гигантская глыба запрыгала на месте, качаясь и вздрагивая в поисках равновесия. Вода начала уходить с льдины, мощной силой увлекая за собой и Рейчел. Вот она уже на самом краю. Скользя на животе, ясно видит стремительно приближающийся конец льдины.

«Держись! — внезапно прозвучал в голове голос матери. Точно так же она кричала ей, когда ребенком Рейчел провалилась под лед на пруду. — Держись! Не смей уходить под воду!»

Связка давила, не давая дышать и отнимая остатки воздуха в легких. В нескольких ярдах от края льдины Рейчел удалось остановиться. Ее закружило на месте. В десяти ярдах от себя она увидела Корки. Связанный с Рейчел крепкой веревкой, он тоже затормозил. А когда вода отступила, недалеко от Корки показалась еще одна темная фигура. На четвереньках, яростно отплевываясь и крепко держась за связку, стоял Майкл Толланд.

Остатки воды стекли с айсберга. Рейчел лежала неподвижно, с ужасом прислушиваясь к звукам океана. Но тут подступил страшный холод. Пришлось быстро встать на четвереньки. Айсберг медленно покачивался, словно кубик льда в стакане с коктейлем. Измученная, с трудом сознавая действительность, Рейчел поползла к товарищам.

Высоко на леднике Дельта-1 внимательно рассматривал океан сквозь очки ночного видения. Вода неистово бурлила вокруг только что образовавшегося плоского айсберга. Тел в воде заметно не было, но это неудивительно: океан темен, а комбинезоны жертв черные.

Оглядывая огромную плавающую льдину, Дельта-1 с трудом удерживал ее в фокусе. Она быстро удалялась, попав в стремительное течение. Уже готовый отвернуться, Дельта-1 неожиданно заметил три черных точки на льду. Что это, тела? Он попытался сфокусироваться на них.

— Есть что-нибудь? — поинтересовался Дельта-2.

Дельта-1 молчал, сосредоточенно настраивая очки. И вот наконец в бледном сиянии айсберга он разглядел три раскиданные по льду человеческие фигуры. Живы люди или мертвы, было непонятно. Да это и не имело никакого значения. Если они еще живы, то даже в своих защитных костюмах не протянут больше часа. Они промокли, начинается шторм, и льдину стремительно уносит в самый губительный океан на планете. Тела никто и никогда не найдет.

— Да нет, ничего особенного, просто тени, — ответил Дельта-1 товарищу. — Пора возвращаться на базу.

ГЛАВА 57

Сенатор Седжвик Секстон поставил бокал с шампанским на мраморную каминную полку и некоторое время смотрел в огонь, пытаясь собраться с мыслями. Все шестеро гостей, проводивших с ним сегодняшний вечер, сидели молча, в напряженном ожидании. Светский разговор закончился. Настало время для дела. Сенатору Секстону предстояло изложить свою позицию.

Политика — это торговля.

Необходимо установить доверие. Дать понять тем, кто ставит на тебя, что понимаешь все их проблемы.

— Как вы, наверное, знаете, — начал наконец сенатор, поворачиваясь к гостям, — на протяжении последних месяцев я встречался со многими людьми, занимающими такое же положение, как и вы сами. — Он улыбнулся и сел, словно заметив, что возвышается над ними. — Но вы первые, кого я пригласил к себе домой. Вы все люди выдающиеся, и эту встречу я почитаю за большую честь.

Секстон сложил руки на груди и обвел сидящих взглядом, как будто лично приветствуя каждого из почетных гостей. А потом сосредоточился на номере первом — грузном человеке в ковбойской шляпе.

— «Спейс инкорпорейтед», Хьюстон! — торжественно провозгласил сенатор. — Я приветствую вас.

Техасец поморщился:

— Ненавижу этот город.

— Не могу вас винить. Вашингтон отнесся к вам несправедливо.

Ковбой сверкнул из-под своей шляпы глазами, но ничего не ответил.

— Двенадцать лет назад, — вновь заговорил Секстон, — вы сделали правительству Соединенных Штатов предложение. Взялись всего лишь за пять миллиардов долларов построить космическую станцию.

— Именно так. У меня до сих пор хранятся все чертежи и документы.

— Однако НАСА сумело убедить правительство в том, что проект космической станции должен быть разработан космическим агентством.

— Верно. И НАСА начало строительство десять лет назад.

— Ровно десять лет назад. И до сих пор станция не работает, как должна, а проект уже подорожал в двадцать раз. Я американский налогоплательщик, и мне от этого становится плохо.

По комнате пронесся гул голосов — предприниматели дружно согласились. Секстон вновь обвел их взглядом, словно проверяя контакт.

— Я в курсе того, — продолжал он, теперь уже обращаясь ко всем сразу, — что некоторые из вас предложили запустить частные космические корабли многоразового использования. И каждый полет стоил бы всего лишь пятьдесят миллионов долларов.

Все снова согласно кивнули.

— Однако НАСА и здесь перебежало вам дорогу, сбив цену до тридцати восьми миллионов... и это несмотря на то, что истинная стоимость одного их полета составляет больше ста пятидесяти миллионов долларов.

— Таким способом они просто не пускают нас в космос, — вставил один из гостей. — Частный сектор никак не может конкурировать с компанией, которая способна позволить себе осуществлять космические рейсы с убытком в четыреста процентов и, несмотря на это, оставаться в бизнесе.

— Да и не стоит пытаться это делать, — заметил Секстон.

Все снова кивнули.

Теперь Секстон повернулся к предпринимателю, сидящему рядом. Его папку он изучил с особым интересом. Как и многие другие бизнесмены, финансирующие избирательную кампанию сенатора, этот человек когда-то служил военным инженером, но потом разочаровался в своей профессии, поскольку зарплата его никак не удовлетворяла, а правительственная бюрократия только мешала. Поэтому он оставил службу и отправился искать счастья в космическом бизнесе.

— «Кистлер аэроспейс», — обратился к нему Секстон, сокрушенно качая головой. — Ваша компания спроектировала и построила ракету, способную перевозить грузы за две тысячи долларов фунт. И это в сравнении с десятью тысячами за фунт, которых требует НАСА. — Секстон помолчал, усиливая эффект. — И все же клиентов у вас нет.

— Откуда же у меня появятся клиенты? — с готовностью откликнулся бизнесмен. — На прошлой неделе НАСА подрезало нас, запросив с компании «Моторола» всего восемьсот двенадцать долларов за фунт, чтобы обеспечить работу спутника связи. То есть они запустили этот спутник с убытком в девятьсот процентов!

Секстон кивнул. Налогоплательщики покорно финанси-
ровали агентство, работающее в десять раз менее эффективно,
чем его конкуренты.

— Абсолютно ясно, — заговорил он проникновенным голосом, — что НАСА очень упорно работает над тем, чтобы ос-
лабить конкуренцию в космосе. Агентство просто-напросто
выдавливает частных предпринимателей, назначая цену ниже
рыночной стоимости.

— Не космос, а «Уол-март», — вставил ковбой.

Секстону понравилось сравнение. Надо будет его запомнить и взять на вооружение. Компания «Уол-март» получила
известность, проникнув на новые для себя рынки при помощи продажи продуктов по смехотворной цене. Этим способом
ей удалось вытеснить местных предпринимателей.

— Мне чертовски надоело, — пробурчал техасец, — платить миллионные налоги на бизнес лишь для того, чтобы Дядя
Сэм с помощью этих денег воровал моих же клиентов!

— Я прекрасно вас понимаю, — тут же повернулся к нему
Секстон.

— Мою компанию «Ротэри рокет» убивает нехватка корпо-
ративного спонсорства, — заявил одетый с иголочки джентльмен. — Законы против спонсорства — истинный криминал.

— Согласен, — отреагировал Секстон.

Еще через пару минут он с неприятным удивлением узнал,
что НАСА использовало и другой способ установления моно-
полии на космическое пространство. Агентство инициирова-
ло принятие федеральных указов против размещения рекламы на космических аппаратах. Запрещая частным компаниям
зарабатывать на корпоративном спонсорстве и рекламных ло-
готипах, как это делают, например, профессиональные авто-
гонщики, им позволяют помещать на космических кораблях
лишь аббревиатуру США и название фирмы. В стране, тратя-
щей в год по сто восемьдесят пять миллионов долларов только
на рекламу, ни единый рекламный доллар не попал на счета
частной космической компании.

— Но это же просто грабеж! — возмутился один из гостей. —
Моя компания рассчитывает оставаться в бизнесе достаточно
долго, а уже на будущий год, в мае, запустить первый туристи-
ческий корабль многоразового использования. Надеемся на широкий резонанс в прессе. Корпорация «Найк» только что предло-

жила нам семь миллионов спонсорских денег лишь за то, чтобы мы нарисовали на обшивке ее эмблему и написали девиз: «Просто сделай это!» Корпорация «Пепси» предложила в два раза больше. Они просят поместить слоган «Пепси: выбор нового поколения». Но по федеральным законам если мы поместим на борту корабля рекламу, то нам просто запретят его запустить.

— Непременно запретят, — согласился сенатор. — Если мне удастся прийти к власти, я буду работать на отмену этого безобразного законодательства, направленного против спонсорства. Твердо обещаю: космос будет так же открыт для рекламы, как открыт для нее каждый квадратный дюйм на Земле.

Секстон окинул слушателей внимательным взглядом, стараясь заглянуть каждому в глаза. Голос его теперь звучал торжественно.

— Однако нам всем необходимо сознавать, что крупнейшим препятствием к коммерциализации космоса являются не законы, а скорее то, каким образом эта сфера воспринимается населением. Большинство американцев все еще имеют излишне романтическое представление о государственной космической программе. Они до сих пор полагают, что НАСА — необходимое для страны агентство.

— Это все убогие голливудские киношки! — возмущенно воскликнул один из бизнесменов. — Сколько Голливуд налепил историй о спасении землян от астероидов-убийц? И во всех героем выступает именно НАСА! Чистой воды пропаганда!

Секстон понимал, что изобилие голливудских поделок в пользу НАСА имеет чисто экономическую основу. НАСА быстро осознало, каким потенциалом обладает Голливуд в деле повышения популярности любой структуры, после того как огромную популярность приобрел блокбастер «Топган», в котором Том Круз играет пилота истребителя. Фильм этот, по сути, был двухчасовым рекламным роликом американского военно-морского флота и авиации. Без лишнего шума, потихоньку, агентство начало предоставлять киностудиям бесплатную возможность работать на своих полигонах и площадках — на космодромах, взлетно-посадочных полосах, в центрах управления полетами, в тренировочных центрах. Продюсеры, привыкшие повсюду платить огромные гонорары за использование территории, с готовностью ухватились за возможность сэкономить миллионы производственных денег, снимая на «бесплатных» площадках. И разумеется, Голливуд получал доступ на них лишь после того, как НАСА одобряло сценарий.

— Промывание мозгов широкой публике, — проворчал бизнесмен, имевший явное латиноамериканское происхождение. — Еще хуже фильмов оказываются заигрывания с населением страны. Послать в космос кого-нибудь из высокопоставленных граждан? Собрать чисто женский экипаж? Все это исключительно ради общественного резонанса!

Секстон вздохнул и заговорил трагическим голосом:

— Да, верно, как и в той истории, случившейся в восьмидесятых годах. Департамент образования оказался банкротом и обвинил НАСА в том, что агентство израсходовало средства, которые могли бы пойти на нужды образования. НАСА же придумало публичный трюк, чтобы доказать свое внимание к проблемам школы. Космическое агентство послало в космос учительницу. — Секстон выдержал драматическую паузу. — Вы все прекрасно помните Кристу Маколиф.

В комнате повисло выразительное молчание.

— Джентльмены, — продолжал сенатор, снова встав и приняв театральную позу перед камином, — думаю, американцам пора понять правду ради нашей же общей пользы. Пора осознать, что НАСА вовсе не ведет нас в космическую высь, а скорее препятствует изучению и использованию космоса. Космонавтика ничем не отличается от любой другой отрасли промышленности, а потому принижение роли частного сектора в ней имеет криминальный характер. Возьмите, к примеру, компьютерную индустрию. В ней прогресс идет так быстро, что другим постоянно приходится догонять! И почему же это происходит? Да потому, что в данной отрасли действует система свободного рынка и свободного предпринимательства. А эта система вознаграждает эффективность и дальновидность не чем иным, как прибылями. Представьте, что произошло бы, попади компьютерная сфера целиком в руки государства... Скорее всего мы до сих пор бы оставались в Средних веках. В том, что касается космоса, мы топчемся на месте. А следовательно, нужно отдать его исследование и использование частному сектору. Американцы с приятным удивлением обнаружат быстрое развитие этой сферы, появление новых рабочих мест, увидят воплощение своей мечты. Я твердо уверен, что необходимо позволить системе свободного предпринимательства проложить нам дорогу к новым высотам в космосе. И если мне суждено стать президентом, то первой и главной моей задачей будет именно открытие новой эпохи фронтира.

Сенатор поднял бокал с шампанским.

— Друзья мои, сегодня вы пришли сюда, чтобы решить, достоин ли я вашего внимания и поддержки. Надеюсь, что сумел убедить вас. Точно так же, как для основания промышленной компании требуются инвесторы, требуются они и для формирования нового президентского правления. Акционеры любого бизнеса ожидают дивидендов на вложенные средства. И вы, выступив в качестве политических акционеров, вправе ожидать дивидендов на свой капитал. Мой призыв к вам сегодня очень прост: вложите в меня деньги, и я вас не забуду и не оставлю. Ни за что и ни при каких обстоятельствах. У нас с вами общая миссия и общее дело.

Секстон приветствовал бокалом каждого из сидящих.

— С вашей помощью, друзья мои, совсем скоро я окажусь в Белом доме... а вы сможете осуществить в космосе свои самые сокровенные мечты.

В пятнадцати футах от сенатора Седжвика Секстона, в темном уголке, замерев, стояла его верная ассистентка и помощница Гэбриэл Эш. Из гостиной слышался приятный звон хрустальных бокалов и уютное потрескивание огня в камине.

ГЛАВА 58

По хабисфере метался молодой техник НАСА. Случилось ужасное! Он разыскал администратора Экстрома — великан отдавал последние распоряжения в пресс-центре.

— Сэр, — задыхаясь, с трудом выговорил техник, — произошел несчастный случай!

Экстром повернулся, еще не осознавая услышанного:

— Что ты сказал? Несчастный случай? Где?

— В метеоритной шахте. Только что всплыло тело. Доктор Уэйли Мин...

Лицо Экстрома ровным счетом ничего не выражало.

— Доктор Мин? Как...

— Мы его вытащили, конечно, но слишком поздно. Сделать уже ничего нельзя. Он мертв.

— Ради Бога! Сколько же он там находился?

— Думаем, примерно с час. Похоже, он поскользнулся и упал, опустился на дно, а потом снова всплыл.

И без того красное лицо Экстрома приобрело бордовый оттенок.

— Черт подери! Кто еще знает об этом?

— Никто, сэр. Только мы вдвоем. Мы его выловили и решили, что прежде всего нужно сказать вам...

— Правильно. — Экстром тяжело вздохнул. — Немедленно спрячьте куда-нибудь тело доктора Мина. И ничего никому не говорите.

Техник, казалось, не ожидал такого ответа.

— Но, сэр, я...

Экстром положил огромную руку на плечо парня:

— Слушай меня очень внимательно. Это трагический несчастный случай, и я о нем глубоко сожалею. Позже я займусь этим. Но сейчас не время.

— Так вы хотите, чтобы я спрятал тело?

Холодные северные глаза Экстрома не выдержали изумленного взгляда парня.

— Подумай сам. Мы, конечно, можем рассказать сейчас всем об этой трагедии, но чего мы добьемся? До пресс-конференции остался час. Объявление о несчастном случае лишь бросит тень на великое открытие и всех расстроит. Доктор Мин совершил ошибку, повел себя крайне неосторожно, и я вовсе не намерен заставлять НАСА за это расплачиваться. Независимые ученые и так привлекут к себе достаточно внимания. Не стоит позволять грубой ошибке одного из них бросать тень на наш триумф. Смерть доктора Мина должна остаться тайной до тех пор, пока пресс-конференция не закончится. Понимаешь?

Парень кивнул:

— Я спрячу тело.

ГЛАВА 59

Майкл Толланд провел в море значительную часть своей жизни и прекрасно знал, что океан принимает человеческие жертвы без сожаления и раскаяния.

В изнеможении лежа на плоской поверхности только что образовавшегося айсберга, он смутно различал призрачные очертания исчезающего вдали шельфового ледника Милна. Он знал, что мощное арктическое течение, огибающее острова Елизаветы, огромной петлей охватывало ледовые территории и могло в конце концов привести их к берегам северной части России. Однако перспектива не имела никакого значения. Ведь произойдет это лишь через несколько месяцев.

В их распоряжении осталось минут тридцать... ну, может быть, сорок пять, не больше.

Если бы не защита заполненных гелем термокомбинезонов, они были бы уже мертвы. А они еще даже не промокли — самое важное условие выживания на морозе. Термальный гель, благодаря которому костюмы так плотно облегали тело, не только смягчил падение, но и помог сохранить то небольшое количество тепла, которое до сих пор оставалось в их организмах.

И все же, несмотря на это, скоро наступит гипотермия. Начнется она с легкого онемения рук и ног — кровь отступит из них, уйдя внутрь тела, чтобы обогреть жизненно важные органы. Потом придут галлюцинации, полубредовое состояние, поскольку и пульс, и дыхание замедлятся, вызвав кислородное голодание мозга. Потом тело совершит последнюю попытку сохранить тепло, отказавшись от всех процессов, кроме дыхания и работы сердца. Наступит бессознательное состояние. Самым последним этапом будет прекращение деятельности сердца и остановка дыхания.

Толланд посмотрел на Рейчел. Что он может сделать, чтобы спасти ее?

Онемение, постепенно охватывающее все тело Рейчел Секстон, ощущалось не настолько болезненно, как она предполагала. Напротив, это было почти приятно. Сама природа позаботилась об обезболивании. Защитные очки потерялись где-то по дороге, и сейчас Рейчел едва могла открыть глаза — настолько резким был холод.

Недалеко на льду она видела Толланда и Корки. Толланд смотрел на нее полным сожаления взглядом. Корки двигался, но ему явно было очень больно. Всю правую сторону его лица покрывала засохшая кровь.

Тело Рейчел яростно тряслось от холода, а ум столь же яростно искал ответа. Кто? Почему? Мысли путались от непрерывно нарастающей внутренней тяжести. Ощущение было такое, будто тело каменеет, убаюканное невидимой силой, навевающей сон. Она изо всех сил боролась с сонливостью. В душе зажегся гнев, и она всеми силами пыталась раздуть его пламя.

Их пытались убить! Она посмотрела на страшную океанскую бездну и ясно осознала, что враги преуспели в этом. По сути, они ведь почти уже мертвы. Понимая, что не доживет до той минуты, когда выяснится вся правда о смертельной игре, идущей на леднике Милна, Рейчел догадывалась, кто во всем этом виноват.

Больше всех выигрывал Экстром. Это он отправил всех четверых на вылазку. Он имел связи и с Пентагоном, и с силами особого реагирования. Но что же Экстром приобретал, засунув в лед метеорит? Какой был в этом смысл?

Рейчел подумала о Заке Харни. Интересно, а какова его роль? Кто он — соучастник или ничего не подозревающая пешка? Скорее всего Харни ничего не знает. Он невиновен. Космическое агентство определенно обвело его вокруг пальца. Оставался час до объявления об открытии, совершенном НАСА. И президент сделает это, вооруженный документальным фильмом, в котором четверо независимых гражданских специалистов подтверждают истинность происходящего.

Четверо мертвых гражданских специалистов.

Рейчел уже ничего не могла сделать для отмены пресс-конференции, однако дала самой себе клятву, что кто бы ни стоял за этим, от расплаты он не уйдет.

Собрав все силы, она попыталась сесть. Тело казалось гранитным, суставы кричали от боли при каждом движении рук и ног. Рейчел медленно встала на колени, стараясь как можно крепче держаться на льду. Голова кружилась. Вокруг бурлил равнодушный, безжалостный океан. Толланд лежал неподалеку, заинтересованно наблюдая за ее движениями. Рейчел осознала, что он воспринял ее позу — на коленях — как молитвенную. Конечно, она думала вовсе не об этом, хотя молитва давала точно такие же шансы на спасение, как и то, что она сейчас собиралась предпринять.

Правой рукой Рейчел нащупала ледоруб. Он все еще болтался на поясе. Негнущиеся пальцы кое-как обхватили рукоятку. Рейчел держала топорик перевернутой буквой «Т». Потом изо всех сил стукнула навершием по льду.

Бам! Бам! Кровь в жилах, наверное, уже превратилась в черную патоку.

Бам!

Толланд наблюдал за ее действиями в явном замешательстве. Рейчел снова резко опустила топор.

Бам!

Толланд с трудом приподнялся на локте.

— Рейчел?

Она не отвечала. Просто не хотела тратить на слова оставшиеся силы.

Бам!

— Мне кажется... — с трудом произнес Толланд, — так далеко на севере... ПАС не услышит...

Рейчел удивленно обернулась. Она и забыла, что Толланд — океанограф и может иметь представление о смысле ее действий. Догадка была верной. Но она надеялась вовсе не на ПАС.

Она продолжала стучать.

Аббревиатура ПАС означала «Подводную акустическую систему», созданную во времена холодной войны, а сейчас используемую для поиска китов. Под водой звук свободно разносится на сотни миль, и поэтому сеть из пятидесяти девяти микрофонов по всему миру могла прослушивать значительную часть покрывающих планету океанов. К сожалению, эта отдаленная часть Арктики не входила в территорию охвата. Однако Рейчел было известно, что существует еще кое-кто, прослушивающий океан. Мало кто на свете знал о существовании этого «кое-кого».

Бам! Бам! Бам!

Бам... Бам... Бам...

Бам! Бам! Бам!

Рейчел не обманывала себя надеждой, что эти действия спасут им жизнь. Тело теряло остатки тепла, окруженное ледяным воздухом. Жизни осталось не больше чем на полчаса. Спасение просто невозможно. Но она думала не о спасении.

Бам! Бам! Бам!

Бам... Бам... Бам...

Бам! Бам! Бам!

— Времени... не осталось... — едва ворочая языком, пробормотал Толланд.

Рейчел мысленно ответила ему, что сейчас уже дело вовсе не в них. Дело в той информации, которая лежала в кармане ее комбинезона. Она сознавала, какую обличительную силу имеет распечатка данных сканирования ледника, которую она так предусмотрительно спрятала в непромокаемом кармане своего комбинезона. Необходимо, чтобы эта бумага попала в руки ее коллег, сотрудников Национального разведывательного управления. Причем как можно скорее.

Даже в полубессознательном состоянии Рейчел понимала, что сигнал непременно услышат. Еще в восьмидесятых годах НРУ дополнило ПАС системой в тридцать раз мощнее. Эта сеть покрывала весь земной шар: «Клэсик визард», ухо стоимостью в дюжину миллионов долларов, с помощью которого НРУ прослушивало океанские глубины. Уже через несколько часов мощные компьютеры «Крэй» на посту прослушивания в Менвит-Хилл, в Англии, сообщат о явно искусственной последовательности звуков, зарегистрированных одним из арктических гидрофонов, расшифруют ее как сигнал SOS, определят точные координаты поступившей информации и вышлют самолет-спасатель. Он отправится с военно-воздушной базы Туле в Гренландии. Самолет обнаружит на одном из айсбергов три тела. Мертвых. Замерзших. Одной из погибших окажется сотрудница НРУ, а в ее кармане найдут странный лист бумаги.

Распечатку данных сканирования ледника.

Завещание Норы Мэнгор.

Как только спасатели изучат бумагу, таинственный тоннель под шахтой метеорита сразу обнаружится. Как именно будет развиваться сценарий дальше, Рейчел уже не могла просчитать. Знала она лишь одно: секрет не умрет вместе с ними здесь, на плавающей в океане льдине.

ГЛАВА 60

Переезд каждого нового президента в Белый дом подразумевает обязательный частный визит в три тщательно охраняемых склада, содержащих бесценные коллекции мебели и предметов убранства: столы, серебро, бюро, кровати и множество других самых разнообразных вещей, находившихся в распоряжении президентов, начиная с Джорджа Вашингтона. Во время этого визита новый президент имеет полное право выбрать все, что ему приглянется, и использовать наследство в меблировке и украшении покоев Белого дома на протяжении своего срока. Единственным несменяемым предметом в резиденции остается кровать в спальне Авраама Линкольна. Ирония, однако, заключается в том, что сам Линкольн на ней никогда не спал.

Письменный стол, за которым сейчас сидел Зак Харни, когда-то принадлежал его кумиру, Гарри Трумэну. Небольшой, очень простой, на современный взгляд, стол этот напоминал президенту о том, что он, Зак Харни, несет полную ответственность за все недоработки и ошибки в деятельности его администрации. Президент воспринимал ответственность как честь и делал все, чтобы укрепить в сотрудниках стремление к успеху их дела.

— Господин президент? — В кабинет заглянула секретарша. — Вас только что соединили.

Харни махнул рукой:

— Спасибо.

Он снял трубку. Конечно, хотелось бы поговорить без свидетелей, но сейчас это было невозможно. Вокруг него, словно комары, вились два стилиста, что-то творившие с его лицом и волосами. Прямо перед столом команда телевизионщиков решала свои проблемы, а по кабинету носилась ватага советников и специалистов по связям с общественностью. Все они пылко обсуждали детали предстоящего события.

Остался всего час...

Харни нажал на телефоне светящуюся кнопку:

— Лоуренс? Вы меня слышите?

— Да-да. Слышу. — Голос администратора НАСА звучал издалека, приглушенно.

— У вас все в порядке?

— Приближается шторм, но специалисты уверяют, что спутниковая связь не нарушится. У нас все готово. Через час начнем.

— Отлично. Надеюсь, настроение у всех на высоте?

— Настроение самое приподнятое. Люди возбуждены, ликуют. Если честно, мы только что распили по баночке пива.

Харни рассмеялся:

— Рад слышать! Послушайте, я просто хотел поблагодарить вас еще до того, как мы начнем. Сегодня предстоит жуткий вечер.

Администратор не спешил с ответом. Казалось, он колеблется, что было ему совсем несвойственно.

— Да, сэр, верно. Этого дня мы так долго ждали.

Харни насторожился:

— Вы кажетесь очень усталым.

— Мне не помешало бы немного солнечного света, да и нормальная постель тоже.

— Осталось потерпеть всего лишь час. Улыбайтесь пошире, прямо в камеру, наслаждайтесь моментом, а потом сядете в самолет и прилетите сюда, в Вашингтон.

— Жду не дождусь.

Как опытный политик, которому часто приходится вести переговоры, Харни давно научился внимательно слушать, улавливая то, что остается между строк. Какие-то нотки в голосе администратора звучали не совсем так, как хотелось бы.

— Вы уверены, что все в порядке?

— Да. Системы работают как надо. — Казалось, администратор торопился сменить тему разговора. — А вы уже видели финальный эпизод фильма Майкла Толланда?

— Только что просмотрел, — быстро ответил Харни. — Парень проделал фантастическую работу.

— Именно. Вы отлично все рассчитали, прислав его сюда.

— Все еще злитесь на меня за то, что я привлек гражданских?

— Черт возьми, конечно! — Это было сказано добродушно-ворчливо, в обычном тоне.

Харни немного успокоился. С Экстромом все в порядке, просто он немного устал.

— Ну хорошо, увидимся через час. Зададим всему миру тему для разговоров.

— Точно.

— Эй, Лоуренс! — Теперь голос президента звучал тихо и торжественно. — Ты сделал великое дело. Я этого не забуду!

Неподалеку от хабисферы, сражаясь с ветром, Дельта-3 пытался поднять опрокинутые санки Норы Мэнгор и снова погрузить на них оборудование. Когда наконец удалось это сделать, он закрепил виниловый чехол и поверх него положил мертвое тело самой Норы, крепко привязав его веревками. Он как раз собирался оттащить санки в сторону, когда снизу, от края ледника, подъехали его товарищи.

— Планы изменились, — коротко оповестил Дельта-1, пытаясь перекричать ветер. — Трое оказались в океане.

Дельта-3 не удивился, услышав это. Он прекрасно понимал, что имелось в виду. План инсценировать несчастный случай, расположив на льду четыре мертвых тела, сорвался. А оставить одно тело означало возбудить много вопросов без ответов.

— Скинуть? — спросил он.

Дельта-1 кивнул:

— Я соберу ракеты, а вы разберитесь с санками.

Дельта-1 принялся тщательно заметать следы ученых, подбирая все, что могло намекнуть на происходившее здесь, а два его товарища отправились вниз с нагруженными санками. Преодолев снежные гряды, они вышли на край шельфового льда Милна и, с силой толкнув, направили санки с Норой Мэнгор и всеми ее приборами прямиком к обрыву, в воды Северного Ледовитого океана.

Дельта-3 отметил: сработано чисто.

Направляясь обратно к базе, он с удовлетворением наблюдал, как ветер моментально заметает лыжню.

ГЛАВА 61

Атомная подводная лодка «Шарлот» уже пять дней находилась в Северном Ледовитом океане. Присутствие ее в этих водах хранилось в глубокой тайне.

«Шарлот» принадлежала к классу субмарин «Лос-Анджелес», в задачи которых входило «слушать, но не быть услышанными». Турбодвигатели весом в тридцать две тонны были подвешены на пружинных амортизаторах, чтобы исключить малейшую возможную вибрацию. Несмотря на строжайшие требования секретности, из всех разведывательных судов именно подлодки этого класса оставляли на дне самые заметные следы. От носа до кормы субмарина имела триста шестьдесят футов, ее корпус, если его поместить на футбольное поле Национальной футбольной лиги, сломал бы ворота по обеим сторонам. В этом отношении «Шарлот» в семь раз превосходила первую из американских подлодок класса «Холлэнд». Водоизмещение ее составляло 6927 тонн, максимальная скорость — тридцать пять узлов.

Передвигалась субмарина на глубине, где проходит естественная температурная граница, искажающая нормальное отражение сигналов, идущих с поверхности, и это делало подлодку незаметной для надводных радаров. Команда судна составляла сто сорок восемь человек. Максимальная глубина погружения — более тысячи пятисот футов. Субмарина воплощала собой все лучшее, что имелось в распоряжении подводного флота, и служила океанской рабочей лошадкой военно-морских сил Соединенных Штатов. Ее система воспроизводства воздуха, два ядерных реактора, крепость конструкции давали возможность двадцать один раз обогнуть земной шар, ни разу не поднявшись на поверхность. Продукты жизнедеятельности человека, как на большинстве круизных судов, прессовались в тяжеленные блоки и отправлялись в океан — огромные брикеты нечистот, шутливо прозванные «китовым дерьмом».

В сонарной рубке у экрана осциллографа сидел один из лучших в мире специалистов акустики. В мозгу его хранился целый словарь звуков и волновых форм. Он свободно различал по шуму двигателей несколько дюжин российских судов, сотни морских животных и даже одиночные подводные вулканы в районе Японских островов.

Сейчас, однако, он слушал лишь глухое повторяющееся эхо. Звук, хотя и легко различимый, казался совершенно неожиданным.

— Не поверишь, что сейчас идет в мой приемник, — не выдержав, обратился он к помощнику-каталогизатору, передавая тому наушники.

Помощник, послушав пару секунд, изумленно посмотрел на гидроакустика:

— Боже мой! Это же ясно как день! Что будем делать?

Гидроакустик уже разговаривал по телефону с капитаном.

Когда капитан субмарины появился в рубке, гидроакустик вывел сигнал в маленький громкоговоритель.

Капитан внимательно, но бесстрастно слушал.

Бам! Бам! Бам!

Бам... Бам... Бам...

Медленнее. Еще медленнее. Интервалы между сигналами становилось все длиннее. Сами сигналы заметно слабели.

— Координаты? — коротко потребовал капитан.

Техник откашлялся.

— Сэр, звук почти над нами, в трех милях по правому борту.

ГЛАВА 62

Гэбриэл Эш стояла в темном коридоре за дверью гостиной сенатора Секстона. Она дрожала — не столько от усталости и напряжения, сколько от разочарования, от всей той массы негативной информации, которую она получила неожиданно для самой себя. Совещание в соседней комнате продолжалось, но Гэбриэл уже не хотела и не могла слушать. Правда и без того была очевидной.

Сенатор Секстон берет взятки от частных космических компаний. Марджори Тенч говорила истинную правду.

Самым тяжелым было ощущение предательства. Она верила в Секстона. Боролась за него. Да, сенатор порой лгал относительно своей личной жизни, но там дело касалось политики. А здесь он откровенно нарушал закон.

Его еще не избрали, а он уже продает Белый дом!

Гэбриэл понимала, что больше не сможет поддерживать сенатора. Обещание провести законопроект о коммерциализации космоса было дано им с полным презрением и к букве закона, и ко всей демократической системе. Даже если сенатор верил, что таким образом он сможет удовлетворить интересы всех сразу, его обещание, данное авансом, наносило удар по всем правилам политики, заранее отметая любые аргументы конгресса, советников, избирателей и лоббистов. Но еще более важно, что, гарантируя приватизацию космоса, Секстон пролагал дорогу бесконечным нарушениям общепринятого порядка, которые станут следствием подобного откровенного предпочтения поддержки со стороны богатых, контролирующих ситуацию воротил. Честным инвесторам здесь не останется места.

Испытывая едва ли не тошноту, Гэбриэл пыталась решить, что же делать.

Где-то за ее спиной, нарушая тишину коридора, зазвонил телефон. Вздрогнув, Гэбриэл резко повернулась. Звук шел из шкафа в прихожей — звенел сотовый в кармане пальто одного из гостей.

— Простите, друзья, — раздался голос ковбоя, — это меня.

Гэбриэл слышала, как мужчина поднялся. Он идет сюда!.. Она рванулась по коридору в сторону выхода. На полпути свернула налево, в темную кухню. Техасец вышел из гостиной и направился к шкафу. Гэбриэл застыла, скрытая тенью.

Техасец прошел мимо, не заметив ее.

Сквозь бешеный стук собственного сердца девушка слышала, как мужчина роется в шкафу, пытаясь найти свой карман. Наконец он ответил на звонок:

— Да?.. Когда?.. В самом деле? Спасибо. — Техасец отключил телефон и направился обратно в гостиную, по пути громко обращаясь к остальным: — Эй! Включите телевизор! Похоже, Зак Харни проводит срочную пресс-конференцию. В восемь. По всем каналам. Или мы объявили войну китайцам, или Международная космическая станция только что упала в океан.

— Ну, будет за что поднять тост! — ответил кто-то из гостиной.

Все засмеялись.

Гэбриэл почувствовала, как все вокруг закружилось. В восемь пресс-конференция? Значит, Тенч вовсе не блефовала. Она дала ей время как раз до восьми — именно до этой пресс-конференции Гэбриэл нужно было признать свою позорную связь с Секстоном.

«Откажитесь от сенатора, пока не поздно», — настоятельно убеждала Тенч.

Гэбриэл думала, что срок назначен с тем расчетом, чтобы успеть дать информацию в завтрашние газеты, но, выходит, Белый дом сам решил выступить с разоблачениями.

Срочная пресс-конференция! Чем дольше Гэбриэл обдумывала происходящее, тем более странным оно казалось ей. Неужели Харни собирается выступать с подобной информацией? Лично?

В гостиной включили телевизор. На полную мощность. Голос ведущего звучал взволнованно и напряженно:

— Белый дом не представил никаких разъяснений по поводу предстоящей пресс-конференции и обращения президента к нации. Возникает масса слухов и предположений. Некоторые политические аналитики предполагают, что, судя по длительному отсутствию Зака Харни на поле предвыборных баталий, он вполне может объявить о том, что не намерен бороться за второй президентский срок.

Из гостиной донеслись радостные восклицания.

Гэбриэл подумала, что это полная чепуха. Такого быть не может. Учитывая всю грязь, собранную Белым домом и изобличающую основного конкурента, казалось невозможным, что Харни так просто сдастся. Пресс-конференция должна иметь какой-то другой повод. Гэбриэл с ужасом понимала, что ей уже дали знать, какой именно.

Она торопливо посмотрела на часы. Осталось меньше часа. Необходимо срочно принять решение. Она знает, с кем ей нужно поговорить и посоветоваться. Крепче сжав в руке конверт, девушка выскочила из квартиры.

Дежуривший в коридоре охранник обрадовался, увидев ее.

— Слышал оттуда радостные крики. Похоже, вы имели успех.

Гэбриэл лишь быстро улыбнулась и поспешила к лифту.

Уже темнело, и вечер казался необыкновенно тоскливым. Поймав такси, она устроилась поудобнее и постаралась убедить себя в правильности решения.

— Телестудия Эй-би-си, — сказала она водителю, — и, пожалуйста, побыстрее.

ГЛАВА 63

Майкл Толланд лежал на боку, положив голову на вытянутую руку. Он больше не чувствовал ее. Веки страшно отяжелели, но Майкл из последних сил пытался держать глаза открытыми. Он прощался с миром. Сейчас от всего мира остались только вода и лед, да и те в странном, перевернутом положении. Что ж, подходящий конец для дня, в котором все было не таким, каким казалось.

Над плавающей льдиной повисло жуткое спокойствие. И Рейчел, и Корки молчали. Чем дальше они отплывали от шельфового ледника, тем тише становился ветер. Толланд чувствовал, как немеет его тело. Он хорошо слышал свое дыхание. Оно постепенно замедлялось, становясь все слабее. Тело уже не могло бороться с чувством тяжести, которое возникало оттого, что кровь отливала от рук и ног, словно команда стремительно покидала тонущий корабль. Следуя заложенному природой инстинкту, тело пыталось поддержать работу жизненно важных органов и в то же время сохранить сознание.

Толланд знал, что борьба будет проиграна.

Боли уже не ощущалось. Нигде. Эта стадия миновала. Сейчас ему казалось, что его надувают, как шарик. Онемение. Головокружение. Скоро нарушилась первая из рефлекторных функций — моргание, — и взгляд Толланда помутился. Влага, которая обычно циркулирует между хрусталиком и роговицей глаза, начала медленно застывать. Толланд смотрел на расплывчатый контур шельфового ледника Милна, кажущийся белым пятном в призрачном лунном свете.

Майкл чувствовал, как душа его смиряется с неизбежным. Балансируя на границе сознания и обморока, он смотрел на бесконечные океанские волны. Слушал, как поет свою волчью песню ветер.

Начались галлюцинации. Странно, но в последние секунды, перед тем как уйти во тьму, он не грезил о спасении. Не мечтал о тепле и уюте. Последние видения оказались ужасающими.

Возле айсберга, с жутким грохотом вздымая воду, из океанской пучины поднялось чудовище. Огромное, словно мифический морской дракон. Оно приблизилось — скользкое, черное и страшное, все в пене. Толланд заставил себя моргнуть. Зрение немного прояснилось. Зверь был совсем близко. Теперь он бился о льдину, словно огромная акула, атакующая маленький плот. Блестя мокрой кожей, всем своим огромным телом хищник навис над Майклом.

Потом туманный образ померк, и остались лишь звуки. Звук удара металла о металл. Звук зубов, грызущих лед.

Рейчел...

Толланд почувствовал, что его грубо схватили.

И все пропало.

ГЛАВА 64

Гэбриэл Эш поднялась на третий этаж, влетела в студию корпорации Эй-би-си. Но даже в своем нетерпении она двигалась медленнее тех, кто работал здесь сейчас.

Напряженность производственного процесса не ослабевала круглые сутки, но в данный момент разделенная на отдельные отсеки огромная комната выглядела словно фондовая биржа в разгар кризиса.

Редакторы с выпученными глазами что-то кричали друг другу через разделительные барьеры. Репортеры, размахивая факсами, метались от сектора к сектору, сравнивая данные. Замученные практиканты в перерывах между поручениями пожирали «Сникерсы».

Гэбриэл примчалась в Эй-би-си, чтобы встретиться с Иоландой Коул.

Обычно Иоланду можно было найти в привилегированном отсеке этого сумасшедшего дома — в одном из кабинетов со стеклянными стенами, где обитали те, кому по должности полагалось принимать ответственные решения. Считалось, что стеклянные стены позволяют им думать в этом бедламе. Сегодня, однако, Иоланда носилась вместе со всеми, в самой гуще толпы. Увидев Гэбриэл, она издала свой обычный воинственный клич:

— Гэб!

На Иоланде была какая-то причудливая накидка и очки в черепаховой оправе. Как всегда, на ней висело несколько фунтов блестящих украшений, похожих на мишуру рождественской елки. С радостным приветствием Иоланда ринулась навстречу Гэбриэл.

Шестнадцать лет Иоланда работала в корпорации редактором отдела новостей. Полька с веснушчатым лицом, она казалась настоящей матроной, которую все дружно величали «матушкой». Солидная внешность и добродушие уживались с абсолютной жесткостью в отношении работы.

Гэбриэл познакомилась с этой дамой на семинаре «Женщины в политике», который посещала сразу после приезда в Вашингтон. Они болтали о семье Гэбриэл, о том, как сложно в этом городе быть женщиной, и, наконец, об Элвисе Пресли, когда обнаружили, что разделяют страсть к этому кумиру. Иоланда взяла девушку под свое крылышко и помогла со связями. С тех пор Гэбриэл примерно раз в месяц забегала сюда, чтобы немножко поболтать.

Она крепко обняла подругу. Энергия и энтузиазм Иоланды заметно улучшили ее настроение.

Та внимательно посмотрела на Гэбриэл:

— Ты выглядишь так, словно прожила на свете сто лет, девочка! Что с тобой приключилось?

Гэбриэл перешла на шепот:

— У меня крупные неприятности, Иоланда.

— Странно слышать, ведь твой герой явно на подъеме.

— Мы можем где-нибудь поговорить наедине?

— Ты пришла не в самое удачное время, милая. Президент собирается проводить пресс-конференцию уже через полчаса, а мы все еще понятия не имеем, о чем пойдет речь. Я должна обеспечить комментарий эксперта, но пока блуждаю в темноте.

— Я знаю тему пресс-конференции.

Иоланда весьма скептически взглянула поверх очков.

— Гэбриэл, даже наш корреспондент в Белом доме ничего не знает. Ты хочешь сказать, что команда Секстона обладает эксклюзивной информацией?

— Нет, я хочу сказать, что именно я обладаю эксклюзивной информацией. Удели мне пять минут, и я все тебе расскажу.

Иоланда перевела взгляд на красный конверт с печатью Белого дома, который Гэбриэл все еще держала в руке.

— Это же внутренняя документация аппарата президента. Где ты ее раздобыла?

— На частной встрече с Марджори Тенч сегодня днем.

Выражение лица Иоланды изменилось.

— Иди за мной.

Если кабинет со стеклянными стенами можно назвать укромным местом, то именно в этом укромном месте Гэбриэл поделилась с подругой своими переживаниями. Она рассказала о минутной слабости и о вечере, проведенном с сенатором в его кабинете; о том, что Тенч все знает и, хуже того, располагает фотографиями.

Иоланда широко улыбнулась, а потом покачала головой, с трудом сдерживая смех. Она уже давно вращалась в журналистских кругах Вашингтона, поэтому ничто не могло ее шокировать.

— О, Гэб, я уверена, что вас с Секстоном просто поймали на крючок. И неудивительно. Он имеет соответствующую репутацию, а ты очень хорошенькая девушка. Фотографии — это, конечно, плохо. Но я бы не стала из-за них волноваться.

— Не волноваться по поводу фотографий?

Гэбриэл объяснила, что Тенч обвинила Секстона в незаконном получении огромных сумм от частных космических компаний; рассказала и о том, что слышала у сенатора на квартире. Все подтвердилось!

И снова Иоланда не проявила ни удивления, ни волнения. Она оставалась спокойной до той минуты, пока Гэбриэл не поделилась своими планами, рассказав, что собирается предпринять.

Услышав о намерениях подруги, журналистка забеспокоилась:

— Гэбриэл, если ты хочешь официально признать, что переспала с сенатором Секстоном, а потом спокойно стояла рядом с ним перед камерами, когда он открыто врал, отрицая все на свете, — это твое личное дело. Но предупреждаю: шаг дурной. Подумай спокойно и не спеша, представь, что за этим последует.

— Ты не поняла! У меня совсем нет времени!

— Я тебя внимательно выслушала и прекрасно поняла, дорогая. Но независимо от скоротечности времени существуют вещи, которые просто нельзя делать. Ты не должна вмешивать сенатора в скандал, связанный с сексом. Это прямое самоубийство. Еще раз повторяю, девочка: если ты действительно решила открыто сдать кандидата в президенты, то лучше возьми машину и срочно уезжай как можно дальше от Вашингтона и вообще округа Колумбия. Иначе ты сразу окажешься в полной изоляции. Множество людей вкладывают огромные деньги в то, чтобы поднять того или иного человека наверх. В деле замешаны и колоссальные финансовые средства, и власть. Причем такая власть, за которую многие готовы убрать со своего пути каждого, кто пытается помешать.

Гэбриэл молчала.

— Лично мне кажется, — продолжала Иоланда, — Тенч взялась за тебя в надежде, что ты запаникуешь и совершишь какую-нибудь явную глупость, например, признаешься в связи с сенатором. — Журналистка показала на красный конверт: —

Эти снимки, даже если на них действительно ты и Секстон, не имеют ни малейшего веса до тех пор, пока вы не признаете их истинность. Белый дом прекрасно понимает, что если покажет эти бумажки сенатору, тот заявит, что они фальшивые, и просто швырнет их в лицо президенту.

— Я об этом думала, но все-таки дело о взятках во время избирательной кампании...

— Детка, рассуди хорошенько. Если до сих пор Белый дом не выступил с заявлением об этих взятках, значит, и не собирается. Президент решительно настроен против всякого негатива в своей кампании. Мне кажется, он решил замять скандал по поводу космоса и напустил на тебя Тенч, чтобы ты испугалась и признала сексуальную интрижку. То есть стоит задача спровоцировать на удар в спину сенатора кого-то из его же сторонников, а именно тебя.

Гэбриэл задумалась. Журналистка, конечно, говорила дело, и все-таки что-то в ее рассуждениях не складывалось. Гэбриэл показала через стекло на студию, напоминающую пчелиный улей.

— Иоланда, но ведь вы готовитесь к большой пресс-конференции. Президентской. А если президент не собирается говорить ни о взятках, ни о сексе, тогда о чем же?

Казалось, Иоланда не ожидала такого вопроса.

— Подожди. Ты считаешь, эта пресс-конференция имеет что-то общее с вашей с Секстоном интрижкой?

— Или с коррупцией. Или и с тем, и с другим. Тенч предупредила, что времени у меня совсем немного — до восьми вечера. Я должна дать письменные показания, или президент объявит...

Хохот Иоланды потряс стеклянные стены кабинета.

— О, ради Бога!

Но Гэбриэл было не до веселья.

— Что тут веселого?

— Послушай, Гэб, — сквозь смех с трудом проговорила журналистка, — поверь мне: вот уже шестнадцать лет я имею дело с Белым домом. То, о чем ты говоришь, просто невозможно. Ни при каких условиях Зак Харни не поднимет на ноги все мировые службы связи лишь для того, чтобы рассказать о своих подозрениях насчет сенатора Секстона — будь то нелегальные пожертвования, которые он принимает, или интрижка с тобой. Информация, подобная этой, обычно легко просачивается. Популярность президента отнюдь не вырастет, если он нарушит весь запланированный ход вещания лишь для того, чтобы, подобно грязной сплетнице, рассказывать истории насчет предосудительного секса или какого-то туманного нарушения порядка в избирательной кампании.

— Какого-то туманного? — возмутилась Гэбриэл. — Продавать свою позицию в отношении космического законопроекта за миллионы на раскрутку собственной персоны! И это ты называешь туманным нарушением?

— А ты уверена, что он делает именно это? — В голосе журналистки зазвучали жесткие нотки. — Настолько уверена, что даже пришла на национальное телевидение? Подумай-ка хорошенько. В наши дни очень нелегко сделать что-нибудь серьезное. Финансирование кампании вообще крайне запутанное дело. А вдруг эта встреча Секстона вполне легальна?

— Он нарушает закон, — не могла успокоиться Гэбриэл. — Верно?

— Или так тебя заставила думать Марджори Тенч. Сколько стоит мир, столько кандидаты принимают закулисные деньги от крупных корпораций. Вполне возможно, что это не очень красиво, но тем не менее не выходит за рамки закона. В реальной жизни большинство сомнений в законности возникает не по поводу источника средств, а по поводу способа их траты.

Гэбриэл засомневалась. Теперь она вовсе не была уверена в собственной правоте.

— Девочка, ты откровенно попалась на удочку Белого дома. С тобой просто играли. Постарались настроить тебя против твоего шефа. А ты и купилась на весь этот блеф. Если бы мне пришлось искать точку опоры в жизни, то я скорее доверилась бы Секстону, а не прыгала бы с корабля так поспешно, тем более в объятия особы, подобной Марджори Тенч.

На столе Иоланды зазвонил телефон. Она слушала, кивая, ахая, что-то помечая в блокноте.

— Интересно, очень интересно, — наконец ответила она в трубку. — Обязательно буду. Спасибо. — Наконец она повернулась к Гэбриэл: — Ну вот, кажется, тебе не о чем волноваться, как я и предсказывала.

— В чем дело?

— Я еще полностью не уверена в деталях, но могу сказать в общих чертах, что пресс-конференция президента не будет иметь ни малейшего отношения к похождениям сенатора Секстона — ни к финансовым, ни к сексуальным.

Гэбриэл вздохнула почти радостно. Как хочется в это верить!

— Откуда ты знаешь?

— Один сведущий человек только что поведал, что вся суматоха имеет отношение к НАСА.

Гэбриэл резко выпрямилась:

— НАСА?

Журналистка лукаво подмигнула:

— Сегодняшний вечер мог оказаться для тебя решающим. Мне кажется, президент Харни поддался давлению всей этой болтовни Секстона и решил, что Белому дому не остается иного выбора, как только приостановить программу Международной космической станции. Этим и объясняется такой широкий, на весь мир, резонанс.

Гэбриэл с трудом могла представить пресс-конференцию, открыто приговаривающую к смерти космическую станцию.

Иоланда поднялась:

— А насчет твоего разговора с Тенч сегодня днем... Скорее всего это просто последняя попытка взять верх над Секстоном до того, как президент объявит о своей сдаче. Секс-скандал — лучшее средство для отвлечения внимания от неудачи президента. Что бы там ни было, девочка, мне пора приниматься за дело. А тебе добрый совет: налей чашку кофе, и побольше, сядь возле телевизора — прямо здесь, у меня — и посмотри все собственными глазами, как и все прочие граждане нашей великой страны. До начала еще двадцать минут. Уверяю, президент не будет заниматься ерундой. Ему предстоит выступить перед всем миром. И слова его непременно окажутся весомыми и значимыми. — Она улыбнулась. — Ну а теперь дай-ка мне свой злополучный конверт.

— Что?

Иоланда требовательно протянула руку:

— Эти картинки полежат у меня в столе, под замком, до тех пор, пока все не успокоится. Хочу иметь гарантии — вдруг ты все-таки выкинешь какую-нибудь глупость!

Гэбриэл с неохотой протянула конверт.

Журналистка положила страшные фотографии в нижний ящик стола, повернула ключ и спрятала его в карман.

— В итоге ты скажешь мне спасибо. — Иоланда по-матерински ласково взъерошила Гэбриэл волосы. — Сиди спокойно и смотри внимательно. Думаю, новости должны оказаться хорошими.

Гэбриэл осталась в стеклянном ящике в одиночестве. Изо всех сил пыталась она проникнуться оптимистичным настроением подруги. Почему-то ничего не выходило. Вспоминалась лишь довольная улыбка, несколько часов назад гулявшая на отвратительной физиономии Марджори Тенч. Трудно предположить, что именно собирается сообщить городу и миру президент, но почти наверняка новости будут не в пользу сенатора Секстона.

ГЛАВА 65

Рейчел Секстон казалось, что она горит заживо. Шел огненный дождь!

Она попыталась открыть глаза, но все, что удалось различить, — это туманные силуэты и странные слепящие огни. Повсюду вокруг нее шел дождь. Горячий дождь. Он безжалостно обрушился на обнаженную кожу. Рейчел лежала на боку, снизу ее обожгло что-то горячее. Она плотно сжалась в комок, свернулась в позе зародыша, пытаясь хоть как-то защититься от огненного потока. Пахло какой-то химией, может быть, хлором. Рейчел попыталась уползти, но не смогла. Сильные руки удержали ее, взяв за плечи.

— Отпустите! Я сгорю!

Снова и снова инстинктивно пыталась она спастись, но каждый раз сильные руки возвращали ее на место.

— Потерпи! — прозвучал властный мужской голос. Говорил американец, причем явно привыкший отдавать распоряжения. — Не двигайся. Скоро все закончится.

Что скоро закончится? Рейчел ничего не понимала. Боль? Жизнь? Она попыталась рассмотреть хоть что-то. Свет был очень резким. А сама комната, судя по всему, очень маленькой. Тесной, с низким потолком.

— Я сгорю!

Вопль Рейчел — как ей казалось — был всего лишь шепотом.

— Все в порядке, — ответил тот же человек. — Вода просто теплая. Поверь мне.

Рейчел поняла, что почти раздета — на ней лишь промокшее белье. Но это ее вовсе не смутило. Мозг был занят совсем иными вопросами.

Вдруг бурным шквалом нахлынули воспоминания. Ледник. Сканер. Нападение. Кто? И где она сейчас? Она усиленно пыталась сложить воедино разрозненные кусочки мозаики. Мозги работали очень плохо, словно несмазанный двигатель. Неожиданно из тумана выплыла первая четкая мысль: Толланд и Мэрлинсон. Где они? Что с ними?

Рейчел видела только стоявших вокруг людей. Все одеты в одинаковые голубые комбинезоны. Ей хотелось говорить, но губы не подчинялись. Ощущение ожога немного ослабло, но начали накатывать мощные волны боли.

— Потерпи еще немножко, пусть пройдут судороги. Это кровь возобновляет нормальную циркуляцию. — Незнакомец говорил как доктор. — А теперь постарайся как можно резче подвигать руками и ногами.

По телу словно изо всех сил били молотками. Рейчел лежала на кафельном полу, с трудом справляясь с дыханием.

— Двигайся, двигайся! — настойчиво повторил человек. — Терпи. Пусть будет больно.

Она слушалась и делала все, что ей говорят. Каждую секунду будто кто-то втыкал острый нож в мышцы и связки. Поток воды снова стал горячим. Вернулось ощущение ожога. Нестерпимая боль. В тот момент, когда ей казалось, что больше она терпеть не сможет, Рейчел почувствовала укол. Сделали инъекцию? Боль быстро отступала, с каждой секундой становясь слабее. Пропали и судороги. Появилась возможность свободно дышать.

Но пришло новое ощущение — укусы множества иголок. Везде, по всему телу. Острее и острее. Миллионы крошечных жал, с каждым движением ранящих все больнее. Рейчел пыталась лежать неподвижно. Вода продолжала хлестать ее, а стоящий рядом человек держал ее руки, двигая ими.

Господи, как же больно! Сил бороться не было. По лицу текли слезы — она плакала от боли и изнеможения. Потом плотно закрыла глаза, словно отгородившись от жестокого мира.

Наконец укусы иголок начали понемногу ослабевать. Прекратился и обжигающий дождь. Рейчел отважилась открыть глаза. Зрение прояснилось, и она наконец увидела...

Майкл и Корки лежали рядом, корчась и дергаясь, полураздетые и мокрые. Судя по застывшему на их лицах выражению муки, они пережили то же самое. Карие глаза Майкла Толланда казались налитыми кровью, стеклянными. Увидев Рейчел, он слабо улыбнулся, хотя посиневшие губы при этом дрожали.

Рейчел попыталась сесть и разглядеть, где они находятся. Все трое лежали почти вплотную на кафельном полу крохотной душевой.

ГЛАВА 66

Сильные руки подняли Рейчел. Она почувствовала, как несколько человек растирают ее полотенцем и заворачивают в махровую простыню. Потом ее положили на высокую кровать и снова принялись яростно растирать, массируя руки, ноги, все тело. Еще один укол — в руку.

— Адреналин! — прозвучал чей-то голос.

Рейчел почувствовала, как вместе с лекарством по жилам разливается живительная сила, возвращая телу способность двигаться. Хотя внутри еще царила мертвящая пустота, жизнь постепенно брала свое, и кровь начинала циркулировать в нормальном, ровном ритме.

Воскрешение из мертвых.

Она попыталась оглядеться. Неподалеку, на таких же кроватях, завернутые в такие же махровые простыни, лежали Толланд и Мэрлинсон, и их тоже нещадно растирали и разминали. Им тоже сделали уколы. Сомневаться не приходилось — это странное сборище мужчин только что спасло всем троим жизнь. Многие из них промокли до нитки, очевидно, попали под душ, помогая. Кто они такие и каким образом оказались рядом, оставалось загадкой. Да это и не имело сейчас значения. Главное, и Майкл, и Корки живы.

— Где мы? — удалось произнести Рейчел.

Эти два слова дались с невероятным трудом — сразу катастрофически разболелась голова.

Растирающий ее человек ответил по-военному четко:

— Вы находитесь в медицинском отсеке судна класса «Лос-Анджелес»...

Рейчел попыталась сесть, сразу почувствовав оживление вокруг. Один из людей в голубых костюмах начал помогать, поддерживая под спину и натягивая ей на плечи простыню. Рейчел потерла глаза и увидела, что кто-то еще входит в комнату.

Это был чернокожий человек огромного роста и могучего сложения. Красивый и властный. Одетый в форму цвета хаки.

— Вольно! — скомандовал он и направился к Рейчел. Остановился возле кровати и начал пристально рассматривать спасенную. — Гарольд Браун, — наконец произнес он глубоким, хорошо поставленным голосом — было видно, что он привык отдавать распоряжения. — Капитан субмарины Соединенных Штатов Америки «Шарлот». А вы?..

Субмарина «Шарлот», подумала Рейчел. Название казалось смутно знакомым.

— Секстон, — ответила она, — меня зовут Рейчел Секстон.

Капитан, казалось, немного растерялся. Он подошел ближе и принялся разглядывать ее еще внимательнее.

— Черт возьми! И правда, это же вы!

Теперь растерялась Рейчел. Он знает ее? Сама она не могла узнать его, хотя, переведя взгляд с лица на грудь, увидела хорошо знакомую эмблему военно-морских сил: орла, сжимающего якорь.

Теперь понятно, почему название «Шарлот» показалось таким знакомым.

— Добро пожаловать на борт, мисс Секстон, — любезно приветствовал капитан. — Вы не раз составляли для нас сводки донесений разведывательных кораблей. Прекрасно вас знаю.

— Но что вы делаете здесь, в этих водах? — удивилась Рейчел.

Лицо капитана сразу стало жестким и официальным.

— Вообще-то, мисс Секстон, я хотел задать тот же самый вопрос вам.

Толланд медленно сел, собираясь что-то сказать, но Рейчел, решительно покачав головой, заставила его молчать. Не здесь. И не сейчас. Она не сомневалась, что и Толланд, и Корки первым делом начнут говорить о метеорите и нападении. Но это вовсе не та тема, которую следует обсуждать здесь, в присутствии команды подводной лодки. В мире разведки правит закон осторожности. Ситуация вокруг метеорита должна пока оставаться тайной.

— Мне необходимо срочно связаться с начальником НРУ Уильямом Пикерингом, — решительно проговорила Рейчел, обращаясь к капитану. — Один на один и как можно быстрее.

Капитан поднял брови. Он явно не привык получать приказы на своем собственном судне.

— У меня имеется секретная информация, которую необходимо передать немедленно, — объяснила Рейчел.

Капитан пару секунд внимательно смотрел на странную гостью.

— Давайте-ка сначала собьем вам температуру, а уже после я организую связь с мистером Пикерингом.

— Дело очень срочное, сэр. Я...

Рейчел внезапно замолчала. Взгляд ее замер на часах, висящих над белым медицинским шкафом.

19.51.

Рейчел поморгала, не веря собственным глазам.

— Эти часы... они правильно идут?

— Вы на военно-морском судне, мисс Секстон. Наши часы всегда точны.

— И это время... восточное?

— Именно. 19.51 по восточному единому времени. Мы находимся у берегов Норфолка.

Господи, пронеслось в голове у Рейчел, без девяти восемь? А ей казалось, что прошли долгие-долгие часы. Значит, президент еще ничего не сказал о метеорите! Еще можно его остановить!

Она стремительно соскочила с кровати, плотнее завернувшись в махровую простыню. Ноги не слушались.

— Мне прямо сейчас, сию же минуту, необходимо поговорить с президентом!

Казалось, капитан смутился.

— С президентом чего?

— Соединенных Штатов Америки!

— Но вы только что требовали связать вас с Уильямом Пикерингом.

— Нет времени. Мне нужно поговорить с президентом.

Капитан не пошевелился, своей мощной фигурой преграждая ей путь.

— Насколько я знаю, президент сейчас готовится к очень ответственной пресс-конференции. Вряд ли в такую минуту он будет отвечать на частные звонки.

Рейчел как можно тверже уперлась в пол плохо подчиняющимися ногами и посмотрела капитану прямо в глаза:

— Капитан, я вовсе не нуждаюсь в разъяснении ситуации. Президент сейчас может совершить страшную ошибку. А я обладаю информацией, которую он непременно должен получить. Именно сейчас. Поверьте!

Капитан окинул ее долгим пристальным взглядом. Нахмурился, посмотрел на часы.

— Девять минут? За такое короткое время мне не удастся надежно связать вас с Белым домом. Все, что я могу предложить, — это радиотелефон. Причем не защищенный. А кроме того, придется погрузиться на глубину работы антенны, что потребует еще...

— Так делайте же!

ГЛАВА 67

Телефонный коммутатор Белого дома располагался в Восточном крыле, на самом нижнем его уровне. Там постоянно сменяли друг друга команды из трех телефонисток. Сейчас за пультами сидели только две, а третья с радиотелефоном в руке бежала в пресс-центр. С минуту назад она попыталась перевести звонок непосредственно в Овальный кабинет, но выяснилось, что президент уже направился на пресс-конференцию. Телефонистка звонила его помощникам на сотовые, однако перед началом прямой телевизионной трансляции все телефоны и в самом пресс-центре, и вокруг него были отключены, чтобы не мешать проведению важного мероприятия.

Подсунуть телефон президенту в такую минуту казалось делом по меньшей мере сомнительным, тем не менее, когда позвонила ответственная сотрудница Национального разведывательного управления, сообщив, что обладает срочной информацией, которую президент непременно должен получить до выхода в прямой эфир, телефонистка без промедления выскочила из-за пульта. Теперь вопрос заключался лишь в том, успеет ли она добежать до начала передачи.

На борту подводной лодки «Шарлот», в маленьком медицинском кабинете, Рейчел Секстон нетерпеливо прижимала к уху телефонную трубку. Толланд и Корки сидели рядом. Оба еще выглядели неважно. На щеке Мэрлинсона красовались пять швов и огромный синяк. Все трое были одеты в теплое термобелье, тяжелые костюмы военно-морской авиации, шерстяные носки и плотные ботинки. С большой чашкой горячего, хотя и не слишком качественного, кофе Рейчел чувствовала себя почти нормально.

— Что за задержка? — переживал Толланд. — Без четырех восемь!

Промедление выглядело странным. Рейчел удачно связалась с одной из телефонисток Белого дома, объяснила, кто она такая, и подчеркнула, что звонок ее чрезвычайно важен. Телефонистка, казалось, прониклась сочувствием, попросила Рейчел немного подождать, пока ее соединят с абонентом, и теперь, надо полагать, занималась как раз переводом звонка президенту.

Четыре минуты! Рейчел начала нервничать. Быстрее!

Прикрыв глаза, она попыталась собраться с мыслями. Денек выдался такой, что трудно и представить. Теперь вот оказалась не где-нибудь, а на атомной подводной лодке. Удивительно, что вообще жива!.. По словам капитана, субмарина два дня назад патрулировала воды Берингова моря и услышала аномальные подводные звуки, доносящиеся со стороны шельфового ледника Милна: работу сверла, шум реактивных двигателей, множество зашифрованных радиосигналов. Поэтому лодка получила приказ не включать собственные двигатели, залечь на глубине и внимательно слушать. Примерно час тому назад раздался звук, похожий на взрыв. Лодка подошла ближе, чтобы выяснить, в чем дело. Именно тогда гидроакустик и услышал сигналы SOS, которые из последних сил выбивала Рейчел.

— Осталось всего три минуты!

Толланд тревожно взглянул на часы.

Терпение и выдержка Рейчел подходили к концу. Почему так долго? Почему президент не отвечает на звонок? Если Зак Харни выйдет в прямой эфир с теми сведениями, которыми обладает сейчас...

Рейчел попыталась отогнать страшную мысль.

Добежав до главного входа в пресс-центр, телефонистка Белого дома наткнулась на целую толпу сотрудников аппарата. Все возбужденно что-то говорили, шли последние приготовления. В двадцати ярдах впереди стоял президент, уже готовый к выходу. Вокруг него роем вились стилисты.

— Пропустите! — потребовала телефонистка, пытаясь пробиться сквозь толпу. — Срочный звонок президенту. Извините! Пропустите!

— Прямая трансляция через две минуты! — объявил координатор прессы.

Крепко сжимая в руке аппарат, телефонистка пыталась пробиться к президенту.

— Звонок президенту Харни! — задыхаясь, повторяла девушка. — Срочно! Пропустите!

Внезапно на пути выросла непреодолимая преграда. Марджори Тенч. Длинное лицо старшего советника искривилось в неодобрительной гримасе.

— В чем дело? Что произошло?

— У меня срочное дело! — Телефонистка совсем запыхалась. — Звонок президенту.

Тенч, казалось, не поверила.

— Не может быть. Только не сейчас!

— Это Рейчел Секстон. Она говорит, дело очень срочное.

На лицо Тенч опустилась странная тень. Это было скорее недоумение, чем гнев. Марджори внимательно посмотрела на телефон.

— Это же обычная линия. Она может прослушиваться.

— Да, мадам. Она звонит по радиотелефону. Ей нужно срочно побеседовать с президентом.

— Эфир через девяносто секунд! — Тенч смерила телефонистку ледяным взглядом и протянула к трубке костлявую руку. — Дайте телефон.

Сердце телефонистки громко, возбужденно стучало.

— Мисс Секстон хочет поговорить непосредственно с самим президентом. Она даже просила меня задержать пресс-конференцию. Я обещала...

Тенч сделала шаг вперед и зашипела:

— Давайте-ка я объясню вам, что надо делать, а что не надо! Не надо ничего обещать дочери оппонента! Зато следует выполнять мои распоряжения! Уверяю вас, что, пока я не узнаю, в чем дело, вы все равно дальше не пройдете!

Телефонистка взглянула на президента. Его плотным кольцом окружали техники, стилисты, советники, уточняющие последние детали предстоящего выступления.

— Осталось шестьдесят секунд! — раздался голос координатора.

На борту «Шарлот» Рейчел Секстон стремительно мерила шагами тесное пространство. Внезапно в трубке раздался щелчок.

Потом послышался резкий, хрипловатый голос:

— Алло!

— Президент Харни? — дрожащим от волнения голосом спросила Рейчел.

— Марджори Тенч, — поправил голос. — Старший советник господина президента. А кем бы ни были вы, хочу напомнить, что хулиганские звонки в Белый дом нарушают...

— Ради Бога! Это вовсе не хулиганство! Говорит Рейчел Секстон. Я сотрудница службы связи с разведкой и...

— Я прекрасно знаю, кто такая Рейчел Секстон. А потому очень сомневаюсь, что вы — это она. Вы позвонили в Белый дом по открытой линии и потребовали задержать весьма важную пресс-конференцию президента. Подобный поступок не соответствует...

— Послушайте, — вспылила Рейчел, — пару часов назад я выступала перед аппаратом Белого дома, рассказывая о метеорите. А лично вы сидели в первом ряду. И наблюдали за моим выступлением по телевизору, стоящему на столе президента. Было такое?

Тенч несколько секунд помолчала.

— Мисс Секстон, что все это значит?

— Это значит, что необходимо как можно быстрее остановить президента! Данные о метеорите — ложные! Нам только что стало известно, что метеорит был искусственно помещен в лед — введен снизу. Не знаю, кто это сделал и зачем. Все обстоит совсем не так, как кажется с первого взгляда. Президент сейчас сообщит заведомо неверные сведения. А потому я...

— Подождите-ка! — Тенч понизила голос, перейдя почти на шепот. — Вы хоть понимаете, что говорите?

— Да, понимаю! Подозреваю, что администратор НАСА затеял крупное мошенничество. Во всяком случае, задержите пресс-конференцию минут на десять, пока я объясню мистеру Харни, в чем дело. Ведь кто-то всерьез пытался нас убить! Это не шутки!

В голосе Тенч зазвучали ледяные нотки.

— Мисс Секстон, позвольте предупредить. Если вы засомневались, стоит ли поддерживать Белый дом в этой кампании, то надо было подумать об этом задолго до того, как лично и от лица президента подтверждать данные о метеорите.

— Что вы говорите?

Рейчел поняла, что Марджори Тенч не хочет ни слушать, ни понимать ее.

— Ваше поведение омерзительно. Звонок по незащищенной линии — дешевый трюк. Данные о метеорите фальшивые? Кто из сотрудников разведки использует радиотелефон для того, чтобы звонить в Белый дом и сообщать секретную информацию? Нет сомнений, что вы делаете это нарочно, чтобы кто-нибудь услышал ваши слова.

— Погибла Нора Мэнгор! И доктор Мин мертв. Вы должны известить...

— Хватит! Не знаю, к чему вы клоните, но предупреждаю и вас, и любого, кто подслушивает сейчас наш разговор: Белый дом располагает записанными на видеопленку свидетельствами виднейших ученых НАСА, нескольких крупнейших независимых специалистов и вашим собственным комментарием, мисс Секстон. Все в один голос подтверждают истинность данных, полученных космическим агентством. И можно лишь догадываться, почему вы вдруг передумали, изменив свое мнение. В чем бы ни заключалась причина подобных действий, с этой минуты считайте себя отстраненной от всего, что связано с этим открытием. А если попытаетесь запятнать его еще хоть одной грязной уловкой, уверяю: НАСА и Белый дом выдвинут вам обвинение в оскорблении чести и достоинства. Причем так быстро, что вы не успеете даже сложить чемодан, отправляясь в тюрьму!

Рейчел открыла было рот, чтобы произнести хоть что-нибудь в свою защиту, но слова никак не складывались в предложения.

— Зак Харни проявил по отношению к вам щедрость и благородство, — продолжала наседать Тенч. — Честное слово, все это сильно отдает фарсом в духе сенатора Секстона. Оставьте свои шутки немедленно, а не то мы подадим в суд. Уверяю, что так оно и будет.

Линия отключилась.

Когда капитан постучал в дверь, Рейчел все еще стояла с открытым ртом.

— Мисс Секстон, — осторожно позвал он, — нам удалось поймать слабый сигнал Канадского национального радио. Президент Зак Харни только что начал пресс-конференцию.

ГЛАВА 68

Зак Харни стоял на трибуне в пресс-центре Белого дома. Он ощущал жар софитов и знал, что в эту минуту на него смотрит весь мир. Те, кто почему-то не услышал о важном предстоящем событии по радио, по телевизору или не прочел в Интернете, все равно узнали — от соседей, коллег, членов семьи. Так что к восьми вечера каждый, кто не жил в пещере в полном одиночестве, размышлял о теме президентского обращения. В кафе, барах, гостиных всего мира миллионы людей приникли к экранам телевизоров, не скрывая волнения.

Именно в такие моменты, стоя лицом к лицу со всем миром, Зак Харни особенно ясно ощущал груз возложенного на него бремени. Те, кто утверждает, будто власть не наркотик, просто никогда не имели ее и не ощущали ее мощной притягательной силы. Однако сейчас, начиная выступление, Харни внезапно почувствовал скованность. Он не относил себя к людям, подверженным страху сцены. Тем более испугало его странное ощущение неуверенности, дурное предчувствие, которое нахлынуло так неожиданно.

Он постарался убедить себя, что дело просто в многомиллионности сегодняшней аудитории. И все же, несомненно, присутствовало что-то еще. Инстинкт. Нечто совсем неожиданное.

Это была такая малость, и все же...

Он приказал себе забыть, не обращать внимания. Но не мог.

Тенч!

Несколько мгновений назад, готовясь выйти под свет софитов, он заметил, что в желтом фойе Марджори Тенч разговаривает по беспроводному телефону. Это само по себе выглядело странно, но еще более странным казалось присутствие рядом штатной телефонистки Белого дома. Та стояла с белым от напряжения и волнения лицом. Харни не мог расслышать, о чем шла речь, однако видел, что тема вызвала у советницы недовольство. Тенч отчитывала невидимого собеседника с яростью и злобой, вовсе ей не свойственными, даже при ее авторитарности и резкости. Президент выдержал паузу, а потом вопросительно взглянул на советницу.

В ответ Тенч подняла оба больших пальца, показывая, что дела обстоят прекрасно. Ни разу в жизни он не замечал за ней этого жеста. Именно он стал последним, что видел Зак Харни перед выходом на трибуну.

На острове Элсмир, в пресс-центре НАСА, на голубом ковре, в центре длинного стола президиума сидел администратор Лоуренс Экстром. По обе стороны от него разместились служащие космического агентства и ученые. Перед ними высился огромный монитор, показывающий президента.

Остальные сотрудники столпились возле других мониторов. Они с волнением наблюдали, как президент начал пресс-конференцию.

— Добрый вечер, — произнес Харни. Голос его звучал непривычно напряженно. — Добрый вечер и моим согражданам, и нашим друзьям во всем мире...

Экстром взглянул на огромную обугленную глыбу, стоявшую напротив него. Потом перевел глаза к боковому монитору, на котором увидел себя и своих коллег на фоне огромного

американского флага и логотипа НАСА. Яркое немилосерд-
ное освещение превращало происходящее в подобие постмо-
дернистской картины. Двенадцать апостолов на тайной вечере. Зак Харни превратил мероприятие в политическое шоу. Но
ведь у него не было выбора.

Экстром ощущал себя телепроповедником, пакующим Господа в красивую обертку — на потребу широким массам.

Примерно через пять минут президент начнет представлять
зрителям и самого Экстрома, и сотрудников НАСА. А потом с
помощью мощной спутниковой связи они присоединятся к
президенту, чтобы с самой вершины мира оповестить всех о
важном событии. После короткого отчета о том, как именно
было сделано открытие и что оно означает для космической
науки, после традиционных взаимных комплиментов президент и НАСА предоставят слово широко известному и всеми
любимому ученому Майклу Толланду. Его документальный
фильм займет не меньше пятнадцати минут. После этого, когда доверие и энтузиазм зрителей вырастут до крайней степени, Экстром вместе с Харни пожелают всем доброй ночи и
пообещают держать человечество в курсе событий, регулярно
проводя пресс-конференции.

Экстром сидел перед камерами, дожидаясь своей очереди.
В душе его рос едкий, давящий стыд. Он знал, что так все и
случится. Ожидал этого.

Но ведь он лгал. Поддерживал обман.

Однако ложь сейчас отступила на второй план. Тяготил
другой, куда более мрачный груз.

Гэбриэл Эш стояла в студии Эй-би-си в толпе совершенно
незнакомых людей, объединенных общим чувством ожидания:
все взгляды были направлены к свисающим с потолка мони-
торам. Вот наконец настал торжественный момент. Мгновенно воцарилась полная тишина. Гэбриэл прикрыла глаза, умоляя высшие силы не дать ей увидеть на экране собственное
обнаженное тело.

В гостиной сенатора Секстона царило взволнованное
оживление. Гости поднялись с дивана и теперь стояли, не
отрывая глаз от огромного экрана дорогого, самого совре-
менного телевизора.

Зак Харни обращался ко всему миру. Странно, но приветствие его выглядело каким-то скованным и неловким. Да и в манере поведения президента ощущалась неуверенность.

Секстон подумал, что оппонент ведет себя совершенно нехарактерным для него образом.

— Посмотрите-ка, — прошептал кто-то из гостей. — Кажется, у него плохие новости.

Секстон пытался отгадать, в чем дело. Космическая станция?..

Харни посмотрел прямо в камеру и глубоко вздохнул.

— Друзья мои, — начал он, — вот уже много дней я раздумываю, как лучше объявить об этом...

Сенатор мысленно подсказал ему, что все может уместиться в три простых слова: «Мы ее взорвали».

Какое-то время Харни рассуждал о том, как неудачно получилось, что НАСА приобрело такую значимость в его избирательной кампании, и что поэтому он считает необходимым начать свое сообщение с извинений.

— Я бы предпочел для этого сообщения любой иной исторический момент, — заявил он. — Накал политических страстей изменяет нас, даже мечтателей превращая в скептиков. И все-таки, оставаясь вашим президентом, я должен рассказать вам то, о чем сам узнал совсем недавно. — Он улыбнулся. — Очевидно, волшебство космоса никак не соотносится с земным, человеческим расписанием... даже с расписанием президента.

Все, кто находился сейчас в гостиной Секстона, невольно воскликнули почти в унисон:

— Что?

— Две недели назад, — продолжал Харни, — новый орбитальный полярный спутник — сканер плотности, состоящий на вооружении НАСА, проходил над островом Элсмир и шельфовыми льдами Милна. Остров этот представляет собой очень отдаленный земной массив, расположенный выше восьмидесятой параллели, в Северном Ледовитом океане.

Секстон и его гости смущенно переглянулись.

— Так вот, — продолжал Харни. — Спутник обнаружил большой камень с высокой плотностью вещества, погребенный под слоем льда толщиной в двести футов. — Впервые за все это время президент позволил себе улыбнуться. Наконец-то он оседлал волну. — Получив эти данные, НАСА сразу заподозрило, что сканер обнаружил не что иное, как метеорит.

— Метеорит? — презрительно выдавил Секстон. — Это такая важная новость?

— НАСА направило туда команду исследователей, чтобы взять образцы породы. Именно тогда и было сделано это... — Он выдержал паузу. — Если говорить прямо, было сделано открытие века.

Секстон непроизвольно шагнул поближе к экрану.

— Черт! — воскликнул кто-то из гостей.

Остальные неловко переглянулись.

— Леди и джентльмены, — провозгласил президент Харни, — несколько часов назад сотрудникам НАСА удалось вытащить из арктического льда метеорит весом в восемь тонн. Он содержит... — Президент снова помолчал, давая жителям всех континентов возможность в предвкушении сенсации прильнуть к экранам. — Метеорит содержит окаменелости живых организмов. Десятки. Неоспоримое доказательство существования жизни вне Земли.

За спиной президента на огромном экране появилось четкое изображение отпечатка крупного, похожего на жука существа.

В гостиной Секстона все шестеро предпринимателей буквально подпрыгнули, изумленно раскрыв глаза. Сам сенатор замер в неподвижности.

— Друзья мои, — проникновенно продолжал президент, — окаменелостям, изображения которых вы видите за моей спиной, сто девяносто миллионов лет. Они находятся в осколке метеорита, названного Юнгерсольским, который упал в Северный Ледовитый океан почти три века назад. Новый мощный спутник НАСА обнаружил фрагмент метеорита, застрявший в леднике. И само космическое агентство, и администрация Белого дома последние две недели самым тщательным образом проверяли все малейшие детали открытия, прежде чем обнародовать его. В следующие полчаса вы услышите свидетельства многих специалистов НАСА и независимых гражданских экспертов, а также увидите небольшой документальный фильм, созданный ученым, которого вы прекрасно знаете и любите. Но прежде чем мы продолжим сегодняшнюю встречу, я должен представить вам человека, энергия, знания и труд которого и сделали возможным этот исторический момент. С огромным уважением я называю имя администратора НАСА Лоуренса Экстрома.

С этими словами Харни театрально повернулся к экрану за его спиной.

Изображение метеорита моментально уступило место когорте специалистов НАСА, сидящих за длинным столом по обе стороны от возвышающейся в центре огромной фигуры Лоуренса Экстрома.

— Благодарю вас, господин президент, — сдержанно, но гордо произнес Экстром, поднимаясь и глядя прямо в камеру. — Мне очень приятно разделить со всеми землянами этот самый прекрасный в истории НАСА миг.

Потом администратор увлеченно и страстно рассказывал о работе космического агентства, о том, как именно произошло историческое открытие. Воспевая американский патриотизм и триумфальное достижение, он плавно, очень логично подвел рассказ к документальному фильму, в котором ведущим выступал независимый эксперт, знаменитый ученый и любимец телезрителей Майкл Толланд.

Сенатор Секстон не выдержал. Он упал на колени перед телевизором, вцепившись в свою пышную серебристую шевелюру.

— Нет! О Господи! Только не это!

ГЛАВА 69

Смертельно бледная Марджори Тенч стремительно покинула пресс-центр, где воцарилась атмосфера радостного оживления, и быстрым шагом направилась к себе, в дальний конец западного крыла. Ей не хотелось ни праздновать, ни радоваться. Звонок Рейчел Секстон оказался весьма некстати. Он выбил ее из колеи.

Тенч с силой захлопнула дверь своего кабинета, подошла к столу и набрала номер телефонного узла Белого дома.

— Мне срочно нужен Уильям Пикеринг. Директор НРУ.

Закурив сигарету, старший советник президента начала нервно мерить шагами маленькую комнату, ожидая, пока ее соединят. Обычно по вечерам Пикеринг уходил домой, но сегодня, в связи с шумихой вокруг пресс-конференции, вполне мог остаться в рабочем кабинете, приклеившись к экрану телевизора. В мире происходило нечто, о чем даже директор Национального разведывательного управления не имел ни малейшего понятия.

Тенч проклинала себя за то, что не послушала собственного внутреннего голоса, когда президент сообщил, что собирается послать на ледник Милна именно Рейчел Секстон. Советница восприняла этот шаг как риск, в котором не было ни малейшей необходимости. Однако доводы президента звучали убедительно: он объяснил, что сотрудники аппарата за последние две недели настолько разуверились в нем самом и его действиях, что могут не поверить сообщению, исходящему из Овального кабинета. Случилось именно так, как и обещал Харни: подтверждение Рейчел Секстон приглушило все подозрения, остановило скептиков и спорщиков и заставило сотрудников Белого дома поддержать президента. Это действительно была неоценимая помощь. И вдруг сейчас эта самая Рейчел Секстон сменила песню.

Чертова сучка позвонила по незащищенной линии.

Она хотела посеять сомнения в достоверности открытия. Единственным утешением служило то, что президент записал ее выступление перед сотрудниками на видеомагнитофон. Слава Богу! Хоть небольшая, но страховка. Появлялись серьезные опасения, что она может понадобиться.

Но сейчас Тенч собиралась разделаться с этой головной болью иным способом. Рейчел Секстон, несомненно, умная женщина; если она действительно собралась атаковать в лоб Белый дом и НАСА, то обратится к сильным возможным союзникам. И первым таким союзником, как подсказывала логика, она сочтет Уильяма Пикеринга. Тенч прекрасно знала, как относится директор НРУ к НАСА. А потому она должна поговорить с ним раньше, чем это сможет сделать его ретивая сотрудница.

— Мисс Тенч? — послышался далекий голос. — Уильям Пикеринг слушает. В связи с чем такая честь?

Тенч слышала, как в его кабинете работает телевизор — НАСА комментировало открытие. По голосу и интонациям Пикеринга было понятно, что пресс-конференция произвела на него большое впечатление.

— У вас есть свободная минутка, директор?

— А я-то полагал, что вы целиком уйдете в празднование. Великий вечер для всех вас! Похоже, что НАСА и президент снова на коне.

В голосе директора звучало неприкрытое изумление. К нему примешивался оттенок желчности — несомненно, из-за того, что человек этот терпеть не мог узнавать новости одновременно с остальным миром.

— Хочу попросить прощения, — начала Тенч, пытаясь сразу перебросить мост через пропасть. — НАСА и президент были вынуждены держать вас в неведении.

— Но вы же в курсе, — раздраженно произнес Пикеринг, — что еще две недели назад НРУ засекло деятельность НАСА в этом районе и послало запрос.

Тенч нахмурилась:

— Да, я знаю. И все же...

— НАСА заявило, что проводит учения в экстремальных условиях. Испытывает оборудование или что-то в этом роде. — Пикеринг выдержал паузу. — Нам пришлось принять эту ложь.

— Давайте все-таки не будем называть это ложью, — возразила Тенч. — Скорее, более подходящим является выражение «необходимая дезинформация». Учитывая масштаб открытия, вы, конечно, понимаете потребность НАСА держать все в тайне.

— От широкой публики — может быть.

Жалобы не входили в обычный репертуар Пикеринга, и Тенч поняла, что он уже израсходовал запас своих обид.

— К сожалению, у меня не так много времени, — переключилась она, пытаясь вернуть себе инициативу в разговоре. — Я лишь хотела предупредить вас.

— Предупредить меня? — Пикеринг, несомненно, поморщился. — О том, что Зак Харни решил назначить нового, симпатизирующего НАСА директора НРУ?

— Разумеется, нет. Президент прекрасно понимает, что ваша нелюбовь к НАСА проистекает исключительно из стремления к безопасности, и искренне пытается устранить все недоразумения в этой сфере. Нет, дело не в этом. Речь идет об одной из ваших подчиненных. — Тенч выдержала красноречивую паузу. — Рейчел Секстон. Вы сегодня вечером уже разговаривали с ней?

— Утром по просьбе президента я отправил ее в Белый дом. Вы, очевидно, загрузили ее работой. Она еще не появилась и даже не звонила.

Тенч почувствовала облегчение. Ей удалось прорваться первой.

— Мне кажется, что скоро она вам позвонит.

— Хорошо. Я как раз с нетерпением жду этого момента. Должен сказать, когда началась пресс-конференция, у меня мелькнуло подозрение, что Зак Харни убедил мисс Секстон участвовать в этом шоу публично. И очень рад, что она сумела противостоять его напору.

— Зак Харни — приличный человек, — возразила Тенч, — чего, однако, не могу сказать о мисс Секстон.

На линии повисла долгая напряженная пауза.

— Хочу надеяться, что или не расслышал, или неправильно понял вас.

Тенч тяжело вздохнула:

— Боюсь, вы поняли меня именно так, как надо. Не хотелось бы вдаваться в подробности по телефону, но, судя по всему, мисс Секстон решила дискредитировать и это открытие НАСА, и деятельность агентства в целом. Понятия не имею, почему и зачем, но после того, как сегодня днем она собственными глазами все увидела, а потом открыто подтвердила все данные, ваша сотрудница вдруг решила изменить свою позицию и начала изрекать в адрес космического агентства самые оскорбительные и невероятные обвинения. Она приписывает НАСА мошенничество и предательство.

Пикеринг встрепенулся:

— Прошу прощения?

— Да, это неприятно и звучит шокирующе. Очень плохо, что сообщать об этом вам приходится именно мне... Дело в том, что мисс Секстон позвонила за две минуты до пресс-конференции и потребовала все отменить.

— На каком основании?

— Честно говоря, ее доводы звучали абсурдно. Она утверждала, что обнаружила в данных НАСА существенные изъяны.

Долгое молчание Пикеринга оказалось более красноречивым, чем хотелось бы Марджори Тенч.

— Изъяны? — наконец переспросил он.

— После двух недель упорной работы НАСА это звучит смешно и...

— Я не сомневаюсь в одном. Если женщина, подобная Рейчел Секстон, советует отложить пресс-конференцию президента, у нее, несомненно, есть на то самые веские основания. — Пикеринг не на шутку встревожился. — На вашем месте я бы последовал ее совету.

— О, ради Бога! — закашлявшись, воскликнула Тенч. — Вы же своими глазами видели пресс-конференцию. Информация о метеорите проверена и перепроверена множеством самых разных специалистов, в том числе и независимых. Не кажется ли вам подозрительным тот факт, что дочь человека, которому это открытие вредит напрямую, внезапно изменила тон?

— Это кажется мне подозрительным лишь потому, мисс Тенч, что я прекрасно знаю об отношениях мисс Секстон с отцом — они едва общаются. И я просто не могу представить, почему Рейчел после стольких лет работы на президента вдруг решила перейти в другой лагерь. Тем более начать лгать в поддержку сенатора.

— Может быть, дело в честолюбии? Я, право, не знаю. Возможность стать первой дочерью... — Тенч замолчала.

Голос Пикеринга изменился, став резким и холодным.

— Слишком прямолинейно, мисс Тенч. Слишком.

Тенч нахмурилась. Но, собственно, чего она ожидала? Попыталась обвинить видную сотрудницу НРУ в измене президенту. Понятно, что руководитель начнет защищаться.

— Дайте ей трубку, — потребовал Пикеринг. — Я хочу сам поговорить с мисс Секстон.

— Боюсь, это невозможно, — ответила Тенч. — В Белом доме ее нет.

— Так где же она?

— Сегодня утром президент послал ее на ледник Милна, чтобы дать возможность все увидеть своими глазами. Она еще не вернулась оттуда.

Пикеринг рассвирепел:

— И меня не поставили в известность?!

— Директор, у меня очень мало времени. Некогда залечивать вашу раненую гордость. Я позвонила только из любезности. Просто хотела предупредить, что Рейчел Секстон решила занять собственную позицию в отношении сегодняшнего сообщения. Ей потребуются союзники. Если она позвонит вам, помните, что Белый дом располагает видеозаписью, на которой эта дама сама рассказывает об открытии, подтверждая его перед всеми сотрудниками администрации Белого дома. И если теперь вдруг по каким-то соображениям она собирается очернить доброе имя президента или НАСА, то, уверяю, падать ей придется жестко и больно. Белый дом позаботится об этом. —

Тенч помолчала, чтобы дать собеседнику время осознать услышанное. — А в ответ на свою любезность я хотела бы получить сообщение сразу, как только мисс Секстон свяжется с вами. Поскольку она нападает непосредственно на президента, мы намерены задержать ее для дознания — пока она не успела натворить крупных неприятностей. Так что жду звонка, директор. Это все. Доброго вечера.

Марджори Тенч повесила трубку. Определенно, таким тоном с Уильямом Пикерингом не разговаривал никто и никогда. Но теперь по крайней мере он не будет сомневаться в серьезности ее намерений.

Уильям Пикеринг, стоя у окна в кабинете на самом верхнем этаже здания Национального разведывательного управления, смотрел в темноту. Разговор с Марджори Тенч оставил очень неприятный осадок. Хотелось все обдумать, составить целостную картину происшедшего.

— Господин директор! — В кабинет, постучав, заглянула секретарша. — Вас опять к телефону.

— Не сейчас, — рассеянно произнес Пикеринг.

— Это Рейчел Секстон.

Директор стремительно обернулся. Да, Тенч видит все насквозь.

— Конечно! Соедините. Немедленно.

— Сэр, связь закодированная. Перевести звонок в конференц-зал?

— Закодированная? Откуда же она звонит?

Секретарша сказала откуда.

Пикеринг застыл. Потом, не успев прийти в себя, поспешил вниз, в конференц-зал.

ГЛАВА 70

Звуконепроницаемая камера подводной лодки «Шарлот», сконструированная по образцу аналогичных камер фирмы «Белл», официально называлась безэховой комнатой. Акустически чистое помещение не имело отражающих поверхностей и поглощало до девяноста девяти и четырех десятых процента звуков. Из-за высокой звукопроводимости металла и воды разговоры на борту могли прослушиваться как всеми вокруг, у кого длинные уши, так и шпионскими микрофонами, оставшимися незамеченными на внешнем корпусе. Безэховая комната представляла собой крошечную камеру в подлодке. Из нее не просачивался ни единый звук. А значит, все разговоры внутри этого замкнутого пространства оставались в абсолютном секрете.

Выглядела камера подобно встроенному шкафу, потолок и стены которого были покрыты бугристым пористым материалом. Своеобразные короткие шипы со всех сторон направлялись к центру. Рейчел невольно представила тесную подводную пещеру с буйно разросшимися сталагмитами и сталактитами, заполнившими всю поверхность. Самым неприятным, однако, оказалось отсутствие привычного пола. Его заменяла туго натянутая, с мелкими ячейками сетка, подобная рыбацкой сети. Из-за этого у находящегося в комнате человека возникало впечатление, что он висит в воздухе. Посмотрев вниз, Рейчел представила, будто по подвесному мосту переходит странную сюрреалистическую пропасть. Внизу, на расстоянии примерно трех футов, настоящий пол был покрыт сталагмитами, зловеще нацелившимися вверх.

Войдя в камеру, Рейчел моментально ощутила полную безжизненность заполнявшего ее воздуха. Точно из странного шкафа выкачали всю энергию. Уши моментально будто закупорились ватой. Лишь в голове слышалось собственное дыхание. Рейчел издала звук, чтобы попробовать акустику, и он тут же словно ушел в подушку. Стены целиком поглощали малейшие колебания, оставляя только те, что происходили внутри черепа.

Капитан вышел, плотно закрыв за собой обитую тем же странным звукопоглощающим материалом дверь. Рейчел, Толланд и Корки уселись за маленький стол в форме буквы «U», металлические ножки которого уходили вниз, под сетку. На столе смотрели в разные стороны несколько микрофонов, укрепленных на длинных подвижных стержнях, лежали несколько пар наушников. На стене, немного выше стола, светился монитор. Приглядевшись внимательнее, на нем можно было рассмотреть маленький глазок телекамеры. Все выглядело словно миниатюрный зал заседаний ООН.

Как человек, работающий в системе разведки США, среди людей, прекрасно разбирающихся в лазерных микрофонах, подводных параболических прослушивающих устройствах и других сверхчувствительных шпионских приборах, Рейчел знала, что на земле осталось очень немного мест, где можно говорить, не опасаясь чужих ушей. Безэховая комната представляла собой одно из них. Микрофоны и наушники обеспечивали возможность свободного общения, а звуковые волны не покидали пределов комнаты. Слова же, сказанные в микрофон, оказывались моментально закодированными и в таком виде отправлялись в долгий путь к адресату.

— Проверка уровня. — В наушниках внезапно раздался голос, заставив троих сидящих в комнате подпрыгнуть от неожиданности. — Вы меня слышите, мисс Секстон?

Рейчел наклонилась к микрофону:

— Да, слышу хорошо.

Она действительно прекрасно слышала, хотя и понятия не имела, с кем говорит.

— Установлена связь с мистером Пикерингом. Сейчас он подойдет к аппарату. Я отключаюсь.

Линия замерла. Затем в наушниках возникло какое-то слабое жужжание, а после — серия щелчков и гудков. Внезапно до странности ярко вспыхнул монитор, и все трое увидели Пикеринга. Директор НРУ сидел в конференц-зале. Он был один. Резко подняв голову, он посмотрел Рейчел в глаза.

Увидев знакомое лицо, она сразу почувствовала облегчение.

— Мисс Секстон, — директор заговорил первым, — ради Бога, что происходит?

— Метеорит, сэр, — коротко ответила Рейчел. — Боюсь, нас ожидают очень серьезные проблемы.

ГЛАВА 71

В тесном замкнутом пространстве безэховой комнаты субмарины «Шарлот» Рейчел Секстон представила директору своих коллег и одновременно товарищей по несчастью — Майкла Толланда и Корки Мэрлинсона. После этого она быстро, сжато, но очень точно описала всю невероятную цепочку событий сегодняшнего дня.

Директор НРУ сидел совершенно неподвижно и внимательно слушал.

Рейчел поведала о биолюминесцентном планктоне в метеоритной шахте, вылазке ученых и неприятном открытии — шахте с соленым льдом. О неожиданном нападении вооруженных, фантастически экипированных людей, принадлежащих, как она подозревала, к силам специального назначения.

Уильям Пикеринг славился необычайной способностью выслушивать самую неприятную и пугающую информацию, ничем не проявляя своих чувств. Но сейчас, по мере развития событий в рассказе Рейчел, взгляд его становился все более и более тревожным. Рассказывая об убийстве Норы Мэнгор и собственных мытарствах, лишь чудом не закончившихся гибелью, она наблюдала за тем, как все больше мрачнеет ее несокрушимый начальник. Ей очень хотелось высказать подозрения насчет роли во всей этой истории администратора НАСА, однако Рейчел слишком хорошо знала Пикеринга, чтобы не показывать пальцем на кого бы то ни было без достаточных к тому оснований. Поэтому она и выбрала путь точной, бесстрастной передачи одних лишь фактов, воздерживаясь от малейших комментариев и оценок. Она рассказала все — от начала до конца.

Наступило молчание. Несколько секунд Пикеринг не произносил ни слова.

Потом он заговорил, словно собравшись с мыслями и с силами.

— Мисс Секстон, — произнес он, — и все вы... — Пикеринг обвел взглядом небольшую компанию за столом. — Если услышанное мной сейчас правда, а я не вижу ни малейшей причины полагать, что это ложь, вам очень повезло, что вы остались в живых.

Трое молча кивнули. Да. Президент собрал четырех гражданских специалистов... двое из них уже мертвы.

Пикеринг тяжко вздохнул, словно не зная, что говорить дальше. События казались невероятными, не поддающимися логике.

— Существует ли хоть малейший шанс, — наконец промолвил он, — что шахта, обнаруженная сканером, имеет естественное происхождение?

Рейчел решительно покачала головой:

— Нет, она слишком ровная. — Развернув еще мокрую распечатку результатов сканирования, она поднесла ее поближе к камере: — Вот смотрите. Она идеально прямая.

Пикеринг внимательно изучил бумагу и кивнул в знак согласия.

— Не выпускайте это из рук.

— Я позвонила Марджори Тенч, просила ее задержать президентскую пресс-конференцию, — продолжила Рейчел. — Но она меня резко осадила. Вернее, заткнула мне рот.

— Знаю. Она мне это уже сказала.

Рейчел удивленно подняла брови:

— Вам звонила Марджори Тенч? Быстро сработала!

— Да, только что. Она очень озабочена и расстроена. Считает, что вы затеваете какую-то игру, чтобы дискредитировать и президента, и НАСА. Возможно, для того, чтобы помочь отцу.

Рейчел встала. Помахала в воздухе распечаткой и кивнула в сторону ученых:

— Нас едва не убили! Это что, похоже на трюк? И с какой стати мне...

Пикеринг поднял руки:

— Ну-ну. Успокойтесь. Тенч не сообщила мне о том, что вас там трое.

Рейчел не могла вспомнить, успела ли она вообще упомянуть в разговоре с Тенч имена Толланда и Мэрлинсона.

— Не сказала она и о том, что вы располагаете подтверждением своих сведений, — продолжал Пикеринг. — До разговора с вами я скептически относился к ее претензиям, а сейчас уже полностью уверен в том, что она ошибается. Ваши показания невозможно поставить под сомнение. Вопрос лишь в том, что все это означает.

Воцарилось долгое молчание.

Уильям Пикеринг редко выглядел растерянным, однако сейчас он качал головой, явно не зная, что сказать.

— Давайте на мгновение предположим, что кто-то действительно внедрил в толщу льда метеорит. Сразу возникает классический вопрос: зачем? Если НАСА располагает настоящим метеоритом с окаменелостями, то какая разница агентству или кому-то другому, заинтересованному в деле, где он был найден?

— Кажется, — ответила Рейчел, — метеорит внедрили для того, чтобы спутниковый сканер смог его обнаружить. А потом его можно было бы выдать за фрагмент уже известного космического тела.

— Юнгерсольского метеорита, — подсказал Корки.

— Но какой смысл связывать этот камень с чем-то уже известным? — возразил Пикеринг. Говорил он сейчас настолько резко, что могло показаться, будто директор не на шутку разъярен. — Разве окаменелости сами по себе не являются поразительным открытием — независимо от времени и места? И независимо от того, с каким космическим телом они связаны?

Все трое согласно кивнули.

Пикеринг замялся. Лицо его приняло еще более недовольное выражение.

— Если, конечно...

Рейчел понимала, что начальник напряженно обдумывает ситуацию. Он быстро сформулировал самое простое объяснение необходимости связать метеорит с уже известным явлением. Но эта самая простая версия была и самой тревожной, даже пугающей.

— Если, конечно, — продолжил он, — эта связь не призвана окрасить в яркие цвета достоверности фальшивые данные. — Пикеринг тяжело вздохнул и повернулся к Корки: — Доктор Мэрлинсон, какова вероятность того, что этот метеорит подделка?

— Подделка, сэр?

— Да. Фальшивка. Сделанная специально, чтобы ошеломить избирателей...

— Фальшивый метеорит? — Корки неловко рассмеялся. — Совершенно невозможно! Метеорит тщательно исследовали профессионалы. И я в том числе. Химическое сканирование, спектрография, анализ содержания рубидия и стронция. Он не похож ни на один камень, встречающийся на Земле. Метеорит настоящий, подлинный. Это подтвердит любой астрофизик.

Пикеринг глубоко задумался, поглаживая галстук.

— И все-таки, принимая во внимание немедленную выгоду этого открытия для НАСА, неоспоримые свидетельства подтасовки фактов, нападение на вас... первое и единственное логическое заключение, которое я могу сделать, состоит в том, что метеорит — отлично выполненная подделка.

— Исключено! — Теперь уже Корки рассердился. — При всем моем уважении, сэр, метеориты вовсе не то же самое, что голливудские спецэффекты, которые можно создать в лаборатории. Да и обдурить нескольких ничего не подозревающих астрофизиков не так-то легко. Ведь это объекты сложного химического состава, уникальной кристаллической структуры и определенного соотношения элементов!

— Я не собираюсь бросать вам вызов, доктор Мэрлинсон. Просто следую логической цепочке анализа. Учитывая, что кто-то собирался всех вас убить, чтобы не всплыл факт искусственного внедрения метеорита в толщу льда, я не склонен исключать даже самые фантастические сценарии. Что именно заставляет вас верить в истинность метеорита?

— Что именно?! — Возмущение Корки едва не расплавило наушники. — Безупречная корка сплава, присутствие хондр, процент никеля, не сопоставимый ни с одним земным показателем. Если вы предполагаете, что кто-то нас обманул, смастерив этот камешек в лаборатории, тогда я должен заметить, что лаборатории этой не меньше ста девяноста миллионов лет. — Корки опустил руку в карман и достал камень, по форме похожий на компакт-диск. Поднес его поближе к камере. — Вот такие образцы мы подвергли тщательному химическому анализу, причем использовали различные методы. Соотношение рубидия и стронция — это вовсе не то, что можно сфабриковать!

Пикеринг удивился:

— У вас есть образец?

Корки пожал плечами:

— НАСА располагает десятками образцов.

— То есть вы пытаетесь мне сказать, — странным голосом произнес Пикеринг, глядя в глаза ученому, — что НАСА обнаружило метеорит, якобы содержащий отпечатки живых организмов, и позволяет всем подряд разгуливать с образцами в кармане?

— Смысл в том, — заявил Корки, — что мой образец подлинный. — Он поднес камень еще ближе к камере. — Вы можете показать его любому метрологу, геологу или астроному в любой точке Земли, они проведут анализ и сообщат вам две вещи: во-первых, этому камню чуть меньше двухсот миллионов лет; во-вторых, по химическому составу он не похож ни на один из камней, существующих на Земле.

Пикеринг наклонился, разглядывая отпечаток на камне. Казалось, его пригвоздили к месту в этой позе. Наконец он пошевелился и вздохнул:

— Я не ученый. И все, что могу сказать: если метеорит подлинный, а это, похоже, все-таки правда, то почему НАСА не продаст его за истинную цену? Зачем кому-то понадобилось засовывать огромный камень в толщу льда, чтобы убедить нас в его истинности?

В этот момент офицер службы безопасности Белого дома набирал телефонный номер Марджори Тенч.

Старший советник президента ответила моментально:

— Да?

— Мисс Тенч, — обратился к ней офицер, — я располагаю информацией, которую вы запрашивали раньше. Звонок с радиотелефона от Рейчел Секстон. Мы проследили его.

— Говорите.

— Оператор секретной службы утверждает, что сигнал исходил с борта военно-морской субмарины США «Шарлот».

— Что?!

— Мы не располагаем координатами, но в истинности данных сомневаться не приходится.

— О, ради Бога! — Тенч в ярости бросила трубку.

ГЛАВА 72

Безжизненная атмосфера безэховой комнаты субмарины «Шарлот» плохо влияла на самочувствие Рейчел: ее начало тошнить. На мониторе озабоченный взгляд Уильяма Пикеринга перешел к Майклу Толланду.

— Вы молчите, мистер Толланд?

Толланд поднял глаза, словно студент, когда его неожиданно вызывает преподаватель.

— Сэр?

— Только что по телевидению прошел ваш весьма убедительный документальный фильм. Так что же вы скажете по поводу метеорита сейчас?

— Ну, сэр... — замялся Толланд, испытывая явный дискомфорт. — Должен согласиться с мистером Мэрлинсоном. Считаю, что и сам метеорит, и окаменелости в нем подлинные. Я достаточно хорошо знаком с методикой датирования объектов, а возраст камня подтвержден множеством тестов. Равно как и содержание никеля. Эти данные не могут оказаться ложными. Не возникает сомнений в том, что камень, родившийся двести миллионов лет назад, имеет неземной химический состав и содержит десятки подтвержденных окаменелостей, происхождение которых также датируется этим периодом. Поэтому не приходит на ум ни единой иной возможности, кроме той, что НАСА действительно обнаружило подлинный метеорит.

Пикеринг молчал. Лицо его выражало полнейшую растерянность, чего раньше за ним ни разу не замечалось.

— Так что же делать, сэр? — обратилась к нему Рейчел. — Нам, очевидно, придется сообщить президенту, что возникли проблемы с полученными данными.

Пикеринг нахмурился:

— Это в случае, если президент не в курсе. Остается лишь надеяться...

Рейчел ощутила, как в горле появился комок, мешающий не только говорить, но и дышать. Совершенно ясно, что имеет в виду директор. Президент Харни может оказаться замешанным в обмане. Рейчел очень в этом сомневалась, и все же нельзя было отрицать, что и сам президент, и НАСА получали от аферы огромную выгоду.

— К сожалению, — продолжил Пикеринг, — за исключением этой распечатки результатов сканирования льда, остальные параметры указывают на достоверность открытия. — В его взгляде была напряженность. — А тот факт, что вас пытались убить... — Теперь он смотрел в глаза Рейчел. — Вы упомянули спецназ.

— Именно, сэр.

Она повторила свой краткий рассказ о специальных ружьях и действиях людей-призраков.

Директор НРУ выглядел все более и более недоумевающим. Рейчел понимала, что Пикеринг перебирает в уме тех людей, которые могли иметь непосредственный контакт с подразделениями хорошо обученных убийц. Разумеется, первым в списке был президент. Возможно, Марджори Тенч, как старший советник. Вполне вероятно, и администратор НАСА Лоуренс Экстром с его связями в Пентагоне. Рейчел и сама перебрала массу возможных вариантов и, к собственному удивлению, поняла, что за нападением на них мог стоять любой из высокопоставленных политиков, имеющих достаточно обширные связи.

— Я мог бы прямо сейчас позвонить президенту, — снова заговорил Пикеринг, — но не думаю, что это разумно, по крайней мере до тех пор, пока мы не узнаем точно, кто замешан во всей этой страшной истории. Как только мы сообщим в Белый дом, мои возможности вас защитить резко уменьшатся. Кроме того, я пока не знаю, что именно ему сказать. Если метеорит, как вы утверждаете, настоящий, все предположения об искусственном его внедрении под лед и попытке убийства прозвучат неубедительно. Президент будет иметь полное право поставить под сомнение мои слова. — Директор помолчал, словно просчитывая в уме возможные варианты. — Вне зависимости от того, какова правда или кто замешан в игре, если информация будет обнародована, под ударом сразу окажется немало высокопоставленных персон. Считаю, что мы должны немедленно переправить всех вас в безопасное место, а потом уже начинать прощупывать ситуацию.

— В безопасное место? — Такой поворот дела очень удивил Рейчел. — Мне кажется, на атомной подводной лодке мы в достаточной безопасности, сэр.

Взгляд Пикеринга выражал явный скептицизм.

— Ваше присутствие там не долго сохранится в тайне. А поэтому я вытащу вас оттуда немедленно. Если честно, мне будет гораздо спокойнее, когда вы все окажетесь здесь, у меня в кабинете.

ГЛАВА 73

Сенатор Секстон в одиночестве лежал на диване, чувствуя себя изгоем. Квартира в Уэстбруке, где всего час назад звучали голоса друзей и сторонников, сейчас выглядела покинутой и заброшенной. Особенно одичалый вид придавали ей стоящие повсюду бокалы и разбросанные визитные карточки. Гости, побросав все, в прямом смысле сбежали.

Сейчас Секстон, сжавшись в комок перед телевизором, больше всего на свете хотел его выключить, но не мог собраться с силами и оторваться от бесконечных аналитических выпусков. Вашингтонским аналитикам не требовалось много времени, чтобы, покончив с псевдонаучными и философскими разглагольствованиями, сосредоточиться на самом обожаемом предмете — на политиках.

Словно опытные палачи, готовые вновь и вновь пытать жертву, обозреватели мололи и перемалывали очевидное.

— Всего лишь несколько часов назад рейтинг Секстона доставал до облаков, — заявил один из аналитиков. — А сейчас, после объявления об открытии НАСА, он весьма резко пошел вниз.

Секстон поморщился, протянул руку к бутылке коньяка, стоявшей на полу возле дивана, и отхлебнул из горлышка. Он понимал, что сегодня ему предстоит провести самую длинную и одинокую ночь в жизни. Сейчас он яростно ненавидел Марджори Тенч за то, что она его так подставила. Ненавидел Гэбриэл Эш — за то, что та первой заговорила о НАСА. Ненавидел президента, которому так чертовски повезло. И разумеется, ненавидел весь мир за то, что он открыто над ним смеялся.

— Несомненно, для сенатора данная ситуация просто губительна, — продолжал тем временем аналитик. — Неожиданным открытием и президент, и НАСА сразу добились небывалого преимущества. Подобные новости способны во много раз увеличить число сторонников президента вне зависимости от отношения Секстона к НАСА. А уж если принять во внимание сегодняшнее заявление сенатора о том, что он без сожаления отменил бы финансирование космического агентства... да, несомненно, пресс-конференция президента — двойной удар, от которого сенатор вряд ли сумеет оправиться.

Секстон с горечью подумал, что просто угодил в ловушку. Белый дом чрезвычайно ловко подставил его.

Аналитик на экране улыбался.

— НАСА моментально и с лихвой вернуло себе ранее утраченное доверие. Не случайно на улицах сейчас царит ликование.

Так и должно было случиться. Они любят Зака Харни, но в последнее время начали терять веру в его возможности. Да, надо признать, президент явно сдавал позиции, а в последнее время получил несколько весьма ощутимых ударов. Однако ему все-таки удалось выйти из переделки благоухающим, словно роза.

Секстон вспомнил о недавних дебатах на Си-эн-эн и испугался, что сейчас ему станет плохо. Сеть, которую он так старательно плел вокруг НАСА на протяжении последних месяцев, внезапно опутала его самого и теперь стремительно тянула на дно. Он выглядел круглым дураком. Белый дом играл им, словно пешкой. С ужасом представлял сенатор карикатуры, которые обязательно появятся в завтрашних газетах. Его имя непременно будет звучать в анекдотах. Через несколько дней они расползутся по стране в невиданном количестве. Разумеется, ни о каком негласном финансировании его избирательной кампании больше не может быть и речи. Все изменилось. Люди, еще совсем недавно сидевшие в этой квартире и мечтавшие об успехе своих корпораций, собственными глазами увидели, как мечты смыло в унитаз. Приватизация космоса на полной скорости врезалась в кирпичную стену.

Сделав еще глоток коньяка, сенатор поднялся и с трудом, неровным шагом, подошел к рабочему столу. Взглянул на лежащую рядом с телефоном трубку — он сам снял ее. С каким-то мазохистским интересом, прекрасно сознавая все безумие этого действия, он медленно, аккуратно положил трубку на место и начал считать секунды.

Раз... два... Телефон зазвонил. Он дождался, пока сработает автоответчик.

— Сенатор Секстон, это Джуди Оливер из Си-эн-эн. Я хотела бы дать вам возможность отреагировать на объявленное открытие НАСА. Позвоните мне, пожалуйста.

Она отключилась.

Секстон снова принялся считать. Раз... Опять звонок. Сенатор не пошевелился, предоставив говорить автоответчику. Еще один журналист.

Не выпуская из рук бутылку, Секстон побрел к двери балкона. Толкнул ее и вышел в холодный вечер. Облокотившись на перила, вгляделся через весь город в далекий освещенный фасад Белого дома. Дул сильный ветер, и казалось, огни насмешливо подмигивают.

Сволочи, думал он. Веками человечество искало доказательства существования жизни во Вселенной. И в итоге обнаружило их в том же чертовом году, когда проходят его выборы. И это не просто неудачное совпадение, это злой рок. В каждом окне, повсюду, насколько хватало глаз, работал телевизор. Интересно, где сейчас Гэбриэл Эш? Это все из-за нее. Она регулярно снабжала его информацией о провалах НАСА.

Он снова отхлебнул из бутылки. Чертова Гэбриэл! Она виновата в его провале!

На другом конце города, в хаосе и кутерьме производственной студии корпорации Эй-би-си, Гэбриэл Эш едва держалась на ногах. Сообщение президента грянуло словно гром среди ясного неба, моментально ввергнув ее в полуобморочное состояние. Девушка стояла, словно приклеенная к полу, посреди огромной комнаты, тупо уставившись на один из множества мониторов. А вокруг кипели страсти.

В первые секунды после объявления воцарилась мертвая тишина. Она длилась лишь мгновение, тут же взорвавшись оглушающими криками репортеров. Эти люди были профессионалами, а потому у них не оставалось времени на личные переживания и размышления. Все это потом, когда работа закончится. А сейчас мир хотел знать как можно больше, и корпорация Эй-би-си должна была удовлетворить его желание. В этой драме соединилось все: наука, история, политические коллизии — разливанное море страстей. Понятно, что этой ночью всем, кто работал в сфере информации, было не до сна.

— Гэб! — Голос Иоланды звучал сочувственно. — Давай-ка я снова отведу тебя в мой офис, пока здесь не сообразили, кто ты такая. А то начнут тебя жарить на медленном огне — пытать, как теперь повернется кампания Секстона.

Гэбриэл почувствовала, что ее ведут сквозь кипящую толпу в аквариум Иоланды. Подруга усадила ее и дала стакан воды. Попыталась поддержать улыбкой.

— Попробуй взглянуть на светлую сторону дела, Гэб. Кампания твоего шефа, конечно, полетела ко всем чертям, но ты-то — нет!

— Ну спасибо! Это просто грандиозно.

Голос журналистки стал серьезным.

— Девочка, я прекрасно понимаю, каково тебе сейчас. Твоего босса только что переехал огромный грузовик, и если тебя интересует мое мнение, то скажу, что сенатор уже не поднимется. По крайней мере за то время, когда еще можно что-то сделать. Но во всяком случае, никто не полощет твои фотографии на экране телевизора. Серьезно. И это хорошие новости. Харни сейчас вовсе ни к чему скандал на почве секса. Такой уж он у нас изысканно утонченный президент, что говорить о сексе ему просто как-то не к лицу.

Слова подруги принесли Гэбриэл мало утешения.

— А что касается разговоров Тенч насчет нелегального финансирования кампании... — Иоланда покачала головой, — что-то я сомневаюсь. Харни всерьез собирается вести кампанию без негатива. Расследование дела о взятках отнюдь не укрепит дух нации. Но настолько ли Харни патриотичен, чтобы упустить шанс раздавить соперника чужими руками? Мне все-таки кажется, что Тенч пичкала тебя сведениями о финансах Секстона, чтобы просто испугать. Она рискнула в надежде, что ты сбежишь с его корабля и раздуешь бесплатный сексуальный скандал на пользу президенту. Но согласись, Гэб, сегодняшний вечер и так достаточно насыщен эмоциями. Так что впутывать в него еще и нравы Секстона тебе не стоит!

Гэбриэл слабо кивнула. Секс-скандал оказался бы мощным ударом, от которого Секстон оправился бы очень не скоро. А может, и вовсе не оправился бы.

— Ты ее пересидела, Гэб. Марджори Тенч закинула удочку, но ты не клюнула. А теперь ты совершенно свободна. Можешь отправляться домой. Будут еще другие выборы.

Гэбриэл снова растерянно, безвольно кивнула, не зная, чему же верить.

— Ты должна признать, — продолжала журналистка, — что Белый дом просто блестяще провел Секстона. Заманил его на территорию НАСА, вовлек во всю эту космическую историю, заставил сложить все яйца в одну корзину.

Гэбриэл невольно содрогнулась, подумав, что во всем этом виновата именно она.

— А пресс-конференция, которую мы только что видели... Господи, это же просто великолепно! Гениально! Не учитывая важности открытия, блестящим было само исполнение. Прямая трансляция из Арктики! Документальный фильм Майкла Толланда! Боже мой, да разве можно всему этому противостоять? Сегодня вечером Зак Харни буквально сразил всех. Наверное, все-таки не случайно этот парень попал в президенты.

— И останется им еще четыре года...

— Мне пора за работу, девочка, — опомнилась Иоланда. — Ты сиди здесь, сколько захочешь. Можешь устраиваться поудобнее, как больше нравится. А я, честное слово, через несколько минут загляну тебя проведать.

Оставшись в одиночестве, Гэбриэл глотнула воды, но та показалась ей просто отвратительной. Да и все вокруг казалось отвратительным. В голове крутилась единственная мысль: в происходящем виновата именно она. Гэбриэл пыталась облегчить совесть, вспоминая прошлые мрачные пресс-конференции НАСА — неудачи с космическими станциями, отложенный старт «Экс-33», так и не заработавшие зонды Марса, постоянные превышения бюджета. Гэбриэл пыталась понять, что следовало сделать иначе.

И в конце концов решила, что ничего. Все было сделано правильно.

Просто произошел срыв.

ГЛАВА 74

Военно-морской вертолет «Си хоук», отправленный на операционное задание, с ревом поднялся с воздушной базы Туле в северной Гренландии. Он летел низко, вне зоны охвата радаров, пока не выбрался за пределы прибрежных воздушных течений в восьмидесяти милях от острова. Затем, подчиняясь странным приказам, пилоты зависли в воздухе над пустым океаном, сверяясь с переданной им сеткой координат.

— Где же будет встреча? — растерянно прокричал второй пилот. Было приказано взять спасательное оборудование, поэтому он и ожидал увидеть какую-нибудь поисково-эвакуационную группу. — Ты уверен, что координаты правильные?

Он внимательно осмотрел покрытую рябью океанскую поверхность в мощный инфракрасный бинокль, однако не увидел ничего, кроме...

— Вот это да!

От неожиданности первый пилот дернул рычаг, и вертолет задрал нос.

Прямо по курсу из воды поднялась огромная черная стальная гора. Гигантская подводная лодка без опознавательных знаков сбросила балласт и поднялась, вздыбив на поверхности тучу брызг.

Пилоты растерянно переглянулись.

— Скорее всего это они и есть.

Согласно приказу, встреча произошла при полной эфирной тишине. На вершине корпуса субмарины открылся люк, и моряк послал вертолету световой сигнал. Пилоты зависли над субмариной и скинули вниз спасательную связку, рассчитанную на трех человек: три скользящие резиновые петли на общем тросе. Уже через шестьдесят секунд под вертолетом болтались три «груза», медленно поднимаясь, подтягиваемые ротором.

Когда второй пилот втащил их — двух мужчин и женщину — на борт, субмарине подали знак «отбой». Через несколько секунд гигантское чудовище бесследно скрылось в ледяном море.

Благополучно взяв на борт пассажиров, первый пилот вертолета установил курс, опустил нос машины и, набирая скорость, направился на юг. Стремительно приближался шторм, а эти трое должны быть в целости и сохранности доставлены на военно-воздушную базу Туле для дальнейшей транспортировки реактивным самолетом. Куда их повезут, пилот не имел ни малейшего понятия. Единственное, что он знал, — приказ пришел с самого верха, а пассажиры представляют собой необычайную ценность.

ГЛАВА 75

Когда на леднике Милна разыгралась буря, выплеснув всю свою силу на хабисферу НАСА, купол затрясся так, словно собирался оторваться от льда и улететь в открытое море. Стальные стабилизационные тросы туго натянулись на опорах, вибрируя, словно гигантские гитарные струны, и издавая жалобный вой. Генераторы за пределами купола начали сбиваться, свет замигал, грозя оставить огромное помещение в кромешной тьме.

Администратор НАСА Лоуренс Экстром мерил шагами пространство хабисферы. Как бы он хотел сегодня же убраться отсюда ко всем чертям! К сожалению, это невозможно. Ему предстоит остаться еще на день, чтобы утром на месте дать какие-то дополнительные объяснения в прямом эфире и проследить за подготовкой к перевозке метеорита в Вашингтон. Но больше всего сейчас ему хотелось спать. Неожиданные проблемы, возникшие днем, отняли массу сил.

Мысли Экстрома вернулись к Уэйли Мину, Рейчел Секстон, Норе Мэнгор, Майклу Толланду и Корки Мэрлинсону. Кое-кто из сотрудников НАСА уже начал поговаривать, что гражданские эксперты бесследно исчезли.

Экстром постарался успокоиться. Все под контролем!

Он глубоко вздохнул, напоминая себе, что мир сейчас возбужден успехами космического агентства. Внеземная жизнь не волновала жителей планеты в такой степени со времен знаменитого «случая в Розуэлле» в 1947 году, когда в городке Розуэлл, штат Нью-Мексико, якобы потерпел крушение инопланетный космический корабль. Это место и сейчас оставалось святыней для фанатов НЛО.

За годы работы в Пентагоне Экстром узнал, что случай в Розуэлле был не чем иным, как крушением во время испытательного полета шпионского аппарата, предназначенного для наблюдения за советскими ядерными испытаниями. Секретный проект носил название «Могал». Аппарат тогда сбился с курса и упал в пустыне штата Нью-Мексико. К несчастью, гражданские нашли его раньше, чем военные.

Ничего не подозревающий владелец ранчо Уильям Брэйзел наткнулся на разлетевшиеся по полю пластмассовые обломки и куски легкого металла. Все это казалось очень странным. Он немедленно вызвал шерифа. Газеты напечатали историю о странном крушении, и общественный интерес быстро сосредоточился на этом происшествии. Подогреваемые упорными отказами военных признать свою причастность к произошедшему, журналисты начали расследование, и скоро секретный проект «Могал» оказался под угрозой. Но как раз в тот момент, когда факт испытания шпионского зонда уже почти всплыл наружу, произошло нечто странное.

Средства массовой информации вдруг сделали неожиданный вывод. Они решили, что фантастические обломки имели внеземное происхождение. Молчание военных оставляло лишь одну возможность — установление контакта с инопланетянами, с созданиями гораздо более развитыми, чем человек!

Изумленные гипотезой, военно-воздушные силы не стали спорить. Они крепко ухватились за версию с инопланетянами. Пусть лучше мировое сообщество считает, что инопланетяне нанесли визит в штат Нью-Мексико, чем русские догадаются о существовании проекта «Могал».

Чтобы раздуть шумиху вокруг инопланетян, разведывательное управление окутало случай в Розуэлле покрывалом секретности и организовало «утечку сведений». Она заключалась в невнятном бормотании о контактах с инопланетянами, заново воссозданных внеземных космических кораблях и даже о таинственном «Ангаре-18» на военно-воздушной базе Райт-Петерсон в Дайтоне. Там якобы хранились во льду тела пришельцев. Мир проглотил наживку, и лихорадка Розуэлла пошла гулять по свету. Начиная с этого момента, если вдруг кто-то из непосвященных нечаянно находил обломки неизвестного летательного аппарата, секретные службы просто обновляли старую уловку.

Это не военная техника, это корабль инопланетян!

Экстром диву давался, насколько эффективен был этот простой обман. Всякий раз, когда средства массовой информации сообщали об очередной встрече с НЛО, он не мог удержаться от смеха. Скорее всего кому-то посчастливилось разглядеть один из пятидесяти семи скоростных непилотируемых разведывательных аппаратов, известных под названием «Глобал хоук», — необычной формы машин с дистанционным управлением.

Экстрому казался поразительным тот факт, что до сих пор толпы туристов стекаются в пустыню Нью-Мексико для того, чтобы поснимать на видеокамеру ночное небо. Время от времени кому-то из них крупно везло: удавалось увидеть «неопровержимое свидетельство» существования НЛО — яркие светящиеся объекты, мечущиеся по небу с большей маневренностью и скоростью, чем любой из известных самолетов. Единственное, о чем не знали эти люди, так это о существовании более чем десятилетней дистанции между новейшими разработками военных и обычным вооружением, известным широкой публике. Все эти «свидетели НЛО» просто наблюдали следующее поколение американской военной техники, испытываемой на «Территории номер 51». Многие образцы ее действительно оказывались прорывом инженеров НАСА. Разумеется, сотрудники службы безопасности и разведки никогда не опровергали заблуждений. Выбирая из двух зол меньшее, они предпочитали, чтобы мир в очередной раз прочитал и услышал о встрече с НЛО, а не получил хотя бы смутное представление об истинной оснащенности ВВС.

Но сейчас все изменилось, думал Экстром. Через несколько часов миф о внеземных цивилизациях станет научной реальностью.

— Администратор! — Его догонял техник НАСА. — Вам срочный секретный звонок.

Вздохнув, Экстром повернулся. «Какого черта теперь?» Он зашагал к кабине связи.

Техник не отставал.

— Ребята с радарной установки интересуются, сэр...

— Да?

Мысли Экстрома все еще были далеко.

— Что, здесь неподалеку стоит субмарина? Вы об этом ни разу не упоминали.

Экстром словно очнулся.

— Что вы сказали?

— Субмарина, сэр! Вы могли бы по крайней мере предупредить их. Дополнительная морская охрана понятна, но это застало команду радара врасплох.

Экстром остановился как вкопанный.

— Какая субмарина?

Техник тоже застыл, не ожидая от администратора подобной реакции.

— Так что, она не задействована в операции?

— Нет. Где она?

Техник сглотнул внезапно вставший в горле комок.

— Примерно в трех милях от нас. Мы засекли ее случайно. Поднялась на пару минут. Немаленькая штучка. Наверняка атомная. Мы решили, что вы попросили моряков покараулить нас, не сказав никому ни слова.

Экстром не мог оправиться от изумления.

— Я не делал ничего подобного!

Голос техника дрогнул.

— В таком случае, сэр, я должен поставить вас в известность о том, что субмарина только что встретилась с воздушным объектом, судя по всему, вертолетом, совсем недалеко от берега. Похоже, произошла высадка людей. Честно говоря, мы удивились, что кто-то в такую погоду отважился на эту операцию.

Экстром почувствовал, что каменеет. Какого черта делает субмарина возле берегов Элсмира без его ведома?

— А вы заметили, в каком направлении полетел вертолет?

— На авиабазу Туле.

Весь оставшийся путь до кабины связи Экстром не проронил ни слова. Войдя в тесную будку, он услышал хорошо знакомый резкий голос.

— У нас проблемы, — произнесла Тенч, покашливая. — Речь идет о Рейчел Секстон.

ГЛАВА 76

Сенатор Секстон потерял счет времени. Он не знал, как давно сидит, бездумно глядя в пространство. Неожиданно раздался стук. Поняв, что стучит не в ушах от выпитого коньяка, а барабанят в дверь квартиры, сенатор поднялся с дивана, отшвырнул пустую бутылку и зашагал в прихожую.

— Кто? — мрачно поинтересовался он, вовсе не желая принимать гостей.

В ответ голос телохранителя назвал имя посетителя. Сенатор моментально протрезвел. Да, быстро работают. А он-то надеялся, что этот разговор не состоится по крайней мере до утра.

Глубоко вздохнув и пригладив волосы, сенатор открыл дверь. Лицо, которое он увидел, было слишком знакомым — уверенным, властным, несмотря на то что его владельцу было под семьдесят. Лишь сегодня утром Секстон встречался с ним в белом фургончике в подземном гараже отеля. Неужели и правда только сегодня утром? Сенатор не верил себе. Как же все переменилось с тех пор!

— Можно войти? — спросил темноволосый человек.

Секстон отступил в сторону, уступая дорогу главе Космического фонда.

— Встреча прошла удачно? — поинтересовался тот, едва сенатор закрыл дверь.

Прошла ли встреча удачно? Гость, очевидно, живет в коконе.

— Все шло просто прекрасно — до тех пор, пока президент не начал свою пресс-конференцию.

Старик кивнул, явно недовольный:

— Да уж. Невероятная победа. Она изрядно повредит нашему делу.

Повредит делу? Да он, оказывается, оптимист из оптимистов. После сегодняшнего триумфа НАСА их всех похоронят — и самого сенатора, и Космический фонд с его планами коммерциализации космоса.

— Я давно подозревал, что этот момент настанет, — продолжал старик. — Не знал, как и когда, но чувствовал, что рано или поздно мы придем к этому.

Подобного поворота Секстон не ожидал.

— Так что же, вы не удивлены?

— Математика космоса определенно требует иных форм жизни, — ответил гость, направившись к гостиной. — Поэтому я вовсе не удивился открытию. То есть, конечно, я поражен — с точки зрения разума. Духовно — восхищен. А с точки зрения политической — глубоко озабочен. Время самое неподходящее.

Секстон пытался понять, зачем старик явился сюда. Уж разумеется, не для того, чтобы сочувствовать.

— Как вы знаете, — продолжал гость, — компании, входящие в Космический фонд, потратили миллионы, пытаясь открыть границы космоса частному сектору. А сейчас огромное количество денег ушло на вашу избирательную кампанию.

Секстон внезапно почувствовал потребность защищаться.

— Я не виноват в сегодняшнем провале! Белый дом просто подставил меня, поймал на удочку!

— И все же президент отлично разыграл роль. Но главное — это не означает, что все потеряно.

В глазах старика блеснула искра надежды.

Он явно не в себе, невольно подумал Секстон, наверное, это проявление старческого маразма. Ведь дело проиграно полностью и безвозвратно. Все телевизионные каналы без умолку твердят о полном провале кампании Секстона.

Гость без лишних церемоний прошел в гостиную, уселся на диван и окинул сенатора усталым взглядом.

— Помните ли вы, — заговорил он, — о проблемах НАСА после сбоя программного обеспечения на борту спутника-сканера?

Секстон не мог понять, к чему клонит собеседник. Какая теперь разница? В любом случае спутник обнаружил чертов метеорит!

— Как известно, — продолжал гость, — поначалу программное обеспечение не функционировало как следует. И из-за этого вы раздули в прессе немалую шумиху.

— Естественно! — сказал Секстон, усаживаясь напротив гостя. — Ведь это был очередной провал НАСА!

Старик кивнул:

— Согласен. Затем НАСА провело пресс-конференцию, объявив, что положение исправлено — ну, вроде как программное обеспечение приведено в порядок.

Секстон сам не видел ту пресс-конференцию, но слышал отзывы. Говорили, что она прошла быстро, сухо и едва ли дала что-то новое. Руководитель проекта представил строгое техническое описание работ по устранению неполадок в системе распознавания аномалий и пояснил, что после этого все заработало как часы.

— Я с интересом наблюдал за спутником-сканером с того самого момента, — продолжал гость. Он достал из кармана видеокассету и вставил ее в видеомагнитофон. — Думаю, это вас заинтересует.

Началась видеозапись. Пресс-центр штаб-квартиры НАСА в Вашингтоне. На подиум поднялся хорошо одетый человек и приветствовал аудиторию. Субтитры оповестили, что человек этот — Крис Харпер, руководитель секции орбитального полярного спутника — сканера плотности.

Крис Харпер был высок ростом, элегантен и говорил со спокойным достоинством, в манере, присущей американцам, помнящим свои европейские корни. Речь его блистала и эрудицией, и точностью выражения мысли, и прекрасным стилем. Он уверенно общался с прессой, даже несмотря на то что сообщал о спутнике плохие новости.

— Хотя спутник находится на предусмотренной орбите и функционирует в нормальном режиме, возникли небольшие

неприятности с бортовыми компьютерами. Ошибка в программировании, ответственность за которую я целиком беру на себя.
Говоря техническим языком, конечная импульсная составляющая имеет неисправный элемент объемного отображения. В
результате дала сбой спутниковая система распознавания аномалий. В настоящее время мы работаем над устранением не-
исправности.

Слушатели вздохнули — они уже привыкли к неудачам космического агентства.

— А какие последствия это имеет для эффективности работы спутника? — спросил кто-то.

Харпер уверенно и сухо ответил:

— Представьте себе здоровые глаза при неработающем моз-
ге. Вот так и наш спутник прекрасно все видит, но ничего не
понимает. Его задача — обнаружение карманов тающего льда
в полярных областях, однако без компьютера, анализирующе-
го данные плотности, полученные сканером, спутник не в состоянии различить, где находятся интересующие его точки.
Нам предстоит исправить ситуацию, когда следующая экспедиция многоразового корабля получит доступ к бортовому компьютеру.

По залу прокатился гул разочарования.

Гость выразительно взглянул на Секстона:

— Он квалифицированно преподносит неприятные известия, верно?

— Так он же из НАСА, — проворчал в ответ Секстон. —
Что-что, а это они умеют делать.

После паузы началась запись следующей пресс-конференции.

— Вторая пресс-конференция, — пояснил старик, — прошла
всего две недели назад. Очень поздним вечером. Мало кто ее видел. На сей раз доктор Харпер сообщает хорошие новости.

Появилась картинка. Крис Харпер выглядел странно взъе-
рошенным и растерянным.

— Я должен с удовольствием сообщить, — начал он, хотя в
голосе его сквозило все, что угодно, только не удовольствие, —
что НАСА нашло средство устранить проблему программного
обеспечения спутника.

Он изложил подробности, вяло разглагольствуя об отправке
первичных данных на Землю и обработке их уже здесь. Казалось, аудитория довольна. Все выглядело убедительным и даже

волнующим. Когда Харпер закончил, в зале раздались аплодисменты.

— Так, значит, скоро можно ожидать первых данных? — поинтересовался кто-то.

Харпер кивнул:

— Уже через пару недель.

Снова аплодисменты. По всему залу поднялись руки — возникло много вопросов.

— Это все, что я имею сообщить на данный момент, — закруглился Харпер, делая вид, будто спешит и собирает бумаги. — Спутник-сканер работает и делает свое дело. Скоро получим данные. — С этими словами он торопливо покинул подиум.

Секстон нахмурился. Все это выглядело странно. Почему Крис Харпер чувствовал себя так комфортно, сообщая плохие новости, и был явно не в своей тарелке, рассказывая о хороших? Ведь все должно быть наоборот. Секстон не видел эту пресс-конференцию, но читал в газетах об устранении неполадок в программном обеспечении. Тогда действия НАСА казались неубедительными. Широкая публика не обратила на это никакого внимания — спутник-сканер казался лишь очередным плохо работающим проектом космического агентства, а теперь еще и залатанным, причем не самым лучшим образом.

Гость выключил запись.

— НАСА заявило, что в тот вечер доктор Харпер плохо себя чувствовал. — Он выразительно помолчал. — А мне почему-то кажется, что доктор Харпер просто лгал.

— Лгал?

Секстон внимательно взглянул на собеседника, не в силах понять, зачем доктору Харперу потребовалось лгать о программном обеспечении. Однако самому сенатору приходилось в своей жизни немало врать, и он умел с легкостью распознавать лжеца. Он должен был признать, что доктор Харпер выглядел подозрительно.

— Вы не понимаете? — снова заговорил гость. — Маленькое объявление Криса Харпера, которое вы только что слышали, самое важное во всей истории НАСА. — Он снова помолчал. — Ведь именно эта настройка оборудования позволила НАСА обнаружить метеорит.

Секстон изо всех сил напряг мозги. Руководитель проекта лгал?

— Но если Харпер лгал и программное обеспечение спутника не работает как надо, каким же образом НАСА удалось сделать открытие?

Старик лишь улыбнулся:

— Очень даже просто.

ГЛАВА 77

Американский «трофейный» авиационный корпус, в который входили самолеты, конфискованные у торговцев наркотиками, состоял примерно из дюжины реактивных самолетов, включая три переоборудованных «Джи-4» для перевозки важных персон. Полчаса назад один из этих самолетов поднялся со взлетной полосы авиабазы Туле, прорвался сквозь полосу урагана и сейчас во тьме канадской ночи летел на юг, в Вашингтон. Рейчел Секстон, Майкл Толланд и Корки Мэрлинсон расположились в его удобном восьмиместном салоне. В голубых комбинезонах и беретах, в которые их нарядили на подводной лодке, они напоминали изрядно потрепанную спортивную команду.

Не обращая внимания на рев двигателей, Корки Мэрлинсон крепко заснул в хвосте салона. Толланд сидел впереди и смотрел вниз, на невидимое в темноте море. Он выглядел очень измученным. Рейчел устроилась рядом, понимая, что не сможет заснуть, даже если ей дадут снотворное. Мозг ее безостановочно перебирал все тайны и интриги, окружавшие метеорит, прокручивал недавний разговор с Пикерингом. Перед тем как отключиться, директор сообщил две новости, еще больше усилившие тревогу.

Во-первых, Марджори Тенч утверждала, что выступление Рейчел перед сотрудниками аппарата президента записано на пленку. Больше того, она угрожала использовать эту запись в том случае, если Рейчел вздумает публично критиковать открытие НАСА. Это было тем более неприятно, что Рейчел в разговоре с Заком Харни настаивала на выступлении исключительно перед его сотрудниками. Президент, судя по всему, счел возможным игнорировать это условие.

Вторая же неприятная новость касалась сегодняшних дебатов на Си-эн-эн, в которых принимал участие ее отец. Марджори Тенч, несомненно, сделала очень ловкий ход, вынудив сенатора открыто высказаться против космического агентства. Больше того, советник коварно спровоцировала его заявление насчет малой вероятности обнаружения внеземной жизни.

Съесть собственную шляпу? Кажется, что-то в этом роде, по словам Пикеринга, отец обещал сделать, если НАСА обнаружит жизнь вне Земли. Интересно, как Тенч удалось подвести его к такому явному и опасному промаху? Белый дом, несомненно, очень тщательно готовил ситуацию, старательно выстраивая в ряд костяшки домино, чтобы провал Секстона казался еще очевиднее. Президент и его главная советница действовали подобно боевой связке, готовящей убийство. В то время как Харни сохранял достоинство, стоя в сторонке, Тенч кружила над жертвой, загоняя сенатора в удобный для президентского удара угол.

Харни в их разговоре с глазу на глаз объяснил, что отложил объявление об открытии, чтобы дать время независимым специалистам подтвердить точность данных. Но теперь стало понятно, что промедление имело совсем другие причины. Дополнительное время позволило Белому дому приготовить веревку, на которой предстояло повеситься сенатору.

Рейчел не сочувствовала отцу, однако теперь не оставалось сомнений в том, что под пушистой шкуркой обаятельного и обходительного президента скрывается безжалостная зубастая акула. Разве можно, не имея инстинкта убийцы, стать самым могущественным человеком в мире? Теперь оставалось лишь выяснить, кто эта акула в данном случае — сторонний наблюдатель или активный игрок?

Рейчел поднялась, разминая ноги. Шагая по проходу между креслами, она тщетно пыталась сложить отдельные части головоломки. Они отказывались соединяться. Пикеринг, с его фирменной безупречной логикой, сразу заключил, что метеорит поддельный. Корки и Толланд, опираясь на научные данные, утверждали, что он подлинный. А Рейчел знала лишь то, что она видела огромный обугленный камень с отпечатками, извлеченный изо льда.

Расхаживая по самолету, она внимательно посмотрела на астрофизика, измученного испытаниями. Опухоль на щеке уже

спадала, наложенные швы выглядели хорошо. Он спал крепко, похрапывая, сжимая кусок метеорита в пухлых руках, словно этот камень мог защитить его от неприятностей.

Рейчел подошла и очень осторожно вынула из его рук образец. Снова начала вглядываться в отпечаток. Приказав себе
думать, постаралась абстрагироваться от всех уже имеющихся
выводов. Необходимо заново составить логическую цепочку
умозаключений. Традиционный прием работы НРУ. Построе-
ние системы анализа с самого начала — этот прием носил название «нулевого старта». К нему прибегали все аналитики в
случае, если отдельные фрагменты информации не стыкова-
лись между собой.

Необходимо пройти весь путь с самого начала.

Она снова начала мерить шагами самолет.

Дает ли этот камень доказательства существования внеземной жизни?

Доказательство — это умозаключение, построенное на целой пирамиде фактов, обширной базе информации, дающей
основание для специфических утверждений.

Итак, необходимо отбросить начальные предпосылки. Все
заново, с чистого листа.

Что мы имеем?

Камень.

Рейчел секунду обдумывала это утверждение. Камень. Камень с окаменелыми отпечатками живых существ. Прошагав в
начало салона, она села рядом с Толландом.

— Майкл, давай поиграем.

Толланд отвернулся от окна, все еще погруженный в свои
мысли.

— Поиграем?

Рейчел протянула ему осколок метеорита:

— Давай оба притворимся, будто ты впервые видишь этот
камешек. Я тебе ничего не говорила ни о том, откуда он взялся, ни где его нашли. Что ты мне о нем скажешь?

Толланд вздохнул почти трагически.

— Как странно, что ты спросила. Мне в голову только что
пришла совершенно дикая мысль...

В нескольких сотнях миль от них над пустынным океаном
летел на юг странного вида самолет. На его борту находилась

команда специального реагирования «Дельта». Им уже не раз случалось поспешно сниматься с места, но никогда еще настолько стремительно.

Контролер буквально сбесился.

Немного раньше Дельта-1 сообщил ему, что непредвиденное развитие событий не оставило команде иного выбора, кроме как применить силу. Им пришлось пойти на ликвидацию четырех гражданских лиц, в том числе Рейчел Секстон и Майкла Толланда.

Реакция контролера граничила с шоком. Убийство хотя и рассматривалось как приемлемое крайнее средство, но не входило в планы.

Позднее, когда контролер узнал, что ликвидация свидетелей прошла с осечкой, недовольство его перешло в открытую ярость.

— Вы провалили дело! — кричал контролер. Даже бесполый синтезированный голос передавал чувства говорящего. — Трое из четверых живы!

Но это невозможно! Дельта-1 не верил.

— Мы сами видели...

— Их взяла на борт подводная лодка, а сейчас они на пути в Вашингтон.

— Как?

Голос контролера стал угрожающим.

— Слушайте внимательно! Я даю вам новый приказ. На этот раз ошибки быть не должно...

ГЛАВА 78

Провожая старика к лифту, сенатор Секстон испытывал облегчение. Оказалось, глава Космического фонда приходил вовсе не для того, чтобы уничтожить сенатора Секстона. Он хотел лишь поговорить по душам и сказать, что борьба еще не закончена.

Возможно, в защите НАСА можно найти брешь.

Видеозапись недавней пресс-конференции давала надежду: руководитель проекта спутникового сканирования Крис Харпер лгал. Но зачем? Почему? Если в действительности НАСА не наладило работу злосчастного программного обеспечения, то каким образом спутник обнаружил метеорит?

Уже подходя к лифту, гость произнес:

— Иногда достаточно потянуть за одну ниточку, чтобы размотать весь клубок противоречий. Возможно, нам удастся раскрутить эту историю. Заронить зерно сомнения. Кто знает, к чему это приведет? — Старик устало взглянул на Секстона: — Я еще не готов лечь и умереть, сенатор. И как мне кажется, вы тоже.

— Разумеется, — согласился Секстон, пытаясь придать голосу решительность. — Мы слишком далеко зашли.

— Крис Харпер врал насчет устранения неполадок в спутнике, — входя в кабинку лифта, произнес гость, — и нам предстоит выяснить, зачем и почему.

— Я постараюсь выяснить подробности как можно быстрее, — заверил Секстон, подумав, что у него есть нужный человек.

— Хорошо. От этого зависит ваше будущее.

Проводив гостя, Секстон пошел обратно к квартире. Походка его стала чуть увереннее, голову он держал чуть выше, а мысли стали чуть яснее и определеннее. Итак, НАСА врет насчет спутника. Осталось только придумать, как это доказать.

Мысли сенатора вернулись к Гэбриэл Эш. Где бы девочка сейчас ни находилась, ей, безусловно, несладко. Она, конечно, видела пресс-конференцию и теперь балансирует на самом краю, готовая прыгнуть в бездну. Ее предложение сделать критику НАСА центром избирательной кампании Секстона было главной ошибкой и в его, и в ее карьере.

Секстон подумал, что ассистентка перед ним в долгу и отлично это знает. Гэбриэл не раз доказывала, что умеет добывать секреты НАСА. Секстон чувствовал, что у нее есть какие-то свои контакты. Вот уже несколько недель она исправно снабжала его сугубо внутренней информацией. Какими именно связями она обладает, помощница не рассказывала. Так пусть же теперь добывает сведения о спутнике-сканере. Тем более что сейчас у нее есть отличный стимул. Долги надо отдавать, а Секстон предполагал, что ассистентка обязательно постарается вернуть расположение босса.

Когда он подходил к двери, навстречу шагнул охранник:

— Добрый вечер, сенатор. Думаю, я правильно поступил, что позволил Гэбриэл войти? Она сказала, что ей просто необходимо поговорить с вами.

Секстон остановился.

— Что?

— Мисс Эш. Сегодня вечером. Она сказала, что обладает исключительно важной информацией. Поэтому я и впустил ее.

Секстон словно окаменел. Не двигаясь, он разглядывал дверь собственной квартиры. О чем толкует этот парень?

Выражение лица телохранителя изменилось. Теперь на нем изобразились смущение и озабоченность.

— Сенатор, с вами все в порядке? Вы все хорошо помните? Гэбриэл пришла во время вашей встречи. Она ведь разговаривала с вами, так?

Секстон долго стоял молча, чувствуя, как колотится сердце. Неужели этот идиот впустил Гэбриэл в квартиру во время тайной встречи членов Космического фонда? Получается, что она вошла, а потом, не сказав ни слова, исчезла... Можно было только гадать, что именно услышала девчонка. Проглотив гнев и досаду, сенатор заставил себя улыбнуться:

— Ах да! Извините! Я просто измучился. Ну и, конечно, немного выпил. Мы разговаривали с мисс Эш. Вы поступили совершенно правильно.

На лице телохранителя отразилось явное облегчение.

— А уходя, она не сказала, куда пойдет?

Охранник покачал головой:

— Она очень спешила.

— Ну хорошо, спасибо.

Секстон едва владел собой. Неужели его требование было неясным? Никаких посетителей!.. Гэбриэл пробыла в квартире какое-то время, а потом без единого слова выскользнула — значит, она услышала то, что не должна была слышать. Уж сегодня-то и подавно!

Сенатор Секстон отлично понимал, что не следует терять доверия Гэбриэл Эш. Если женщина чувствует, что ее обманули, она может начать жестоко мстить. Да и вся женская глупость моментально оказывается на поверхности. Необходимо вернуть ее. Сегодня, больше чем когда бы то ни было, она нужна в его лагере.

ГЛАВА 79

Уставившись на потрепанный ковер, Гэбриэл Эш сидела в одиночестве в стеклянном офисе Иоланды на четвертом этаже телевизионной корпорации Эй-би-си. Она всегда гордилась собственной интуицией и считала, что чувствует, кому можно доверять. Сейчас, впервые за несколько лет, Гэбриэл внезапно оказалась одна, не зная, куда и к кому направиться.

От печальных мыслей ее отвлек сигнал сотового телефона. Она неохотно ответила.

— Гэбриэл? — прозвучал голос в трубке.

— Да.

Она узнала характерный тембр сенатора Секстона, хотя, учитывая произошедшее, он говорил на удивление спокойно.

— Сегодня просто адский вечер, поэтому к черту все на свете. Дайте мне высказаться. Уверен, что вы смотрели и слушали эту пресс-конференцию. Видит Бог, мы не на то поставили. И мне все это просто осточертело. Возможно, вы себя вините. Не надо. Забудьте обо всем. Кто, в конце концов, мог предугадать такое? Вы ни в чем не виноваты. И во всяком случае, послушайте меня. Думаю, мы выплывем.

Гэбриэл невольно встала, с трудом представляя, о чем думает Секстон. Она ожидала чего угодно, но не этого.

— Сегодня у меня было совещание, — продолжал сенатор, — с представителями частных космических фирм, и...

— Совещание? — вырвалось у Гэбриэл. Она никак не ожидала, что он признается. — То есть... хочу сказать, я и понятия не имела...

— Да так, ничего серьезного. Я бы, конечно, попросил присутствовать и вас, но эти ребята очень беспокоятся о секретности. Некоторые из них жертвуют деньги на мою кампанию. И не любят это афишировать.

Гэбриэл почувствовала себя обезоруженной.

— Но... разве такое возможно? Это же незаконно!

— Незаконно? Почему?! Все пожертвования ниже потолка в две тысячи долларов. Мелочь. Эти парни даже и не заметят такой суммы. Тем не менее я выслушиваю их ворчание. Они называют это инвестициями в будущее. Я особенно не распространяюсь на сей счет. Честно говоря, безопаснее помалкивать. Если Белый дом что-нибудь разнюхает, то раздует из мухи слона, это уж точно. Но в любом случае дело в другом. Звоню я вам, потому что совсем недавно, уже после встречи с бизнесменами, разговаривал с председателем Космического фонда...

В течение нескольких секунд, пока Секстон продолжал говорить, Гэбриэл слышала лишь стук в висках и чувствовала, как приливает к лицу кровь. Ведь без малейшего с ее стороны намека сенатор признался в сегодняшней встрече с руководителями космических фирм. Совершенно открыто! Подумать только! А что она собиралась сделать?! Спасибо Иоланде — остановила. А то бы уже прыгнула прямиком в объятия Марджори Тенч!

— ...Так вот, я пообещал руководителю фонда, что вы раздобудете для нас эту информацию, — закончил сенатор.

Гэбриэл отвлеклась от своих мыслей.

— Хорошо.

— Надеюсь, вы все еще имеете доступ к источнику, из которого черпали информацию о НАСА все это время?

Марджори Тенч. Гэбриэл сморщилась, словно от зубной боли. Она никогда не сможет открыть сенатору, что осведомитель манипулировал ею.

— Гм... надеюсь... — соврала она.

— Хорошо. Мне нужна эта информация. Прямо сейчас.

Слушая, Гэбриэл ясно сознавала, насколько плохо она в последнее время понимала сенатора Секстона. С тех пор как она начала вблизи следить за карьерой этого человека, значительная доля его блеска померкла для нее. Но сегодня все вернулось, все встало на свои места. Перед лицом событий, способных нанести его кампании смертельный удар, он пытался организовать не просто оборону, а контратаку. И хотя именно она, Гэбриэл, вывела его на опасный путь, он не собирался ее наказывать. Вместо этого ассистентке предоставлялся шанс реабилитировать себя.

И она сделает это.

Во что бы то ни стало.

ГЛАВА 80

Стоя возле окна своего кабинета, Уильям Пикеринг вглядывался в далекие огни на Лисберг-хайвей. Он часто думал о ней, стоя в одиночестве здесь, почти на вершине мира.

Столько власти... и он не смог ее спасти.

Дочь Пикеринга, Диана, погибла в Красном море во время плавания на маленьком военно-морском судне. Она училась на штурмана. Солнечным днем судно стояло на якоре в безопасной гавани. Самодельная лодка, нагруженная взрывчаткой и управляемая двумя террористами, медленно прошла через гавань и, протаранив корабль, взорвалась. Погибли четырнадцать молодых американских военных, в том числе и Диана Пикеринг.

Уильям Пикеринг был раздавлен. Боль не отпускала его неделями. А когда ЦРУ по горячим следам вышло на давно известную организацию, за которой оно долго и безуспешно охотилось, печаль его превратилась в ярость. Он ворвался в штаб-квартиру ЦРУ и потребовал ответа.

Ответ, который он получил, было тяжело принять.

Оказалось, ЦРУ было готово к ликвидации этой группировки уже давно и ожидало лишь спутниковых фото с высоким разрешением, чтобы точно спланировать нападение на боевой центр террористов в горах Афганистана. Предполагалось, что фотографии сделает спутник НРУ под кодовым названием «Вортекс-2» стоимостью в миллиард двести тысяч долларов. Тот самый спутник, который взорвался прямо на стартовой площадке вместе с ракетой, принадлежащей НАСА. Из-за неудачи отложили операцию ЦРУ... и погибла Диана Пикеринг.

Разум говорил Уильяму, что прямая ответственность лежит не на НАСА, но сердце никак не могло примириться. Расследование взрыва показало, что инженерам НАСА, отвечавшим за систему подачи топлива, было приказано использовать низкокачественное горючее, чтобы не выходить за рамки финансирования.

— В случае непилотируемых полетов, — объяснил на пресс-конференции Лоуренс Экстром, — НАСА стремится прежде всего к результативности. В данном случае результаты оказались неоптимальными. Мы тщательно исследуем происшествие.

Неоптимальные результаты. А Диана Пикеринг погибла.

Более того, поскольку спутник-шпион был засекречен, широкая общественность так никогда и не узнала, что НАСА провалило проект стоимостью свыше миллиарда долларов, косвенно погубив полтора десятка американцев.

— Сэр, — прозвучал по внутренней связи голос секретарши, — первая линия. Марджори Тенч.

Пикеринг стряхнул с себя оцепенение и взглянул на телефон. Опять? Огонек первой линии, казалось, пульсировал сердито и настойчиво. Пикеринг, нахмурившись, снял трубку.

— Слушаю.

Голос Тенч едва не срывался от ярости.

— Что она вам сказала?!

— О чем вы?

— Рейчел Секстон звонила вам. Что она сказала? Она была на подводной лодке! Хороши новости! Объясните!

Пикеринг моментально понял, что простое отрицание здесь не поможет. Тенч всегда старательно учила уроки. Удивляло, конечно, что эта особа все-таки пронюхала насчет «Шарлот», но, судя по всему, она не успокоится, пока не добьется ответов на свои вопросы.

— Да, мисс Секстон связалась со мной.

— И вы организовали эвакуацию. Не посоветовавшись со мной и ничего мне не сообщив?

— Я просто организовал перевозку. Только и всего.

Оставалось два часа до прибытия Рейчел Секстон, Майкла Толланда и Корки Мэрлинсона на авиабазу Боллингз.

— Но вы предпочли утаить это от меня?

— Рейчел Секстон сделала несколько весьма тревожащих заявлений. Вернее, обвинений.

— Относительно подлинности метеорита... и каких-то покушений на ее жизнь?

— Среди всего прочего и это тоже.

— Она лжет.

— А вы в курсе, что с ней еще двое, которые полностью подтверждают ее слова?

Тенч помолчала.

— Да. Все очень тревожно. Белый дом крайне озабочен этими заявлениями.

— Белый дом? Или лично вы?

Тон Марджори моментально стал ледяным и безжалостным, словно лезвие бритвы.

— На сегодня для вас, директор, это одно и то же.

Пикеринг не испугался. Беснующиеся политики не были для него новостью, равно как и сотрудники аппарата власти, пытающиеся установить контроль над разведывательным управлением. Хотя мало кто мог наступать столь яростно, как Марджори Тенч.

— Президент знает, что вы мне сейчас звоните?

— Честно говоря, директор, я просто шокирована тем, что вы верите в бред этих сумасшедших.

Пикеринг хотел напомнить, что она не ответила на вопрос, но сдержался.

— Не вижу никаких рациональных причин для лжи с их стороны. Могу предположить только два варианта: или они говорят правду, или же искренне заблуждаются.

— Заблуждаются? Утверждая, что на них напали? Что в деле с метеоритом существуют странности, которых не заметило НАСА? Ради Бога! Это же откровенный политический фарс!

— Если так, то мотивы подобного поведения мне не ясны.

Тенч тяжело вздохнула и понизила голос:

— Директор, здесь действуют силы, о существовании которых даже вам неизвестно. Обсудить это мы можем позже, а сейчас мне необходимо знать, где находятся Секстон и остальные. Прежде чем они нанесут какой-нибудь серьезный вред, я должна во всем как следует разобраться. Где они?

— К сожалению, я не вправе разглашать эту информацию. Как только они прибудут, я с вами тотчас свяжусь.

— Ну уж нет! Я должна быть на месте к моменту их прибытия и лично их встретить.

Пикеринг подумал, что встретит она их не одна, а с отрядом агентов службы безопасности.

— Когда они объявятся в наших краях, у нас у всех будет возможность дружески поболтать. Или вы собираетесь пригнать армию, чтобы арестовать их?

— Эти люди представляют непосредственную опасность для президента. Белый дом имеет полное право задержать и допросить их.

Пикеринг понимал, что Тенч права. В соответствии с законами Соединенных Штатов агенты секретной службы имеют право использовать оружие и совершать «несанкционированные» аресты просто по подозрению в замысле преступных действий против президента. В этом случае у них развязаны руки. Обычно они задерживали тех, кто бесцельно слонялся вокруг Белого дома, и детишек, посылавших электронные письма с глупыми угрозами.

Пикеринг ни секунды не сомневался, что секретные агенты найдут повод затащить Рейчел и ее товарищей по несчастью в подвал Белого дома и держать там практически бесконечно. Игра может принять опасный оборот, но Тенч прекрасно понимала, что ставки высоки. Вопрос заключался в том, что случится, если Пикеринг позволит Тенч завладеть ситуацией. Однако лучше этого не знать.

— Я предприму все необходимое, — твердо заявила Марджори, — чтобы оградить президента от ложных обвинений. Одно лишь предположение о нечестной игре бросит густую тень и на Белый дом, и на НАСА. Рейчел Секстон не оправдала доверия, оказанного ей президентом, и я вовсе не намерена наблюдать, как он будет расплачиваться за это доверие.

— А если я сделаю запрос, чтобы мисс Секстон позволили высказаться перед официальной комиссией?

— В таком случае окажется, что вы нарушаете прямой приказ президента и готовите этой особе удобную платформу для организации невиданного политического скандала! Еще раз спрашиваю вас, директор: куда вы везете этих людей?

Пикеринг глубоко вздохнул. Скажет ли он этой кошмарной женщине, что самолет прилетит на авиабазу Боллингз, или нет, она все равно найдет средства и возможности узнать. По непреклонности, которая сквозила в ее тоне, он чувствовал, что она не успокоится. Марджори Тенч гнал вперед страх.

— Марджори, — произнес Пикеринг, стараясь как можно точнее передать свое настроение, — кто-то мне лжет. Или Рейчел Секстон и те двое гражданских ученых — или вы. Мне кажется, что именно вы.

Тенч взорвалась:

— Как вы смеете?!

— Ваш гнев меня нисколько не задевает, поэтому поберегите его для иного случая. Вам будет полезно узнать, что я располагаю неопровержимыми доказательствами того, что НАСА и Белый дом сегодня сообщили всему миру неправду.

Тенч внезапно замолчала.

Пикеринг позволил ей немножко пострадать.

— Я вовсе не стремлюсь ни к каким политическим интригам и победам. Во всяком случае, никак не больше вас. Но здесь замешана ложь. Ложь, которой быть не должно. И которая не выдержит проверки. Если вы хотите, чтобы я вам помог, то ведите себя честно. Во всяком случае, со мной.

Казалось, в душе Тенч борются искушение и осторожность.

— Если вы так уверены, что здесь замешана ложь, то почему же вы не выступили?

— Не имею склонности вмешиваться в политические события.

В ответ Тенч пробормотала что-то похожее на весьма непристойное ругательство.

— Вы пытаетесь мне сказать, Марджори, что сегодняшнее сообщение было абсолютно правдивым?

На другом конце провода воцарилось долгое молчание.

Пикеринг чувствовал, что победил.

— Послушайте, мы оба знаем, что это бомба с часовым механизмом. Но еще не поздно ее обезвредить. Существуют компромиссы, и мы вполне можем их достичь.

Несколько секунд Тенч не отвечала. Наконец она вздохнула:

— Нам нужно встретиться.

Пикеринг мысленно прибавил еще одно очко в свою пользу.

— У меня есть что вам показать, — продолжила советница. — По-моему, это прольет свет на ситуацию.

— Я приду к вам.

— Нет, — поспешно возразила Тенч. — Уже поздно. Ваше присутствие здесь даст повод к лишним разговорам. А я бы предпочла сохранить дело между нами.

Пикеринг хорошо умел читать между строк. Сказанное означало, что президент ничего не знает.

— Добро пожаловать ко мне, — произнес он.

Тенч и этот вариант показался неподходящим.

— Давайте встретимся где-нибудь на нейтральной территории и как можно более незаметно. — На это Пикеринг и рассчитывал. — Мемориал Рузвельта как раз подойдет, — продолжала Тенч. — В это время он безлюден.

Пикеринг обдумал предложение. Мемориал Рузвельта находится на полпути между мемориалами Линкольна и Джефферсона, в безопасной части города. После некоторых колебаний он согласился.

— Ровно через час, — заключила Тенч. — И приходите один.

Повесив трубку, Марджори Тенч набрала номер администратора Экстрома. Сухо, напряженно изложила плохую новость.

— Пикеринг может создать дополнительные проблемы.

ГЛАВА 81

В студии Эй-би-си Гэбриэл Эш набирала номер телефонной справочной.

Если подтвердится подозрение, которое только что высказал Секстон, то может произойти невероятное. НАСА лжет о спутнике-сканере? Гэбриэл видела ту пресс-конференцию. Ей тоже многое показалось странным, но она быстро забыла об этом. Ведь несколько недель назад этот спутник не имел никакого значения. Лишь сегодня вечером он внезапно привлек к себе всеобщее внимание.

А сейчас Секстону потребовалась закрытая информация, причем срочно. И получить эту информацию он рассчитывал от осведомителя Гэбриэл. Ассистентка пообещала боссу приложить все усилия, однако суть проблемы заключалась в том, что этим осведомителем была сама Марджори Тенч. Сейчас, разумеется, помощи от нее ждать не приходилось. А значит, следовало добывать информацию иным путем.

— Телефонная справочная служба, — раздался голос в трубке.

Гэбриэл назвала имя. Через несколько секунд телефонистка дала номера трех Крисов Харперов, проживающих в Вашингтоне. Гэбриэл набрала каждый из номеров.

Первый принадлежал юридической фирме. По второму никто не брал трубку. На третий раз ответила женщина:

— Квартира Харперов.

— Миссис Харпер? — Гэбриэл постаралась говорить как можно вежливее. — Надеюсь, я вас не разбудила?

— Господи, конечно, нет! Разве сегодня кто-нибудь сможет заснуть? — Судя по голосу, события волновали даму. Было слышно, что в комнате включен телевизор. Рассказывали о метеорите. — Я полагаю, вам нужен Крис?

Сердце Гэбриэл забилось учащенно.

— Да, мадам.

— К сожалению, его нет дома. Рванул на работу, как только закончилось выступление президента. — Женщина негромко рассмеялась. — Сомневаюсь, правда, что там у них кто-то собирается работать. Скорее всего будут праздновать. Сообщение оказалось для него полным сюрпризом. Да и для других тоже. Телефон звонил не умолкая весь вечер. Думаю, там собралась вся команда НАСА.

— В комплексе на И-стрит? — уточнила Гэбриэл, предполагая, что собеседница имеет в виду штаб-квартиру космического агентства.

— Совершенно верно. Не забудьте праздничный колпак.

— Спасибо.

Гэбриэл повесила трубку и быстрым шагом пересекла студию, обнаружив Иоланду в другом ее конце. Журналистка консультировала группу специалистов, которым предстояло комментировать ситуацию с метеоритом.

При приближении Гэбриэл Иоланда улыбнулась.

— Ты выглядишь значительно лучше, — заметила она. — Начинаешь понимать, что жизнь продолжается?

— Я только что разговаривала с сенатором. Оказалось, его встреча — вовсе не то, о чем я подумала.

— Я же говорила, что Тенч попросту играет с тобой. И как сенатор принял новость?

— Гораздо спокойнее, чем можно было бы предположить.

Иоланда удивилась:

— А я, честно говоря, решила, что он уже прыгнул под автобус или сделал что-нибудь в этом роде.

— Он считает, что в данных НАСА можно обнаружить неувязку.

Иоланда как-то странно фыркнула.

— Он видел ту же самую пресс-конференцию, что и я? Сколько же подтверждений и доказательств ему необходимо?

— Я сейчас направляюсь в НАСА кое-что разузнать.

Подведенные брови Иоланды изогнулись предупреждающими дугами.

— Правая рука сенатора Секстона собирается ворваться в штаб-квартиру НАСА? Хочешь, чтобы тебя закидали камнями?

Гэбриэл поделилась с Иоландой подозрениями по поводу того, что менеджер Крис Харпер на недавней пресс-конференции лгал относительно устранения неполадок в программном обеспечении спутника.

Однако Иоланда не хотела верить.

— Мы тоже передавали эту пресс-конференцию, Гэб, и должна признать, что Харпер действительно был не в своей тарелке. НАСА сообщило, что в тот вечер он чувствовал себя просто отвратительно.

— А вот сенатор Секстон утверждает, что он лгал. И другие тоже так считают. Причем влиятельные люди.

— Но если компьютеры спутника не привели в норму, то как он смог распознать метеорит?

Гэбриэл подумала, что вопрос как раз для сенатора.

— Не знаю. Но сенатор хочет, чтобы я раздобыла для него кое-какую информацию.

Иоланда покачала головой:

— Он посылает тебя прямиком в осиное гнездо и при этом играет на дудочке пустой мечты. Не ходи. Ты ему ровным счетом ничего не должна.

— Но это же из-за меня полетела к чертям его избирательная кампания.

— Вовсе не из-за тебя. Это просто невезение.

— Если сенатор прав и руководитель проекта лгал...

— Детка, если руководитель проекта спутника-сканера лгал всему миру, то с какой стати он скажет правду тебе?

Гэбриэл уже думала об этом и даже сочинила кое-какой план.

— Если мне удастся там что-нибудь выяснить, я тебе позвоню.

Иоланда скептически рассмеялась:

— Если ты там что-нибудь выяснишь, я тоже съем собственную шляпу.

ГЛАВА 82

«Забудь все, что знаешь об этом камне...»

Майкл Толланд боролся с тревожными мыслями по поводу метеорита. Сейчас, после озадачивающих слов Рейчел, он испытывал еще большее волнение. Смотрел на камень, который держал в руке. Если представить, что кто-то дал ему его без всяких объяснений относительно происхождения и свойств... какой вывод можно сделать в этом случае?

Толланд понимал, что вопрос Рейчел имеет особый подтекст, и все-таки в качестве аналитического упражнения он казался исключительно полезным. Отбросив все данные, которыми его снабдили сразу по прибытии в хабисферу, Толланд был вынужден признать, что его анализ окаменелостей основывался на одном-единственном предположении, а именно — камень, где содержатся эти самые окаменелости, не что иное, как метеорит.

А если бы насчет метеорита никто ничего не говорил?.. Не в состоянии пока придумать другое объяснение, Майкл все же попробовал мысленно исключить метеоритную предпосылку. Результаты оказались достаточно странными и не слишком приятными.

И вот теперь Толланд, Рейчел и проснувшийся, но еще неважно соображающий Корки Мэрлинсон обсуждали идеи, которые брезжили в голове каждого из них.

— Итак, — повторила Рейчел настойчивым, напряженным голосом, — Майкл, ты утверждаешь, что если бы кто-нибудь дал тебе этот камень с отпечатками безо всяких объяснений, ты заключил бы, что он с Земли.

— Именно, — подтвердил Толланд. — А какой бы еще вывод мог прийти мне в голову? Решить, что найден образец внеземной жизни, намного сложнее, чем утверждать, что найдена окаменелость еще не описанного земного вида. Ежегодно ученые обнаруживают десятки новых земных организмов.

— Вошь длиной в два фута? — недоверчиво воскликнул Корки. — Ты полагаешь, что насекомое такого размера может существовать на Земле?

— Возможно, когда-то существовало, — ответил Толланд. — Ведь не обязательно они должны существовать именно сейчас. Мы имеем дело с окаменелостью. Ей сто девяносто миллионов лет. Она из юрского периода. Множество доисторических отпечатков оставили существа значительного размера, которые, когда мы обнаруживаем такие окаменелости, выглядят просто невероятными. Огромные крылатые рептилии, динозавры, птицы.

— Конечно, не мне, физику, критиковать тебя, Майкл, но в твоих рассуждениях есть серьезный недостаток. Все доисторические существа, которые ты только что назвал — динозавры, рептилии, птицы, — обладали внутренним скелетом. И он позволял им вырасти до значительных размеров, несмотря на силу земного притяжения. Но вот эта окаменелость... — Корки взял образец и поднес его поближе к глазам. — Эти твари имеют лишь внешний скелет. Они же антроподы. Жуки. А ты сам говорил, что жук такого размера может появиться только при слабой гравитации. В ином случае его внешний скелет просто разрушился бы.

— Верно, — согласился Толланд. — Этот вид вымер бы, начни он распространяться на Земле.

Корки наморщил от раздражения лоб.

— Если только не предположить, что какой-то пещерный житель завел у себя антигравитационную ферму по выращиванию вшей, то я просто не понимаю, как ты можешь прийти к выводу о существовании на нашей бедной планете двухфутовых жуков.

Майкл сдержал улыбку.

— Существует и еще одна возможность. — Он пристально взглянул на друга. — Корки, ты вот привык все время смотреть вверх. А теперь посмотри вниз. Ведь прямо здесь, на нашей планете, существует обширная антигравитационная среда. И она присутствует с доисторических времен.

Корки ничего не понял.

— Какого черта ты имеешь в виду?

Рейчел тоже выглядела удивленной.

Толланд показал за окно, на залитый лунным светом океан, тускло мерцающий под крылом самолета.

— Океан. Вода представляет собой низкогравитационную среду, — пояснил Майкл. — Под водой все весит меньше. Океан способен поддерживать огромные хрупкие структуры, которые на земле никогда бы не выжили: медуз, гигантских кальмаров, ленточных угрей.

Корки кивнул, но не сдался:

— Прекрасно, однако в доисторическом океане никогда не было гигантских жуков.

— Именно что были. И есть до сих пор. Люди едят их каждый день. В большинстве стран они считаются деликатесами.

— Майк, ну кто же ест морских жуков?!

— Каждый, кто любит омаров, крабов и креветки.

Корки от неожиданности широко раскрыл глаза.

— Ракообразные — это, по сути, гигантские морские жуки, — пояснил Толланд. — Они являются подотрядом типа антроподов, к которому относятся вши, пауки, насекомые, кузнечики, скорпионы, крабы, омары. Они родственны друг другу. Все это виды, обладающие внешним скелетом.

Корки внезапно сник.

— С точки зрения классификации они, конечно, очень похожи на жуков, — продолжал Толланд. — Крабы напоминают гигантских трилобитов. А клешни омара похожи на клешни большого скорпиона.

Теперь уже астрофизик позеленел.

— Все. Больше я ничего подобного в рот не возьму.

Рейчел, казалось, увлеклась.

— Так, значит, антроподы на Земле остаются маленькими, потому что сила тяжести не дает им расти. Но в воде тела теряют вес, поэтому там возможны более крупные размеры.

— Верно, — подтвердил Толланд. — Королевский краб с Аляски мог бы быть неверно определен как самый большой на планете паук, не имей мы ископаемых свидетельств того, что это не так.

Возбуждение Рейчел перешло в озабоченность.

— Хорошо, Майк, но теперь, исключив положение о метеорите, скажи мне следующее: возможно ли, что окаменелости, которые мы видели на леднике Милна, могли появиться из океана? Я имею в виду из земного океана?

От Толланда не укрылся пристальный взгляд Рейчел и истинный смысл ее вопроса.

— Гипотетически я бы сказал — да, могли. На дне океана существуют горные системы, которым по двести миллионов лет. Столько же, сколько и этим окаменелостям. И теоретически океан может содержать живые формы, подобные этим.

— О, Бога ради!.. — простонал Корки. — Не могу поверить в то, что слышу. Исключить положение о метеорите? Но ведь метеорит неопровержим! Даже если бы дно океана было покрыто камнями, которым по двести миллионов лет, все равно у них не было бы корки сплава, аномального содержания никеля и хондр. Вы сейчас просто хватаетесь за соломинку.

Толланд знал, что Корки прав. И все же, представив существ, оставивших эти отпечатки, морскими жителями, он лишился священного страха перед ними. Теперь они казались как-то проще и роднее.

— Майк, — заговорила Рейчел, — почему никто из специалистов НАСА даже не предположил, что отпечатки могут быть оставлены морскими существами? Пусть даже в океане на другой планете?

— На то есть две причины. Пелагические организмы — с океанского дна — представляют собой изобилие разнообразных видов. Все, что существует в миллионах кубических футов океанской массы, в конце концов умирает и опускается на дно. А это означает, что дно превращается в могилу существ, обитающих на разных глубинах, при разном давлении и температуре. Но камень из ледника содержал окаменелости одного-единственного вида. И это больше походило на то, что можно найти в пустыне. Например, на скопление аналогичных существ, погребенных песчаной бурей.

Рейчел кивнула, соглашаясь.

— Ну а вторая причина?

Толланд пожал плечами:

— Просто инстинкт, интуиция. Ученые всегда считали, что космос, окажись он обитаем, был бы населен насекомыми. А по данным наблюдений за космическим пространством, там куда больше песка и камней, чем воды.

Рейчел молчала.

— Хотя... — добавил Толланд. Рейчел заставила его задуматься. — Существуют глубинные океанические зоны, которые океанологи называют мертвыми. Мы их еще не очень-то изучили, но они представляют собой области, где почти нет живых существ. Всего несколько видов донных животных, питающихся падалью. Однако с этой точки зрения существование скопления окаменелостей одного морского вида исключать тоже нельзя.

— Эй! — напомнил о себе Корки. — А как же все-таки насчет корки сплава? Среднего уровня содержания никеля? Хондр?

Толланд ничего не ответил.

— Насчет никеля... — Рейчел повернулась к Корки: — Объясни-ка мне еще разок. Кажется, ты говорил, что содержание никеля в земных камнях или очень низкое, или очень высокое, а в метеоритах оно находится в определенных срединных границах?

Корки кивнул:

— Именно.

— И в этом образце содержание никеля попадает именно в эти границы?

— Очень близко к ним, да.

Рейчел замерла:

— Подожди-ка. Близко? То есть?

Корки казался раздраженным.

— Я объяснял уже, что минералогическое строение метеоритов различно. Когда ученые находят новые образцы, мы обновляем наши данные насчет того, что считать естественным соотношением элементов в метеорите.

Рейчел взяла образец в руки. Выглядела она сейчас растерянной.

— Так, значит, этот метеорит заставил вас пересмотреть данные по естественному содержанию никеля? А так его процент выходил за установленные границы?

— Самую малость, — ответил Корки.

— А почему никто ничего об этом не говорил?

— Это не существенно. Астрофизика — динамичная наука, которая постоянно накапливает данные.

— И даже во время принципиально важной экспертизы?

— Послушай, — тяжело вздохнув, произнес Корки, — уверяю тебя, что содержание никеля в этой штуке гораздо ближе к уровню метеоритов, чем земных камней.

Рейчел посмотрела на Толланда:

— Ты знал об этом?

Толланд медленно, неохотно кивнул. Тогда это вовсе не казалось настолько существенным.

— Мне сказали, что образцы показывают содержание никеля чуть выше, чем в других метеоритах, и что специалисты НАСА не принимают это в расчет.

— И на то есть причина! — воскликнул Корки. — Минералогическое доказательство здесь вовсе не в том, что содержание никеля находится на нужном уровне, а в том, что оно совсем не такое, как на Земле.

Рейчел покачала головой:

— Извини, в моем деле такая логика считается ущербной, поскольку приводит к гибели людей. Сказать, что камень не похож на земной, еще не значит доказать, что он является метеоритом. Это свидетельствует лишь о том, что он не похож ни на что на нашей планете.

— Какая, черт возьми, разница?

— Никакой, — возразила Рейчел, — если тебе известен каждый камень на Земле.

Корки не ответил.

— Ну ладно, — наконец произнес он, — давай оставим в стороне содержание никеля, раз ты так из-за него нервничаешь. В нашем распоряжении все еще остаются добрая верная корка сплава и хондры.

— Точно, — спокойно согласилась Рейчел. — Два из трех — не так уж и плохо.

ГЛАВА 83

Здание, в котором размещалась центральная штаб-квартира НАСА, представляло собой громадный стеклянный куб, расположенный по адресу И-стрит, 300, Вашингтон, округ Колумбия. Здание было оплетено изнутри двумя сотнями миль коммуникационного кабеля и заполнено тысячами тонн компьютерного оборудования. Оно вмещало тысячу сто четыре служащих, распоряжавшихся годовым бюджетом в пятнадцать миллиардов долларов и обеспечивавших ежедневные операции на двенадцати базах по всей стране.

Несмотря на поздний час, Гэбриэл обнаружила в холле здания множество людей: сюда стекались возбужденные группы репортеров и еще более возбужденные сотрудники космического агентства. Сам холл очень напоминал музей: в нем помпезно громоздились подвешенные к потолку копии знаменитых космических кораблей и спутников. Группы тележурналистов моментально захватывали в плен входящих в здание взволнованных сотрудников НАСА.

Гэбриэл внимательно оглядела толпу, однако не заметила никого похожего на руководителя проекта спутника-сканера Криса Харпера.

Половина людей, собравшихся в холле, имела журналистские пропуска, вторая половина — болтавшиеся на шее удостоверения с фотографиями. У Гэбриэл не было ни того ни другого. Она заметила девушку с удостоверением НАСА и поспешила к ней.

— Привет. Я ищу Криса Харпера.

Девушка озадаченно взглянула на Гэбриэл, словно пытаясь вспомнить, где могла ее видеть.

— Я заметила, как доктор Харпер пришел — не так давно. Наверное, он поднялся наверх. Я вас знаю?

— Вряд ли, — ответила Гэбриэл, глядя в сторону. — А как подняться наверх?

— Вы работаете в НАСА?

— Нет.

— Тогда вам наверх нельзя.

— А нет ли здесь телефона, чтобы я...

— Послушайте! — Девушка внезапно рассердилась. — Я вас узнала! Видела по телевизору рядом с сенатором Секстоном. И у вас хватает наглости...

Гэбриэл уже не было рядом. Она растворилась в толпе. Но прекрасно слышала, как сзади девица предупреждает других о присутствии вражеской шпионки.

Ужас! Она здесь всего пару минут, а уже попалась!

Наклонив голову, Гэбриэл проскользнула в дальний конец холла. На стене висел щит-указатель. Она внимательно просмотрела его, разыскивая нужное имя. Тщетно. Назывались лишь отделы и подразделения.

Гэбриэл задумалась. Орбитальный полярный спутник — сканер определения плотности. Начала искать что-нибудь похожее. Снова ничего не нашла. Она боялась обернуться, ожидая увидеть толпу разгневанных сотрудников НАСА, готовых линчевать ее. Самое близкое название она обнаружила среди секций четвертого этажа: «Отдел изучения Земли, II уровень. Система наблюдения за Землей».

Гэбриэл направилась в закуток с лифтами. Там же был устроен фонтанчик для питья. Она поискала глазами кнопки вызова лифта... Одни щели. Черт! Лифты оказались защищенными, доступ только по пропускам, — следовательно, лишь для сотрудников.

Что-то возбужденно обсуждая, к лифтам шла группа молодых людей. У всех на шее висели карточки. Гэбриэл быстро склонилась над фонтанчиком, глядя назад. Прыщавый парень вставил в щель карточку, и двери лифта тут же открылись. Парень смеялся, в восторге качая головой.

— А доказательства, — разглагольствовал он, — оказывается, все это время таились здесь, зажатые во льду!

Двери закрылись, и компания исчезла.

Гэбриэл выпрямилась, вытирая губы и раздумывая, что делать. Оглянулась в поисках внутреннего телефона. Ничего похожего. Украсть карточку?.. Как бы то ни было, действовать надо оперативно, как можно быстрее. Она увидела ту самую бдительную особу, которая узнала ее, идущую по холлу с охранником.

Из-за угла появился худой лысый человек, спешащий к лифту. Гэбриэл снова нагнулась над фонтанчиком. Казалось, человек не обращает на нее никакого внимания. Молча Гэбриэл наблюдала, как он вставил в щель карточку. Открылись двери другого лифта, и мужчина вошел.

«К черту все! — решила Гэбриэл. — Теперь или никогда!» Она отскочила от фонтанчика и бросилась к лифту, выставив вперед руку, чтобы задержать двери. Они снова разъехались, и Гэбриэл впрыгнула в лифт. Лицо ее горело от возбуждения.

— Вы когда-нибудь думали о таком? — возбужденно затараторила она, обращаясь к удивленному незнакомцу. — Боже мой! Невероятно!

Он окинул ее подозрительным взглядом.

— Доказательства-то, — словно попугай, трещала она, — оказывается, все это время таились здесь, на Земле, во льду!

Мужчина выглядел изумленным.

— Ну... да... — Он взглянул на шею внезапной попутчицы, озадаченный тем, что не видит удостоверения. — Извините...

— Четвертый этаж, пожалуйста. Приехала в такой спешке, что даже забыла нацепить что положено!

Гэбриэл рассмеялась, украдкой взглянув на удостоверение мужчины. Джеймс Тейзен. Финансовое управление.

— Вы работаете здесь? — Тейзену было явно не по себе. — Мисс...

Гэбриэл обиженно дернула головой.

— Джеймс! Обижаете! Нет ничего хуже, чем забыть женщину!

Он на мгновение побледнел, обескураженный, и растерянно провел рукой по голове.

— Прошу прощения. Все волнение, знаете ли. Действительно, мы, кажется, знакомы. В какой программе вы работаете?

Гэбриэл блеснула уверенной улыбкой:

— «Система наблюдения за Землей».

Мужчина нажал кнопку с цифрой четыре.

— Это понятно. Я имею в виду — в каком конкретно проекте?

Гэбриэл почувствовала, как неудержимо заколотилось сердце. Она знала лишь одно-единственное название.

— Спутник—сканер плотности.

— Неужели? А мне казалось, я знаю всю команду доктора Харпера.

Она смущенно кивнула:

— Крис меня прячет. Я как раз та самая идиотка-программистка, которая напортачила в программном обеспечении.

Лысый финансист был поражен.

— Так это вы?..

Гэбриэл нахмурилась, словно вспомнив о неприятном происшествии.

— Я не могла спать несколько недель после этого.

— Но доктор Харпер взял всю вину на себя!

— Знаю. Крис такой парень... Во всяком случае, именно ему пришлось все исправлять. Но какие новости сегодня! Метеорит! Просто невероятно!

Лифт остановился на четвертом этаже. Гэбриэл быстро выскочила из него.

— Здорово, что мы встретились, Джим. Передавайте привет всем ребятам в финансовом отделе!

— Непременно, — пробормотал Тейзен, когда двери уже закрывались. — Приятно будет вновь вас увидеть.

ГЛАВА 84

Зак Харни, как и большинство президентов до него, спал всего по четыре-пять часов в сутки. Однако в течение последних нескольких недель и это казалось роскошью. Сейчас, когда возбуждение, владевшее им много часов подряд, отпустило, Харни явственно ощущал, что недосыпание сказывается на его самочувствии.

Вместе с несколькими высокопоставленными сотрудниками он сидел в комнате Рузвельта с бокалом шампанского в руке, следя за бесконечными телевизионными комментариями прошедшей пресс-конференции, толкованиями документального фильма Толланда и экспертизы независимых ученых. Сейчас на экране пышущая энергией журналистка стояла напротив Белого дома, сжимая в руке микрофон.

— Помимо ошеломляющих перспектив для человечества в целом, — вещала она, — открытие НАСА подразумевает определенные серьезные последствия здесь, в Вашингтоне. Находка окаменелостей в метеорите оказалась весьма кстати для проигрывающего предвыборную гонку президента. — Голос ее вдруг зазвучал драматически. — И одновременно весьма некстати для его основного соперника, сенатора Секстона.

Здесь прямое включение прервалось, и зрители увидели повтор сегодняшних дневных дебатов.

— После тридцати пяти лет безуспешных попыток, — с важным видом провозглашал сенатор, — нам вряд ли уже удастся обнаружить жизнь где-нибудь за пределами Земли.

— Ну а если вы все-таки ошибаетесь? — спросила Марджори Тенч.

Секстон театрально закатил глаза:

— О, ради Бога, мисс Тенч, если я вдруг окажусь не прав, то готов съесть собственную шляпу!

Все в комнате рассмеялись. Теперь, когда ход событий стал известен, способ, каким Тенч загнала сенатора в угол, мог показаться жестоким и откровенно нечистоплотным, однако зрители этого просто не замечали. Высокомерный, самоуверенный тон сенатора был сейчас настолько забавным, что все просто сочли, что он получил по заслугам.

Президент оглянулся, разыскивая старшего советника. Он не видел Тенч уже давно, с тех самых пор, как она куда-то исчезла в начале пресс-конференции. Странно, сейчас ее тоже не было. Президенту это показалось подозрительным: ведь торжество касалось ее в той же степени, как и его самого.

Телевизионный выпуск новостей продолжался, оповещая слушателей о гигантском политическом рывке Белого дома и катастрофическом падении сенатора Секстона.

Президент невольно поймал себя на мысли, как много способен изменить один-единственный день. Тем более в политике, где все может перевернуться в одно мгновение.

К рассвету ему предстояло в полной мере осознать, насколько верна эта мысль.

ГЛАВА 85

Тенч сказала, что Пикеринг может создать дополнительные проблемы.

Размышления на эту тему слишком увлекли администратора Экстрома. Он даже не заметил, что буря за стенами хабисферы разыгрывалась все сильнее. Звенящие, словно струны, тросы, казалось, звучали на пару тонов выше. Сотрудники НАСА нервно ходили по куполу и переговаривались, словно страшась укладываться спать. Но все мысли Экстрома сосредоточились на другой буре — той, которая разыгрывалась в далеком Вашингтоне и грозила непредсказуемыми последствиями. Последние несколько часов принесли массу проблем, и все Экстром пытался каким-то образом разрешить. И вот теперь повисла новая туча — куда мрачнее всех тех, что были прежде.

Пикеринг может создать дополнительные проблемы.

Не было на свете другого человека, с которым Экстрому в такой степени не хотелось бы бороться и мериться умом и силами, как с Пикерингом. Уже много лет директор НРУ терроризировал НАСА, пытаясь оказывать давление на политику секретности, отстаивая приоритет отдельных миссий и резко критикуя растущее количество неудач и откровенных провалов.

Экстром прекрасно знал, что отвращение Пикеринга к космическому агентству имеет куда более глубокие корни, чем недавняя история с потерей спутника стоимостью в миллиард долларов прямо на стартовой площадке, утечка секретных сведений или же борьба за квалифицированных сотрудников. В действительности ненависть директора НРУ к НАСА подпитывалась бесконечной драмой разочарования и личного горя.

Космический корабль НАСА «Экс-33», которым предполагалось заменить нынешний корабль многоразового использования, опоздал на целых пять лет. Это означало, что десятки программ по обслуживанию и запуску спутников были или отменены вовсе, или отложены в долгий ящик. А недавно ярость директора НРУ в связи с «Экс-33» достигла точки кипения — после того как он узнал, что НАСА отменило этот проект. Финансовые потери составили девятьсот миллионов долларов.

Экстром направился к своему кабинету — отгороженному шторой закутку. Уселся за стол и крепко сжал руками голову. Необходимо принимать решение. День, начинавшийся так лучезарно, грозил закончиться истинным кошмаром. Администратор попытался представить себя на месте Уильяма Пикеринга. Что директор предпримет дальше? Человек такого ума не мог не понять всей важности сегодняшнего открытия НАСА. И обязан был закрыть глаза на некоторые из тактических шагов, предпринятых в отчаянии. Не мог он и не осознать те непоправимые последствия, которые повлечет за собой осквернение этого торжественного момента.

Что Пикеринг собирается делать с имеющейся в его распоряжении информацией? Пропустит ли ее между пальцев или безжалостно заставит НАСА платить за совершенные ошибки и промахи?

Экстром сморщился, словно от зубной боли. Он прекрасно понимал, что последует.

В конце концов, Пикеринг мог предъявить НАСА куда более серьезный счет... давняя личная трагедия в состоянии перевесить любую политику.

ГЛАВА 86

Самолет летел на юг вдоль канадского берега залива Святого Лаврентия. Рейчел сидела молча, устремив взгляд в сторону кабины. Толланд и Мэрлинсон тихо разговаривали. Несмотря на то что в массе своей данные подтверждали подлинность метеорита, признание астрофизиком того факта, что содержание никеля выходит за «установленные рамки средних параметров», подлило немало масла в огонь подозрений и сомнений. Но хуже всего было даже не это. Секретное внедрение метеорита под лед имело смысл исключительно как часть блестяще срежиссированного мошенничества.

И тем не менее существующие научные данные указывали на подлинность метеорита.

Рейчел снова посмотрела на образец, который все еще крепко сжимала в руке. Поблескивали крошечные хондры. Майкл и Корки сейчас как раз обсуждали эти металлические вкрапления, говоря на малопонятном научном языке. Звучали термины: выровненные уровни оливина, метастабильные стеклянные матрицы, метаморфическая регомогенизация... Но все-таки смысл разговора не вызывал сомнений: ученые сходились во мнении, что хондры, несомненно, имеют внеземное происхождение. Здесь данные не подтасованы.

Рейчел перевернула образец и провела пальцем по краю, где была заметна часть корки сплава. Обугленная поверхность казалась относительно свежей — определенно не трехсотлетней. Корки утверждал, что из-за «упаковки» во льду камень не подвергался воздействиям атмосферы, а потому и не испытал эрозии. Это казалось логичным. Рейчел видела по телевизору программы, в которых показывали человеческие останки возрастом в четыре тысячи лет, извлеченные изо льда. На них сохранилась даже кожа.

Внезапно в голову пришла странная мысль. Определенно была упущена часть информации. Интересно, этот вопрос остался без внимания потому, что ей сообщили лишь поверхностные данные, проведя беглый обзор, или же об этом просто забыли сказать?

Рейчел резко обернулась к Мэрлинсону:

— А кто-нибудь занимался датированием корки сплава?

Корки растерянно взглянул на нее:

— Что-что?

— Горелую часть кто-нибудь изучал? То есть известно ли наверняка, что камень обгорел именно во время падения Юнгерсольского метеорита?

— Извини, — пожал плечами астрофизик, — но это невозможно установить. Окисление сдвигает все необходимые характеристики изотопов. А кроме того, скорость распада изотопов слишком мала, чтобы можно было измерить возраст чего-то моложе пятисот лет.

Рейчел с минуту подумала. Теперь понятно, почему время образования корки не включено в свод данных.

— Так, значит, получается, что камень мог обуглиться и в Средние века, и всего лишь неделю назад?

Толланд усмехнулся:

— К сожалению, наука не способна пока дать ответы на все возникающие вопросы.

Рейчел начала рассуждать вслух:

— Корка сплава — всего лишь очень сильно обгоревшая поверхность. Судя по словам Корки, корка на камне могла появиться в любое время на протяжении полтысячелетия, причем массой различных способов.

— Не так, — возразил Корки. — Массой различных способов? Нет. Только одним способом. Пройдя сквозь атмосферу.

— И другой возможности не существует? Как насчет печи?

— Печь? — переспросил ученый, словно не веря тому, что слышит. — Мы рассматривали образцы под электронным микроскопом. Даже самая чистая печь оставила бы следы топлива на поверхности камня. Все равно какого топлива: ядерного, химического, ископаемого. А кроме того, как насчет борозд от трения в атмосфере? Их в печи не получишь.

Рейчел совсем забыла о существующих на поверхности метеорита бороздах, четко определяющих направление падения. Похоже, он действительно летел в атмосфере.

— А как насчет вулкана? — предположила она. — Выбросы из кратера?

Корки покачал головой:

— Нет, сплав слишком чистый.

Рейчел взглянула на Толланда.

Океанограф кивнул:

— Извини, но я имею кое-какое представление о вулканах, и подводных, и наземных. Корки совершенно прав. Вулканические выбросы несут десятки токсинов: двуокись углерода, соли сероводородной кислоты, соляную кислоту. Все эти вещества мы обнаружили бы при электронном сканировании. Так что, хотим мы или нет, эта корка сплава является результатом исключительно чистого горения при прохождении плотных слоев атмосферы.

Рейчел вздохнула и отвернулась к окну. Чистое горение. Словосочетание почему-то задело. Она снова повернулась к Толланду:

— А что ты имеешь в виду под чистым горением?

Океанолог пожал плечами:

— Только то, что под электронным микроскопом мы не видим остатков топлива, значит, горение было вызвано кинетической энергией и трением, а вовсе не химическими или ядерными процессами.

— Так если вы не нашли никаких посторонних элементов, то что же в таком случае нашли? То есть что именно входит в состав корки сплава?

— Мы нашли, — вступил в разговор Корки, — именно то, что и ожидали найти. Элементы, входящие в состав атмосферы. Азот, кислород, водород. Никаких следов нефти, серы. Никаких вулканических кислот. Ничего особенного. Только то, что обычно появляется при проходе метеорита сквозь атмосферу.

Рейчел откинулась на спинку кресла. Мысли начали фокусироваться.

Корки наклонился к ней:

— Только, ради Бога, не начинай сейчас излагать теорию насчет того, что НАСА могло погрузить камень на космический корабль, а потом с высоты сбросить его на землю в надежде, что никто не заметит ни огненного шара, ни огромного кратера, ни даже удара при падении.

Об этом-то Рейчел как раз не думала, хотя возможность казалась достаточно интересной. Разумеется, маловероятной, но оттого не менее увлекательной. Нет, ее мысли бродили в другом месте. Естественные атмосферные элементы. Чистое горение. Борозды от трения с атмосферой. Где-то далеко-далеко, в укромном уголке мозга, забрезжил слабый свет.

— Соотношение атмосферных элементов, присутствующих на образцах, — заговорила она, — оно в точности совпадает с тем, которое характерно для корок сплава других метеоритов?

Казалось, Корки стремится уйти от прямого ответа.

— Почему ты спрашиваешь?

Рейчел увидела, что он сомневается, и сразу заволновалась.

— Что, соотношения различались, да?

— Этому есть научное объяснение.

Сердце Рейчел подпрыгнуло.

— А вы, случайно, не обратили внимания на значительное преобладание какого-нибудь одного из элементов?

Толланд и Мэрлинсон обменялись растерянными взглядами.

— Да, — признал Корки, — но...

— Это был ионизированный водород?

Глаза астрофизика округлились.

— Откуда ты знаешь?

Майкл тоже выглядел ошарашенным.

Она в упор посмотрела на спутников:

— Почему вы мне не сказали?

— Потому что существует совершенно четкое научное объяснение этого явления, — встрепенулся Корки.

— Я вся внимание, — бросила Рейчел.

— Действительно, наблюдался избыток ионизированного водорода, — начал объяснять астрофизик. — Это из-за того, что метеорит прошел сквозь атмосферу над Северным полюсом, где магнитное поле Земли создает необычно высокую концентрацию ионов водорода.

Рейчел, нахмурившись, покачала головой:

— Я располагаю совершенно другим объяснением.

ГЛАВА 87

Четвертый этаж штаб-квартиры НАСА оказался не таким впечатляющим, как холл внизу. Всего лишь длинный пустой коридор, унылость стен которого нарушалась одинаковыми, через равные промежутки, дверьми. Здесь никого не было. Поблескивали ламинированные указатели:

←Лэндсат 7
Терра →
←Экримсат
←Джейсон 1
Аква →
Сканер →

Гэбриэл последовала указанию «Сканер». Пройдя по нескольким коридорам, оказалась перед тяжелой стальной дверью. Трафаретная надпись гласила: «Орбитальный полярный спутник — сканер плотности. Руководитель секции Крис Харпер».

Дверь была заперта на электронный замок, который открывается карточкой-ключом. Можно было также попросить открыть через коммутационную панель. Гэбриэл приложила ухо к холодной металлической поверхности. На какое-то мгновение ей показалось, что из-за нее доносится разговор. Или спор. А может быть, и нет. Захотелось просто начать барабанить в дверь — до тех пор, пока кто-нибудь не впустит. Однако план общения с Крисом Харпером предполагал более тонкие действия. Она оглянулась, ища какой-нибудь дополнительный вход, но ничего не обнаружила. Недалеко виднелась ниша уборщика, и Гэбриэл заглянула туда в надежде увидеть связку ключей или карточку, но не нашла ничего, кроме тряпок и щеток. Вернувшись к двери, вновь приложила ухо к холодному металлу. На сей раз сомнений не осталось — действительно раздавались голоса. Все громче. И шаги. Кто-то взялся за ручку двери.

Она распахнулась настолько внезапно, что Гэбриэл не успела спрятаться. Отскочила в сторону, прижавшись к стене за дверью. Из комнаты вышла группа людей, что-то громко и возбужденно обсуждая. Казалось, они сердятся.

— Что у Харпера за проблемы? Он должен быть на седьмом небе!

— В такую ночь, как эта, хочет остаться один?.. Праздновать надо!

Люди прошли, а дверь начала закрываться, лишая Гэбриэл укрытия. Она замерла, напряженно наблюдая, как группа идет по коридору. Простояв неподвижно, пока дверь почти не закрылась, Гэбриэл рванулась и ухватилась за ручку, когда остался зазор всего в несколько дюймов. И больше не двигалась, дожидаясь, пока люди завернут за угол, слишком увлеченные разговором, чтобы оглядываться назад.

С тяжело бьющимся сердцем она потянула дверь и вошла в тускло освещенное помещение. Потом осторожно, без щелчка, прикрыла за собой дверь.

Огромная комната напоминала физическую лабораторию в колледже: компьютеры, испытательные стенды, электронное оборудование. Едва глаза привыкли к сумраку, стали заметны раскиданные повсюду чертежи и схемы. Свет шел только из-под двери офиса в дальнем конце. Гэбриэл тихо, на цыпочках, подошла. Дверь была закрыта. Но через окно было видно, что за компьютером сидит человек. Да, тот самый, с пресс-конференции НАСА. Табличка на двери оповещала: «Крис Харпер. Руководитель секции программы спутника-сканера».

Сделав почти невозможное, добравшись до этой двери, Гэбриэл внезапно испугалась. Сможет ли она преодолеть последнее препятствие? Девушка вспомнила об уверенности Секстона в том, что Харпер врал на пресс-конференции. Сенатор готов был основывать на этом реабилитацию своей избирательной кампании. Есть и другие, кто предполагал то же самое и ожидал от Гэбриэл информации, которую можно использовать против НАСА, чтобы хоть немного приглушить сегодняшнее торжество противника. После всего, что сделала с ней Тенч, Гэбриэл была настроена решительно.

Она подняла руку, чтобы постучать, но вдруг замерла. В голове прозвучал голос Иоланды: «Если Крис Харпер лгал о спутнике всему миру, то с какой стати он скажет правду тебе? Что заставляет тебя так думать?»

Чувство страха, ответила себе Гэбриэл. Она сегодня уже едва не стала его жертвой. В голове созрел план. Он включал тактику, которую применял сенатор, чтобы выбить информацию из политических оппонентов. Ассистентка многому научилась у Секстона. Не все из этого можно было назвать привлекательным и этичным. Но сегодня ей пригодится буквально каждая лазейка. Если удастся заставить Криса Харпера признать собственную ложь — любым путем! — то тем самым она откроет маленькую дверцу возможного успеха для кампании сенатора. Ее босс — тот человек, который умеет использовать для нужд дела любую мелочь.

План обработки Харпера основывался на тактике, которую сам Секстон называл «перехлестом». Это был метод, придуманный еще древнеримскими правителями. Он использовался для получения признания от преступников. Метод казался обманчиво простым: предположи, что преступник уже признался в том, что тебе нужно узнать. Потом предположи что-нибудь значительно худшее.

Цель состояла в том, чтобы дать противнику выбрать из двух зол меньшее — в данном случае правду.

Однако фокус требовал уверенности в себе, а ее-то Гэбриэл как раз и не чувствовала. Глубоко вздохнув, она еще раз мысленно прокрутила план действий, а потом настойчиво постучала в дверь кабинета.

— Я же сказал, что занят! — резко ответил Харпер с характерным европейским акцентом.

Гэбриэл постучала снова, громче.

— Я сказал, что не собираюсь праздновать!

Теперь она стукнула в дверь кулаком.

Крис Харпер подошел и распахнул дверь.

— Черт возьми, вы... — Он внезапно замолчал, изумленный.

— Доктор Харпер, — произнесла она, попытавшись придать голосу твердость.

— Как вы здесь оказались?

Лицо Гэбриэл было непроницаемым.

— А вы знаете, кто я такая?

— Ну разумеется. Ваш босс несколько месяцев линчевал мой проект. Как вы проникли сюда?

— Меня прислал сенатор Секстон.

Взгляд Харпера окинул лабораторию за спиной непрошеной гостьи.

— А где сопровождающие вас сотрудники?

— Не важно. Сенатор обладает значительными связями.

— В этом здании? — явно усомнился Харпер.

— Вы нарушили правила чести, доктор Харпер. Мой босс был вынужден созвать специальную сенатскую комиссию по расследованию ваших измышлений.

По лицу Харпера пробежала тень.

— О чем вы?

— Столь умные люди, как вы, не могут позволить себе роскоши изображать из себя дураков, доктор Харпер. У вас крупные неприятности, и сенатор прислал меня, чтобы предложить сделку. Сегодня его избирательной кампании нанесен тяжелый удар. Терять ему теперь нечего, и потому, если это окажется необходимым, он готов потянуть с собой на дно и вас.

— Черт побери, о чем вы?

Гэбриэл набрала в легкие побольше воздуха и начала игру всерьез.

— На недавней пресс-конференции вы излагали ложные сведения насчет программного обеспечения спутника. Мы это знаем. И помимо нас, знают еще многие. Дело в другом. — Прежде чем Харпер смог открыть рот, чтобы возразить, Гэбриэл помчалась вперед на всех парусах: — Сенатор мог бы прямо сейчас забить тревогу насчет вашей лжи, но его это не интересует. А интересует кое-что поважнее. Думаю, вы поняли, что я имею в виду.

— Нет, я...

— Вот в чем состоит предложение сенатора. Он готов молчать насчет вашей лжи относительно программного обеспечения, если вы сообщите ему имя того из высших чиновников НАСА, с кем вместе вы присваиваете деньги.

На мгновение глаза Криса Харпера помутились.

— Что?! Я ничего не присваиваю!

— Лучше думайте, что говорите, сэр. Сенатская комиссия собирает документы уже несколько месяцев. Неужели вы действительно думаете, что сумеете вывернуться? Подтасовывая документы, программы и направляя средства в частные фонды? И ложь, и присвоение денег могут довести вас до тюрьмы, мистер Харпер.

— Но я не делал ничего подобного!

— То есть вы хотите сказать, что не лгали насчет спутника-сканера?

— Нет, я хочу сказать, что не присваивал денег!

— Так, значит, вы признаете, что действительно лгали насчет сканера?

Харпер с минуту растерянно молчал, не находя нужных слов.

— Забудьте об этом, — отмахнулась Гэбриэл. — Сенатора Секстона не интересует ваша ложь на пресс-конференции. К такому мы давно привыкли. Ваше агентство обнаружило метеорит, и никому нет никакого дела до того, как именно это произошло. Мистера Секстона интересует присвоение денег. Необходимо осадить кое-кого в НАСА, кто слишком уж зарвался. Просто скажите, с кем вы работаете, и сенатор отведет от вас расследование. Вы можете избежать неприятностей, всего лишь сообщив нам имя сообщника. В противном случае сенатор поведет дело всерьез и начнет во всеуслышание говорить о махинациях с программным обеспечением и только на словах устраненных неполадках.

— Вы блефуете. Нет никаких частных фондов, никакого присвоения денег.

— Вы коварный лжец, мистер Харпер. Я видела документы собственными глазами. Ваше имя стоит на самых обличительных из них. Причем не один раз.

— Клянусь, я и понятия не имею ни о каких частных фондах! Гэбриэл разочарованно вздохнула.

— Поставьте себя на мое место, доктор Харпер. Напрашиваются лишь два вывода. Или вы мне лжете, так же, как лгали на той пресс-конференции. Или говорите правду, и в таком случае некая влиятельная в вашем агентстве фигура подставляет вас, как мальчика для битья, чтобы прикрыть свои собственные прегрешения.

Такая альтернатива вынудила Харпера задуматься.

Гэбриэл взглянула на часы.

— Сенатор дал вам срок один час. Вы можете спастись, назвав имя руководящего сотрудника НАСА, вместе с которым вы присваиваете деньги налогоплательщиков. Он не интересуется именно вами. Ему нужна крупная рыба. Понятно, что тот, о ком идет речь, обладает здесь, в НАСА, определенной властью. Поэтому он (или она) и смог устроить так, что в бумагах присутствует ваше имя, тем самым подставляя вас под тяжкий удар.

Харпер покачал головой:

— Вы лжете.

— И вы готовы сказать то же самое суду?

— Разумеется. Я буду отрицать абсолютно все.

— Под присягой? — презрительно уточнила Гэбриэл. — Предположим, что вы также будете отрицать свою ложь относительно исправности программного обеспечения спутника. — Девушка смотрела Харперу прямо в глаза. — Подумайте о выборе, мистер Харпер. Американские тюрьмы зачастую не слишком приятны.

Харпер не отвел взгляд. Как Гэбриэл хотела, чтобы он сдался! На какое-то мгновение ей показалось, что сомнение брезжит в его глазах, но нет: когда инженер заговорил, голос его звучал твердо.

— Мисс Эш, — он едва сдерживал ярость, позволяя ей проявиться лишь в горящем взгляде, — вы затеяли опасную игру. Лед под вами очень тонок. И вы, и я — оба прекрасно знаем, что никакого присвоения денег в НАСА не происходит. А единственный человек в этой комнате, кто лжет, — вы.

Гэбриэл почувствовала, как замирает сердце. Харпер смотрел на нее очень гневно. Ей захотелось повернуться и убежать. «Дура! Надумала блефовать перед ученым-ракетчиком! Чего ты ожидала?»

Она внутренне собралась, не позволив себе даже опустить голову.

— Все, что я знаю, — парировала она, отчаянно пытаясь изобразить уверенность и равнодушие, — так это то, что я собственными глазами видела обличающие вас документы. В них содержится прямое указание на то, что и вы лично, и кто-то еще позволяли себе присваивать средства НАСА. Сенатор просто попросил меня сегодня прийти сюда и предложить вам выбор: назвать имя партнера или взять всю тяжесть обвинения на себя. Я сообщу мистеру Секстону, что вы предпочли попытать счастья в суде. Там вы сможете повторить все, что сейчас утверждаете здесь: что вы не занимаетесь присвоением денег и не лгали относительно программного обеспечения спутника-сканера. — Она угрюмо усмехнулась. — После той пресс-конференции две недели назад я что-то очень сомневаюсь во всем этом.

С этими словами Гэбриэл резко повернулась и зашагала через темную лабораторию к выходу. В голове крутилась мысль: а не придется ли ей самой посидеть в тюрьме — вместо доктора Харпера?

Высоко держа голову, новоиспеченная шантажистка изо всех сил изображала уверенную походку, ожидая, что доктор Харпер окликнет ее. Однако в огромной комнате царило полное молчание. Она толкнула тяжелую металлическую дверь и вышла в длинный пустой коридор, надеясь, что лифты здесь не защищены, как внизу, в холле. Она проиграла. Потерпела полное и окончательное поражение. Несмотря на все усилия,

Харпер так и не клюнул. Может быть, он и не лгал вовсе? Может быть, на своей пресс-конференции он говорил чистую правду?

Внезапно по коридору прокатился грохот — резко распахнулась металлическая дверь.

— Мисс Эш! — раздался голос Криса Харпера. — Клянусь, я действительно ничего не знаю о присвоении денег. Я честный человек!

Сердце Гэбриэл едва не остановилось. Потребовалось немалое усилие воли, чтобы продолжать равномерно переставлять ноги. Она сумела даже пожать плечами и бросить в ответ:

— Тем не менее этот честный человек лгал на пресс-конференции.

Тишина. Гэбриэл продолжала путь по бесконечному коридору.

— Подождите! — закричал Харпер. Он догнал ее и теперь шел рядом, бледный словно полотно. — Вся эта история насчет присвоения средств... — понизив голос, продолжал он, — думаю, я знаю, кто меня подставил.

Гэбриэл остановилась, боясь поверить собственным ушам. Постаралась повернуться как можно медленнее и спокойнее.

— Теперь вы пытаетесь убедить меня в том, что вас кто-то подставляет?

Харпер тяжело, безнадежно вздохнул:

— Клянусь, что ничего не знаю о присвоении денег. Но если против меня существуют какие-то свидетельства...

— Целое дело!

Харпер снова вздохнул:

— Ну так, значит, это все просто подстроили и спланировали. Чтобы в случае необходимости меня дискредитировать. Существует лишь один-единственный человек, способный на это.

— Кто?

Крис Харпер взглянул прямо в глаза Гэбриэл Эш:

— Лоуренс Экстром ненавидит меня.

Гэбриэл искренне изумилась:

— Администратор НАСА?

Ученый угрюмо кивнул:

— Это он заставил меня лгать на той пресс-конференции.

ГЛАВА 88

Двигатель самолета «Аврора» работал лишь вполсилы, но даже в этом режиме команда подразделения «Дельта» летела в ночи со скоростью, в три раза превышающей скорость звука — около двух тысяч миль в час. Мерное постукивание импульсных двигателей в хвосте самолета создавало своеобразный гипнотический ритм. Внизу яростно бурлил океан. Вакуум, создаваемый в атмосфере самолетом, вздымал вверх петушиные хвосты высотой в пятьдесят футов, тянущиеся за машиной длинными параллельными полосами.

«Аврора» относилась к тем самолетам, о существовании которых никто не должен был даже подозревать. И тем не менее все о них знали. Даже телеканал «Дискавери» рассказывал об этой машине и ее испытаниях в штате Невада. Никто не ведал, как именно произошла утечка информации: то ли из-за постоянных «хлопков» в небе, слышных даже в Лос-Анджелесе, то ли из-за нефтяников, работавших в Северном море и видевших самолет, то ли из-за какого-нибудь растяпы в администрации, оставившего сведения о машине в открытом бюджетном отчете. Да и какое это имело значение? Главное, стало известно: военно-воздушные силы имеют самолет, способный развивать невероятную скорость. И он уже давно летает в небе, над головами людей.

Построенный фирмой «Локхид», самолет «Аврора» больше всего напоминал сплющенный мяч для игры в американский футбол. Длина его составляла сто десять футов, ширина — шестьдесят. Корпус поблескивал кристаллическим напылением термальной облицовки, почти как космический корабль. А немыслимая скорость явилась результатом новой экзотической системы, известной под названием импульсных детонирующих волновых двигателей. Топливом для них служил чистый водород, оставляющий в небе яркий пульсирующий след. Вот почему летал этот самолет исключительно ночью.

Команда «Дельта» наслаждалась роскошью невиданной скорости, обгоняя своих жертв. Они должны были прибыть на восточное побережье меньше чем через час, на два часа раньше «добычи». Сначала они хотели просто выследить и сбить самолет с экспертами, однако контролер справедливо опасался, что инцидент засветится на экранах радарных установок и что подобное происшествие вызовет тщательное расследование. Проще позволить самолету приземлиться. Так решил контролер. Как только выяснится, где именно должна произойти посадка, бойцы «Дельта» двинутся в нужную точку.

Когда они пролетали над пустынным Лабрадором, шифрующее переговорное устройство выдало сигнал.

Дельта-1 ответил.

— Ситуация изменилась, — информировал электронный голос. — У вас появилась другая цель — до того как приземлятся Рейчел Секстон и ученые.

Другая цель. Дельта-1 предчувствовал это. События разворачивались стремительно. Судя по всему, корабль контролера дал еще одну течь, и требуется как можно быстрее залатать ее. Дельта-1 напомнил себе, что течи не случилось бы, сделай они свое дело на леднике как следует. Не приходилось сомневаться в том, что сейчас они ликвидируют последствия своей же ошибки.

— В дело вошла четвертая сторона, — сообщил контролер.

— Кто именно?

Контролер секунду помолчал — а потом назвал имя.

Трое бойцов на борту фантастического самолета переглянулись. Это имя они знали очень хорошо.

Неудивительно, что контролер не в духе! Операция изначально планировалась как бескровная, между тем число целей, а следовательно, и жертв, стремительно возрастало. Дельта-1 почувствовал, как напрягаются все его мышцы. Контролер готовился сообщить им, как и где предстоит уничтожить новую жертву.

— Ставки выросли многократно, — предупредил контролер, — слушайте внимательно. Инструктирую лишь один раз.

ГЛАВА 89

Высоко над северными районами штата Мэн по направлению к Вашингтону летел самолет «Джи-4». На его борту Майкл Толланд и Корки Мэрлинсон внимательно смотрели на Рейчел Секстон. Она излагала собственную теорию того, каким образом в корке сплава метеорита могло возникнуть повышенное содержание ионизированного водорода.

— НАСА располагает испытательным полигоном, который называется Плам-Брук, — начала Рейчел, едва веря в то, что смогла произнести эти слова. Она не привыкла распространять секретную информацию. Однако в данных обстоятельствах Толланд и Мэрлинсон имеют право ее знать. — Строго говоря, Плам-Брук — это испытательный ангар для радикально новых систем двигателей. Пару лет назад мне пришлось писать синопсис насчет новой разработки, которую НАСА как раз испытывало. Нечто вроде двигателя расширенного цикла.

Корки возразил:

— Двигатели расширенного цикла находятся только в стадии разработки. В теории. На бумаге. Их еще никто не испытывает. Пройдут по крайней мере десятилетия...

Рейчел покачала головой:

— Извини, Корки. Но НАСА уже имеет прототипы. И испытывает их.

— Что? — Астрофизик не верил ей. — Эти двигатели работают на жидкой смеси кислорода и водорода, которая замерзает в космосе, делая их бесполезными для НАСА. Они утверждали, что не будут даже пытаться строить подобные двигатели до тех пор, пока не разрешится проблема с замерзанием топлива.

— Эта проблема уже решена. Избавились от кислорода и превратили топливо в кашу из сжиженного водорода в полузамерзшем состоянии. Горит оно очень мощно и очень чисто. Его предназначают для двигателей в случае отправки корабля на Марс.

Мэрлинсону все еще не верилось.

— Такого просто не может быть.

— Может, — коротко ответила Рейчел. — Я составляла об этом доклад президенту. Мой босс встал на дыбы, потому что НАСА хотело объявить о водородном топливе как о крупном успехе, а Пикеринг требовал, чтобы информацию отнесли к разряду секретной.

— Но почему?

— Не важно, — отмахнулась Рейчел, не собираясь разглашать больше тайн, чем это необходимо.

Правда же состояла в том, что Пикеринг стремился засекретить новую разработку в целях национальной безопасности, которая в последнее время вызывала все возрастающую тревогу. Причина этого заключалась в резко возросшем уровне китайских космических технологий. Китайцы как раз разрабатывали убийственную систему запуска боевых ракет, которую собирались продавать всем, кто готов хорошо платить. А среди таких, разумеется, найдется немало врагов Соединенных Штатов. Последствия для безопасности страны могли оказаться весьма серьезными. Однако НРУ знало, что Китай основывает свои разработки на базе морально устаревшего топлива, и Пикеринг не собирался дарить им сведения о прорыве в области создания водородного горючего.

— Так, значит, — произнес Мэрлинсон, явно удрученный, — ты утверждаешь, что НАСА обладает двигателями чистого горения, работающими на чистом водороде?

Рейчел кивнула:

— Я не располагаю цифрами, но температуры на выбросе этих двигателей в несколько раз превышают обычные. И это заставляет НАСА заниматься разработкой новых материалов для сопла. — Она помолчала. — Большой камень, помещенный возле сопла такого двигателя, будет обожжен потоком горящего водорода, в пламени с небывалой температурой. Корка сплава получится просто восхитительная!

— Ну вот! — воскликнул Корки. — Мы возвращаемся к сценарию поддельного метеорита?

Толланд внезапно заинтересовался:

— А ведь это идея. Булыжник, подставленный под космический корабль, собирающийся взлететь!

— Господи помилуй, — пробормотал Мэрлинсон, — по-моему, я оказался в компании двух сумасшедших.

— Корки, — обратился к нему Толланд, — ведь можно же предположить, что камень, помещенный в поле выброса такого двигателя, будет выглядеть обожженным точно так же, как и тот, который пролетел сквозь плотные слои атмосферы. Разве нет? Даже направление борозд и обтекания плавящегося вещества будет таким же!

— Ты прав, — пробормотал Мэрлинсон.

— А то самое чистое топливо, о котором толкует Рейчел, не оставит никаких химических следов. Только водород. Повышенный уровень ионов водорода в сплаве.

Корки закатил глаза:

— Послушай, если один из подобных водородных двигателей действительно существует и работает на сжиженном газе, наверное, то, о чем ты говоришь, возможно. Но уж слишком это фантастично.

— Почему же? — удивился Толланд — Процесс кажется достаточно простым.

Рейчел согласно кивнула:

— Требуется лишь камень с отпечатками живых организмов возрастом в сто девяносто миллионов лет. Обожги его в выбросах двигателя, работающего на сжиженном водороде, и засунь в ледник. Всего-то! В результате получаешь метеорит!

— Для туристов — может быть, — не сдавался астрофизик, — но не для ученого! Ты все еще не объяснила наличие хондр.

Рейчел сосредоточилась, пытаясь вспомнить, как Корки объяснял появление хондр.

— Ты ведь, кажется, говорил, что хондры возникают в результате быстрого нагревания и охлаждения в космосе, так?

Мэрлинсон вздохнул.

— Хондры образуются, когда камень, охлажденный в космосе, внезапно подвергается нагреву до степени частичного плавления — примерно до полутора тысяч градусов по Цельсию. Затем камень должен вновь остыть, причем невероятно быстро, и тогда карманы с расплавленным веществом превратятся в хондры.

Толланд внимательно посмотрел на коллегу:

— А что, такой процесс никак нельзя воспроизвести на Земле?

— Невозможно! — уверенно заявил астрофизик. — На нашей планете просто не существует таких температур, которые способны вызвать подобные стремительные процессы. Речь идет о ядерном нагревании и об абсолютном нуле в космосе. Такие крайности на нашей планете невозможны.

Рейчел задумалась.

— По крайней мере в естественных условиях.

Корки встрепенулся:

— Это как нужно понимать?

— А так: почему, собственно, процессы нагревания и охлаждения не могут быть искусственно воссозданы на этой планете? — вопросом на вопрос ответила Рейчел. — Камень запросто мог быть обожжен водородным двигателем, а потом быстро охлажден в криогенном морозильнике.

Корки взглянул с сомнением:

— Так что, значит, хондры искусственные?

— Это идея.

— Смешная идея, — заметил астрофизик, показывая на образец. — Может быть, ты забыла? Хондры были датированы без всякого сомнения, и их возраст определен в сто девяносто миллионов лет. — Он заговорил язвительным тоном: — Насколько мне известно, мисс Секстон, сто девяносто миллионов лет назад еще никто не имел ни двигателей на сжиженном водороде, ни криогенных морозильников.

Толланд обдумывал услышанное. Хондры или не хондры, но аргументы неумолимо накапливаются. Несколько минут он молчал, глубоко потрясенный откровением Рейчел насчет корки сплава. Ее гипотеза, хотя отчаянно смелая, все-таки открывала новые горизонты и позволяла мысли двигаться в иных направлениях. Если корку сплава можно объяснить... то что дальше?

— Ты что-то совсем затих, — заметила Рейчел, пересаживаясь к нему.

Толланд поднял голову. На мгновение при тусклом освещении салона самолета в глазах спутницы ему почудилась нежность, напомнившая о Шейле. Он устало вздохнул:

— Да я вот просто думал...

Рейчел улыбнулась:

— О метеоритах?

— А о чем же еще?

— Перебирал в уме результаты экспертиз, пытаясь вычислить, что остается?

— Вроде того.

— Ну и что решил?

— Да пока ничего особенного. Я подумал, сколько же данных оказалось под сомнением с того момента, как мы обнаружили шахту во льду, через которую внедряли метеорит.

— Иерархические доказательства — это карточный домик, — заметила Рейчел. — Изыми первую предпосылку, и сразу все посыплется. А в данном случае первой предпосылкой как раз и служило место находки. Когда я только прилетела на Милн, администратор НАСА сказал мне, что камень обнаружили в толще трехсотлетнего льда и что его плотность превышает плотность любого из камней в этом районе. И я приняла это как логическое доказательство того факта, что камень упал с неба.

— И ты, и все мы.

— Средний уровень содержания никеля хотя и убеждает, однако не может считаться решающим доказательством.

— Он очень близок, — вступил в разговор Корки, внимательно слушавший их.

— Но все-таки не попадает в границы.

Астрофизик неохотно кивнул.

— А эти невиданные космические жуки, хотя и очень странные, в действительности могли оказаться не чем иным, как древними глубоководными ракообразными.

— А теперь вот и корка сплава...

— Очень неприятно говорить об этом, — заметил Толланд, глядя на Мэрлинсона, — но почему-то начинает казаться, что отрицательных свидетельств теперь куда больше, чем положительных.

— Наука имеет дело не с тем, что кажется, а с тем, что есть на самом деле, то есть с реальными данными. Хондры в этом камне определенно метеоритного происхождения. Я согласен с вами обоими насчет того, что все это очень подозрительно, но хондры мы игнорировать не можем. Свидетельство положительное является решающим, в то время как свидетельство отрицательное остается условным.

Рейчел нахмурилась:

— И куда же ведет нас твое рассуждение?

— А никуда, — ответил Корки. — Хондры доказывают, что мы имеем дело с метеоритом. Остается единственный вопрос: зачем его все-таки засунули в ледовую толщу?

Толланду очень хотелось поверить в логику друга, однако что-то все-таки казалось не совсем убедительным, тревожащим.

— Майк, ты не выглядишь убежденным, — заметил астрофизик.

Толланд растерянно вздохнул:

— Я просто не знаю. Два из трех действительно было совсем не плохо, Корки. Но теперь мы уже имеем только одно против трех. И по-моему, какие-то данные мы просто упускаем.

ГЛАВА 90

Попался, думал Крис Харпер, не в силах сопротивляться накатывающей волне ужаса. Он живо представил тюремную камеру. Сенатор Секстон знает о его лжи насчет программного обеспечения спутника-сканера.

Руководитель секции орбитального полярного спутника—сканера плотности отвел Гэбриэл Эш в свой кабинет и плотно закрыл дверь. Его ненависть к администратору НАСА росла с каждой секундой. Сегодня вечером Крис узнал истинный размах коварства Лоуренса Экстрома. Мало того что администратор заставил Харпера врать насчет исправности программного обеспечения спутника, он еще постарался подстраховаться на случай, если Крис вдруг передумает играть в его команде!

Свидетельства о присвоении денег. Возможный шантаж. Очень ловко придумано. Кто поверит коррупционеру, пытающемуся омрачить величайший миг во всей истории американской космонавтики? Харпер знал, на что способен администратор НАСА ради спасения родного агентства. А сейчас, после объявления о находке метеорита с окаменелостями, ставки возросли неимоверно.

Несколько секунд Харпер нервно ходил вокруг большого стола, на котором стояла уменьшенная модель спутника-сканера. Выглядела она как цилиндрическая призма с множеством антенн и линз, защищенных отражателями. Гэбриэл села на стул, выжидательно глядя на собеседника. Слабость и дурнота заставили Харпера вспомнить, как он чувствовал себя во время той ужасной пресс-конференции. Он отвратительно сыграл свою роль, и потом его засыпали на этот счет вопросами. Пришлось лгать снова, говоря, что в тот вечер был болен. К счастью, и коллеги, и пресса быстро забыли его бесславное выступление.

И вот сейчас та ложь напомнила о себе, словно призрак.

Выражение лица Гэбриэл Эш изменилось, неожиданно став мягче.

— Мистер Харпер, имея врагом такого крупного хищника, как администратор, вы явно нуждаетесь в сильном союзнике. И сенатор Секстон готов вам помочь. Давайте начнем со лжи насчет программного обеспечения спутника-сканера. Расскажите подробно, что произошло.

Харпер вздохнул. Он понимал, что настало время говорить правду, каким бы тяжелым это ни казалось. С самого начала надо было говорить только то, что есть на самом деле!

— Запуск спутника-сканера прошел гладко, — начал ученый. — Он вышел на точную полярную орбиту, именно так, как было запланировано.

Гэбриэл Эш нахмурилась. Это она и так знала.

— Дальше.

— А потом начались неприятности. Когда мы приступили к исследованию льда в поисках аномалий, бортовой детектор вышел из строя.

— Да уж...

Речь Харпера становилась все торопливее.

— Предполагалось, что спутник достаточно быстро изучит площадь в тысячи акров и найдет территории, где плотность льда выходит за рамки нормальной. Главным образом предстояло искать размягченные участки — показатели глобального потепления. Но если бы попадались другие отклонения от средних значений, они тоже должны были отмечаться. План предусматривал, что спутник будет сканировать территорию за Полярным кругом в течение нескольких недель и за это время определит все аномалии, которые могут быть использованы для оценки масштабов глобального потепления. Однако после выхода из строя программного обеспечения спутник оказался совершенно бесполезным. НАСА предстояло вручную проверять данные сканирования каждого квадратного дюйма льда, разыскивая отклонения.

Харпер покачал головой, с болью вспоминая кошмар собственных промахов в программировании. Спутник оказался абсолютно неэффективен. А тут еще выборы, сенатор Секстон начал то и дело набрасываться на НАСА... Руководитель проекта вздохнул.

— Ваша ошибка оказалась пагубной и для НАСА, и для президента.

— Более неподходящего времени и придумать невозможно. Администратор просто разъярился. Я обещал ему, что устраню неполадки, когда запустят следующую экспедицию. Дело-то несложное: всего лишь заменить чип, поддерживающий функционирование системы. Но как часто случается, было слишком поздно. Экстром отправил меня якобы в отпуск. На самом деле меня уволили. Произошло это все месяц назад.

— Тем не менее две недели назад вы выступили перед телекамерами, объявив, что нашли решение проблемы.

Харпер поник:

— Ужасная ошибка. В тот день у меня дома раздался звонок. Это был Экстром. Он сказал, что появилась возможность себя реабилитировать. Я сразу побежал в офис, и там мы с ним встретились. Он попросил выступить на пресс-конференции и объявить, что найден способ возобновить работу спутника и через несколько недель будут получены данные. Сказал, что потом объяснит мне все подробно.

— И вы согласились?

— Да нет! Отказался! Но уже через час администратор снова сидел в моем офисе, на сей раз вместе со старшей советницей президента!

— Что? — Гэбриэл не смогла сдержать изумления. — Вместе с Марджори Тенч?

Харпер кивнул, про себя назвав Тенч отвратительным созданием.

— Вдвоем с администратором они не отпускали меня до тех пор, пока не доказали ошибочность моей позиции, которая в прямом смысле поставила и НАСА, и президента на край пропасти. Тенч поведала о планах сенатора приватизировать космическое агентство. Подчеркнула, что я в долгу перед всеми и обязан исправить положение. А потом объяснила, каким именно способом это сделать.

Гэбриэл напряженно подалась вперед:

— Продолжайте.

— Мисс Тенч поставила меня в известность, что Белый дом случайно получил определенные геологические свидетельства того, что в шельфовом льду Милна лежит огромный метеорит. Один из самых крупных в истории. Такая находка может оказаться значительным достижением космического агентства.

Гэбриэл была поражена.

— Подождите, то есть они знали о метеорите еще до того, как его обнаружил спутник?

— Именно. На самом деле спутник не имел ничего общего с открытием. Администратор и так знал о существовании метеорита. Просто дал мне координаты и велел провести спутник над тем местом, притворившись, будто мы обнаружили метеорит.

— Вы шутите!

— Вот-вот. Именно так реагировал и я, когда меня пригласили участвовать в том позорном шоу. Они отказались сообщить, как именно обнаружили наличие метеорита. Мисс Тенч упорно настаивала, что это не имеет никакого значения, зато мое участие в этом деле даст им прекрасную возможность забыть о моих промахах. Если я сделаю вид, что спутник-сканер обнаружил метеорит, то НАСА сможет взойти на пьедестал столь необходимого нам успеха и тем самым поддержать президента накануне выборов.

Гэбриэл не могла прийти в себя от изумления и растерянности. Кое-как собравшись с мыслями, она уточнила:

— Вы не могли объявить об открытии метеорита до тех пор, пока не станет известно о возвращении спутника в рабочее состояние, так?

Харпер кивнул:

— Отсюда ложь на пресс-конференции. Меня буквально силой заставили сделать это. И Тенч, и администратор были немилосердны. Подчеркивали, что я подвел всех на свете. Президент финансировал мой проект, НАСА потратило на него годы работы, а я все уничтожил своей ошибкой в программировании.

— И вам пришлось согласиться.

— У меня просто не оставалось выбора. Если бы я не сделал этого, карьере моей пришел бы конец. Но суть в том, что, если бы не моя ошибка, спутник на самом деле обнаружил бы метеорит. Поэтому ложь казалась совсем незначительной. Я нашел для себя оправдание: программное обеспечение все равно приведут в норму через несколько месяцев, когда полетит экспедиция. Я просто объявлю об ожидаемых результатах немного раньше.

Гэбриэл, не удержавшись, присвистнула.

— Крошечная ложь, позволяющая воспользоваться результатами своевременного открытия.

Харпер заболевал на глазах от воспоминаний о собственном позоре.

— Ну вот... подчиняясь приказу администратора, я выступил на пресс-конференции и объявил, что нашел обходной путь для решения проблемы детектора аномалий. Потом выждал несколько дней, после чего провел спутник непосредственно над местом залегания метеорита, в соответствии с данными мне координатами. Затем позвонил руководителю программ наблюдения и сообщил, что в шельфовых льдах Милна спутник определил аномалию высокой плотности. Передал координаты и сказал, что аномалия такой плотности, что там вполне может оказаться метеорит. НАСА отправило на остров небольшой отряд, чтобы взять пробы. Тут-то и развернулась вся последующая бурная деятельность.

— Так, значит, лично вы до сегодняшнего дня даже не подозревали о существовании в метеорите окаменелостей?

— Никто из нас в штаб-квартире не имел ни малейшего понятия. Мы все откровенно потрясены. Теперь коллеги называют меня героем, потому что я обнаружил доказательства существования внеземных биологических форм, а я не знаю, что и сказать в ответ.

Гэбриэл долго молчала, внимательно глядя на Харпера красивыми темными глазами.

— Но если не спутник обнаружил метеорит во льду, то как же администратор узнал о нем?

— Кто-то нашел его раньше.

— Кто-то? Кто именно?

Харпер вздохнул.

— Канадский геолог Чарльз Брофи, исследователь острова Элсмир. Очевидно, он производил геологическое зондирование шельфа Милна и случайно обнаружил во льду огромный метеорит. Он сообщил об этом по радио, а НАСА перехватило.

Гэбриэл покачала головой:

— Как же канадец стерпел то, что НАСА присвоило себе честь открытия?

— Очень просто. Он весьма своевременно скончался, — с жутковатым спокойствием ответил Харпер.

ГЛАВА 91

Закрыв глаза, Майкл Толланд прислушивался к рокоту двигателей. Он решил больше не думать о метеорите — до возвращения в Вашингтон. Если верить Корки, то хондры оставались решающим свидетельством. Камень, застрявший в шельфовом льду Милна, мог быть только метеоритом. Рейчел не теряла надежды получить ясный ответ для Уильяма Пикеринга к моменту посадки, но все ее рассуждения так или иначе заходили в тупик именно из-за хондр. Несмотря на то что характеристики метеорита вызывали подозрение, он оставался подлинным. Что ж, значит, так тому и быть.

Рейчел, без сомнения, была измучена их недавней борьбой за жизнь. Но ее мужество и выдержка поражали. Она сумела собраться и сосредоточиться на главном, то есть на необходимости или окончательно развенчать, или подтвердить подлинность метеорита, а также выяснить, кто и зачем хотел их убить.

Большую часть пути Рейчел просидела рядом с Толландом. Даже несмотря на тяжелые обстоятельства, общение с ней приносило ему радость. Несколько минут назад она отлучилась в хвост самолета по личным делам, и Майкл с удивлением обнаружил, что ему очень не хватает ее присутствия. После смерти Шейлы он еще ни разу не скучал по другой женщине.

— Мистер Толланд!

Майкл поднял голову. Из кабины выглядывал пилот.

— Вы просили сказать, когда мы окажемся в пределах телефонной связи вашего корабля. Если нужно, могу сейчас соединить.

— Спасибо.

Толланд прошел в кабину и набрал номер. Хотел предупредить ребят — свою команду, — что не появится еще примерно пару дней. Разумеется, он не собирался сообщать им о причине такой задержки.

После нескольких гудков подключилась корабельная система коммуникации — «Шинком-2100». Но прозвучало не обычное вежливое приветствие, а веселое обращение одного из членов команды, признанного шутника.

— Привет-привет, это «Гойя», — раздался голос. — Уж извините, что здесь никого нет, но дело в том, что нас похитила стая очень крупных блох. А если честно, то мы позволили себе сойти на берег, чтобы отпраздновать великий для Майкла день. О, как же мы гордимся! Можете оставить свое сообщение, и завтра, как только протрезвеем, мы с вами свяжемся. Чао! Счастливо!

Толланд засмеялся. Он соскучился по своим парням и обрадовался, узнав, что они смотрели пресс-конференцию по телевизору. Хорошо, что они отправились на берег. Когда ему позвонил президент, Майкл быстро собрался и уехал, бросив товарищей. А сидеть на корабле без дела — сущее мучение! Хотя автоответчик и сообщил, что все сошли на берег, наверное, кто-то все равно остался, чтобы следить за судном — опасно оставлять его на якоре без присмотра. В том районе, где оно сейчас находится, сильное течение.

Толланд набрал другой номер, линию внутреннего автоответчика — на нем наверняка записано послание, адресованное лично ему. Прозвучал гудок. Есть послание! Голос был тем же, что и на внешней линии.

— Привет, Майк! Ну и дела! Если ты слышишь это, то, наверное, проверяешь сообщения от всяких там высокопоставленных лиц из Белого дома. И конечно, пытаешься понять, куда же мы все подевались. Извини за то, что мы ушли с корабля, но, сам понимаешь, этот вечер вовсе не для «сухого закона». Не волнуйся, мы очень крепко привязали «Гойю» и оставили гореть свет в рубке. Втайне надеемся, что нашу посудину кто-нибудь угонит, и тогда Эн-би-си купит тебе новый, современный корабль. Не волнуйся, шучу. На самом деле Ксавия согласилась остаться на борту и следить за порядком. Она сказала, что предпочитает посидеть в одиночестве, а не праздновать вместе с толпой пьяных рыбаков. Можешь в это поверить?

Толланд улыбнулся, обрадовавшись тому, что корабль под присмотром. Ксавия была очень серьезной особой, не поощрявшей шумные пирушки. Уважаемый морской геолог, эта женщина славилась своей способностью говорить то, что думает, с убийственной прямотой.

— Надо сказать, Майк, — продолжал голос на автоответчике, — что вечер сегодня просто потрясающий. Заставляет откровенно гордиться собственной принадлежностью к научному братству, так ведь? Все кругом толкуют о том, как выгодно это открытие для НАСА. Да к черту НАСА! Для нас это еще лучше! Наверняка после всего, что произошло сегодня, рейтинг «Удивительных морей» поднимется на несколько миллионов пунктов. Ты, старик, теперь звезда. Настоящая. Поздравляем. Сработано отлично.

В трубке раздался приглушенный обмен репликами, потом снова тот же голос сказал:

— Кстати, о Ксавии. Она хочет тебя за что-то отчитать. Вот она, здесь.

На автоответчике зазвучал резкий голос Ксавии:

— Майк, ты божество, правда! И поскольку я тебя так люблю, то согласилась сегодня остаться в няньках у твоей проржавевшей доисторической посудины. А если честно, то я не прочь хоть немножко побыть в стороне от этой толпы хулиганов, которых ты почему-то называешь учеными. А еще, вдобавок к роли сторожихи, мне поручили укрепить сложившуюся репутацию злючки и предостеречь тебя от превращения в самовлюбленного зазнайку. Конечно, после такого успеха это может оказаться делом нелегким. Поэтому я обращу твое внимание на промах в фильме. Да-да, именно так, ты расслышал правильно. Редчайший для Майкла Толланда случай грубой логической ошибки. Не волнуйся, на земле живут лишь три человека, способные это заметить, и все они морские геологи и жуткие зануды без малейшего намека на чувство юмора. Примерно как я. Ты же знаешь, что говорят о нас — геологах: мы вечно ищем ошибки! — Она рассмеялась. — В любом случае это ерунда, мелочь. Крошечная деталь из области петрологии. И говорю я о ней исключительно для того, чтобы сделать тебе гадость и испортить вечер. Ты ведь можешь получить на сей счет пару звонков, поэтому я и решила тебя предупредить, чтобы в разговорах с посторонними ты не выглядел полным идиотом, хотя, как мы все знаем, ты именно такой и есть. — Она снова рассмеялась. — Я не очень вписываюсь во всякие там вечеринки, потому и осталась на борту. Не трудись мне звонить: я включила автоответчик, потому что чертова пресса звонит постоянно, не давая вздохнуть. Сегодня ты настоящая звезда, даже несмотря на промах. Я тебе все объясню, как только вернешься. Пока.

На линии наступила тишина.

Майкл Толланд нахмурился. Ошибка в его фильме?

Рейчел Секстон стояла в туалете самолета и внимательно рассматривала свое отражение в зеркале. Она выглядела очень бледной и измученной — гораздо хуже, чем предполагала. События сегодняшнего дня дорого обошлись ей. Интересно, когда теперь прекратится эта противная дрожь в конечностях? И когда она сможет без страха смотреть на океан? Сняв берет, выданный ей на подводной лодке «Шарлот», Рейчел распустила волосы. Вроде стало лучше. По крайней мере теперь она больше похожа на саму себя.

Глядя в глаза собственному отражению, она видела усталость, напряженность и... решимость. Рейчел сознавала, что это у нее от матери. Никто не смеет ей указывать, что делать. Интересно, видит ли Кэтрин оттуда, где она сейчас, что происходит с ее дочерью?

«Кто-то пытался убить меня, мама. Кто-то пытался убить нас всех...»

В который раз за эти несколько часов она перебрала в уме имена возможных кандидатур: Лоуренс Экстром... Марджори Тенч... президент Зак Харни. Каждый из них имеет свои мотивы. И, что еще хуже, каждый обладает достаточными средствами. Рейчел повторила себе, что президент здесь ни при чем. Очень хотелось верить, что человек, которого она уважала намного больше, чем собственного отца, всего лишь сторонний наблюдатель за этим жутким, почти мистическим действом.

Она все еще ничего не знает.

Не знает кто... не знает зачем... не знает почему.

Рейчел очень хотела бы иметь ответы на эти вопросы — для Уильяма Пикеринга. Однако пока возникали лишь все новые и новые неясности.

Выйдя из туалета, Рейчел удивилась, не увидев на месте Майкла Толланда. Корки дремал неподалеку. Пока она недоуменно оглядывалась, Майкл появился из кабины. В открытую дверь было видно, как пилот вешает на место трубку радиотелефона. В глазах океанографа читалась более заметная, чем прежде, тревога.

— Что случилось? — не выдержала Рейчел.

Мрачным голосом Толланд рассказал о том, что услышал.

Ошибка в его фильме? Не может быть! Рейчел решила, что Майкл драматизирует происходящее.

— Скорее всего просто какая-нибудь мелочь. Она не сказала, в чем конкретно заключается ошибка?

— Что-то из области петрологии.

— То есть структуры камня?

— Да. Сказала, что, кроме нее, это могут заметить только несколько других специалистов-геологов. Такое чувство, что речь идет о составе метеорита.

Рейчел глубоко вдохнула, начиная понимать.

— Хондры?

— Не знаю. Но совпадение кажется очень странным.

Рейчел согласилась. Именно хондры оставались той ниточкой, на которой еще держалось доказательство подлинности метеорита.

Проснулся Корки, протер глаза.

— Что здесь происходит?

Толланд рассказал.

Астрофизик недовольно скривился, покачав головой:

— Нет, Майк. Вряд ли дело в хондрах. Не может такого быть. Все данные у тебя от НАСА. И от меня. Они безупречны.

— Но тогда какая еще петрологическая ошибка могла возникнуть?

— Послушай, что могут знать о хондрах морские геологи?

— Понятия не имею. Но она говорила очень уверенно.

— Учитывая обстоятельства, — вмешалась в разговор Рейчел, — считаю, что мы должны сначала поговорить с этой дамой, а уже потом — с Пикерингом.

Толланд пожал плечами:

— Я четыре раза набирал номер и натыкался на автоответчик. Скорее всего она возится в гидролаборатории и ничего не слышит. И до утра вряд ли получит мои сообщения. — Толланд замолчал, глядя на часы. — Хотя...

— Хотя что?

Океанограф пристально взглянул на Рейчел.

— Насколько важным тебе кажется порядок бесед: сначала с Ксавией, а уже потом с Пикерингом?

— А если она действительно скажет что-нибудь насчет хондр? Я считаю, это обязательно. Сейчас в нашем распоряжении весьма противоречивые сведения. Мой босс — человек, привыкший получать ясные и точные ответы. Так что к моменту встречи с ним мне хотелось бы располагать чем-нибудь конкретным, чтобы предоставить ему возможность действовать.

— В таком случае нам придется сделать посадку.

Рейчел решила, что ослышалась.

— На твоем корабле?

— Он у берегов Нью-Джерси. Почти прямо по курсу. Поговорим с Ксавией и выясним, что она знает. У Корки есть образец. И если Ксавии потребуются какие-то минералогические тесты, она вполне может их сделать, поскольку на корабле есть отлично оснащенная лаборатория. Думаю, нам потребуется не больше часа, чтобы прийти к окончательным выводам.

Рейчел разволновалась. Так скоро снова оказаться лицом к лицу с океаном? Это ужасно!

Окончательные выводы... Эта фраза требовала смирить свои страхи. Тем более что Пикеринг наверняка ждет ответов.

ГЛАВА 92

Дельта-1 ступил на твердую землю.

Самолет «Аврора», несмотря на то что летел медленнее, чем мог, и к тому же по кружному курсу, проделал весь путь меньше чем за два часа, тем самым позволив подразделению «Дельта» занять выгодную позицию и подготовиться к операции, которую наметил контролер.

На секретном военном аэродроме в округе Колумбия они оставили самолет и погрузились в другой транспорт — вертолет «Оу-эйч-58Д», «Кайова-Уорриор».

Дельта-1 подумал, что контролер снова все предусмотрел.

«Кайова-Уорриор», изначально задуманный как легкий наблюдательный вертолет, впоследствии был «усовершенствован», став новейшим образцом боевой воздушной машины. Он был оснащен инфракрасным наблюдательным оборудованием и лазерной системой наводки, обеспечивающей автономное нацеливание ракет «стингер» и «хеллфайер». Высокоскоростной цифровой преобразователь сигналов обеспечивал одновременное преследование сразу до шести целей. Мало кому из врагов удавалось близко встретиться с этой жуткой машиной и остаться в живых, чтобы потом рассказать о ней.

Дельта-1 уселся на место пилота, пристегнул ремни и сразу ощутил знакомое волнение, чувство собственной мощи. Он изучал этот вертолет, тренировался на нем и трижды выводил его в секретные операции. Но конечно, никогда еще ему не доводилось целиться в высокопоставленного американского чиновника. Трудно было не признать совершенство машины и ее удобство для выполнения заданий, подобных этому. Двигатель «роллс-ройс-элисон» и двойные полужесткие лопасти винта работали бесшумно, что было чрезвычайно важным, поскольку цель на земле не слышала никаких звуков и позволяла охотнику оказываться прямо у себя над головой. А поскольку вертолет мог летать в темноте, без огней, и корпус его был окрашен в глухой черный цвет, даже не имея светящихся номеров на хвосте, то заметить его можно было только с помощью радарной установки.

Бесшумный черный вертолет-убийца.

Фанатики теорий заговоров сходили с ума по подобным машинам. Некоторые даже заявляли, что появление молчаливых черных вертолетов служит доказательством существования «Боевых сил нового мирового порядка» под эгидой ООН. Другие считали, что эти страшные таинственные летательные аппараты представляют собой бесшумные зонды инопланетян. Находились и такие, кому довелось видеть в ночи скопление машин «кайова». Как правило, они потом рассказывали, что стали свидетелями появления в небе огромного летательного аппарата, похожего на летающую тарелку и способного к вертикальному перемещению.

Разумеется, все это было неправдой. Но военные любят таинственность и ложные намеки.

Во время своего предпоследнего секретного задания Дельта-1 управлял вертолетом «кайова», оснащенным самой секретной технологией из всех, находящихся в распоряжении американских вооруженных сил. Это было чрезвычайно оригинальное оружие, получившее неофициальное название «Диз». Сокращение это означало «дым и зеркало», то есть голографические картинки, спроецированные в небе над вражеской территорией. Вертолет использовал эту технологию для того, чтобы создать иллюзию присутствия американских самолетов над вражескими противовоздушными установками. Охваченные паникой силы ПВО начинали палить по призракам, летающим над их головами. А когда боеприпасы у них заканчивались, на сцену выходил реальный противник.

Отрываясь от взлетной полосы, Дельта-1 еще словно слышал голос контролера: «У вас только одна цель». Учитывая, что именно представляла собой эта цель, слова казались возмутительным преуменьшением. Но Дельта-1 напомнил себе, что в его полномочия не входит препирательство. Команда получила приказ и должна выполнить его в соответствии с инструкцией — какой бы страшной эта инструкция ни казалась.

Оставалось лишь надеяться, что контролер уверен в правильности предпринимаемых действий.

Вертолет «Кайова» направлялся на юго-восток. Дельта-1 дважды в своей жизни видел мемориал Рузвельта, но сегодня ему предстояло впервые увидеть его с высоты.

ГЛАВА 93

— Метеорит был открыт канадским геологом? — Гэбриэл Эш изумленно смотрела на Криса Харпера. — И этот канадец мертв?

Харпер лишь мрачно кивнул.

— И давно вы знаете об этом? — решительно спросила она.

— Около двух недель. Заставив меня дать ложную информацию на пресс-конференции, Марджори Тенч и администратор НАСА уже не сомневались, что я буду молчать. Поэтому и сказали мне правду насчет открытия метеорита.

Спутник-сканер не имеет отношения к открытию!.. Гэбриэл и представить не могла, к чему приведет эта информация, но она определенно таила в себе зерно огромного скандала. Очень плохие новости для Тенч. И очень хорошие для сенатора.

— Как я уже сказал, — угрюмо продолжал Крис, — метеорит обнаружили, перехватив радиосообщение. Вы что-нибудь знаете о программе НАСА «Радиоэксперимент по изучению ионосферы»?

Гэбриэл слышала об этом лишь краем уха.

— Если коротко, — говорил Харпер, — это сеть радиоприемников очень низкой частоты, расположенных недалеко от Северного полюса. Они улавливают земные звуки — волновую плазменную эмиссию северного сияния, широкополосные грозовые импульсы и тому подобное.

— Понятно.

— Несколько недель назад приемники поймали сигнал с острова Элсмир. На очень низкой частоте канадский геолог просил помощи. — Харпер помолчал. — Частота была настолько низкой, что ее не мог зарегистрировать никто, кроме НАСА с его соответствующим оборудованием. Канадец посылал длинноволновые сигналы.

— Что-что?

— Передавал информацию на максимально низких частотах, чтобы увеличить дальность. Передача на стандартных частотах не позволила бы ему быть услышанным достаточно далеко.

— И что же говорилось в сообщении?

— Информация была короткой. Канадец сообщал, что проводит зондирование льда на шельфе Милна, обнаружил сверхплотную аномалию в ледовой толще, подозревает, что это не что иное, как гигантский метеорит, и что там его настиг шторм. Он передал свои координаты, попросил помощи и отключился. Космическое агентство выслало с авиабазы Туле самолет, чтоб спасти ученого. Поиски продолжались несколько часов, пока его наконец не обнаружили. В нескольких милях от указанного места, на дне расщелины, вместе с санками и собаками, мертвого. Скорее всего он пытался уйти от бури, но потерял ориентацию из-за плохой видимости и упал в разлом.

Гэбриэл слушала словно завороженная, жадно впитывая невероятную информацию.

— Таким образом НАСА получило сведения, которыми не располагал больше никто?

— Именно. Но если бы моя программа работала как следует, спутник-сканер наверняка бы обнаружил метеорит на неделю раньше, чем канадец.

Такое совпадение заставило Гэбриэл задуматься.

— Метеорит, пролежавший во льдах триста лет, едва не оказался обнаруженным дважды за неделю?

— Да, понимаю. Звучит странно, но в науке так случается. Или голод, или пир. Суть вот в чем: администратор полагал, что метеорит просто обязан стать именно нашей находкой... поэтому все и уперлось в мой проект спутника-сканера. Экстром заявил, что, поскольку канадец уже мертв, самое умное — просто провести спутник над теми координатами, которые он указал в своей радиограмме. Я должен был притвориться, что обнаружил метеорит случайно, тем самым завоевав всем почет и уважение, а себя реабилитировав.

— Именно это вы и сделали.

— Я же сказал, что просто не имел выбора, поскольку перед этим провалил все дело. — Он помолчал. — Сегодня из выступления президента стало ясно, что метеорит, который якобы обнаружил я, содержит окаменелости...

— Вы были потрясены?

— Не то слово! Сражен наповал!

— А как вы думаете, администратор знал о существовании отпечатков до того, как заставил вас лгать о находке?

— Как такое возможно? Метеорит лежал погребенным во льду и нетронутым до того момента, когда туда прибыла первая экспедиция НАСА. Агентство не знало, с чем имеет дело, пока там не оказались люди, которые взяли образцы и сделали рентгеновские снимки. Они просили меня врать насчет спутника-сканера, полагая, что одержат маленькую победу. И лишь потом поняли, как велико открытие.

От волнения Гэбриэл едва дышала.

— Доктор Харпер, готовы ли вы дать показания и заявить, что НАСА и Белый дом вынудили вас лгать относительно спутника-сканера?

— Не знаю. — Казалось, Крис испугался. — Не могу представить, какой вред это нанесет агентству... и самому открытию.

— Доктор Харпер, и вы, и я понимаем, что метеорит остается удивительным открытием независимо от того, как именно оно было сделано. Смысл в том, что вы лгали американскому народу. И народ имеет полное право узнать, что НАСА ведет себя нечестно.

— Я презираю и ненавижу Экстрома, но мои коллеги... они порядочные люди.

— И именно поэтому имеют право знать, что их обманули.

— А свидетельства против меня — насчет присвоения денег?

— Можете выбросить это из головы, — заверила Гэбриэл, уже почти забыв о своем козыре. — Я скажу сенатору, что вы тут ни при чем. Просто страховка администратора, средство держать вас в узде и молчать насчет спутника.

— А сенатор сможет защитить меня?

— Полностью. Вы не сделали ничего плохого. Просто выполняли приказы. А кроме того, учитывая информацию, которую вы мне сообщили про канадского геолога, вряд ли сенатору вообще придет в голову поднимать вопрос о присвоении средств. Мы целиком сосредоточимся на дезинформации НАСА относительно спутника и метеорита. Как только сенатор выступит с сообщением о канадском ученом, Экстром уже не осмелится рисковать, пытаясь очернить вас.

Харпер все еще казался расстроенным и даже напуганным. Он молчал, мрачно обдумывая свое запутанное положение. Гэбриэл решила не торопить его. Она уже поняла, что во всей этой истории существует еще одно неприятное совпадение. Она не хотела говорить о нем, но Харпера явно нужно было подтолкнуть.

— У вас есть собаки, доктор Харпер?

Крис от неожиданности вздрогнул.

— Что?

— Я просто подумала: это очень странно. Вы мне сказали, что вскоре после того, как канадский геолог попросил помощи, его собачья упряжка провалилась в расщелину.

— Поднялась буря. Метель. Они сбились с пути.

Гэбриэл пожала плечами:

— Да? Ну ладно...

— Что вы имеете в виду?

— Не знаю. Просто вокруг этого открытия чересчур много странных совпадений. Геолог передает координаты метеорита на той частоте, которую может слышать только НАСА. А потом его собаки, ослепнув от метели, падают с обрыва... — Она выдержала театральную паузу. — Вы, конечно, сознаете, что именно смерть геолога сделала возможным триумф НАСА?

Харпер побледнел.

— То есть вы хотите сказать, что главный администратор НАСА убил человека из-за метеорита?

Большая политика. Большие деньги, подумала Гэбриэл.

— Позвольте мне поговорить с сенатором, а потом связаться с вами. Здесь есть черный ход?

Оставив бледного и растерянного Харпера размышлять о собственной судьбе, Гэбриэл Эш спустилась по черной лестнице в безлюдный переулок за зданием штаб-квартиры НАСА. Она остановила такси, которое только что привезло очередную группу ликующих гостей.

— Жилой комплекс Уэстбрук, — коротко бросила она таксисту.

Теперь ей было чем порадовать босса.

ГЛАВА 94

Размышляя о том плане, с которым только что согласилась, Рейчел стояла у входа в кабину самолета «Джи-4», разматывая провод трубки радиотелефона, чтобы вынести ее в салон, подальше от ушей пилота. Корки и Майкл наблюдали за ее действиями. Хотя они с Пикерингом договорились не общаться пока в эфире, сейчас Рейчел располагала информацией, которую, она не сомневалась, босс захочет услышать немедленно. Именно поэтому она позвонила на его личный сотовый, с которым тот никогда не расставался.

Пикеринг деловито и лаконично предупредил:

— Пожалуйста, осторожнее. Я не могу гарантировать безопасности линии.

Рейчел поняла. Сотовый директора, как и большинство телефонов разведывательного ведомства, имел индикатор, отмечающий незащищенные входящие сигналы. А поскольку Рейчел звонила по радиотелефону, одному из наименее надежных средств связи, телефон Пикеринга сразу предупредил об этом хозяина. Разговор придется вести туманно, намеками. Никаких имен. Никаких конкретных географических точек.

— Мой голос подтверждает мою личность, — заговорила Рейчел, воспользовавшись стандартным в данной ситуации приветствием.

Она ожидала, что директор выразит неудовольствие по поводу ее рискованного звонка, однако реакция Пикеринга казалась положительной.

— Да, я как раз собирался сам связаться с вами. Необходимо изменить направление. Опасаюсь, что вас могут встречать.

Рейчел внезапно ощутила прилив страха. Кто-то пристально следит за ними. Но она потому и звонит — чтобы попросить его согласия на изменение маршрута, хотя побудили ее к тому совсем иные обстоятельства.

— Вопрос подлинности. Мы его обсуждали. Появилась возможность категорического подтверждения, равно как и отрицания.

— Я понял. Произошли некоторые события. Так что по крайней мере у меня будут основания для продолжения деятельности.

— Доказательство требует нашей короткой остановки. Один из нас имеет доступ к лабораторным технологиям...

— Без указаний места, пожалуйста. Ради вашей же безопасности.

Рейчел и не собиралась раскрывать планы по телефону.

— Можете вы позволить нам приземлиться в Джи-эй-эс-эй-си?

Пикеринг помолчал, мысленно расшифровывая ее сокращение. Это было наименование военно-воздушной базы в Атлантик-Сити, где размещалась группа береговой охраны. Рейчел надеялась, что директор поймет ее.

— Да, — наконец проговорил он. — Это ваша конечная точка?

— Нет. Потом нам потребуется вертолет.

— Вас будут ждать.

— Спасибо.

— Рекомендую вплоть до получения дальнейших сведений сохранять крайнюю осторожность. Ни с кем не контактируйте. Ваши подозрения возбудили глубокую озабоченность у заинтересованной стороны.

Рейчел поняла, что речь идет о Марджори Тенч. Если бы удалось тогда поговорить с самим президентом!

— Сейчас я в машине, следую на встречу с означенной особой. Она попросила о личном свидании на нейтральной территории. Скоро многое прояснится.

Пикеринг едет куда-то, чтобы встретиться с Тенч? То, что она собиралась ему сказать, должно быть, чрезвычайно важно, раз не предназначено для телефона.

Пикеринг добавил:

— Ни с кем не обсуждайте окончательных координат. И больше не выходите на радиосвязь. Ясно?

— Да, сэр.

— Транспорт будет готов. Когда прибудете в конечную точку, сразу свяжитесь со мной по более надежной линии. — Он помолчал. — Чрезвычайно важно сохранять секретность — ради вашей же безопасности. Сегодня у вас появились могущественные враги. Примите все необходимые меры предосторожности.

Уильям Пикеринг отключился.

Закончив разговор и повернувшись к коллегам, Рейчел попыталась сбросить напряжение.

— Изменяем направление? — уточнил Толланд.

Рейчел неохотно кивнула:

— «Гойя».

Мэрлинсон вздохнул, глядя на кусок метеорита, который не выпускал из рук.

— Я все-таки не в силах поверить, что НАСА способно...

Он не договорил.

Рейчел подумала, что совсем скоро все прояснится.

Она прошла в кабину и отдала трубку пилоту. Глядя в ветровое стекло на расстилающуюся внизу, залитую лунным светом облачную равнину, она не могла подавить дурного предчувствия: вряд ли на корабле Толланда они узнают приятные новости.

ГЛАВА 95

Уильям Пикеринг вел автомобиль по пустынному Лисберг-хайвею. Было почти два часа ночи. Так поздно он не ездил уже давно.

Скрипучий голос Марджори Тенч все еще звучал в ушах: «Давайте встретимся в мемориале Рузвельта...»

Пикеринг вспомнил, когда в последний раз разговаривал с этой женщиной не по телефону, а лицом к лицу. Ощущение не из приятных. Было это два месяца назад в Белом доме. Тенч сидела напротив него за длинным дубовым столом в окружении членов Национального совета безопасности и руководителей основных правительственных структур: директора ЦРУ, администратора НАСА...

— Леди и джентльмены, — заговорил директор ЦРУ, глядя на мисс Тенч, — я снова обращаюсь к вам, чтобы убедить нынешнюю администрацию противостоять развивающемуся кризису системы безопасности НАСА.

Это заявление никого из присутствующих не удивило. Волнения насчет сохранения секретности космическим агентством уже превратились в общее место разговоров разведки. За два дня до этого из базы данных НАСА хакеры украли более трехсот снимков очень высокого разрешения, сделанных со спутников наблюдения за Землей. Фотографии, недвусмысленно демонстрирующие секретную военно-тренировочную базу американских вооруженных сил в Северной Африке, попали на черный рынок, где их приобрели враждебные разведывательные агентства стран Ближнего Востока.

— Несмотря на самые благие намерения, — усталым голосом продолжал директор ЦРУ, — НАСА остается опасным звеном, представляющим постоянную угрозу национальной безопасности страны. Если говорить прямо, то наше космическое агентство просто не оснащено как следует для защиты данных и тех технологий, разработкой которых оно занимается.

— Мне известно, — заметил президент, — что действительно имели место случаи неосторожности. Случалась и опасная утечка данных. Все это чрезвычайно беспокоит меня. — Он посмотрел в сторону администратора НАСА Лоуренса Экстрома, сидевшего молча, с каменным лицом. — Мы пытаемся найти новые способы укрепить систему безопасности космического агентства.

— При всем моем уважении к сотрудникам этой организации, — возразил директор ЦРУ, — любые меры безопасности окажутся неэффективными до тех пор, пока деятельность НАСА будет оставаться вне защиты службы разведки США.

Столь откровенное заявление вызвало у присутствующих заминку. Все понимали, что оно означает.

— Как вы, конечно, знаете, — продолжал директор ЦРУ уже более настойчиво, — все правительственные структуры Соединенных Штатов, имеющие дело с разведывательной информацией, руководствуются правилами секретности, будь то военные организации, ЦРУ, ФБР или НРУ. И это, конечно, касается информации, которую они получают, и тех технологий, которые разрабатывают. Я спрашиваю всех вас снова: почему НАСА, агентство, в настоящее время производящее наибольшую долю новейшего, самого актуального аэрокосмического, оптического, авиационного, программного, разведывательного и телекоммуникационного оборудования, которое активно используется и военными, и разведкой, — почему это агентство работает вне зоны секретности?

Президент тяжело вздохнул. Предложение звучало недвусмысленно. Рекомендовалось преобразовать НАСА, превратить его в составную часть американской военно-разведывательной структуры. Хотя в прошлом другие агентства претерпевали подобные трансформации, Харни отказывался даже рассматривать возможность перевода НАСА в сферу контроля Пентагона, ЦРУ или НРУ, равно как и любой милитаризации агентства. Национальный совет по безопасности не мог прийти к единому мнению по этому вопросу. Многие его члены открыто поддерживали разведывательные структуры.

На подобных совещаниях Лоуренс Экстром никогда не выглядел довольным. Не стало исключением и то, о котором сейчас вспоминал Пикеринг.

Администратор НАСА метнул в сторону директора ЦРУ презрительный взгляд:

— Не хочу повторяться, сэр, но должен подчеркнуть, что технологии, которыми занимается НАСА, предназначены для невоенного, чисто научного использования. А если у вас, разведчиков, руки чешутся развернуть какой-нибудь из наших космических телескопов и понаблюдать за происходящим, скажем, в Китае, то это ваши проблемы.

Казалось, директор ЦРУ сейчас закипит.

Пикеринг понял его настроение и вступил в дискуссию.

— Ларри, — начал он, пытаясь говорить как можно спокойнее и ровнее, — каждый год НАСА встает на колени перед конгрессом, умоляя выделить деньги. Вы умудряетесь проводить свои операции с очень малым финансированием и за это платите провалом уже разработанных проектов. Если мы включим космическое агентство в структуру разведки, то вам уже не придется попрошайничать перед конгрессом. Вы будете финансироваться из «черного» бюджета на значительно более высоком уровне. Это преимущество. НАСА получит деньги, необходимые для ваших проектов, а разведка перестанет беспокоиться насчет защищенности космических технологий.

Экстром покачал головой:

— С подобным положением я не могу согласиться в принципе. НАСА занимается космической наукой. К национальной безопасности мы не имеем ни малейшего отношения.

Директор ЦРУ поднялся. Его не остановили, хотя такого никто никогда не позволял себе, если президент еще сидел.

— Вы пытаетесь мне доказать, что НАСА не имеет никакого отношения к национальной безопасности? Ради Бога, Ларри! Это же синонимы! Единственное, что поддерживает безопасность нашей страны, — это ее научная и технологическая мощь. Нравится нам это или нет, НАСА играет все более серьезную роль в развитии военных технологий. К сожалению, ваше агентство протекает, словно решето, чем снова и снова доказывает, что обеспечение секретности вашей информации — первейшая необходимость.

В комнате повисло напряженное молчание.

Потом, глядя в глаза оппоненту, поднялся администратор Экстром:

— Значит, вы предлагаете запереть двадцать тысяч ученых НАСА в безвоздушном пространстве военных лабораторий и заставить их работать на вас? Разве не ясно, что наши новейшие космические телескопы обязаны своим существованием исключительно стремлению ученых заглянуть как можно дальше и глубже во Вселенную? НАСА осуществляет поразительные прорывы лишь по одной причине — наши сотрудники хотят лучше узнать космос. Они — компания мечтателей, с детства привыкших смотреть на звездное небо, спрашивая себя, что же там происходит. Все открытия НАСА вдохновлены страстью к познанию и любопытством, а вовсе не стремлением к военному превосходству.

Пикеринг откашлялся и заговорил как можно мягче, желая приглушить разгоревшиеся за столом страсти:

— Ларри, я уверен, что директор вовсе не имеет в виду мобилизацию ученых НАСА для строительства космических спутников. На первооткрывательский дух вашего агентства никто не покушается. НАСА будет функционировать в обычном режиме, но при этом получит более значительное финансирование и более надежную систему сохранности данных. — Пикеринг повернулся к президенту: — Безопасность — штука совсем не дешевая. И присутствующие, конечно, понимают, что утечка информации из НАСА происходит из-за недостаточного финансирования. Агентство вынуждено выполнять свои задачи, экономя на безопасности и вступая в сотрудничество с другими странами, чтобы разделить стоимость проектов. Я предлагаю, чтобы НАСА оставалось тем же самым мощным научным, невоенным агентством, каким является и в настоящее время, но имело более обширный бюджет и надежную систему защиты.

Некоторые члены Совета безопасности кивнули, соглашаясь.

Президент Харни медленно встал, не отводя взгляда от лица Уильяма Пикеринга. Ему явно не понравилась решительность, с какой директор НРУ взял инициативу в свои руки.

— Билл, в следующем десятилетии НАСА собирается лететь на Марс. Как отнесется разведывательное сообщество к тому факту, что значительная часть «черного» бюджета уйдет на проект, неспособный принести немедленной выгоды делу национальной безопасности?

— НАСА сохранит свободу действий и неподотчетность разведке.

— Чушь!

Все, словно по команде, повернулись к нему. Президент Харни очень редко выражался столь резко.

— Если и существует нечто, что я по-настоящему узнал на посту президента, — продолжал Харни, — так это немудреное правило: кто платит, тот и заказывает музыку. Или, выражаясь прямо, кто контролирует доллары, тот и определяет направление деятельности. Поэтому я решительно отказываюсь отдать кошелек НАСА в руки тех, кто не разделяет стремления к целям, для которых создавалось космическое агентство. Я могу себе представить, какой ущерб понесет чистая наука, если военные будут решать, какие именно проекты достойны внимания.

Харни обвел взглядом присутствующих. Затем подчеркнуто медленно вновь обратил взгляд к Пикерингу.

— Билл, — вздохнул он, — твое недовольство относительно международных проектов НАСА болезненно близоруко. Хорошо, что в нашей стране есть хоть кто-то, способный конструктивно сотрудничать и с русскими, и с китайцами. Мира на планете не достичь только военными средствами. Он подкрепляется совместными усилиями тех, кто сотрудничает вопреки разногласиям правительств. Я глубоко убежден, что совместные проекты НАСА дают куда больше для развития национальной безопасности, чем любые спутники-шпионы стоимостью в миллиард долларов. Да и надежд на будущее они внушают куда больше.

Пикеринг почувствовал, как в душе закипает гнев. Какое право имеет политик так с ним разговаривать? Идеализм Харни очень красиво выглядел здесь, в комнате заседаний, но в реальном мире он приводил к смерти людей.

— Билл, — вступила в разговор Марджори Тенч, словно почувствовав, что директор НРУ готов взорваться, — мы все прекрасно знаем, что вы потеряли дочь. И понимаем, что для вас этот вопрос имеет личное значение.

Пикеринг не услышал в ее тоне ничего, кроме снисхождения.

— Но имейте в виду, — продолжала советница, — что Белый дом в настоящее время с трудом сдерживает натиск инвесторов, стремящихся открыть космическое пространство частному сектору. Вспомните: НАСА всегда оставалось другом разведчиков, даже несмотря на все ошибки.

Предохранительная полоса по краю дороги вернула мысли Пикеринга к настоящему. Скоро его выход на сцену.

Уже на подъезде к округу Колумбия он внезапно увидел на краю дороги сбитого машиной мертвого оленя. Странное сомнение, похожее на дурное предчувствие, охватило директора. И все-таки он продолжил путь.

У него же назначена встреча.

ГЛАВА 96

Мемориал Франклина Делано Рузвельта представляет собой один из крупнейших мемориалов в стране. С парком, водопадами, скульптурами, беседками и бассейном, четырьмя галереями под открытым небом. Каждая из галерей символизирует один из четырех президентских сроков выдающегося политика.

В миле от мемориала, с выключенными огнями, над городом вился вертолет «Кайова-Уорриор». В городе с таким количеством важных персон и средств массовой информации вертолеты в небе казались столь же обычным делом, как и птицы. Дельта-1 знал, что до тех пор, пока он будет держаться в стороне от защищенного пространства над Белым домом, он не привлечет к своей машине ни малейшего внимания. Тем более что долго он здесь не задержится.

Дельта-1 завис на высоте двух тысяч ста футов неподалеку от неосвещенного мемориала и внимательно сверил координаты. Потом взглянул влево. Дельта-2 настраивал телескопическую систему ночного видения. На экране изобразилась зеленоватая картинка главного входа в мемориал. Территория была пустынна.

Теперь предстоит ждать.

Это убийство не останется незамеченным. Существуют на свете люди, которых нельзя ликвидировать тихо. Независимо от способа последствий не избежать. Начнутся расследования. Дознания. А в таких случаях лучшее прикрытие — это как можно больше шума. Взрывы, пальба и дым заставят всех решить, что кто-то кому-то что-то доказывает, и первым на ум придет терроризм. Особенно в том случае, если цель — высокопоставленный чиновник.

Дельта-1 изучил изображение густо засаженной деревьями территории под вертолетом. И автомобильная стоянка, и главный вход пока еще пустовали. Хотя мемориал и находится в черте города, выбрано место чрезвычайно умно — в этот час здесь никогда никого не бывает.

Дельта-1 отвернулся от дисплея и взглянул на оружие.

Система «хеллфайер» — отличное подспорье для подобных дел. Бронебойная ракета с лазерным прицелом обеспечивает возможность быстрой, четкой, легкой работы. Снаряд попадает точно в лазерную метку, обозначенную наблюдателями на земле, другим самолетом или вертолетом или же самим охотником. Сегодня ракета будет направляться автономно, с помощью лазерного искателя объектива, установленного на мачте. Как только видоискатель «кайовы» пометит цель лазерным лучом, ракета «хеллфайер» сама определит нужное направление. Поскольку действовать система может и с земли, и с воздуха, для сегодняшней операции вовсе не обязательно было задействовать вертолет. Кроме того, система «хеллфайер» получила широкое распространение среди торговцев оружием на черном рынке. А потому версия терроризма появится непременно.

— Машина, — коротко произнес Дельта-2.

Дельта-1 взглянул на дисплей. Трудно различимый в темноте дорогой черный автомобиль точно в назначенное время появился на подъезде к мемориалу. Такие машины типичны для крупных правительственных ведомств. Въехав на территорию, водитель погасил фары. Машина сделала несколько кругов и остановилась возле небольшой группы деревьев. Дельта-1 наблюдал за изображением на дисплее, а его товарищ нацеливал телескопический ночной объектив на боковое окно со стороны водителя. Через мгновение проявилось лицо человека.

Дельта-1 нервно выдохнул.

— Цель намечена, — произнес Дельта-2.

Дельта-1 еще раз взглянул на дисплей ночного видения, испещренный сеткой координат, и ощутил себя снайпером, целящимся в королевскую персону. Да, цель намечена.

Дельта-2 обернулся к электронному оборудованию левого борта и привел в действие лазерный видоискатель. Внизу, на расстоянии двух тысяч футов, на крыше автомобиля появилась невидимая водителю световая точка.

— Цель определена, — доложил он.

Дельта-1 глубоко вздохнул и нажал кнопку.

Внизу, под фюзеляжем вертолета, раздалось резкое шипение. Через секунду машина на стоянке, под деревьями, превратилась в ослепительный огненный клубок, разметая по всей округе куски искореженного металла. По дороге покатились горящие колеса.

— Чисто сработано, — удовлетворенно произнес Дельта-1, направляя вертолет в сторону от места события. — Свяжись с контролером.

Меньше чем в двух милях от места происшествия президент Зак Харни собирался ложиться спать. Пуленепробиваемые окна резиденции толщиной в дюйм поглощали любые звуки. Харни не услышал взрыва.

ГЛАВА 97

Военно-воздушная база в Атлантик-Сити расположена в защищенной части Федерального авиационного административно-технического центра имени Уильяма Хьюза, в международном аэропорту Атлантик-Сити. Зона ее ответственности охватывает атлантическое побережье от Эсбери-Парка до Кейп-Мэй.

Рейчел Секстон неожиданно проснулась. Шасси самолета коснулось поверхности почти незаметной взлетно-посадочной полосы, спрятанной между двумя огромными складами. Удивившись, что вообще смогла уснуть, она с сомнением посмотрела на часы.

2.13. А ощущение было такое, будто проспала она несколько дней.

Рейчел обнаружила, что аккуратно укрыта теплым военным одеялом. Рядом проснулся и Майкл Толланд. На лице его появилась неуверенная, смущенная улыбка.

По проходу, покачиваясь, пробирался полусонный Корки Мэрлинсон. Увидев коллег, он нахмурился:

— Черт подери, вы все еще здесь? А я-то проснулся в надежде, что сегодняшний день — это просто страшный сон.

Рейчел прекрасно понимала его чувства. Ей было ничуть не лучше. Тем более что они снова возле океана.

Самолет остановился, и Рейчел вслед за товарищами, борясь со слабостью, выбралась на пустынную полосу. Стояла глубокая ночь, но прибрежный воздух был тяжелым и теплым. По сравнению с островом Элсмир штат Нью-Джерси казался просто тропиками.

— Сюда! — раздался голос.

Повернувшись, Рейчел увидела один из типичных красных вертолетов береговой охраны «HH-65», «Дельфин». Он ожидал пассажиров. Возле светящейся на хвосту белой полосы стоял полностью экипированный пилот. Он-то и звал их.

Толланд кивнул:

— Твой босс определенно знает, как делать дела.

— Еще как! — согласилась Рейчел. — Но это мелочи!

Корки упал духом.

— Что, вот так сразу? И даже без перерыва на обед?

Пилот приветственно махнул пассажирам и помог подняться на борт. Не спрашивая ни имен, ни подробностей, он вел исключительно светскую беседу, изредка давая советы по мерам безопасности. Пикеринг явно сообщил береговой охране, что полет не преследует рекламных целей. Впрочем, несмотря на все предосторожности, Рейчел очень скоро поняла, что их личности оставались в секрете совсем недолго. Пилот не смог скрыть впечатления от присутствия на борту такой телевизионной знаменитости, как Майкл Толланд.

Усевшись рядом с Майклом, Рейчел сразу ощутила напряженность. Двигатель заработал, и лопасти винта длиной в тридцать девять футов пришли в движение, моментально превратившись в расплывчатое серебристое пятно. Скоро негромкий рокот перешел в рев, и вертолет оторвался от полосы, забираясь все выше в черное ночное небо.

Пилот обернулся и, перекрикивая шум двигателя, произнес:

— Меня предупредили, что маршрут вы сообщите мне после того, как поднимемся в воздух.

Толланд назвал координаты своего судна, стоявшего в море недалеко от берегов Нью-Джерси. Это оказалось примерно в тридцати милях к югу.

Рейчел повторила про себя координаты и невольно вздрогнула: корабль находился в двадцати милях от берега.

Пилот ввел координаты в навигационную систему, потом поудобнее устроился в кресле и включил двигатели на полную мощность. Вертолет рванул вперед, поворачивая на юго-восток.

Внизу пролетали темные дюны побережья Нью-Джерси. Скоро повсюду стала видна лишь вода, и Рейчел с болью отвернулась от окна. Пытаясь побороть ужас и ненависть к морской стихии, она настойчиво говорила себе, что рядом сидит человек, сделавший воду почти своим родным домом. В тесноте салона вертолета Толланд сидел совсем близко, касаясь Рейчел плечом и бедром. Почему-то никто из них двоих не пытался изменить положение или отодвинуться.

— Знаю, что не должен этого говорить, — внезапно произнес пилот, словно опасаясь взорваться от переполнявших чувств, — но вы, несомненно, Майкл Толланд. Должен признаться, мы весь вечер смотрели вас по телевизору. Метеорит! Это же совершенно немыслимо! Вы, должно быть, под огромным впечатлением!

Толланд сдержанно кивнул:

— Даже почти утратил дар речи.

— Ваш фильм просто замечательный. Фантастический! Все каналы его крутят без перерыва. Никто из пилотов сегодня не хотел лететь в этот рейс, потому что все не в силах оторваться от экрана. Но я вытащил короткую соломинку. Можете поверить? Короткую соломинку! И вот на тебе! Если бы парни узнали, что я везу настоящего...

— Мы очень ценим вашу самоотверженность, — прервала
его излияния Рейчел, — но не забывайте, пожалуйста, что этот
полет не должен получить огласки. Никто не должен знать, кого
и куда вы везли.

— Не беспокойтесь, мэм. Приказ был отдан совершенно
определенно. — Пилот помолчал, задумавшись, а потом зата-
раторил еще более вдохновенно: — Послушайте, а мы, случайно, не на «Гойю» летим?

Толланд неохотно кивнул:

— Именно туда.

— Вот это да! — восхитился пилот. — Извините, конечно. Но
я видел это судно в вашей программе. Двойной корпус, верно?
Странно выглядит зверушка! Никогда не бывал на судах подобного типа. И не думал, что именно ваше окажется первым.

Рейчел перестала слушать. Ее страх усиливался по мере
того, как они все дальше улетали от берега.

Майкл внимательно взглянул на спутницу:

— С тобой все в порядке? Я же говорил, что ты могла бы
остаться на берегу.

Рейчел мысленно согласилась. Да, конечно, ей следовало
остаться на берегу. Но в то же время она понимала, что гордость никогда не позволила бы ей сделать это.

— Ничего, все в порядке, спасибо. Я нормально себя чув-
ствую.

Толланд улыбнулся:

— Буду за тобой следить.

— Спасибо.

Рейчел сама удивилась, как спасительно подействовало
тепло его голоса. Сразу стало не так страшно.

— Ты же видела «Гойю» по телевизору?

Рейчел кивнула, соглашаясь.

— Это... м-м-м... интересное судно.

Толланд рассмеялся:

— Да уж! В свое время оно казалось жутко новаторским.
Но дизайн так и не вошел в моду.

— Не понимаю почему.

Рейчел шутливо нарисовала в воздухе странные очертания
судна.

— Сейчас Эн-би-си давит на меня, чтобы я взял новое судно. Нечто... ну, не знаю, более привлекательное, даже возбуж-
дающее, что ли... Еще сезон-другой, и они нас разлучат.

Мысль эта Толланду явно не нравилась.

— Ты не сможешь полюбить новый корабль?

— Не знаю... просто с «Гойей» связано так много воспоминаний.

Рейчел мягко улыбнулась:

— Как любила говорить моя мама, рано или поздно нам всем приходится расставаться с прошлым.

Толланд окинул спутницу долгим, пристальным и внимательным взглядом.

— Да, я это знаю.

ГЛАВА 98

— Черт! — выругался таксист, оглянувшись на Гэбриэл. — Похоже, впереди что-то произошло. Авария. Застряли. И неизвестно насколько.

Гэбриэл выглянула из окна и увидела пронзающие темноту маяки машин экстренной помощи. Чуть впереди на дороге стояли несколько полицейских, направляя поток машин в объезд.

— Похоже, что-то очень серьезное, — заметил водитель, показывая на пламя у мемориала Рузвельта.

Гэбриэл сердито взглянула на яркие отсветы. Надо же было, чтобы это случилось именно сейчас! Ей необходимо как можно быстрее доставить сенатору Секстону информацию о спутнике-сканере и канадском геологе. Интересно, достаточно ли лжи НАСА о том, как был обнаружен метеорит, чтобы вдохнуть новую жизнь в избирательную кампанию сенатора? Возможно, кому-то из политиков этого показалось бы мало, но ведь речь идет о Седжвике Секстоне, человеке, построившем свою кампанию на ошибках и неудачах других!

Гэбриэл далеко не всегда восхищалась способностью сенатора придавать негативную этическую окраску политическим неудачам оппонентов, но способность эта приносила результаты. Умение Секстона домысливать и очернять могло превратить это сугубо внутреннее дело одного из подразделений НАСА в вопрос морали и чести, затрагивающий все агентство в целом, а заодно и президента.

Пламя возле мемориала становилось все выше и ярче. Загорелись стоящие неподалеку деревья. Несколько пожарных машин пытались сбить огонь. Таксист включил радио и принялся крутить ручку настройки.

Гэбриэл со вздохом закрыла глаза и только сейчас поняла, насколько устала. Приехав в Вашингтон, она мечтала работать в политике всю жизнь. Может быть, если повезет, даже когда-нибудь в Белом доме. Однако сейчас казалось, что политики с нее уже достаточно: кошмарный разговор с Марджори Тенч, леденящие душу снимки их с сенатором любовных утех, ложь космического агентства.

По радио говорили что-то о взорванной машине и вероятности террористического акта.

Внезапно, впервые за все проведенное в столице время, Гэбриэл подумала, что хочет уехать отсюда.

ГЛАВА 99

Контролер редко ощущал усталость, но сегодняшний день превзошел все, что когда-либо бывало раньше. Ничто не выходило так, как предполагалось, — трагическое обнаружение искусственного внедрения метеорита в лед, трудности с сохранением информации в секрете, все увеличивающийся список жертв.

А ведь никто не должен был погибнуть... кроме канадского геолога.

Казалось насмешкой, что самая трудная с технической точки зрения часть плана прошла наименее проблематично. Внедрение камня несколько месяцев назад прошло чисто, без осложнений. Как только объект оказался на месте, оставалось лишь ждать запуска орбитального полярного спутника — сканера плотности. Спутнику предстояло изучить огромные площади за Полярным кругом, и рано или поздно его компьютерное оборудование непременно обнаружило бы метеорит и дало в руки НАСА грандиозный козырь.

Но проклятое программное обеспечение отказалось работать.

Как только контролер узнал, что программа отказала и не может быть исправлена до выборов, он понял, что все дело висит на волоске. Без спутника метеорит обнаружить не удастся. Нужно было изобрести какой-то способ обратить внимание НАСА на его существование. План предусматривал организацию экстренной радиосвязи канадского геолога, якобы находящегося как раз в нужном районе. Понятно, что после этого геолога следовало немедленно убрать, а смерть его представить как трагическую случайность. Так что все началось с того, что ни в чем не повинного геолога вместе с собаками и санками выбросили из вертолета. А потом события начали разворачиваться чересчур стремительно.

Уэйли Мин и Нора Мэнгор. Оба мертвы.

Дерзкое убийство, только что произошедшее в мемориале Рузвельта.

Скоро к списку должны прибавиться Рейчел Секстон, Майкл Толланд и Корки Мэрлинсон.

Контролер отчаянно боролся с угрызениями совести. Выхода нет. Ставки слишком высоки.

ГЛАВА 100

Вертолет береговой охраны находился в двух милях от судна «Гойя», на высоте три тысячи футов, когда Толланд внезапно прокричал, обращаясь к пилоту:

— У вас на борту есть прибор ночного видения?

Тот кивнул:

— Я же спасатель.

Толланд на это и рассчитывал. Военно-морская тепловая визуальная система береговой охраны была предназначена для обнаружения в темноте жертв кораблекрушений. Даже того тепла, которое излучает голова плывущего в море человека, достаточно, чтобы она появилась красной точкой на черном экране.

— Включите, — коротко распорядился океанограф.

Пилот, казалось, удивился.

— Зачем? Вы разве кого-нибудь потеряли?

— Нет, я хочу кое-что показать.

— Но с такой высоты мы ничего не заметим, разве что горящее нефтяное пятно.

— Просто включите, — настойчиво повторил Толланд.

Пилот недоуменно взглянул на телезвезду и подкрутил какие-то верньеры, направляя линзы теплового сканера вниз, на поверхность океана. Зажегся дисплей на приборной доске. В фокусе появилось изображение.

— О Боже!

От неожиданности пилот отпрянул назад, и вертолет слегка клюнул носом. Но уже через мгновение летчик пришел в себя и с интересом стал смотреть на экран.

Рейчел и Корки, в равной степени заинтригованные, склонились к приборной доске. Черный фон океана был расцвечен огромной движущейся спиралью пульсирующего красного света.

Рейчел в тревоге посмотрела на Толланда:

— Очень напоминает циклон.

— Это он и есть, — подтвердил океанограф. — Подводный циклон. Примерно с полмили в диаметре.

Пилот удивленно присвистнул.

— Немаленькая штука. Мы время от времени видим здесь такое, но конкретно об этом я еще не слышал.

— Он только на прошлой неделе поднялся на поверхность, — пояснил Майкл, — и просуществует всего несколько дней.

— Откуда он взялся? — поинтересовалась Рейчел, до глубины души пораженная и испуганная огромным гребнем крутящейся посреди океана воды.

— Купол магмы, — коротко ответил пилот.

Рейчел настороженно посмотрела на Толланда:

— Что, вулкан?

— Нет, — успокоил ее океанограф, — на восточном побережье нет активных вулканов, но время от времени проявляются еще не зарегистрированные карманы магмы. Лава подходит близко ко дну океана и создает горячие участки. Эти горячие участки становятся причиной обратного температурного соотношения — горячая вода на дне, а более холодная — ближе к поверхности. Это и приводит к образованию гигантских спиральных течений, называемых мегаплюмами. Они бушуют пару недель, а потом рассасываются.

Пилот взглянул на пульсирующую на дисплее спираль.

— Кажется, этот все еще достаточно силен, — заметил он. Замолчав, проверил координаты судна Толланда и удивленно взглянул через плечо: — Мистер Толланд, похоже, вы заякорились почти в самом его центре.

Толланд кивнул:

— Вблизи потоки кажутся немного медленнее. Всего восемнадцать узлов. Словно стоишь на якоре в быстрой реке. На этой неделе наша якорная цепь выдержала немалую нагрузку.

— Ничего себе! — воскликнул пилот. — Восемнадцать узлов. Осторожнее, не упадите за борт!

Он рассмеялся.

А вот Рейчел было вовсе не до смеха.

— Майк, ты ничего не говорил ни об этом мегаплюме, ни о куполах магмы.

Толланд положил руку на ее плечо:

— Не волнуйся, это совсем не опасно. Поверь мне.

Рейчел нахмурилась:

— Тот фильм, который ты снимаешь здесь, именно о подводной магме?

— О мегаплюмах и о рыбе-молот.

— О, конечно. Ты и раньше называл это слово.

Толланд лукаво улыбнулся:

— Молотоголовые акулы обожают горячую воду, и сейчас все они, в радиусе доброй сотни миль, собрались здесь, чтобы погреться в этой бане.

— Здорово. — Рейчел как-то напряженно кивнула. — И что же это за теплолюбивая штука?

— Самая безобразная рыба во всем океане.

— Плоская камбала?

Толланд рассмеялся:

— Да нет! Огромная акула с головой словно молот.

Рейчел окаменела.

— Вокруг твоего корабля плавают эти молоты со всей округи?

Толланд подмигнул:

— Расслабься. Они не опасны.

— Ты бы этого не сказал, если бы они на самом деле были не опасны.

Толланд развеселился:

— Думаю, ты права. — Он шутливо обратился к пилоту: — Когда вы спасли последнюю жертву рыбы-молот?

Пилот пожал плечами:

— Да ну! Не спасали от этой твари уже несколько десятков лет.

Толланд посмотрел на Рейчел:

— Вот видишь? Несколько десятков лет. Так что волноваться не о чем.

— Но в прошлом месяце, — добавил пилот, — пришлось спешить на помощь одному идиоту, который вздумал нырять голышом, без костюма...

— Стоп-стоп! — не выдержала Рейчел. — Вы же сказали, что десятилетиями никого не спасали!

— Да, — согласился пилот, — не спасали. Обычно мы не успеваем. Эти зверюги убивают слишком быстро.

ГЛАВА 101

Вскоре на горизонте показался мерцающий силуэт «Гойи». А уже через полмили Толланд различил огни на палубе, предусмотрительно оставленные Ксавией. Едва заметив этот свет, он ощутил себя усталым путником, наконец-то вернувшимся к родному дому.

— Ты, кажется, сказал, что на борту остался всего один человек? — уточнила Рейчел, удивленная иллюминацией.

— А когда ты дома одна, разве не включаешь свет?

— Включаю, но только в одной комнате. Не во всем доме.

Толланд улыбнулся. Он понимал, что Рейчел, несмотря на все свои попытки выглядеть отважной, очень боится этого путешествия. Захотелось обнять и успокоить ее, но он знал, что не найдет нужных слов.

— Свет для безопасности.

Корки ухмыльнулся:

— Боитесь пиратов, Майкл?

— Да нет. Самые опасные здесь — это самоуверенные зазнайки, не умеющие читать показания радара. Поэтому лучшая защита против столкновений — заметность.

Корки прищурился, глядя на ярко освещенный корабль:

— Ишь ты! Словно карнавальный круиз в канун Нового года! Судя по всему, ваши счета за электричество оплачивает телекомпания.

Вертолет береговой охраны снизился и на малой скорости начал кружить над судном, приноравливаясь, чтобы опуститься на корму. Даже с воздуха Толланд видел бурные потоки вокруг корпуса. Стоящее на якоре судно, словно огромный зверь, дергалось на толстой цепи.

— Истинная красавица! — рассмеялся пилот.

Толланд понимал весь сарказм замечания. Исследовательское судно «Гойя» выглядело уродливым. Кто-то из телевизионных комментаторов грубо обозвал его «бочкой». Одно из семнадцати судов, построенных по этому образцу, с характерным двойным корпусом, оно никак не могло быть названо привлекательным.

Судно представляло собой массивную горизонтальную платформу на четырех огромных опорах, укрепленных на понтонах, — платформа возвышалась на тридцать футов над поверхностью воды. Издалека оно больше всего походило на низкую буровую станцию. А вблизи напоминало баржу на ходулях. Каюты, исследовательские лаборатории, навигационный мостик — все это помещалось наверху в несколько ярусов, создавая впечатление гигантского плавучего столика, на котором кто-то зачемто беспорядочно натыкал разнокалиберные сооружения.

Несмотря на непрезентабельный вид, судно «Гойя» отличалось значительной устойчивостью. Приподнятая платформа позволяла производить более качественную съемку, облегчала лабораторную работу, а также, что очень существенно, уменьшала качку, тем самым снижая количество приступов морской болезни. Поэтому, хотя Эн-би-си и нажимала на Толланда, стремясь переселить его на что-нибудь более симпатичное, ученый решительно отказывался. Разумеется, существовали прекрасные современные суда, даже более устойчивые. Но «Гойя» вот уже десять лет служил ученому домом. Именно здесь он сумел вернуться к жизни после смерти Шейлы. Иногда по ночам Майкл все еще слышал на ветру, на палубе, ее голос. Если когда-нибудь этот голос исчезнет, он подумает о другом корабле.

Но сейчас — ни за что.

* * *

Когда вертолет приземлился на корме «Гойи», Рейчел лишь немного успокоилась. Хорошей новостью было то, что она уже не летит над океаном. А плохой — то, что теперь она стоит в нем. Оглядываясь, Рейчел отчаянно старалась побороть дрожь в коленях. Палуба казалась на удивление маленькой, особенно после того, как на корме устроился целый вертолет. Повернувшись к носу, Рейчел начала с удивлением разглядывать нагромождение разнокалиберных построек, которые и составляли основную часть судна.

Толланд стоял рядом.

— Я знаю, — заговорил он громко, пытаясь перекричать бурлящий поток, — на экране телевизора все выглядит куда солиднее.

Рейчел кивнула:

— И главное, куда более устойчиво.

— Но это одно из самых надежных морских судов. Точно. Толланд обнял ее за плечи и повел по палубе.

Тепло его руки оказалось лучшим лекарством: никакие слова не смогли бы так успокоить. Оглянувшись, она увидела стремительный поток, вырывающийся из-под кормы с такой мощью, словно судно шло на полной скорости. Рейчел вспомнила, что они находятся в центре мегаплюма.

На самом почетном месте красовался хорошо знакомый по телепрограммам «Тритон» — батискаф, прикрепленный тросом к огромной лебедке. «Тритон», названный в честь бога моря, выглядел совсем не так, как его предшественник «Элвин», имевший стальной корпус. Выпуклая передняя часть из полиакрилатового стекла в форме полусферы делала его больше похожим на гигантскую химическую колбу, чем на подводный аппарат. Рейчел не могла представить ничего более страшного, чем погружение на сотни футов в океанскую пучину, когда твое лицо отделено от океана лишь толстым стеклом. Но если верить Толланду, то самым неприятным в плавании на «Тритоне» был момент погружения, когда аппарат медленно спускается на лебедке через люк в палубе, раскачиваясь, словно маятник, в тридцати футах от поверхности воды.

— Ксавия скорее всего в гидролаборатории, — заметил Майкл, уверенно шагая по палубе. — Сюда.

Рейчел вместе с Корки последовала за хозяином. Пилот остался в вертолете, получив строгое предписание ни в коем случае не включать радио.

— Взгляните-ка сюда.

Толланд остановился у поручней, огибающих всю палубу.

Рейчел неуверенно приблизилась к краю. Они находились очень высоко над водой — не меньше чем в тридцати футах. Но даже здесь ощущалось поднимающееся от океана тепло.

— Температура почти такая же, как в горячей ванне, — громко, чтобы быть услышанным, сказал океанограф. Он протянул руку к выключателю на поручне. Повернул его. — Посмотрите.

За бортом на воде раскинулся широкий сноп света, освещая ее из глубины, словно в бассейне. Рейчел и Корки одновременно охнули.

Вода вокруг судна кишела десятками призрачных теней. Держась в нескольких футах ниже освещенной поверхности, целая армада темных блестящих существ направлялась строго против течения — плыла, не двигаясь с места. Множество голов, по форме точно повторяющих молот, равномерно покачивалось, двигаясь вперед-назад, словно следуя какому-то таинственному доисторическому ритму.

— Ой, Майкл, — заикаясь, пробормотал Корки, — как здорово, что ты разделил с нами свою радость!

Рейчел замерла. Ей хотелось отойти подальше от поручня, но она не могла даже пошевелиться. Страх пригвоздил ее к месту.

— Невероятно, правда? — произнес Толланд. Он снова положил руку на плечо Рейчел, словно защищая ее. — Они неделями могут вот так стоять в теплой воде. У этих тварей лучшие носы во всем океане. Увеличенная обонятельная доля мозга. Чувствуют кровь на расстоянии мили.

Корки, казалось, не верил.

— Увеличенная обонятельная доля мозга? — с сомнением переспросил он.

— Не веришь? — вскинулся Майкл.

Порывшись в алюминиевом шкафу-холодильнике, прикрепленном к палубе неподалеку, он вытащил маленькую рыбку.

— Отлично!

Из этого же холодильника он достал нож и в нескольких местах разрезал рыбу. Закапала кровь.

— Майк, ради Бога, — не выдержал Корки, — это все отвратительно.

Толланд швырнул рыбку за борт. В то самое мгновение, как она коснулась поверхности воды, шесть или семь акул, словно по команде, рванулись вперед, жадно раскрыв пасти, полные огромных блестящих зубов. Трудно было даже заметить, кому из них досталась добыча.

Рейчел в ужасе повернулась к Толланду, а тот уже держал в руке следующую рыбу.

— На сей раз крови не будет, — объявил он. Не разрезая, швырнул рыбу за борт. Она шлепнулась в воду, но ничего не произошло. Акулы, казалось, ее не заметили. Приманка уплыла по течению, не удостоившись чести быть съеденной.

— Они атакуют, полагаясь исключительно на обоняние, — заключил ученый, уводя гостей от поручня. — Можно даже плавать среди них, совершенно не опасаясь, если, конечно, не иметь на теле открытых ран.

Корки поднес палец к швам на щеке.

Толланд предупредил:

— Да-да. Ни в коем случае не купаться!

ГЛАВА 102

Такси, в котором сидела Гэбриэл Эш, так и не сдвинулось с места.

Выйдя на дорогу недалеко от мемориала Рузвельта, она смотрела на подъезжающие машины — пожарные, «скорой помощи». Казалось, город погрузился в какой-то сюрреалистический туман. По радио теперь сообщали, что взорванная машина могла принадлежать высокопоставленному государственному чиновнику.

Вытащив сотовый, Гэбриэл набрала номер сенатора. Он наверняка уже гадает, что же могло так задержать ассистентку.

Линия оказалась занята.

Гэбриэл заметила, что счетчик такси продолжает работать, и нахмурилась. Некоторые из застрявших машин выворачивали на тротуар и отправлялись искать объезд.

Водитель взглянул на нее:

— Хотите ждать? Дело ваше.

Гэбриэл заметила, что начали прибывать машины официальных лиц.

— Нет. Поехали в объезд.

Водитель кивнул и начал выбираться из пробки. Когда машина выехала на тротуар, Гэбриэл снова набрала номер сенатора.

Занято.

Спустя несколько минут, описав огромную петлю, машина мчалась по Си-стрит. Рейчел увидела, что здание сената светится огнями. Она намеревалась ехать прямо на квартиру Секстона, но раз офис оказался по пути...

— Остановитесь, — попросила она таксиста. — Прямо здесь. Спасибо.

Машина затормозила.

Гэбриэл заплатила по счетчику и добавила десять долларов сверху.

— Вы можете подождать десять минут?

Водитель взглянул на деньги, на часы:

— Только ни минутой дольше.

Гэбриэл выскочила на тротуар. Она вернется через пять минут.

Пустынные мраморные коридоры здания сената в этот час казались почти призрачными. Гэбриэл напряглась от суеверного страха, проходя между двумя рядами статуй, охраняющих вход на третий этаж. Казалось, они, словно часовые, провожают ее взглядом своих каменных глаз.

Подойдя к главному входу в пятикомнатный офис сенатора Секстона, Гэбриэл вложила в щель карточку. Замок открылся. Секретарская была тускло освещена. Гэбриэл прошла в свой кабинет. Включила свет и сразу направилась к шкафу с папками.

Отдельная папка содержала документы, касающиеся финансирования «Системы наблюдения за Землей», в том числе и информацию относительно орбитального полярного спутника — сканера плотности. Как только она расскажет Секстону о Харпере, ему тут же потребуются все имеющиеся данные.

НАСА сообщало заведомо ложные сведения о спутнике-сканере.

Пока Гэбриэл торопливо листала файлы, зазвонил сотовый телефон.

— Сенатор? — ответила девушка.

— Нет, Гэб. Это Иоланда. — Голос подруги звучал странно. — Ты все еще в НАСА?

— Нет. У себя в офисе.

— Выяснила что-нибудь о НАСА?

— Да так... — уклончиво произнесла Гэбриэл. Она знала, что не может сказать Иоланде ничего определенного до тех пор, пока не поговорит с сенатором. Ведь у него наверняка будет собственное мнение насчет того, как следует распорядиться информацией. — Я расскажу обо всем подробно, как только поговорю с Секстоном. Как раз собираюсь к нему.

Иоланда помолчала.

— Гэб, знаешь, твои слова о финансировании избирательной кампании сенатора Космическим фондом...

— Я же признала, что ошибалась и...

— Дело в том, что я выяснила: двое наших репортеров, которые занимаются космической промышленностью, расследовали ту же самую историю.

Гэбриэл удивилась:

— А именно?

— Не знаю. Но это хорошие, серьезные ребята, и они уверены, что Секстон действительно берет деньги от частных фирм. Я просто решила, что нужно поставить тебя в известность. Понимаю, раньше я говорила тебе совсем другое. Такой источник сведений, как Марджори Тенч, не вызывает доверия. Но эти наши ребята... не знаю, может быть, ты сама захочешь с ними поговорить до того, как встретишься с сенатором.

— Если они так уверены в собственной правоте, то почему не обнародовали свои материалы?

Тон Гэбриэл казался более оборонительным, чем ей самой хотелось бы.

— У них нет неопровержимых улик. Сенатор умеет ловко заметать следы.

Гэбриэл подумала, что абсолютно то же самое можно сказать о большинстве политиков.

— Здесь нет ничего криминального, Иоланда. Я уже говорила тебе: сенатор признал, что принимал частные пожертвования, но они не превышают допустимой нормы.

— Я знаю, что это сообщил он сам, и не собираюсь оспаривать его слова. Просто я решила, что необходимо сказать тебе, потому что сама же советовала не доверять Марджори Тенч. После этого я говорила с людьми, не имеющими отношения к этой особе, и они уверены, что сенатор берет крупные взятки. Вот и все.

— Кто эти репортеры? — Гэбриэл неожиданно рассердилась.

— Не хочу называть имен, но могу устроить тебе встречу. Это умные люди. Они хорошо разбираются в делах финансирования избирательных кампаний. — Иоланда замолчала, сомневаясь, стоит ли продолжать. — Ты знаешь, эти ребята говорят даже, что Секстон на мели, по сути, банкрот.

В тишине пустынного офиса Гэбриэл как будто услышала эхо жестоких обвинений Марджори Тенч: «После смерти жены сенатор растратил значительную часть ее состояния на глупые инвестиции, личный комфорт и на покупку победы в первичных выборах. Шесть месяцев назад ваш кандидат оказался банкротом...»

— Так вот, наши люди готовы встретиться с тобой и все обсудить.

Гэбриэл подумала, что вовсе не уверена, хочет ли этого она сама.

— Я перезвоню тебе.

— Ты кажешься очень раздраженной и встревоженной.

— Не из-за тебя, извини. К тебе это совсем не относится. Спасибо за информацию.

Гэбриэл повесила трубку.

Личный телохранитель сенатора Секстона задремал, сидя на банкетке в коридоре жилого комплекса Уэстбрук. Неожиданно зазвонил сотовый. Охранник вздрогнул, протер глаза и вытащил телефон из кармана пиджака.

— Да?

— Оуэн, это Гэбриэл.

Охранник сразу узнал голос.

— Привет.

— Мне нужно поговорить с сенатором. Вы не постучите в дверь? Телефон почему-то все время занят.

— Но сейчас уже слишком поздно.

— Он не спит, я уверена. — Голос ассистентки звучал взволнованно. — Дело очень срочное.

— Еще одно срочное дело?

— Продолжается то же самое. Помогите мне с ним связаться, Оуэн. Необходимо срочно кое о чем его спросить.

Охранник тяжело вздохнул и поднялся:

— Ну хорошо, хорошо, я постучу. — Он потянулся и направился к двери. — Но делаю это только потому, что босс остался доволен, что я впустил вас тогда, в первый раз.

Он поднял руку, собираясь постучать.

— Что вы сказали? — требовательно переспросила Гэбриэл.

Кулак телохранителя повис в воздухе.

— Я сказал, что сенатор похвалил меня за то, что я вас впустил. Вы были правы. Действительно, проблем не возникло.

— Вы с сенатором говорили об этом?

Голос помощницы звучал удивленно.

— Да. А что?

— Да нет, ничего. Я просто не думала...

— Если честно, то получилось как-то странно. Сенатору потребовалось несколько секунд, чтобы вспомнить о том, что вы приходили. Похоже, со своими гостями он немножко загрузился.

— А когда вы с ним разговаривали, Оуэн?

— Сразу после вашего ухода. А что случилось?

В трубке повисло молчание. Потом Гэбриэл произнесла изменившимся голосом:

— Нет-нет. Ничего. Послушайте. Я вот подумала... Давайте лучше не будем сейчас беспокоить сенатора. Я еще попробую набрать его домашний номер. А уж если не получится, то снова вам позвоню, и тогда уже вы постучите.

— Как прикажете, мисс Эш.

— Спасибо, Оуэн. Извините за беспокойство.

— Без проблем.

Парень отключил телефон, шлепнулся обратно на банкетку и моментально уснул.

Гэбриэл несколько секунд стояла неподвижно, глядя в одну точку, и только потом повесила трубку. Оказывается, Секстон знает, что она была в его квартире. Но даже не упомянул об этом.

Все странности сегодняшнего вечера собрались в один узел. Девушка вспомнила звонок сенатора, когда она сидела у Иоланды, в здании телекомпании Эй-би-си. Тогда ее поразило ничем не спровоцированное признание — рассказ о встрече с представителями частных фирм и о том, что они давали ему небольшие суммы денег. Искренность босса потрясла Гэбриэл и вернула доверие к нему. Даже пристыдила ее. Теперь же его признание выглядело куда менее благородным.

«Небольшие деньги, — сказал тогда Секстон, — совершенно легальные».

Внезапно ожили все смутные подозрения Гэбриэл по поводу честности и порядочности босса.

На улице сигналило такси.

ГЛАВА 103

Капитанская рубка «Гойи» выглядела как плексигласовый куб, расположенный на два уровня выше основной палубы. Отсюда Рейчел могла видеть окружающий ее со всех сторон темный океан — вселяющее страх бесконечное пространство. Она взглянула на него лишь раз, а потом занялась делом.

Отправив Толланда и Мэрлинсона на поиски Ксавии, Рейчел попыталась связаться с Пикерингом. Она обещала директору позвонить сразу, как только окажется на земле, вернее, в океане. А кроме того, ей не терпелось выяснить, что вынес директор из своей встречи с Марджори Тенч.

На «Гойе» связь осуществлялась посредством цифровой коммуникационной системы «Шинком-2100», с которой Рейчел была близко знакома. Знала она и о том, что если разговаривать недолго, то звонок невозможно перехватить.

Набрав номер личного сотового телефона директора, она прижала трубку к уху и принялась ждать ответа. Ей казалось, что Пикеринг должен ответить моментально. Но гудки продолжались.

Шестой. Седьмой. Восьмой...

Рейчел смотрела на волнующийся вокруг океан. Даже невозможность связаться с Пикерингом не могла пересилить ужаса перед водной стихией.

Девять гудков. Десять. «Ну же! Отвечайте, мистер Пикеринг!»

В ожидании она сделала несколько шагов по рубке. В чем же дело? Пикеринг всегда носит с собой телефон, а кроме того, он специально подчеркнул, чтобы Рейчел обязательно с ним связалась.

После пятнадцати гудков она положила трубку.

Немного подождав, с недобрым предчувствием, волнуясь, начала набирать номер снова.

Четвертый гудок. Пятый.

«Где же он? Что случилось?»

Наконец раздался щелчок. Рейчел обрадовалась, но напрасно. На линии никого. Молчание.

— Алло! — позвала она. — Директор?

Три быстрых щелчка.

— Алло! — повторила Рейчел.

Тишину прорезал разряд статического электричества, стукнув прямо в ухо. Она инстинктивно отдернула трубку. Шум прекратился. Теперь стала слышна какая-то быстрая пульсация. Недоумение Рейчел быстро сменилось ясным пониманием, а потом и ужасом.

— Черт!

Она с силой бросила трубку, резко прервав связь. Несколько секунд стояла в оцепенении, не в силах пошевелиться от страха. Успела ли она отключиться вовремя?

В самом сердце корабля, на две палубы ниже рубки, располагалась гидролаборатория. Это было обширное пространство, перегороженное длинными узкими столами и стеллажами, загроможденными разного рода электронным оборудованием — локаторами, анализаторами, газоуловителями, холодильной камерой для хранения образцов, персональными компьютерами. Здесь размещались и шкафы для хранения папок с данными, а также дополнительная техника, которая обеспечивала бесперебойное функционирование научного процесса.

Когда вошли Корки и Майкл, корабельный геолог Ксавия расслабленно сидела в кресле у телевизора. Она даже не обернулась.

— Ну что, ребята, денежки на выпивку закончились? — добродушно поинтересовалась она, полагая, что вернулись праздновавшие на берегу товарищи.

— Ксавия, — окликнул Толланд. — Это я, Майк.

Ксавия резко обернулась, глотая кусок сандвича, который жевала.

— Майк? — изумленно пробормотала она. Поднялась, выключила телевизор и, все еще продолжая жевать, подошла к ним. — А я подумала, что это парни вернулись из похода по барам. Как ты здесь очутился?

Ксавия была плотной, приземистой, смуглой особой с резким голосом и довольно угрюмым выражением лица. Она показала на телевизор — в очередной раз повторяли документальный фильм Толланда.

— Ты, похоже, не очень долго отирался там, на леднике?

— Да, так уж получилось, — ответил Толланд. — Ксавия, я уверен, что ты без труда узнаешь Корки Мэрлинсона.

Ксавия важно кивнула:

— Приятно познакомиться, сэр.

Корки внимательно разглядывал сандвич в ее руке.

— Выглядит аппетитно.

Ксавия смерила его удивленным взглядом.

— Я получил твое сообщение, — не теряя времени, приступил к делу Майкл. — Ты говоришь, что в моем фильме есть ошибка? Необходимо это обсудить.

Ксавия пристально взглянула на него и негромко рассмеялась:

— Так вот почему ты вернулся? Майк, ради Бога, я же сказала тебе, что это мелочь. Просто так, чтобы держать тебя в напряжении. НАСА предоставило тебе устаревшие данные. Это совсем не важно. Правда. Всего лишь три или четыре морских геолога заметят промах.

Толланд затаил дыхание.

— Этот промах, случайно, не касался хондр?

Ксавия от удивления даже побледнела.

— Боже! Неужели один из этих эрудированных зануд уже звонил тебе?

Толланд похолодел. Итак, дело все-таки в хондрах. Он бросил быстрый взгляд на Корки, а потом вновь обратился к Ксавии:

— Мне необходимо знать все, что ты можешь сказать относительно этих самых хондр. Какую ошибку я сделал?

Ксавия посмотрела на него в упор, начиная осознавать серьезность ситуации:

— Майк, это действительно мелочь. Некоторое время назад я прочла одну небольшую статью. Но все-таки не понимаю, почему это тебя так взволновало.

Толланд тяжело вздохнул.

— Ксавия, поверь мне... Как ни странно это звучит, чем меньше ты сегодня узнаешь, тем будет лучше. Единственное, чего я прошу, так это рассказать нам все, что ты знаешь о хондрах. А потом тебе придется проанализировать один образец.

Ксавия выглядела очень озадаченной и обеспокоенной тем, что ее пытаются держать в неведении.

— Ну хорошо, тогда я принесу вам эту статью. Она у меня в кабинете.

Женщина положила сандвич и направилась к двери.

— Можно я доем? — бросил Корки ей вслед.

Ксавия остановилась, изумленно обернувшись к гостю.

— Вы хотите доесть мой сандвич?

— Ну, я просто подумал, что если вы...

— Возьмите себе другой!

С этими словами Ксавия вышла из комнаты.

Толланд улыбнулся и показал на холодильник:

— Нижняя полка, Корки. Между самбуцинином и мешками с кальмарами.

Тем временем на палубе Рейчел спустилась по крутой лесенке из капитанской рубки и направилась к вертолету. Пилот дремал, но едва Рейчел постучала в кабину, открыл глаза и вполне осмысленно взглянул на нее.

— Уже летим? — удивился он. — Быстро вы.

Едва сохраняя видимость спокойствия, Рейчел покачала головой.

— Вы можете включить одновременно и морской, и воздушный радары?

— Конечно. Радиус десять миль.

— Сделайте это, пожалуйста.

Пилот, озадаченный просьбой, повернул пару ручек, и тут же зажегся экран. Луч лениво гулял по нему кругами.

— Ну что, есть что-нибудь? — поинтересовалась Рейчел.

Пилот подождал, пока луч совершит несколько полных оборотов. Потом включил еще какие-то приборы и начал наблюдение. Все было спокойно.

— Вдалеке, почти на периферии, идет парочка небольших кораблей, но они движутся от нас. А мы в порядке. Вокруг все спокойно.

Рейчел вздохнула, не испытывая особенного облегчения.

— Сделайте, пожалуйста, одолжение. Если заметите хоть что-нибудь, что будет двигаться к нам — лодки, самолеты, вертолеты, что угодно, — дайте мне знать немедленно.

— Непременно. Все в порядке?

— Да-да. Просто хочу знать, не желает ли кто-нибудь составить нам компанию.

Пилот пожал плечами:

— Я буду следить за радаром, мисс. Если что-нибудь вдруг обнаружится, вы узнаете об этом.

С тяжелым сердцем Рейчел направилась в гидролабораторию. Там она увидела, что Майкл и Корки стоят возле компьютера и жуют сандвичи.

Корки повернулся к ней с полным ртом:

— Чего ты хочешь: цыпленка со вкусом рыбы, сосиску со вкусом рыбы или салат со вкусом рыбы?

Рейчел едва расслышала вопрос и даже не стала на него отвечать.

— Майк, как скоро мы можем узнать все, что необходимо, и смыться с этого корабля?

ГЛАВА 104

Толланд мерил шагами лабораторию, вместе с Рейчел и Корки нетерпеливо ожидая возвращения Ксавии. Новость насчет хондр расстраивала его почти в той же степени, как и известие Рейчел о ее несостоявшемся контакте с Пикерингом.

Директор не ответил на звонок. И кто-то пытался засечь местонахождение «Гойи».

— Успокойтесь, — обратился к коллегам Толланд. — Мы в безопасности. Пилот следит за радаром. Если вдруг кто-нибудь направится в нашу сторону, он предупредит.

Рейчел, соглашаясь, кивнула, хотя все еще не могла подавить свою тревогу.

— Майк, что это такое? — не выдержал Корки, показывая на монитор, на котором в эту минуту появился странный, как будто психоделический образ, пульсирующий и вздрагивающий, словно живой.

— Акустический доплеровский сканер потоков, — ответил океанолог. — Это поперечное сечение градиентов потоков и температур в океане, под кораблем.

Рейчел пристально взглянула на экран:

— Вот над этим самым вихрем мы сейчас и стоим? И держимся только на якоре?

Толланд был вынужден признать, что картинка выглядит устрашающе.

Вода на поверхности выглядела здесь голубовато-зеленой. Но глубже цвет менялся, становясь оранжевым по мере повышения температуры. А возле самого дна безумные вихри были окрашены в кроваво-красные оттенки.

— Вот это и есть мегаплюм, — пояснил Толланд.

— Очень похоже на подводный торнадо, — покачал головой Корки.

— Да, принцип один и тот же. Возле дна океанская вода обычно холоднее и плотнее, но здесь динамика обратная. Глубинные потоки нагреты и потому поднимаются к поверхности. А поверхностная вода в данном случае оказывается холоднее, поэтому она огромной спиралью устремляется вниз, чтобы заполнить освобождающееся место. Вот так и возникают эти стремительные океанские потоки. Огромные водовороты.

— А что там за гигантская шишка на дне?

Корки ткнул пальцем в то место плоской донной поверхности, где, словно пузырь, надувалось похожее на купол возвышение. Водоворот крутился прямо над ним.

— Это возвышение и есть купол магмы, — пояснил Толланд. — То место, где лава близко подходит к поверхности океанского дна.

Корки кивнул:

— Очень напоминает огромный прыщ.

— Можно сказать, что так оно и есть.

— А если он прорвется?

Толланд нахмурился, вспомнив о знаменитом прорыве магмы недалеко от подводной горной гряды Хуана де Фука в 1986 году. Тогда тонны магмы температурой в полторы тысячи градусов вылились в океан, невероятно повысив интенсивность потока мегаплюма. К поверхности поднялся гигантский водоворот, значительно усилив внешние потоки. А что произошло потом, Толланду совсем не хотелось сообщать коллегам, особенно в этот нелегкий день.

— Атлантические куполы магмы не прорываются, — успокоил он. — Вокруг них циркулирует холодная вода, немного охлаждая дно и тем самым держа магму в безопасности под толстым слоем донной породы. В конце концов лава внизу охлаждается и водоворот исчезает. В принципе мегаплюмы не опасны.

Корки показал на потрепанный журнал, лежавший рядом с компьютером:

— То есть ты хочешь сказать, что «Сайентифик америкен» печатает вымысел, художественные сочинения?

Толланд взглянул на обложку и сморщился. Кто-то из команды вытащил этот журнал из корабельного архива, в котором хранились старые научные издания. Номер был от февраля 1999 года. На обложке красовалась версия художника: супертанкер тонул в огромной океанской воронке. Заголовок вопрошал: «Мегаплюмы — гигантские убийцы, поднявшиеся из глубин?»

Толланд отмахнулся:

— Сущая чепуха. Статья сообщает о мегаплюмах в зонах землетрясения. Несколько лет назад эта гипотеза получила распространение как объяснение исчезновения кораблей в Бермудском треугольнике. Строго говоря, если вдруг сейчас на дне произойдет какой-то геологический катаклизм, о чем здесь никогда не слышали, купол магмы может взорваться, и тогда воронка окажется достаточно большой для того, чтобы... ну, вы понимаете.

— Нет, не понимаем, — решительно возразил Корки.

Толланд пожал плечами:

— Ну, тогда нас просто затянет внутрь.

— Кошмар. Мы просто счастливы оказаться на твоем кораблике.

С листками в руке вошла Ксавия.

— Любуетесь мегаплюмом?

— О да, конечно, — саркастически ответил Мэрлинсон. — Майк как раз объяснял нам, что если эта шишка вдруг взорвется, мы все моментально полетим в огромную яму.

— Яму? — Ксавия холодно рассмеялась. — Да нет. Если уж на то пошло, скорее, нас смоет в самый большой на свете унитаз.

Наверху, на палубе «Гойи», пилот вертолета береговой охраны бдительно следил за экраном радара. Работая в службе спасения, он отлично мог распознавать в глазах людей страх. А Рейчел Секстон, несомненно, была очень испугана, когда просила предупредить о приближении непрошеных гостей.

Интересно, кого она боится?

Ни на море, ни в воздухе на протяжении десяти миль вокруг не было ничего необычного. Рыболовное судно в восьми милях. Время от времени самолет скользил по краю зоны охвата и тут же исчезал.

Пилот вздохнул, глядя на океан, бурлящий вокруг судна. Казалось, что, несмотря на якорь, «Гойя» мчится на полной скорости.

Он снова повернулся к экрану.

ГЛАВА 105

Толланд познакомил Ксавию с Рейчел. Корабельный геолог казалась смущенной присутствием столь высокопоставленной особы. А стремление Рейчел как можно быстрее закончить дело и покинуть судно обескураживало ее.

— Выкладывай, Ксавия, — потребовал Майкл, — нам необходимо знать абсолютно все.

Ксавия заговорила несколько напряженно:

— В своем фильме, Майк, ты сказал, что эти металлические вкрапления могут образоваться только в космосе.

Толланд ощутил, как по телу прошла холодная волна. Сотрудники НАСА сказали ему именно это: хондры могут образоваться исключительно в космосе.

— Но если верить вот этой статье, — Ксавия показала листки, — дело обстоит не совсем так.

Корки возмутился:

— Да нет же, именно так!

Ксавия метнула в его сторону гневный взгляд и помахала листками.

— В прошлом году молодой геолог Ли Поллок с помощью новейшего морского робота взял образцы донных пород в Тихом океане, в Марианской впадине. Он выудил камень, имеющий геологические характеристики, раньше никогда не встречавшиеся. В камне были вкрапления, в точности похожие на хондры. Он назвал их «стрессовыми включениями плагиоклаз». Это крошечные капли металла, которые определенно образовались в результате процессов, происходящих под давлением океана. Доктор Поллок был поражен вкраплениями металла в океаническом камне и сформулировал уникальную теорию, объясняющую их наличие.

— Полагаю, ему пришлось это сделать, — проворчал Корки.

Ксавия не обратила на это замечание ни малейшего внимания.

— Доктор Поллок утверждает, что камень родился в сверхглубинной океанской среде, где чрезвычайно высокое давление трансформировало куски породы, соединив вещества, до этого существовавшие раздельно.

Толланд задумался. Марианская впадина насчитывает в глубину семь миль и представляет собой одно из наименее изученных мест на планете. На такую глубину опускались лишь несколько зондов-роботов, да и то большинство из них ломались еще до того, как они достигали дна. Давление воды во впадине просто огромно — восемнадцать тысяч фунтов на квадратный дюйм, в то время как на поверхности океана — всего лишь двадцать четыре фунта. Океанологи еще очень плохо понимают процессы, происходящие в самых глубоких участках подводного мира.

— Итак, этот парень по фамилии Поллок считает, что Марианская впадина способна создавать камни, содержащие хондры?

— Теория, конечно, очень туманная, — признала Ксавия. — Вообще-то она еще и не была формально опубликована. Я просто случайно, с месяц назад, наткнулась в Интернете на личные заметки Поллока, когда искала дополнительные материалы для нашей программы о мегаплюмах. Мне тогда требовались сведения о кристаллических вкраплениях. А иначе я и сама ничего не знала бы на сей счет.

— Теория не была опубликована, — заметил Корки, — потому что она смешна. Для образования хондр требуются высокие температуры. Давление воды не в состоянии изменить структуру камня.

Но у Ксавии имелся в запасе контраргумент.

— Давление, — заявила она, — является самой мощной движущей силой геологических изменений, происходящих на планете. Можно вам напомнить о такой мелочи, которая носит название метаморфического камня?

Корки недовольно скривился.

Толланд понимал, что в словах Ксавии есть зерно истины. Хотя высокие температуры играли существенную роль в геологических процессах Земли, большинство метаморфических камней появились именно в результате огромного давления. Невероятно, но камни, оказавшиеся в глубине земной коры, испытывали такое давление, что вели себя скорее как патока, а не как твердая порода. Они становились эластичными и претерпевали соответствующие химические изменения. И тем не менее теория доктора Поллока казалась натяжкой.

— Ксавия, — обратился Толланд к коллеге, — я никогда не слышал, чтобы одно лишь давление могло изменить структуру камня. Ты у нас геолог, каково твое мнение?

— Ну, знаешь, — начала Ксавия, листая свои заметки, — похоже, давление воды не является единственным фактором. — Она развернула листок и прочитала вслух отрывок из статьи Поллока: «Кора океанского дна в Марианской впадине, находясь под огромным гидростатическим давлением, может оказаться еще в большей степени сжатой тектоническими силами зон субдукции данного региона».

Ну разумеется, мысленно согласился Толланд. Дно Марианской впадины, помимо того что сдавлено огромной массой воды, является еще и зоной субдукции — частью линии сжатия, соединения тихоокеанского плато и плато Индийского океана. В сумме давление во впадине может оказаться чрезвычайным. Но поскольку район этот настолько удален от поверхности воды и так опасен для исследователей, то даже если там и могут образовываться хондры, все равно очень мало шансов, что кто-нибудь сумеет доказать это.

Ксавия продолжала читать:

— «Объединение гидростатического и тектонического давления потенциально может трансформировать донную породу в эластичное или полужидкое состояние, позволяя более легким элементам образовывать структуры, напоминающие хондры, которые, как считалось до сих пор, существуют лишь в космосе».

Корки закатил глаза:

— Невозможно!

Толланд внимательно посмотрел на товарища:

— А у тебя есть какие-нибудь альтернативные варианты объяснения существования хондр в обнаруженном доктором Поллоком камне?

— Полегче, — обиделся Корки. — Поллок просто нашел метеорит. Метеориты постоянно падают в океан. Но он не понял, что это метеорит, потому что корка сплава за долгие годы, проведенные в воде, исчезла и космический пришелец стал выглядеть обычным камнем.

Корки задиристо повернулся к Ксавии:

— Я полагаю, Поллок не догадался измерить содержание никеля, так ведь?

— Как ни странно, догадался, — парировала Ксавия, снова начиная листать заметки. — Вот что он пишет: «Меня удивило, что содержание никеля в образце попадает в средние границы, что, как правило, несвойственно земным камням».

Толланд и Рейчел переглянулись.

Ксавия продолжала читать:

— «Хотя количество никеля не соответствует средним величинам, характерным для метеоритов, оно удивительно близко к ним».

Рейчел взволнованно спросила:

— Насколько близко? Можно ли этот океанский камень спутать с метеоритом?

Ксавия покачала головой:

— Я не петролог, но, насколько могу судить, между камнем, найденным Поллоком, и настоящими метеоритами существуют значительные химические различия.

— И что же это за различия? — настаивал Мэрлинсон.

Ксавия открыла график:

— Если судить по этим данным, то различие в химической структуре самих хондр. Соотношения титана и циркония различны. В хондрах океанского образца очень малое количество циркония. — Она посмотрела на собеседников. — Всего лишь две частицы на миллион.

— Две на миллион? — фыркнул астрофизик. — Но ведь в метеоритах это содержание в тысячу раз выше!

— Именно, — подтвердила Ксавия. — Вот почему Поллок считает, что этот камень не мог прилететь с неба.

Толланд наклонился к Мэрлинсону и прошептал ему на ухо:

— А НАСА измеряло соотношение титана и циркония?

— Разумеется, нет, — отмахнулся тот. — Это все равно что измерять содержание резины в шинах автомобиля, чтобы подтвердить, что ты видишь именно автомобиль!

Толланд вздохнул и повернулся к Ксавии:

— Если мы дадим тебе камень с хондрами и попросим определить, имеют эти вкрапления космическое происхождение... или океанское, как камень Поллока, ты сможешь это сделать?

Ксавия пожала плечами:

— Думаю, да. Электронный микроскоп дает очень точные показания. А кстати, зачем это вам?

Ничего не ответив, Толланд кивнул Корки:

— Дай-ка образец.

Корки неохотно вытащил из кармана камень.

Взяв в руки каменный диск, Ксавия изумленно вскинула брови. Посмотрела на корку сплава и на отпечаток в шероховатой поверхности.

— Боже! — не удержалась она, окинув присутствующих недоверчивым взглядом. — Уж не кусок ли это?..

— Да-да, — неохотно подтвердил Толланд, — к сожалению, именно он.

ГЛАВА 106

Стоя в одиночестве у окна своего кабинета, Гэбриэл Эш размышляла, что делать дальше. Меньше часа назад она выбралась по пожарной лестнице из штаб-квартиры НАСА, горя от нетерпения рассказать сенатору о лжи Криса Харпера по поводу спутника-сканера.

Но сейчас она уже не была уверена, что следует это делать.

По словам Иоланды, два независимых репортера Эй-би-си подозревали Секстона в том, что он брал взятки от частных космических фирм. Более того, босс знал о присутствии Гэбриэл в квартире во время его встречи с представителями Космического фонда, но почему-то даже не упомянул об этом в разговоре с ней.

Гэбриэл вздохнула. Такси уже уехало, не дождавшись ее, — она понимала, что прежде, чем уйти отсюда, она должна сделать нечто важное.

Готова ли она к этому?

Гэбриэл нахмурилась, сознавая, что выбора нет. Она больше не знала, кому доверять.

Покинув кабинет, Гэбриэл миновала секретарскую и вышла в широкий холл. В дальнем конце его была массивная дубовая дверь с флагами по обеим сторонам: справа — флаг Соединенных Штатов, слева — штата Делавэр. Вход в кабинет Секстона. Дверь, как и у остальных сенаторов, была укреплена стальной прослойкой, закрывалась, кроме обычного ключа, на электронный замок и защищалась сигнализацией.

Гэбриэл понимала, что если ей удастся хоть на несколько минут проникнуть в кабинет, то на все вопросы сразу найдутся ответы. Идя к дверям, похожим на ворота крепости, она вовсе не думала, что сможет открыть их. План выглядел иначе.

Рядом находилась дамская комната. Гэбриэл вошла туда. Автоматически зажглись лампы, отражаясь в белом, безупречно чистом кафеле. Когда глаза немного привыкли к яркому свету, Гэбриэл посмотрела на себя в зеркало. Как обычно, она удивилась мягким чертам своего лица. Выглядела она почти хрупкой, в то же время ощущая себя необычайно сильной.

Готова ли она осуществить задуманное?

Гэбриэл знала, что Секстон с нетерпением ожидает ее возвращения, чтобы до конца прояснить ситуацию со спутником-сканером. Но к сожалению, знала она и то, что он ловко манипулировал ею. А Гэбриэл Эш очень не любила, когда ее обманывали и использовали. Сегодня вечером босс многое утаил от нее. Вопрос заключается в том, насколько много. Все ответы, она не сомневалась, ждали ее в кабинете, отделенном от нее лишь стеной дамской комнаты.

— Пять минут, — произнесла девушка, собираясь с силами и концентрируя волю.

Подойдя к кладовке с умывальными и чистящими принадлежностями, она провела рукой над дверью. На пол со звоном упал ключ. Уборщики в здании сената считались федеральными служащими и исчезали всякий раз, когда начиналась какая-нибудь забастовка, оставляя учреждение без предметов гигиены. Женщинам, работающим в офисе Секстона, надоело оказываться в непредвиденных ситуациях, и они решили взять дело в свои руки. Поэтому и завели собственный ключ от кладовки.

Гэбриэл подумала, что сегодня эта предусмотрительность ей как раз на руку.

Она отперла кладовку.

Маленькое пространство было заполнено швабрами, моющими средствами, запасами всего необходимого. С месяц назад, разыскивая бумажные полотенца, Гэбриэл сделала интересное открытие. Не дотянувшись до рулона на верхней полке, она воспользовалась шваброй, чтобы просто скинуть его на пол. И нечаянно задела облицовку потолка. Одна плитка упала. Вскарабкавшись, чтобы поставить плитку на место, Гэбриэл услышала голос сенатора Секстона.

Четко и очень близко.

По тому, как звучал голос, она решила, что босс разговаривает сам с собой в своей личной туалетной комнате, которая имела с кладовкой общее потолочное перекрытие из фибрового картона.

Сейчас, забравшись в кладовку вовсе не ради туалетной бумаги, Гэбриэл скинула туфли, ловко взобралась по полкам, сняла плитки с потолка и подтянулась на руках.

К черту национальную безопасность, подумала она, размышляя, сколько федеральных законов нарушает своим действием.

Перебравшись через потолок в туалет Секстона, Гэбриэл встала босыми, в одних чулках, ногами на холодную крышку унитаза и спрыгнула на пол. Затаив дыхание, вошла в кабинет босса.

Толстый восточный ковер, мягкий и теплый, ласкал ноги.

ГЛАВА 107

В тридцати милях от офиса сенатора Секстона черный боевой вертолет «Кайова» пробирался над верхушками невысоких сосен северной части штата Делавэр. Дельта-1 сверил координаты, внесенные в автоматическую навигационную систему.

И корабельная система связи, которой пользовалась Рейчел, и сотовый телефон Уильяма Пикеринга были защищены от прослушивания. Но вовсе не содержание беседы интересовало команду «Дельта», когда она перехватила звонок Рейчел. Целью было определение местонахождения звонившего. Глобальная отслеживающая система и компьютерный расчет данных сделали точечное определение координат передатчика делом куда более легким, чем расшифровка содержания разговора.

Дельта-1 всегда забавлялся при мысли о том, что никто из владельцев сотовых телефонов даже не подозревает, что каждый раз, когда он или она набирает номер или отвечает на звонок, правительственный пост прослушивания при необходимости способен определить местонахождение звонящего с точностью до десяти футов, причем в любой точке земного шара. Эту мелочь телефонные компании забывают рекламировать. Сегодня, как только спецгруппа «Дельта» обеспечила себе доступ к сотовому телефону Уильяма Пикеринга, она одновременно приобрела возможность следить и за всеми входящими звонками.

Летя прямым курсом к цели, Дельта-1 уже приблизился к ней на расстояние двадцати миль.

— «Зонт» готов? — спросил он у Дельты-2.

— Готов. Ждем расстояния в пять миль.

Пять миль, подумал Дельта-1. Нужно было подобраться к цели поближе, на радиус действия системы вооружения «кайовы». Он не сомневался, что кто-нибудь на борту «Гойи» нервно смотрит в небо. А поскольку в задачу спецгруппы входило уничтожить цель, не дав ей возможности послать сигнал о помощи, Дельта-1 должен был подобраться к судну настолько аккуратно, чтобы никого не встревожить.

На расстоянии пятнадцати миль от цели, вне зоны охвата судового или другого радара, Дельта-1 резко повернул «кайову» на запад, отклонившись на тридцать градусов в сторону от курса. Он поднялся на высоту трех тысяч футов, характерную для небольшого самолета, и увеличил скорость до ста десяти узлов.

На борту «Гойи» пискнул радар вертолета береговой охраны. Это означало, что в десятимильную зону охвата попал новый объект. Пилот приник к экрану, разглядывая его. Объект выглядел как небольшой грузовой самолет, держащий курс на запад, к побережью.

Возможно, в Ньюарк.

Курс самолета проходил в четырех милях от «Гойи», но это, конечно, просто совпадение. Не теряя бдительности, пилот наблюдал, как объект на не слишком большой скорости в сто десять узлов движется по правому краю экрана. Подойдя к «Гойе» на четыре мили, как и предполагал пилот, он начал удаляться в сторону.

4,1 мили. 4,2 мили.

Наблюдатель на борту «Гойи» вздохнул и расслабился.

— «Зонт» приступил к действию, — доложил Дельта-2 со своего места по левому борту вертолета. — Барраж, шумопоглощение и прикрытие — все функционирует в заданном режиме.

Дельта-1 резко развернул машину влево, направив ее к «Гойе». Этот маневр никак не отразится на экране судового радара.

— Закидаем их фольгой! — возбужденно произнес Дельта-1.

Дельта-2 кивнул. Способ подавления радарных установок был изобретен в период Второй мировой войны, когда остроумный британский летчик начал сбрасывать со своего самолета пучки завернутого в фольгу сена. Немецкие радары зарегистрировали так много целей одновременно, что на земле не знали, куда стрелять. Конечно, с тех пор метод был значительно усовершенствован.

Система «зонтичного» подавления радаров, установленная на «кайове», представляла собой один из самых беспощадных видов электронного вооружения.

Она создавала в атмосфере, над координатами местоположения жертвы, «зонт» из фоновых шумов. Тем самым вертолет лишал цель зрения, слуха и голоса. Сейчас экраны всех радаров на борту судна «Гойя» должны выйти из строя. К тому времени, когда команда поймет, что надо обращаться за срочной помощью, она уже ничего не сможет передать. Все бортовые системы отправляют в эфир или радиосигналы, или микроволновые импульсы. Надежных телефонных линий в океане не существует. Вертолет был уже достаточно близко — все коммуникационные системы судна оказались накрыты невидимым облаком шумов, исходящих от вертолета.

— Полная изоляция, — констатировал Дельта-1. — Теперь у них нет возможности защищаться.

Жертвам удалось каким-то невероятным способом выжить на леднике, потом в океане и выбраться на Большую землю. Но это не повторится. Покинув берег, эти трое сделали плохой выбор. Это будет последнее из всех опрометчиво принятых ими в жизни решений.

Президент Зак Харни сидел в своей постели, озадаченно прижимая к уху телефонную трубку.

— Сейчас? Экстром хочет говорить со мной прямо сейчас? Он покосился на стоящие на тумбочке часы. Семнадцать минут четвертого.

— Именно так, господин президент, — подтвердила телефонистка. — Он утверждает, что разговор не терпит отлагательства.

ГЛАВА 108

Ксавия и Корки склонились над электронным микроскопом, проверяя содержание циркония в хондрах метеорита. А Толланд тем временем повел Рейчел через лабораторию в соседнюю комнату и включил компьютер. Было ясно, что ему надо решить какую-то проблему.

Как только компьютер загрузился, Толланд повернулся к гостье, собираясь ей что-то сказать. Но почему-то молчал, не начиная разговор.

— Что такое? — спросила Рейчел, подивившись, с какой силой притягивает к себе этот необычный человек даже среди всех ужасов и опасностей.

Если бы можно было все забыть и остаться вдвоем хоть ненадолго!

— Хочу извиниться перед тобой, — наконец с виноватым видом проговорил Толланд.

— За что?

— Да там, на палубе. С акулами. Я немного переборщил, конечно. Иногда просто забываю, насколько страшным может казаться океан для непосвященных.

Сейчас, наедине с Майклом, Рейчел неожиданно почувствовала себя девочкой-подростком, разговаривающей возле дома с новым приятелем.

— Спасибо. Ничего страшного. Все в порядке, правда.

Интуиция подсказывала ей, что Толланд думает сейчас о том, о чем и она сама.

После минутной паузы океанограф смущенно отвернулся.

— Понимаю, как ты хочешь вернуться на берег. Но нужно работать.

— Недолго, — мягко добавила Рейчел.

— Да, недолго, — повторил Толланд, усаживаясь за компьютер.

Рейчел вздохнула, устраиваясь рядом. Принялась внимательно наблюдать за тем, как Толланд открывает файл за файлом.

— Что мы делаем?

— Проверяем базу данных крупных океанских вошек. Хочу проверить, сможем ли мы обнаружить какие-нибудь доисторические морские окаменелости, напоминающие те, что мы видели в камне НАСА.

Он открыл справочную страницу.

Просматривая меню, пояснил:

— Здесь содержится постоянно обновляемый указатель океанских биологических видов. Как только биолог, изучающий морскую фауну, заметит что-то, достойное внимания, он может сразу обнародовать эти сведения, поместив и информацию, и фотографии в центральный банк. Каждую неделю делается множество открытий, а так мы имеем оптимальный способ поддерживать исследовательскую работу на современном уровне.

Рейчел смотрела, как Толланд изучает меню.

— Так что, мы сейчас войдем в Интернет?

— Нет. На море дело с Интернетом обстоит плохо. Мы храним все данные здесь, на борту, в соседней комнате, на огромном количестве оптических дисков. А каждый раз, как заходим в порт, подключаемся к сети и пополняем базу данных новейшими сведениями. Таким образом мы можем получать информацию непосредственно в море, без доступа в Интернет. Причем эти данные никогда не бывают старше месяца или двух. — Толланд усмехнулся и начал набирать пароль. — Ты, конечно, слышала о музыкальном портале, который называется «Нэпстер»?

Рейчел кивнула.

— Так вот, эта программа считается морским биологическим аналогом «Нэпстера». Мы называем ее «Лобстер» — омар.

Рейчел рассмеялась. Даже в отчаянной ситуации Майкл Толланд умудрялся шутить, стараясь избавить ее от страха и волнения. В последнее время поводов для смеха было совсем мало.

— Наша база данных просто огромна, — сообщил Майкл, закончив вводить описание вида. — Более десяти терабайт описаний и фотографий. Здесь имеется информация, о которой многие даже понятия не имеют. Да и не будут иметь. Океанские виды слишком разнообразны. — Он перевел курсор на кнопку «поиск». — Ну вот, теперь давай посмотрим, не встречал ли кто-нибудь в океане ископаемое, похожее на нашего космического жучка.

Через несколько секунд дисплей вывел названия четырех статей с описаниями ископаемых животных. Толланд начал открывать их по очереди, внимательно вглядываясь в изображения. Но ничего похожего на их окаменелости здесь не оказалось. Ни одно из ископаемых морских животных даже отдаленно не напоминало то, что они искали.

Толланд нахмурился:

— Давай попробуем еще что-нибудь.

Он убрал из «окна» слово «ископаемый» и снова нажал на кнопку «поиск».

— Теперь проверим среди ныне живущих организмов. Может быть, обнаружится живой экземпляр, обладающий теми же характеристиками, что и наши ископаемые.

Дисплей поменял картинку.

И снова Толланд нахмурился. Компьютер вывел список сотен статей. Океанолог на секунду задумался, поглаживая давно не бритый подбородок.

— Так. Это многовато. Давай-ка ограничим условия.

Рейчел увидела, что он вошел в меню «Среда обитания». Выбор был огромен: земли, затопляемые во время разливов, болота, лагуны, рифы, подводные горные хребты, морские кратеры. Пройдясь по списку, Толланд выбрал строчку «Тектонические границы. Океанские впадины».

«Ловко», — подумала Рейчел.

Толланд ограничил поиск только теми видами, которые жили в условиях, способствующих образованию хондр.

Открылась страничка. Толланд удовлетворено улыбнулся:

— Отлично. Только три статьи.

Рейчел взглянула на первое из латинских названий. Прочитать его до конца у нее не хватило терпения.

Толланд перевел курсор. Появилась фотография. Существо больше всего напоминало бесхвостого краба, формой повторяя огромную лошадиную подкову.

— Фу! — сердито фыркнул Толланд, возвращаясь на первую страницу.

Рейчел взглянула на вторую строчку списка. Здесь название было написано по-английски, но с латинскими окончаниями. Оно означало «Безобразная креветка из преисподней». Рейчел поежилась.

— Это что, всерьез? — поинтересовалась она.

Толланд усмехнулся:

— Нет, конечно. Просто новый вид, еще не получивший настоящего названия. Надо признать, тот, кто его открыл, не лишен чувства юмора. Он предлагает свое название в качестве официального таксономического определения. — Толланд открыл изображение исключительно жуткого создания с бакенбардами и светящимися розовыми усами. — Соответствует названию, — оценил океанограф. — Но это не наш космический жучок. — Он вернулся к списку. — Последнее предложение... — Открылась новая страница. — Bathynomous giganteus, — прочитал Толланд, когда появился текст. Через мгновение загрузилась и фотография. Цветная, крупным планом.

Рейчел подпрыгнула на стуле:

— Боже!

Создание, взирающее на нее с экрана, внушало истинный ужас.

Майкл тоже негромко охнул:

— Ну и ну! Этот парень кажется мне очень знакомым.

Рейчел лишь молча кивнула. Слова в эту минуту как-то не находились. Bathynomous giganteus. Существо напоминало гигантскую плавучую вошь. И было очень похожим на отпечатки в метеорите.

— Есть кое-какие небольшие отличия, — заметил Майкл, переходя к анатомическим описаниям. — Но невероятно близко. Особенно если учесть, что создание это имело двести миллионов лет на развитие.

«"Близко" — верное слово, — подумала Рейчел. — Даже слишком близко».

Толланд начал вслух читать описание:

— «Считается одним из древнейших океанских видов. Редкие и недавно классифицированные образцы Bathynomous giganteus представляют собой глубоководного, питающегося падалью жука. В длину достигает двух футов. Имеет хитиновый внешний скелет, разделяемый на голову, грудную клетку, брюшную часть. Обладает парными щупальцами, усиками и сложносоставными глазами, как у наземных насекомых. Этот глубоководный житель не имеет врагов и обитает в пустынных океанских ареалах, ранее считавшихся необитаемыми». — Толланд обернулся к Рейчел: — А это полностью объясняет отсутствие в камне отпечатков других видов.

Рейчел внимательно смотрела на изображение жуткого существа. Искренне взволнованная, она все-таки сомневалась, что полностью осознает значение их открытия.

— Только представь, — возбужденно заговорил Толланд, — сто девяносто миллионов лет назад популяция этих созданий оказалась погребенной под мощным океанским оползнем. А когда грязь со временем превратилась в твердую породу, жуки оказались запечатанными в камне. Океанское дно, которое постоянно, словно медленный конвейер, движется по направлению к впадинам, увлекло камень в зону высокого давления, где и образовались хондры. — Толланд говорил торопливо, словно боясь не успеть рассказать все до конца. — А когда часть этой содержащей хондры породы откололась и оказалась на верху сформировавшегося наноса, что случается вовсе не редко, ее и выловили.

— Но если НАСА... — Рейчел в нерешительности замолчала. — Я хочу сказать, если все это ложь, то в космическом агентстве должны понимать, что рано или поздно кто-нибудь обнаружит, что окаменелости очень похожи на морских обитателей, так ведь? Мы-то это обнаружили!

Толланд начал распечатывать снимки Bathynomous giganteus на лазерном принтере.

— Не знаю. Даже если кто-нибудь и укажет на сходство между отпечатками и живущими в настоящее время видами, всегда можно парировать тем, что их физиологические характеристики не идентичны. Это только укрепит позицию НАСА!

Рейчел внезапно поняла: подобное свидетельство лишь подтвердит теорию панспермии, в соответствии с которой жизнь на Земле появилась из космоса.

— Сходство между земными и предполагаемыми космическими организмами может иметь глубокий научный смысл. А значит, окажется аргументом в пользу НАСА.

— Но конечно, если не ставится под сомнение подлинность метеорита.

Толланд кивнул:

— Как только встает вопрос о происхождении камня, все сразу меняется. И наша океанская блоха из друга НАСА превращается в его заклятого врага.

Рейчел молча наблюдала, как из принтера появляются распечатки изображения. Она пыталась убедить себя, что

НАСА искренне заблуждается. Но сама понимала, что это не так. Искренне заблуждающиеся люди обычно не убивают других людей.

Внезапно до них донесся чуть гнусавый голос Корки:

— Невероятно!

Толланд и Рейчел удивленно обернулись.

— Проверьте это заново! Такого просто быть не может!

В комнату, держа в руке лист с параметрами, торопливо вошла Ксавия. Лицо ее было пепельно-бледным.

— Майк, я даже не знаю, как сказать... — Она внезапно охрипла.

— Соотношение титана и циркония? — сразу понял Толланд.

Ксавия откашлялась, пытаясь взять себя в руки.

— Нет сомнений в том, что НАСА совершило грубую ошибку. Их метеорит на самом деле океанский камень.

Толланд и Рейчел переглянулись, но ни один не проронил ни слова. Они и так все знали. Подозрения и сомнения, вздымаясь, подобно морской волне, достигли критической точки.

Толланд кивнул, не в силах скрыть огорчения:

— Да, ясно. Спасибо, Ксавия.

— Но тогда я ничего не понимаю! — волновалась она. — Корка сплава. Местонахождение — полярный ледник.

— Все объясню по пути на берег, — коротко ответил Толланд. — Уходим отсюда.

Рейчел быстро собрала все бумаги, содержащие с таким трудом добытые драгоценные сведения. Теперь свидетельства были абсолютно убедительными. Результаты сканирования льда, показывающие способ внедрения камня в ледник; изображение ныне живущего океанского существа, очень схожего с отпечатками в камне; статья доктора Поллока относительно океанских хондр; данные анализа, свидетельствующие о недостаточном содержании циркония в образце, привезенном из-за Полярного круга.

Вывод напрашивался сам собой. Мошенничество невероятных размеров.

Толланд взглянул на пачку листков, которые Рейчел крепко сжимала в руках, и меланхолично вздохнул:

— Да уж, теперь у Пикеринга доказательств более чем достаточно.

Рейчел кивнула, все еще недоумевая, почему Пикеринг не ответил на звонок.

Толланд снял трубку ближайшего телефона и протянул ей:

— Попробуй-ка позвонить отсюда.

— Нет, давайте двигаться. Лучше я свяжусь с ним с вертолета.

Рейчел уже решила, что если не удастся поговорить с Пикерингом по телефону, она попросит пилота береговой охраны отвезти их прямо к Национальному разведывательному управлению. Это всего около ста восьмидесяти миль.

Толланд хотел было положить трубку на место, но вдруг замер. С растерянным видом поднес трубку к уху. Нахмурясь, прислушался.

— Странно. Гудка нет.

— Что ты хочешь сказать? — моментально встревожилась Рейчел.

— Очень странно, — повторил Толланд. — Эти прямые линии никогда не теряют связи.

— Мистер Толланд!

В лабораторию ворвался пилот вертолета. Он с трудом держал себя в руках.

— Что случилось? — сразу отреагировала Рейчел. — Кто-то приближается?

— Серьезная проблема, — задыхаясь, ответил пилот. — Сам не знаю, в чем дело. Только что отказали все бортовые средства коммуникации и радар тоже.

Рейчел засунула бумаги под рубашку — так надежнее.

— Быстро все на вертолет. Уходим. Сейчас же!

ГЛАВА 109

С сильно бьющимся сердцем Гэбриэл прошла по темному кабинету сенатора Секстона. Просторное помещение выглядело представительно: резные деревянные панели на стенах, картины маслом, кожаные кресла, огромный письменный стол красного дерева. Сейчас комната освещалась лишь слабым неоновым сиянием компьютерного дисплея.

Гэбриэл направилась к столу.

Сенатор Секстон довел воплощение идеи «цифрового офиса» до крайности, избавившись от всех шкафов и заменив их компактной памятью персонального компьютера. В него он ввел огромное количество самой разнообразной информации — заметки о встречах, отсканированные статьи, речи, собственные размышления. Компьютер был здесь самым драгоценным предметом. Чтобы защитить его, сенатор держал свой кабинет постоянно запертым. Из-за страха, что хакеры залезут в его набитый сокровищами цифровой сейф, он даже боялся подключаться к Интернету.

Еще год назад Гэбриэл ни за что не поверила бы, что политик может оказаться настолько неосмотрительным, чтобы хранить копии порочащих его документов. Однако Вашингтон научил ее многому. Информация — это власть. Гэбриэл с удивлением узнала, что распространенной практикой среди политиков, принимающих незаконные пожертвования на проведение избирательной кампании, было сохранение доказательств — писем, банковских счетов, квитанций и тому подобного. Все это, как правило, пряталось в надежное место. Такая тактика, предусмотренная для защиты от шантажа, получила в Вашингтоне название «Сиамская страховка». Она охраняла получателя от давления тех спонсоров, которые считали, что их щедрость дает им право на это. Если даритель становился не в меру требовательным, кандидат мог просто предъявить ему обличающие документы, напомнив при этом, что закон нарушили обе стороны. Свидетельства гарантировали, что спонсор и кандидат связаны навеки, словно сиамские близнецы.

Гэбриэл проскользнула к столу и села в кресло. Глубоко вздохнув, посмотрела на компьютер. Если сенатор принимал взятки от Космического фонда, какие-нибудь свидетельства наверняка хранятся здесь. Заставка показывала красивый вид Белого дома и парка вокруг него. Ее установил один из преданных и полных энтузиазма сотрудников сенатора, помешанный на визуализации и позитивном мышлении. По краю картинки ползла надпись: «Президент Соединенных Штатов Седжвик Секстон». Она повторялась бесчисленное количество раз. Гэбриэл взялась за мышку; тут же появилось окно защиты: «Введите пароль».

Она ожидала этого. Проблем не должно возникнуть. На прошлой неделе Гэбриэл вошла в кабинет сенатора в ту самую минуту, когда он садился за стол и включал компьютер. Она заметила, что он сделал только три движения, причем очень быстрых.

— Это пароль? — поинтересовалась ассистентка от двери. Секстон поднял глаза:

— Что?

— Я считала, что вы лучше заботитесь о безопасности своих материалов, — добродушно пожурила она босса. — А ваш пароль состоит всего-то из трех знаков? Ведь специалисты рекомендуют использовать по меньшей мере шесть знаков.

— Все эти специалисты — подростки. У них еще молоко на губах не обсохло. Пусть они попытаются держать в памяти шесть произвольных знаков, когда им будет за сорок. А кроме того, дверь на сигнализации. Никто в нее не войдет.

Гэбриэл с улыбкой подошла ближе.

— А что, если кто-нибудь проскользнет, пока вы будете в туалете?

— И переберет все возможные комбинации? — Сенатор скептически улыбнулся. — Конечно, я торчу там долго, но все-таки не настолько.

— Реклама ресторана «Давид» утверждает, что я смогу отгадать ваш пароль за десять секунд.

— Вы не можете пока позволить себе обедать в «Давиде», — парировал Секстон, однако, по-видимому, заинтересовался.

— Ну что, слабо́? — подзадорила ассистентка.

Секстон принял вызов, очевидно, из любопытства.

— Так, значит, десять секунд?

Он закрыл программу и встал из-за стола, уступая место Гэбриэл.

«Введите пароль».

— Десять секунд, — напомнил Секстон.

Гэбриэл рассмеялась. Ей потребуется лишь пара секунд. Перед этим она заметила, что сенатор трижды нажал клавиши указательным пальцем. Несомненно, одну и ту же клавишу. Это не сложно. Она подметила и то, что рука его находилась в левом краю клавиатуры. Таким образом выбор сужался до девяти букв. А уж здесь выбрать нужную букву оказалось совсем нетрудно. Боссу нравилась аллитерация в словосочетании «сенатор Седжвик Секстон».

Никогда не оценивай «эго» политика слишком низко!

Гэбриэл трижды нажала на клавишу «С», и окно пароля исчезло.

Секстон от удивления раскрыл рот.

Все это произошло на прошлой неделе. Гэбриэл полагала, что сенатор вряд ли нашел время установить новый пароль. Да и зачем? Он ведь полностью доверяет своей ближайшей сотруднице.

Она набрала сочетание «ССС».

Появилась надпись: «Пароль неверный. В доступе отказано».

Гэбриэл от удивления даже растерялась.

Кажется, она переоценила степень доверия сенатора.

ГЛАВА 110

Нападение произошло без предупреждения. На юго-востоке, низко над океаном показался страшный силуэт боевого вертолета. Он налетел, словно гигантская оса. У Рейчел ни на секунду не возникло сомнения в его намерениях.

Из вертолета на палубу полетел град пуль. Рейчел слишком поздно рванулась в укрытие — резко и горячо ударило в руку. Она бросилась на пол и покатилась, стремясь укрыться за выпуклым, пусть и прозрачным, окном подводного аппарата «Тритон».

Над головой тихо прошелестели лопасти винта — вертолет-убийца пронесся над судном и ушел в сторону, готовясь ко второму заходу.

Лежа на палубе, дрожа от страха и зажимая раненую руку, Рейчел смотрела на остальных. Укрывшись за одним из палубных сооружений, Толланд и Мэрлинсон теперь пытались подняться, не отрывая тревожных взглядов от неба над головой. Рейчел встала на колени. Мир странно, медленно вращался вокруг нее.

Вжавшись в прозрачную стенку спускаемого аппарата, она в панике смотрела на единственное средство спасения — вертолет береговой охраны. Ксавия уже добралась до него и сейчас карабкалась на борт, одновременно отчаянными жестами призывая остальных поспешить. Рейчел видела, как пилот в кабине сосредоточенно щелкает тумблерами. Начал вращаться винт. Медленно, как медленно!

Слишком медленно...

— Быстрее!

Рейчел уже стояла, готовая бежать, лихорадочно соображая, успеет ли забраться в вертолет до следующей атаки. Она заметила, как Майкл и Корки выскочили из своего укрытия и бросились вперед. Ну же! Быстрее!

И вдруг она увидела...

Примерно в сотне ярдов от палубы в небе материализовался тонкий, словно карандаш, луч красного света. Он шарил в ночи, обследуя палубу «Гойи». Потом, найдя цель, остановился на корпусе вертолета береговой охраны.

Картина запечатлелась в мозгу до странности четко. В этот страшный миг Рейчел чувствовала, как все, что происходит на судне, распадается на отдельные фрагменты, образы, звуки. Вот бегут Толланд и Мэрлинсон. Вот Ксавия отчаянно машет им всем из кабины вертолета. А вот по небу ползет страшный красный луч лазерного прицела.

Слишком поздно.

Рейчел бросилась наперерез Майклу и Корки, раскинув руки и пытаясь их остановить. Налетев, она сбила их с ног, и все трое покатились по палубе в беспорядочном клубке.

Теперь вдалеке появился луч тусклого белого цвета. Рейчел напряженно, с ужасом смотрела на безупречно прямую линию огня, идущую по лазерной наводке к вертолету.

Едва ракета «хеллфайер» соприкоснулась с фюзеляжем, машина взорвалась, разваливаясь на части, словно игрушка. Горячая ударная волна с грохотом прокатилась по палубе, а за ней полетели горящие обломки. Огненный скелет вертолета встал на дыбы на своем разваливающемся хвосте, закачался и упал с кормы судна в океан, с шипением вздымая клубы пара.

Не в силах даже дышать, Рейчел закрыла глаза. Она слышала страшные звуки гибели вертолета. Мощным течением его моментально оттащило от корабля. Рядом что-то кричал Толланд. Рейчел ощутила, как его сильные руки пытаются поднять ее. Но она не могла пошевелиться.

Пилот и Ксавия погибли. Они трое — следующие.

ГЛАВА 111

Буря на шельфовом леднике Милна утихла, и в хабисфере наконец наступила тишина. Но администратор НАСА Лоуренс Экстром даже сейчас не думал об отдыхе. Ему было не до сна. Много часов подряд он шагал в одиночестве по огромному куполу, заглядывал в шахту, из которой извлекли метеорит, проводил руками по неровной, шершавой поверхности огромного обугленного камня.

И вот наконец решение принято.

Он сидел в тесной металлической кабине связи у экрана видеотелефона и смотрел в усталые глаза президента Соединенных Штатов. Зак Харни пришел в пресс-центр в халате; в облике его не сквозил прежний энтузиазм. Экстром не сомневался, что энтузиазма станет еще меньше, как только президент услышит до конца все, что он собирался сказать ему.

Вскоре Экстром закончил свой не слишком длинный монолог. Выражение лица президента казалось странным — словно он не совсем проснулся и не все до конца понял.

— Подождите-ка, — наконец заговорил Харни. — Наверное, у нас неважно работает связь. Вы хотите сказать мне, что на самом деле НАСА перехватило координаты метеорита по радио, а потом просто притворилось, что его обнаружил спутник?

Экстром молчал, сидя в одиночестве в темном тесном ящике и мечтая лишь об одном — как можно скорее избавиться от этого затянувшегося кошмара.

Но президенту нужен был ответ.

— Ради Бога, Ларри, скажите мне, что вы пошутили, что это все неправда!

У Экстрома пересохло в горле.

— Метеорит был найден, господин президент. Это в данном случае самое главное.

— Я просил сказать, что это все неправда!

От волнения и напряжения у Экстрома зашумело в ушах. Он должен был сделать это, должен был сказать все то, что сказал. Чтобы стало лучше, нужно пережить худшее.

— Господин президент, неисправность спутника сводила на нет ваши шансы на выборах. Именно поэтому, когда мы перехватили радиограмму с сообщением о том, что во льду лежит большой метеорит, мы увидели в этом возможность продолжать борьбу.

Харни выглядел раздавленным.

— При помощи лжи?

— Спутник рано или поздно заработал бы, но до выборов мы не успевали его наладить. Ваш рейтинг стремительно падал, вы обвиняли во всех грехах НАСА, и поэтому...

— Вы в своем уме, Ларри? Все это время вы мне откровенно лгали!

— Мы просто решили воспользоваться выпавшим шансом. Перехватили радиограмму канадского геолога, обнаружившего метеорит, а потом погибшего во время бури. Больше никто не знал о существовании камня. Спутник летал над этим районом. НАСА отчаянно нуждалось в крупном достижении, в громкой победе. И мы имели точные координаты.

— Почему вы говорите мне все это сейчас?

— Просто решил, что вы должны знать.

— А вы представляете, что может сделать с подобной информацией Секстон, если, не дай Бог, каким-то образом получит ее?

Экстром предпочел даже не задумываться об этом.

— Он начнет трезвонить по всему миру, что космическое агентство Соединенных Штатов и Белый дом лгали американскому народу! И самое главное — он будет прав!

— Но ведь вы не лгали, сэр. Это я лгал. И мне придется уйти, если...

— Ларри, вы не понимаете. Я пытался построить свое президентское правление на основе правды и честности! А теперь все полетело в бездну! Еще сегодня вечером все шло как надо, красиво и благородно. И вдруг я узнаю, что, оказывается, лгал миру!

— Совсем небольшая ложь, сэр.

— Так не бывает, Ларри! — отрезал президент, пылая гневом.

Экстром ощутил, как сжимается вокруг него и без того тесная будка. Он должен еще многое сказать президенту, но теперь уже ясно, что разговор нужно отложить до утра.

— Простите, что разбудил вас, сэр. Просто решил, что надо сообщить вам, чтобы вы знали.

На другом конце города Седжвик Секстон сделал еще один глоток коньяка и стал расхаживать по комнате, пытаясь подавить растущее раздражение.

Куда запропастилась Гэбриэл?

ГЛАВА 112

Гэбриэл Эш сидела в полумраке кабинета за столом сенатора Секстона и с ненавистью смотрела на компьютер.

«Пароль неверный. В доступе отказано».

Она попробовала еще несколько паролей, которые казались наиболее вероятными, но ни один не подошел. Потом прошлась по кабинету, внимательно глядя по сторонам в надежде найти хоть какую-нибудь подсказку. Она не хотела сдаваться. Однако ничего не получалось. Гэбриэл уже собралась уходить, когда неожиданно заметила что-то странное, тускло поблескивающее на настольном календаре. Кто-то обвел дату выборов блестящей, переливающейся белым, красным и синим цветами, ручкой. Конечно, это сделал не сенатор. Гэбриэл придвинула календарь поближе. Поверх даты красовалось блестящее, вычурное восклицание: «ПРЕСОЕШ!»

Скорее всего полная энтузиазма секретарша решила помочь боссу в выработке позитивного мышления относительно предстоящих выборов. Сокращение «ПРЕСОЕШ» обозначало президента Соединенных Штатов Америки в документации секретных служб. После выборов, если все сложится удачно, сенатор Секстон как раз и станет новым «ПРЕСОЕШ».

Гэбриэл поставила календарь на место и поднялась из-за стола. Но вдруг, внимательно взглянув на дисплей, остановилась.

«Введите пароль».

Она посмотрела на календарь.

«ПРЕСОЕШ».

Она внезапно ощутила прилив надежды. Что-то в этом слове задело: уж очень оно подходило для пароля Секстона. Просто, позитивно, ясно!

Она быстро набрала семь букв.

«ПРЕСОЕШ».

Затаив дыхание, нажала клавишу «ввод». Компьютер пискнул.

«Пароль неверный. В доступе отказано».

Отчаявшись, Гэбриэл наконец сдалась. Встала и направилась в туалет, чтобы уйти тем же путем, каким пришла сюда. Но не успела она дойти и до середины просторной комнаты, как запел сотовый. Нервы были на пределе, и даже электронной мелодии хватило, чтобы испугаться. Резко остановившись, Гэбриэл вытащила телефон и мельком взглянула на висящие на стене весьма ценимые сенатором старинные часы работы Журдена. Уже почти четыре часа утра. Гэбриэл не сомневалась, что в такое время звонить может только Секстон. Наверняка недоумевает, куда она могла деться. Ответить или не стоит? Если ответить, то придется лгать. Но если не ответить, у босса могут возникнуть подозрения.

Она нажала кнопку.

— Алло?

— Гэбриэл! — В голосе Секстона слышалось нетерпение. — Почему вы так задерживаетесь?

— Мемориал Рузвельта, — без малейшего колебания ответила ассистентка. — Такси застряло в пробке, и мы...

— Но звук не такой, какой бывает из такси.

— Конечно, — согласилась она, чувствуя, как бешено стучит сердце, — сейчас я не в такси. Решила заехать в офис и забрать кое-какие документы о НАСА и спутнике-сканере. И вот немного задержалась — не нахожу нужных бумаг.

— Давайте быстрее. Я собираюсь утром дать пресс-конференцию, и нам необходимо обсудить кое-какие детали.

— Я скоро, — заверила ассистентка.

На линии повисла пауза.

— Так вы в офисе? — Голос сенатора прозвучал странно.

— Да-да. Минут через десять уже выйду.

Последовала еще одна пауза.

— Ну хорошо. До встречи.

Гэбриэл выключила телефон, слишком взволнованная и сосредоточенная, чтобы обратить внимание на то, как в нескольких футах от нее отчетливо и громко прозвонили старинные часы, принадлежавшие когда-то деду сенатора Секстона.

ГЛАВА 113

Майкл Толланд не знал, что Рейчел ранена, до тех пор, пока, потянув ее за руку в укрытие, все за тот же «Тритон», не заметил кровь. По выражению ее лица он понял, что боли она не чувствует. Усадив ее, Толланд бросился к Корки. Но астрофизик и сам уже пробирался по палубе ему навстречу, обводя все вокруг полными ужаса глазами.

Толланд лихорадочно искал надежную защиту, не до конца осознавая происходящее. Окинул взглядом палубные надстройки. Ведущая к капитанской рубке лестница была на виду, да и сама рубка с воздуха просматривалась как на ладони. Идти наверх было бы самоубийством. Следовательно, остается один путь — вниз.

На какое-то мгновение Толланд остановил взгляд на «Тритоне», подумав, что можно спуститься под воду, чтобы спастись от пуль.

Абсурд! Место в батискафе рассчитано лишь для одного человека. Кроме того, лебедке нужно целых десять минут, чтобы опустить его сквозь люк в палубе на тридцать футов.

— Снова, снова! — срывающимся от страха голосом крикнул Корки, показывая на небо.

Толланд даже не поднял голову. Он кивнул в сторону ближайшего люка, от которого вниз, в трюм, шел алюминиевый трап. Астрофизик понял его. Низко согнувшись, он бросился к отверстию и быстро исчез в недрах судна. Толланд крепко взял Рейчел за талию и последовал за ним. Они успели вовремя — вертолет уже летел над палубой, поливая ее нещадным огнем.

Толланд помог Рейчел спуститься по ребристому трапу и сойти на приподнятое над днищем судна перекрытие. Едва они оказались внизу, Толланд почувствовал, как напряглась его спутница. Он внимательно взглянул на нее, опасаясь еще одного ранения, рикошетом. Но по лицу Рейчел понял, что дело не в этом.

Толланд проследил за ее полным ужаса взглядом.

Рейчел стояла неподвижно, не в силах сделать ни шагу, не сводя глаз со зрелища, открывающегося внизу.

Судно «Гойя» не имело цельного корпуса, а, подобно гигантской этажерке, состояло из отдельных платформ. Спустившись под палубу, беглецы оказались на решетчатом перекрытии прямо над поверхностью океана, на расстоянии тридцати футов от нее. Шум бурлящей воды, отражающийся от палубы, которая была здесь потолком, казался просто невыносимым. Ужас Рейчел усиливало то, что подводные огни судна все еще были включены и направляли мощную струю света вниз, в океанские глубины. Четко выделялись шесть или семь призрачных силуэтов, неподвижных в стремительном потоке воды. Огромные молотоголовые акулы плыли против течения. Тела их, словно резиновые, плавно покачивались и изгибались.

Толланд попытался успокоить Рейчел:

— Все в порядке. Смотри вперед. Я же рядом и крепко тебя держу.

Он обнял ее за талию, одновременно пытаясь расцепить ее руки, судорожно сжимавшие поручни. В это мгновение Рейчел заметила, как капля крови из раны упала сквозь решетку в воду. Все акулы тут же дернулись, стукнув мощными хвостами и щелкнув страшными зубами, и сбились в кучу.

«Они живут обонянием... увеличенная обонятельная доля мозга... чувствуют кровь на расстоянии мили...»

— Смотри вперед, прямо! — Голос Толланда звучал как приказ. — Я здесь, крепко тебя держу.

Рейчел почувствовала, как сильные руки подталкивают ее вперед. Отведя наконец взгляд от бездны под ногами, она осторожно пошла по настилу. Наверху снова сыпался металлический град. Корки был уже далеко впереди — астрофизика гнала безумная паника.

Толланд крикнул ему:

— Вперед до самого конца, Корки! До дальней опоры! И вниз по лестнице!

Теперь Рейчел понимала, куда они направляются. Далеко впереди находилось какое-то подобие американских горок. Внизу, на уровне воды, по всей длине судна шла узкая, похожая на карниз палуба. От нее отходило несколько небольших подвесных мостков. Создавалось впечатление небольшой купальни прямо под судном. Тут же красовался яркий указатель, крупными буквами оповещавший: «Зона ныряния. Пловцы могут подниматься на поверхность без предупреждения. Лодки! Соблюдайте меры предосторожности!»

Рейчел оставалось лишь надеяться, что Майкл не собирается устраивать купание. Однако ужас ее все усиливался, потому что Толланд уже спустился с перекрытия, по которому они шли, и встал на тянущийся понизу узкий настил. По пути открыл какую-то дверь — за ней оказались рядами развешаны водолазные комбинезоны, ласты, спасательные жилеты, остроги и подводные ружья. Прежде чем Рейчел успела произнести хоть слово, Майкл протянул руку и схватил ракетницу.

— Идем! — скомандовал он.

Они двинулись вперед.

Значительно опередивший их Мэрлинсон уже дошел до «американских горок» и начал спускаться вниз.

— Я вижу! — внезапно раздался его радостный голос, перекрывший даже шум воды.

«Что он там видит?» — не поняла Рейчел. Корки быстро побежал по наклонному трапу. Сама она видела лишь страшный, полный кровожадных акул, океан. Он казался ужасающе близким. Но Толланд упорно тянул ее вперед, и наконец Рейчел тоже увидела то, что так обрадовало астрофизика. В самом дальнем конце узкой полки-палубы стояла маленькая моторная лодка. Корки бежал к ней.

Рейчел не могла поверить: неужели можно уйти от вертолета на этой вот лодочке?

— На ней есть радиосвязь, — пояснил Толланд, — а кроме того, можно отойти в сторону от этой мясорубки...

Дальше Рейчел уже не слушала. Она заметила то, от чего моментально похолодела.

— Слишком поздно, — прошептала она, показывая трясущейся рукой. — Все кончено.

Толланд обернулся и тоже понял, что им конец.

Над океаном, словно дракон, заглядывающий в пещеру, низко завис черный вертолет, внимательно изучая свои жертвы. В какое-то мгновение Толланд решил, что он полетит сейчас прямо на них, вдоль корпуса судна, но вертолет немного развернулся, очевидно, прицеливаясь.

Толланд проследил взглядом за направлением орудийного ствола.

Нет!

Мэрлинсон сидел на корточках за лодкой, развязывая швартовы. Он поднял голову как раз в тот момент, когда раздался оглушительный выстрел. Корки дернулся, словно его ранило. Мгновенно перевалился через борт и распростерся на днище, пытаясь укрыться. Выстрелив, орудие замолчало. Толланд видел, как Корки переползает к носу лодки. Нижняя часть его ноги была залита кровью. Скорчившись под приборной доской, астрофизик начал водить по ней рукой, пока его пальцы не нащупали ключ зажигания. Мощный, в двести пятьдесят лошадиных сил, мотор «Меркурий» моментально ожил.

А уже через секунду из передней части зависшего в воздухе вертолета протянулся красный луч лазера. Он нацелился на лодку.

Толланд отреагировал почти инстинктивно, подняв то единственное оружие, которое было в его распоряжении.

Он спустил курок, и ракета со свистом и шипением полетела горизонтально, к вертолету. Но даже эта мгновенная реакция оказалась недостаточно быстрой. В тот миг, когда ракета ударилась о ветровое стекло вертолета, его орудие, находящееся под фюзеляжем, озарилось яркой вспышкой. Выпустив ракету, вертолет тут же развернулся и скрылся из виду, очевидно, чтобы уйти от взрывной волны.

— Осторожнее! — закричал Толланд, увлекая Рейчел вниз, на узкую палубу-полку.

Ракета прошла мимо цели, не задев лодку. Пролетела вдоль корпуса судна и попала в основание опоры в тридцати футах ниже Рейчел и Майкла.

Раздался страшной силы звук. Вода и огонь одновременно взметнулись ввысь. В воздух полетели куски искореженного металла, грозя упасть на головы. Потом металл со скрежетом стукнулся о металл — судно накренилось, восстанавливая равновесие.

Когда дым рассеялся, Толланд увидел, что одна из четырех главных опор корпуса серьезно повреждена. Бурлящий течением океан грозил сломать ее окончательно. Винтовая лестница, ведущая на нижнюю палубу, едва держалась.

— Быстрее! — скомандовал Толланд, увлекая Рейчел за руку. — Нам нужно вниз!

Они опоздали. Лестница с треском отвалилась и рухнула в море.

В небе над «Гойей» Дельта-1 сражался с вертолетом. Наконец ему удалось снова подчинить себе машину. Ослепленный яркой вспышкой, он инстинктивно слишком сильно нажал на спуск, и ракета пролетела мимо цели. Сейчас он с проклятиями кружил над носом судна, намереваясь снова снизиться и закончить дело.

«Уничтожить всех». Приказ был четким и ясным.

— Дьявол! Смотри! — неожиданно закричал сидящий рядом Дельта-2, показывая в окно. — Лодка!

Дельта-1 обернулся и увидел маленькую моторную лодку, стремительно уносящуюся в темноту, прочь от судна.

Задача усложнялась.

ГЛАВА 114

Окровавленными руками Корки крепко стиснул штурвал лодки «Крестлайнер-Фантом-2100», направляя ее против океанских волн. Он изо всех сил давил на газ, выжимая максимальную скорость. И только сейчас ощутил боль. Глянув вниз, он с удивлением обнаружил, что по ноге обильно течет кровь. Неожиданно закружилась голова. Всем телом навалившись на руль, Корки обернулся и посмотрел на судно, мысленно зовя вертолет за собой. Толланд и Рейчел не успели спуститься, оказавшись отрезанными от лодки. Корки не смог добраться до них. Поэтому пришлось срочно принимать решение.

«Разделяй и побеждай!»

Корки Мэрлинсон понимал, что если ему удастся увести вертолет от «Гойи», возможно, Толланд с Рейчел смогут подать сигнал о помощи.

Но, взглянув на горящее судно, он увидел, что вертолет все еще крутится над ним, словно в нерешительности.

— Ну же, вы, сволочи! Давайте сюда, за мной!

Однако вертолет не слышал его. Он завис над кормой «Гойи», потом спустился ниже и сел на палубу. Корки с ужасом наблюдал за страшной картиной, понимая, что оставил Майкла и Рейчел на верную смерть.

Сознавая, что теперь лишь он может вызвать помощь, Корки на ощупь нашел в темноте на приборной доске радио. Щелкнул выключателем. Ничего не произошло. Ни света, ни шумов. Он до отказа повернул ручку громкости. Опять никакого результата. Ну же! Отпустив руль, астрофизик опустился на колени, чтобы посмотреть, в чем дело. Раненая нога отозвалась сильной болью. То, что он увидел, могло привести в отчаяние любого. Вся приборная доска была изрешечена пулями, а радиоприемник вконец разбит. Провода болтались в воздухе. Корки смотрел, не в силах поверить собственным глазам.

Хуже не придумаешь.

Он поднялся на дрожащих ногах, размышляя о том, чего еще ждать от судьбы. Оглянулся на «Гойю» и тут же понял, чего именно. Он увидел, как на палубу соскочили двое вооруженных людей, а вертолет снова поднялся в воздух и на полной скорости стал догонять лодку.

Астрофизик сник. Вот так: «Разделяй и побеждай». Не одному ему пришла в голову эта блестящая идея.

Дельта-3 прошел по палубе к трапу, ведущему вниз. В этот миг он услышал, как где-то там, в недрах судна, кричит женщина. Он повернулся и знаком показал Дельте-2, что собирается спуститься. Тот кивнул, оставаясь на палубе, чтобы держать под наблюдением верхний уровень. Они могли переговариваться между собой при помощи шифрующего радиоустройства: система подавления «кайовы» оставляла для них открытую частоту.

Крепко сжимая ручной пулемет, Дельта-3 тихо, не спеша, приблизился к люку, ведущему вниз. Осторожно, с собранностью и внимательностью профессионального убийцы, стал спускаться, держа оружие наготове.

С трапа невозможно было разглядеть весь нижний уровень. Дельта-3 наклонился, осматриваясь. Теперь крик раздавался яснее и ближе. Дельта-3 продолжал спуск. Примерно на полпути он начал различать лабиринт переходов и настилов, заполняющих внутреннее пространство судна. Женский крик становился все громче.

Наконец он увидел ее. Стоя посередине длинного, узкого, идущего вдоль всего судна настила, Рейчел Секстон смотрела через перила в воду и отчаянно звала Майкла Толланда.

Толланд упал в воду? Может быть, во время взрыва?

Если так, задача Дельты-3 окажется даже легче, чем он предполагал. Надо спуститься еще на пару футов и просто выстрелить. Поймать рыбу в бочке. Единственное, что настораживало: женщина стоит возле кладовой с оборудованием, а значит, может быть вооружена — острогой или подводным ружьем. Конечно, ни то ни другое не идет ни в какое сравнение с его пулеметом. Уверенный в том, что полностью контролирует ситуацию, Дельта-3 крепче сжал оружие и сделал еще один шаг вниз. Рейчел Секстон теперь была прямо перед ним. Боец поднял ствол.

Еще один шаг.

Внезапно под трапом, под его ногами, стало заметно какое-то движение. Скорее удивленный, чем испуганный, Дельта-3 посмотрел вниз и увидел Майкла Толланда. Океанограф целился в него алюминиевым шестом. Хотя его и перехитрили, Дельта-3 едва не рассмеялся над этой детской попыткой заманить его в ловушку.

Но тут он почувствовал, как конец шеста соприкоснулся с его пяткой.

Внезапно тело пронзила вспышка острой, огненной боли. Потеряв равновесие, Дельта-3 закачался и кубарем, головой вперед, покатился по трапу. Оружие выпало из рук и полетело в воду, а сам боец рухнул на нижний настил. В страшной муке, скорчившись, он пытался схватиться за правую ступню, но ее больше не было.

Толланд стоял над врагом, крепко сжимая дымящееся оружие — пятифутовое подводное ружье для защиты от акул двенадцатого калибра. В случае нападения акулы оно было очень эффективно. Толланд зарядил его новым снарядом и приставил заостренный дымящийся ствол к горлу поверженного врага. Тот лежал на спине, словно парализованный, глядя на Толланда с выражением бесконечной ненависти, смешанной с дикой болью.

Рейчел бежала к ним по настилу. План предполагал, что она должна завладеть пулеметом, но тот, к несчастью, улетел в океан.

Переговорное устройство, прикрепленное к поясу бойца, ожило. Раздался странный, неживой голос:

— Дельта-3. Связь. Я слышал выстрел.

Лежащий человек не пошевелился и даже не попытался ответить.

Голос заговорил вновь:

— Дельта-3. Ответь. Тебе нужна помощь?

Почти одновременно зазвучал еще один голос. Тоже измененный, он отличался от первого тем, что его сопровождал тихий шум вертолетного двигателя.

— Это Дельта-1. Преследую лодку. Дельта-3, ответь. Тебе нужна помощь?

Толланд надавил стволом на горло врага:

— Прикажи вертолету оставить в покое лодку. Если они убьют моего друга, ты умрешь.

Сморщившись от боли, боец поднес к губам переговорное устройство. Глядя в глаза Толланду, нажал кнопку и произнес:

— Это Дельта-3. Я в порядке. Уничтожьте лодку.

ГЛАВА 115

Гэбриэл Эш вернулась в туалет, собираясь выбраться из кабинета сенатора. Телефонный разговор оставил тревожный осадок. Секстон явно засомневался, когда она сказала, что находится в своем собственном кабинете. Казалось, он догадался, что она лжет. Как бы то ни было, Гэбриэл все равно не удалось проникнуть в компьютер босса, и теперь она не знала, что делать дальше.

Секстон ждет.

Она встала на крышку унитаза, с нее — на раковину. Раздался негромкий звон. Посмотрев вниз, Гэбриэл с раздражением заметила, что нечаянно задела запонки сенатора, забытые им на краю раковины.

Все должно остаться на своих местах.

Спустившись, Гэбриэл подняла запонки и положила их на раковину. Вновь начав подниматься, она внезапно остановилась, внимательно присмотревшись к этим мелким деталям костюма. В другое время она, конечно, не обратила бы на них внимания, но сейчас ее взгляд привлекла монограмма. Как и все вещи Секстона, запонки были помечены вензелем из двух переплетенных букв «С»: Седжвик Секстон. Гэбриэл вспомнила прежний пароль на компьютере сенатора: «ССС». Потом надпись на настольном календаре: «ПРЕСОЕШ». И бегущую строку — образчик позитивного мышления — по краю заставки на дисплее.

Президент Соединенных Штатов Седжвик Секстон...

Президент...

Гэбриэл задумалась: неужели он был так уверен?..

Зная, что проверка займет несколько секунд, она поспешно вернулась в кабинет, подошла к компьютеру и набрала пароль из девяти букв: «ПРЕСОЕШСС».

Изображение Белого дома, надежно защищающее всю информацию сенатора, исчезло.

Гэбриэл ошеломленно смотрела на дисплей.

Нельзя недооценивать «эго» политика.

ГЛАВА 116

Лодка неслась по ночному океану. Корки Мэрлинсон уже не держал штурвал. Он знал, что лодка будет продолжать идти по прямой. Линия наименьшего сопротивления...

Астрофизик сидел на корме прыгающего по волнам суденышка, изучая рану на ноге. Пуля вошла в икру, едва не задев кость. Выходного отверстия не было — пуля застряла в ноге. Осмотревшись в надежде найти что-нибудь, чем можно остановить кровь, он ничего не обнаружил. Ласты, маска, пара спасательных жилетов. Аптечки нет. Почти в ярости он дернул дверцу небольшого шкафчика под приборной доской и обнаружил инструменты, тряпки, изоленту, машинное масло и другие технические принадлежности. Снова взглянув на окровавленную ногу, невольно спросил себя, как скоро он выберется из зоны скопления молотоголовых акул.

Похоже, совсем не скоро.

Дельта-1 вел вертолет «кайова» низко над океаном, высматривая в темноте убегающую лодку. Предположив, что суденышко будет двигаться в сторону берега, Дельта-1 направился туда же.

Он надеялся очень скоро догнать беглеца.

В обычных условиях найти пытающуюся скрыться лодку несложно — достаточно включить радар. Но сейчас, поскольку над океаном на расстоянии в несколько миль висел «зонт», глушащий эфир, радар был бесполезен. А выключить систему подавления нельзя до тех пор, пока не придет сообщение, что на борту «Гойи» никого не осталось. До того судно не должно иметь возможности связаться ни с берегом, ни с морем, ни с воздухом.

Секрет метеорита умрет. Здесь и сейчас.

В распоряжении Дельты-1 имелись и другие средства слежения. Даже на фоне этого странного, почти горячего водоворота нетрудно определить теплоотдачу лодки. Дельта-1 включил термальный сканер. Океан внизу прогрелся неплохо, но мотор мощностью в двести пятьдесят лошадиных сил будет, конечно, на несколько градусов теплее.

Нога от ступни до колена совершенно занемела.

Не зная, что делать, Корки Мэрлинсон замотал икру тряпкой, а потом в несколько слоев заклеил изолентой. Сквозь такой заслон кровь не просачивалась, однако и одежда, и руки оставались перепачканными.

Сидя на дне лодки, Корки пытался понять, почему вертолет до сих пор его не обнаружил. Он оглянулся, изучая горизонт позади. Как ни странно, он не увидел ни «Гойю», ни приближающийся вертолет. Исчезли даже огни «Гойи». Неужели он настолько далеко от судна?

Внезапно проснулась надежда. Есть шанс спастись. Может быть, его просто потеряли в темноте!

Глядя назад, Корки вдруг обнаружил, что след, тянущийся за его лодкой, вовсе не прямой, как он считал. Он изгибался за кормой, словно хлипкое суденышко описывало широкую дугу. Удивленный Мэрлинсон проследил взглядом за пенной струей, нарисовавшей на океанской поверхности огромную кривую. И тут он увидел «Гойю».

Судно стояло прямо по правому борту, всего в полумиле от него. Слишком поздно Корки понял свою ошибку. Без управления лодка изменяла курс, увлекаемая мощным течением — водоворотом мегаплюма. Описав круг, Корки Мэрлинсон вернулся туда же, откуда пытался уйти.

Обнаружив, что все еще находится в зоне скопления молотоголовых акул, он не мог не вспомнить мрачный комментарий Толланда: «Увеличенные обонятельные доли мозга. Акулы способны чувствовать кровь, даже одну-единственную каплю, на расстоянии мили». Корки с ужасом посмотрел на свою окровавленную ногу, на испачканные руки и одежду. А ведь скоро его обнаружит и вертолет.

Сбросив одежду, совершенно голый, астрофизик перебрался на корму. Зная, что никакая акула не сможет догнать лодку, он тщательно вымыл руки в бурлящем за бортом потоке.

Одна-единственная капля крови...

Стоя во весь рост в лодке, в темноте, Корки подумал, что спасти его может лишь одно. Когда-то он прочитал, что животные метят территорию мочой потому, что мочевина является наиболее сильно пахнущим веществом из всех, какие способен выделять живой организм.

Он очень надеялся, что это же вещество сможет перебить запах крови. Сожалея, что не удалось выпить сегодня пива, Корки поставил раненую ногу на планшир и попытался помочиться на изоленту. Ну же, давай! Он ждал, с иронией размышляя о том, что нет ничего приятнее в жизни, как мочиться на самого себя, одновременно пытаясь уйти от вертолета-убийцы.

Наконец получилось. Корки намочил всю ногу от ступни до колена. А тем немногим, что еще оставалось в мочевом пузыре, пропитал тряпку, которой протер тело. Незаурядная процедура!

В темном небе над головой появился красный луч лазера, приближаясь к лодке, словно сверкающее лезвие огромной гильотины. Вертолет возник откуда-то сбоку, на малой высоте. Пилот наверняка недоумевал, зачем этот чудак кружится возле судна.

Быстро надев спасательный жилет, Мэрлинсон приготовился. И вот на залитом кровью дне лодки, в пяти футах от того места, где стоял готовый к прыжку человек, появилась сияющая красная точка.

С борта «Гойи» Майкл Толланд не видел, как его моторная лодка «Крестлайнер-Фантом-2100» вспыхнула и каруселью из дыма и огня взлетела в воздух.

Но взрыв он услышал.

ГЛАВА 117

В этот час в западном крыле обычно было очень спокойно. Однако неожиданное появление президента в халате и шлепанцах встряхнуло всех — и охранников, и дежурный вспомогательный персонал, — прогоняя остатки дремы.

— Не могу найти ее, господин президент, — запыхавшись, виноватым тоном оправдывался молодой служащий, поспешно входя вслед за Харни в Овальный кабинет. Он искал везде, где только можно. — Мисс Тенч не отвечает на звонки ни пейджера, ни сотового телефона.

Президент казался весьма раздраженным.

— А вы искали в...

— Она покинула здание, сэр, — пояснил другой помощник. — Отметилась на выходе примерно с час тому назад. Мы полагаем, что она могла направиться в НРУ. Одна из телефонисток говорит, что мисс Тенч разговаривала по телефону с директором НРУ Пикерингом.

— С Уильямом Пикерингом?

Президент удивился. Эти двое никогда не симпатизировали друг другу.

— А ему вы звонили?

— Он тоже не отвечает, сэр. И коммутатор НРУ не может установить с ним связь. Говорят, что его сотовый даже не подает признаков жизни.

Харни секунду пристально смотрел на своих помощников, потом подошел к бару и налил коньяка. Не успел он поднести стакан к губам, как в кабинет ворвался сотрудник службы безопасности:

— Господин президент! Не хотел вас будить. Но вы должны знать, что сегодня ночью в мемориале Рузвельта взорвали автомобиль.

— Что? — Харни едва не выронил стакан. — Когда?

— Час назад. — Лицо служащего выглядело чрезвычайно мрачным. — И ФБР только что установило личность жертвы...

ГЛАВА 118

Дельта-3 боролся с болью. Волнами накатывали темнота, беспамятство. Это и есть смерть? Он пытался пошевелиться, но чувствовал себя парализованным, едва способным дышать. Перед глазами стояли туманные, расплывчатые пятна. Мысли его вернулись к гибели лодки на море, вызвавшей дикую злобу в глазах Майкла Толланда. Океанограф стоял над ним, приставив к горлу грозящий смертью длинный ствол.

Ему казалось, что Толланд уже убил его...

Но нестерпимая боль в правой ноге доказывала, что Дельта-3 еще жив. Медленно, постепенно все вернулось на свои места.

Услышав взрыв, Толланд издал вопль боли и гнева. Потом, вне себя от ярости и жажды мщения, повернулся к поверженному врагу с таким видом, словно собирался проткнуть стволом его горло. Но уже через секунду он задумался, подчиняясь сдерживающему внутреннему голосу. В отчаянии убрал ружье, но все-таки, не удержавшись, ударил ботинком по искалеченной ноге врага.

Последнее, что запомнил Дельта-3, — судороги рвоты, после чего весь мир погрузился в черное небытие. Сейчас он постепенно приходил в себя, не зная, сколько времени пролежал без сознания. Руки его были связаны за спиной, причем настолько крепко, что не оставалось сомнений: узел делал моряк. Ноги тоже связаны, согнуты в коленях и прикреплены сзади к запястьям, — в этой позе невозможно двигаться. Он попробовал позвать на помощь, но звука не получилось: рот был чем-то заткнут.

Дельта-3 не представлял, что происходит вокруг. Он чувствовал ветер и видел яркие огни. Значит, сейчас он лежит уже не внизу, а на верхней палубе. Извернувшись, он попытался рассмотреть, что творится вокруг, и тут же наткнулся на кошмарное зрелище — собственное искаженное, бесформенное отражение в стекле глубоководного аппарата. «Тритон» стоял прямо перед ним, и Дельта-3 понял, что лежит на крышке огромного люка. Но не это его озадачивало. Главный вопрос был: где же Дельта-2?

Дельта-2 тревожился все больше и больше.

Несмотря на заверения Дельты-3 в том, что с ним все в порядке, прозвучавший выстрел говорил об обратном. Это не был выстрел пулемета, которым вооружен Дельта-3. Толланд и Секстон наверняка тоже имели оружие и теперь применили его. Дельта-2 подошел к трапу, по которому спускался Дельта-3, и увидел внизу кровь.

Держа оружие на изготовку, Дельта-2 спустился вниз и пошел по кровавому следу, который вел вдоль узкого настила к носу судна. Здесь страшный след снова вывел его наверх, по другому трапу, на следующую палубу. Она казалась пустой. С растущей тревогой Дельта-2 направился вдоль широкой кроваво-красной полосы. Она вывела его к люку того трапа, по которому он спускался.

Что происходит? Кровавый след описал гигантский круг!

Медленно и с опаской Дельта-2 прошел мимо лабораторного отсека. След тянулся дальше, на корму. Боец обвел палубу настороженным взглядом.

Черт!

На корме лежал Дельта-3 — связанный, с заткнутым ртом, бесцеремонно брошенный возле батискафа. Даже с такого расстояния Дельта-2 видел, что напарник лишился части правой ноги.

Оглянувшись, он еще крепче сжал оружие и двинулся вперед. Дельта-3 дернулся, пытаясь что-то сказать ему. Веревка, которой он был крепко связан, фактически спасла ему жизнь. Кровотечение, которое неминуемо привело бы к смерти, почти прекратилось.

Подойдя к спускаемому аппарату, Дельта-2 увидел собственную спину: округлый нос «Тритона» отражал всю палубу. Дельта-2 приблизился к измученному товарищу. И слишком поздно заметил тревожный сигнал его глаз.

Вдруг вспыхнул серебристый свет. Одно из мощных щупалец спускаемого аппарата резко вырвалось вперед и с сокрушительной силой впилось в левое бедро Дельты-2. Он попытался вырваться, но щупальце сжималось все крепче. Не сдержавшись, Дельта-2 закричал от боли: он ясно чувствовал, как ломается кость. Глаза его невольно поднялись к кабине «Тритона». Отражение палубы скрывало того, кто находился внутри, но сомнений не оставалось: сквозь стекло на врага твердым, безжалостным взглядом смотрел Майкл Толланд. Он сидел в кабине спускаемого аппарата и управлял его манипулятором.

Плохо, подумал Дельта-2, стараясь не думать о боли и поднимая оружие. Он прицелился вверх и влево — в грудь океанографа, до которого было всего три фута. Потом нажал на спусковой крючок, и пулемет загрохотал. В дикой ярости оттого, что попал в ловушку, Дельта-2 давил и давил на крючок, пока не опустел магазин. Задыхаясь от ненависти, он бросил оружие. Взгляд его выражал готовность испепелить ненавистный подводный аппарат.

— Мертвец! — прошипел он и попытался вытащить ногу из страшных тисков.

Но чем больше он извивался, тем сильнее и беспощаднее железная лапа раздирала ногу. Показалась огромная рваная рана. Дело дрянь! Дельта-2 потянулся к висящему на поясе переговорному устройству. Но не успел он поднести его к губам, как «Тритон» выбросил вперед вторую лапу, схватив его за правую руку. Переговорное устройство упало на палубу.

В этот миг Дельта-2 увидел перед собой призрак. Бледное видение склонилось вбок и смотрело на него сквозь абсолютно целое стекло. Пораженный Дельта-2 взглянул на корпус «Тритона» и понял, что пули не причинили аппарату никакого вреда. Они не смогли пробить толстую броню. Батискаф казался лишь испещренным оспинами.

Внезапно открылся верхний люк. Появился Майкл Толланд. Выглядел он бледным и взволнованным, но ничуть не пострадавшим. Спустившись по лестнице, океанограф ступил на палубу и внимательно осмотрел выдержавшее испытание окно своего любимого аппарата.

— Десять тысяч долларов за квадратный дюйм, — почти с нежностью произнес он. — Похоже, тебе нужна пушка посолиднее.

Сидя в гидролаборатории, Рейчел понимала, что время истекает. Она слышала стрельбу на палубе и молилась, чтобы все прошло так, как планировал Толланд. Сейчас ее совсем не заботило, кто именно стоит за мошенничеством с метеоритом — администратор НАСА, Марджори Тенч или сам президент. В их положении это не имело ни малейшего значения.

Кто бы это ни был, убийцы не избегут расплаты. Правда рано или поздно обязательно всплывет.

Рана на руке уже не кровоточила, а избыток адреналина в крови позволял не замечать боль, сосредоточившись на более важном деле. Взяв ручку и бумагу, Рейчел написала записку всего из двух строчек. На ум шли только простые, даже неуклюжие слова, но на роскошь красноречия сейчас не было времени. Записку она добавила к стопке обличающих документов, которые держала в руке: распечатка результатов сканирования льда, фотографии глубоководного существа, статья об океанических хондрах, данные электронного микроскопа. Метеорит был фальшивкой, и вот тому доказательства.

Все бумаги Рейчел вложила в стоящий здесь же, в гидролаборатории, факс. Она знала наизусть номера лишь нескольких адресатов, так что выбор был ограниченным. Но она уже решила, кто именно получит копии этих документов и ее записку. Едва дыша от нервного напряжения, она аккуратно набрала номер факса.

Нажала на кнопку «отправка», мысленно молясь, чтобы адресат оказался выбранным правильно.

Аппарат пискнул.

«Ошибка: адресат не определен».

Рейчел ожидала этого. Все каналы связи судна еще оставались заблокированными. В напряжении она смотрела на факс, все же надеясь, что он заработает так же исправно, как и тот, что стоит у нее дома.

«Ну же, давай!»

Секунд через пять снова раздался писк.

Новый набор...

Есть! Рейчел наблюдала, как аппарат занялся обработкой документов.

И вдруг снова: «Ошибка. Адресат не определен».

Новый набор...

«Ошибка: адресат не определен».

Новый набор...

Наверху, на палубе, раздался шелест лопастей вертолета. Оставив факс, Рейчел стремительно бросилась к выходу.

ГЛАВА 119

На расстоянии ста шестидесяти миль от судна «Гойя» Гэбриэл Эш в молчаливом изумлении смотрела на дисплей компьютера сенатора Секстона. Все подозрения оправдались.

Гэбриэл смотрела на цифровые копии десятков банковских чеков, выписанных на имя Секстона владельцами частных космических компаний, и на номера банковских счетов на Каймановых островах. Самая малая сумма составляла пятнадцать тысяч долларов. А некоторые приближались к полумиллиону.

Она вспомнила слова босса: «Мелочь. Все пожертвования ниже потолка две тысячи долларов».

Секстон откровенно лгал ей. Нелегальное финансирование избирательной кампании сенатора происходило в огромных масштабах. Предательство и обман отозвались острой болью. Она до последней минуты верила боссу.

Гэбриэл чувствовала себя дурочкой. Простушкой. Но больше всего она казалась самой себе просто сумасшедшей.

Она так и сидела в темноте кабинета одна, не в силах решить, что же делать дальше.

ГЛАВА 120

Когда вертолет «кайова» завис над палубой «Гойи», Дельта-1 внимательно изучил ее. Глазам его предстало странное зрелище.

Майкл Толланд стоял на палубе возле небольшого подводного аппарата. В стальных руках батискафа, словно в щупальцах гигантского осьминога, дергался Дельта-2, пытаясь освободиться, но тщетно.

Что там происходит?

Внезапно на палубе возникла Рейчел Секстон. Она встала возле связанного, истекающего кровью человека, лежащего возле батискафа. Этим человеком мог быть только Дельта-3. Рейчел держала ручной пулемет подразделения «Дельта» и смотрела вверх, на вертолет, словно бросая ему вызов.

Дельта-1 ощутил растерянность: он не ожидал такого. Ошибки команды «Дельта» на леднике Милна были, конечно, грубыми, но допустимыми. А то, что случилось здесь, просто невообразимо. В нормальных условиях унижение было бы просто мучительным. Но сегодня его позор усиливался еще и тем обстоятельством, что в вертолете находился человек, чье присутствие казалось событием из ряда вон выходящим.

Контролер.

После операции в мемориале Рузвельта контролер приказал ему лететь в пустынный парк недалеко от Белого дома. Там Дельта-1 опустился на лужайку среди деревьев. Тотчас из темноты показался человек и поднялся на борт «кайовы». Через несколько секунд они снова были в воздухе.

Хотя непосредственное участие контролера в операциях было явлением чрезвычайно редким, Дельта-1 не имел причин для недовольства. Раздосадованный неудачным результатом операции на леднике, боясь подозрений и расследований, которые могли начаться с самых разных сторон, контролер поставил Дельту-1 в известность о том, что конечная фаза операции будет проходить под его непосредственным наблюдением.

Сейчас контролер сидел впереди и созерцал такой безумный, кошмарный провал, какого у подразделения «Дельта» еще никогда не бывало.

Нужно заканчивать. Прямо сейчас.

* * *

Контролер смотрел из вертолета «кайова» на палубу судна, размышляя, как подобное могло произойти. Все шло не так, как должно было идти. Подозрения относительно метеорита, неудавшаяся ликвидация свидетелей на леднике, необходимость уничтожения высокопоставленного лица. Теперь еще это...

— Контролер, — пробормотал, запинаясь от растерянности и стыда, Дельта-1. — Не могу представить себе...

Контролер тоже не мог вообразить, как разворачивались события, приведшие к тому, что он видел сейчас внизу. Ошибка заключалась в том, что они в огромной мере недооценили своих жертв.

Контролер смотрел на стоящую на палубе Рейчел Секстон. Бесстрашная женщина взирала на ветровое стекло вертолета, хотя и не могла видеть никого внутри — стекло обладало отражающими свойствами. В руке она держала переговорное устройство. Когда измененный, синтетический голос раздался в кабине, первой мыслью контролера была та, что сейчас прозвучит требование отойти и выключить глушители связи, чтобы судно могло подать сигнал о помощи. Но слова, которые дочь сенатора адресовала сидящим в кабине вертолета, прозвучали куда страшнее.

— Вы опоздали, — произнесла она. — Мы уже не единственные, кто знает правду.

Секунду эта фраза летала в воздухе. Хотя слова казались отчаянными, даже малая доля их вероятности заставила контролера похолодеть. Успех всего проекта требовал безусловного уничтожения всех, кто знает правду, и каким бы кровавым ни стало дело, контролер должен был иметь абсолютную уверенность в том, что оно доведено до конца.

И вот теперь знает кто-то еще...

Знакомый с характеристикой Рейчел Секстон как агента, точно придерживающегося предписаний секретности, контролер с трудом верил, что она могла передать информацию какому-то постороннему объекту.

Рейчел снова поднесла к губам переговорное устройство:

— Уйдите, и мы сохраним жизнь вашим людям. А если хоть немного еще приблизитесь, они тут же умрут. Но в любом случае правда выйдет на поверхность. Так что давайте сократим потери. Уходите.

— Вы блефуете, — ответил контролер, зная, что голос, который слышит Рейчел Секстон, обработан до неузнаваемости. — Вы никому и ничего не передали.

— Вы можете быть в этом уверены? — парировала Рейчел. — Я не смогла связаться с Уильямом Пикерингом, поэтому заволновалась, испугалась и решила подстраховаться.

Контролер нахмурился. Такое казалось вполне вероятным.

— Это на них не действует, — обернулась Рейчел к Толланду.

Боец, дергающийся в тисках щупальцев батискафа, корчась от боли, проскрипел:

— В пулемете нет патронов. Они сейчас разнесут вас на куски. Вы все равно погибнете. Дайте нам уйти.

— Черта с два!

Рейчел попыталась предугадать следующий шаг противника. Посмотрела на связанного, с заткнутым ртом человека, лежащего рядом с батискафом. Казалось, от потери крови он сейчас снова потеряет сознание. Рейчел присела возле него, глядя в пустые, мутные глаза:

— Я выну у тебя изо рта кляп и буду держать микрофон. А ты убедишь вертолет убраться. Ясно?

Он согласно кивнул.

Рейчел вытащила тряпку. Раненый грубо плюнул ей в лицо.

— Сука! — кашляя и харкая кровью, выдохнул он. — Я еще полюбуюсь, как ты будешь подыхать. Я буду наслаждаться каждой секундой этого зрелища.

Рейчел вытерла лицо. Толланд, подойдя, оттеснил ее и забрал оружие.

Дрожь в сильных руках этого человека подсказала Рейчел: в эту минуту в душе его что-то оборвалось. Толланд подошел к панели управления, находившейся в нескольких ярдах от аппарата, положил руку на рычаг и посмотрел в глаза поверженного, но не сдавшегося врага.

— Это все, — произнес он, — что ты можешь получить на борту моего судна.

С безжалостной решительностью Толланд нажал на рычаг. Огромная крышка люка под батискафом резко открылась, провалившись, словно пол виселицы. Связанный боец, издав короткий возглас ужаса, исчез, полетел вниз. Пролетев расстояние в тридцать футов, он упал в океан. Взлетел фонтан красных брызг. Акулы не заставили себя ждать.

Увидев, как мощный поток воды вынес из-под судна то, что осталось от Дельты-3, контролер вздрогнул от отвращения и гнева. Освещенная вода казалась красной. Несколько акул дрались над тем, что отдаленно напоминало руку.

Кошмар!

Контролер посмотрел на палубу. Дельта-2 висел в лапах «Тритона», покачивающегося над дырой в палубе. Ноги его болтались в воздухе. Стоит только Толланду разжать манипулятор подводного аппарата, и Дельта-2 полетит к акулам.

— Стойте! — прорычал контролер в переговорное устройство. — Подождите. Просто подождите!

Рейчел продолжала смотреть на вертолет. Даже с высоты контролер мог разглядеть в ее глазах решимость. Она подняла к губам микрофон.

— Вы все еще считаете, что мы блефуем? — спросила она. — Так позвоните на главный коммутатор НРУ. Попросите Джима Самильяна из отдела планирования и анализа. Он сегодня дежурит в ночной смене. Я все рассказала ему о метеорите. Он подтвердит.

Она называет конкретное имя? Уже плохо. Рейчел Секстон далеко не глупа, понимает, что такой блеф они могут раскрыть моментально. И хотя контролер не знал человека по имени Джим Самильян, это ничего не значило, поскольку штат НРУ огромен. Вполне вероятно, что Рейчел говорит правду. Поэтому до того, как отдать приказ о ликвидации этих двоих, необходимо выяснить, блеф это на самом деле или нет.

Дельта-1 взглянул через плечо.

— Хотите, отключу глушитель? — поинтересовался он. — Тогда вы сможете позвонить и все выяснить.

Контролер смотрел на Секстон и Толланда — вот они, как на ладони. Если они попытаются добраться до телефона или радио, пилот сможет тут же их отрезать. Риск минимален.

— Уберите помехи, — скомандовал контролер, вынимая сотовый. — Уличим эту дамочку во лжи. А потом найдем способ вызволить вашего коллегу и закончить все это неприятное дело.

***

В Фэрфаксе, на центральном коммутаторе НРУ, оператор уже терял терпение.

— Я же сказал, что не нахожу имени Джима Самильяна в списках служащих отдела планирования и анализа.

Звонивший был настойчив.

— А вы пробовали разные варианты написания? И другие отделы?

Оператор уже все проверил, но решил попробовать еще разок. Через несколько секунд заговорил снова:

— Нет, в списках наших сотрудников нет имени Джима Самильяна. Ни в одном из вариантов написания.

Казалось, звонивший остался доволен услышанным.

— Так, значит, вы уверены, что Джим Самил...

На линии внезапно послышалась целая какофония звуков. Кто-то закричал. Звонивший коротко выругался и быстро отключился.

Дельта-1 проклинал все на свете, вновь приводя в действие систему помех. Он слишком поздно понял ошибку. На приборной доске вертолета один крошечный датчик показывал, что с борта судна «Гойя» идет сигнал. Но как? Каким образом? Никто же не покидал палубу! Еще до того как Дельта-1 включил глушитель, сигнал с «Гойи» прекратился.

Внизу, в гидролаборатории, аппарат факсимильной связи удовлетворенно зашуршал. «Адресат определен. Ваш факс отправлен».

ГЛАВА 121

«Или ты убьешь, или убьют тебя». Рейчел Секстон открыла в себе черты, о существовании которых и не подозревала. Формула выживания. Чудовищная сила воли, поддерживаемая страхом.

— Что было в этом факсе? — требовательно спросил электронный голос контролера.

Рейчел немного успокоилась: значит, факс отправлен, как она и надеялась.

— Уходите! — заявила она в ответ, крепко сжимая микрофон и глядя на зависший вертолет. — Все кончено. Ваш секрет ушел на берег.

И Рейчел рассказала, какую информацию она отослала. Шесть страниц текста и графических материалов. Неопровержимые доказательства того, что метеорит был фальшивкой.

— Пытаясь нам навредить, вы только усугубите свое и без того тяжелое положение.

Повисла долгая пауза.

— Кому вы послали факс?

Рейчел не имела намерения отвечать на этот вопрос. Было необходимо выиграть как можно больше времени. Она и Майкл встали возле люка в палубе, на одной линии с «Тритоном», так что из вертолета не могли стрелять по ним, не убив того, кто дергался в лапах батискафа.

— Уильяму Пикерингу? — проскрипел голос в переговорном устройстве. В нем явно звучала надежда. — Вы отослали факс своему директору.

«Ошибаешься», — подумала Рейчел. Конечно, она выбрала бы именно Пикеринга, но была вынуждена набрать другой номер, опасаясь, что директора уже убрали. Это лишь подтверждало серьезность намерений врага. В момент отчаянной решимости Рейчел набрала второй из двух номеров, которые знала наизусть.

Номер факса в офисе отца.

Этот номер запечатлелся в ее памяти не при радостных обстоятельствах. Ей пришлось не раз набирать его после смерти матери, когда отец предпочел выяснять подробности условий наследования, не вступая в непосредственный контакт с дочерью. Рейчел и предположить не могла, что в тяжелую минуту обратится именно к отцу. Но сейчас в пользу сенатора Секстона были два серьезных аргумента. Во-первых, он имел подходящую политическую мотивацию для того, чтобы без колебания опубликовать данные о подлоге. А во-вторых, обладал достаточной дерзостью, чтобы немедленно позвонить в Белый дом и потребовать отзыва команды убийц.

Плохо одно — в ночное время сенатора нет в рабочем кабинете. Но Рейчел знала, что запирает он его, как скупой бо-

гач подвал с драгоценностями. Кроме того, она передала информацию в режиме секретности. Даже если враги смогут каким-то образом узнать, куда именно она его послала, то будут
не в состоянии прорваться сквозь плотную федеральную охра-
ну здания сената, попасть в офис Секстона и взломать его факс.

— Кому бы вы ни отправили факс, — предупредили ее, —
вы серьезно осложнили положение этого человека.

Рейчел понимала, что, несмотря на страх, должна говорить
с позиций силы. Она показала на бойца, зажатого в клешнях
«Тритона». Ноги его висели над бездной. Из ран капала кровь,
улетая на тридцать футов вниз, в океан.

— Единственный здесь, кому действительно грозит опасность, — это ваш человек, — ответила она в переговорное устройство. — Все кончено. Отходите. Информация ушла. Вы
проиграли. Оставьте нас в покое, или он умрет.

— Мисс Секстон, вы не понимаете важности...

— Не понимаю? Я понимаю, что вы убиваете ни в чем не
повинных людей! Понимаю, что лжете насчет метеорита! И
понимаю, что вам не удастся остаться безнаказанными. Даже
если вы убьете всех нас, все равно вам конец!

После долгой паузы прозвучала фраза:

— Я спускаюсь.

Рейчел насторожилась.

— Спускаетесь?

— Я не вооружен, — ответили ей. — Не совершайте поспеш-
ных действий. Нам с вами нужно поговорить лицом к лицу.

Рейчел не успела прореагировать, а вертолет уже опустился на палубу «Гойи». Дверь открылась, и показался невысокий
человек. Неброской внешности, в черном костюме и с галсту-
ком. На какое-то мгновение Рейчел Секстон почувствовала,
что ее словно оглушили.

Перед ней стоял Уильям Пикеринг.

Директор НРУ Уильям Пикеринг стоял на палубе иссле-
довательского судна «Гойя» и с сожалением смотрел на свою
сотрудницу Рейчел Секстон. Разве мог он предположить, что
дело дойдет до этого? Сделав шаг вперед, он заметил в ее взгляде
опасную смесь чувств.

Шок, растерянность, гнев, обида.

Это естественно, подумал Пикеринг. Ведь она многого не понимает.

На миг директор представил свою дочь, Диану. Что чувствовала она перед смертью? И Диана, и Рейчел оказались жертвами одной и той же войны. Той войны, которую Уильям Пикеринг поклялся вести вечно. Да, методы ее могут иногда быть чересчур жестокими.

— Рейчел, — произнес директор, — мы все еще можем закончить миром. Мне необходимо многое объяснить.

Казалось, его сотруднице сейчас станет плохо — от отвращения, ярости, ужаса. Толланд целился ему в грудь. Он тоже казался ошеломленным.

— Не подходи! — закричал он.

Пикеринг остановился в пяти ярдах от Рейчел. Он пристально смотрел ей в глаза.

— Ваш отец берет взятки. Дань с частных компаний. Собирается отдать НАСА в руки частников. В целях национальной безопасности его необходимо остановить.

Лицо Рейчел Секстон ничего не выражало.

Пикеринг вздохнул:

— НАСА, при всех его недостатках, должно оставаться правительственным подразделением. Вы не понимаете всей полноты грозящей опасности. Приватизация его направит все лучшие умы и идеи в частный сектор. Разведка потеряет доступ к космосу. Частные космические компании в погоне за прибылью начнут продавать идеи и технологии кому попало, тем, кто больше заплатит!

Голос Рейчел дрожал.

— Так вы подделали метеорит и убивали невинных людей... ради национальной безопасности?

— Этого не предполагалось, — ответил директор НРУ. — План заключался в том, чтобы спасти агентство. Убийство в него не входило.

Пикеринг понимал, что обман с метеоритом, как и многие другие предложения разведки, был порожден страхом. Три года назад, пытаясь спустить гидрофоны еще глубже в океан, чтобы они не могли попасть в руки врага, Пикеринг запустил программу, в которой использовался новый строительный материал. План заключался в создании уникальной субмарины, которая могла бы опуститься в самые глубокие области океана, включая дно Марианской впадины.

Построенная из металлокерамики исключительных, революционных свойств, эта подводная лодка, рассчитанная всего на двух человек, была сделана по чертежам, украденным из компьютера калифорнийца Грэма Хокса, гениального морского инженера, чьей голубой мечтой было создание суперглубоководной субмарины, которую он называл «Дип-флайт-2». Проблема Хокса состояла в том, чтобы найти средства для строительства. Пикеринг же обладал неограниченным бюджетом.

Используя эту секретную субмарину, Пикеринг отправил специалистов на глубину, чтобы установить на склонах Марианской впадины новые гидрофоны. Их должны были разместить на очень большой глубине — значительно глубже, чем мог опуститься противник, кем бы он ни был. В процессе бурения специалисты открыли геологические структуры, до сих пор не виданные никем из ученых. Они обнаружили океанические хондры, а также окаменелости нескольких биологических видов. А поскольку вся операция по погружению на такую глубину хранилась НРУ в секрете, информация о находке не могла распространиться.

Лишь совсем недавно, подгоняемый страхом, Пикеринг вместе со своей верной молчаливой командой научных советников решил поставить уникальную геологию Марианской впадины на службу НАСА, стремясь спасти космическое агентство от распада. Представить камень из Марианской впадины метеоритом казалось очень легко — обманчиво легко. Используя двигатель, работающий на сжиженном водороде, команда НРУ обуглила камень, обеспечив его коркой сплава. Потом на небольшой подводной лодке, способной нести груз, они спустились под шельф Милна и снизу внедрили в лед обугленный «метеорит». Как только шахта замерзла, все стало выглядеть так, словно камень пролежал в ледяной толще триста лет.

Но как нередко случается с секретными операциями, грандиозный план разбился о крошечное препятствие. Весь блестящий замысел разрушился из-за какого-то люминесцентного планктона.

Дельта-1 наблюдал за разворачивающейся перед ним драмой из кабины вертолета. На первый взгляд казалось, что Рейчел Секстон и Толланд полностью владеют ситуацией. Но Дельта-1 едва не смеялся над этой иллюзией. Оружие в руках Толланда не заряжено. Даже из кабины видно, что обойма пуста.

Глядя на страдающего в тисках «Тритона» товарища, Дельта-1 понимал, что необходимо спешить. Внимание противника сосредоточено на Пикеринге, и Дельта-1 мог сделать свой ход. Он выскользнул из кабины с противоположной стороны и, прячась за машиной, никем не замеченный, пробрался на левый борт. Крепко сжимая оружие, он направился к носу корабля. Перед своим выходом Пикеринг дал ему подробную инструкцию. Дельта-1 не имел желания провалить и это, такое простое, задание.

Через несколько минут все закончится.

ГЛАВА 122

Зак Харни сидел в халате за своим столом в Овальном кабинете. Кровь стучала в висках, словно там работал молоток. Только что обнаружилась еще одна деталь страшной головоломки.

Марджори Тенч мертва.

Президенту сообщили, что Тенч ехала в мемориал Рузвельта на встречу с Уильямом Пикерингом. Пикеринг тоже исчез, и служба безопасности считала, что и он может оказаться мертвым.

В последнее время президент и директор НРУ нашли общий язык, сумев прекратить старые распри. Несколько месяцев назад Харни узнал, что Пикеринг развил тайную деятельность в пользу действующего президента, пытаясь спасти его пошатнувшееся положение.

Используя каналы, доступные исключительно НРУ, директор получил компрометирующую информацию, способную сокрушить избирательную кампанию сенатора Секстона. В частности, фотоснимки его любовных утех с молодой ассистенткой Гэбриэл Эш. В его распоряжении оказались также красноречивые финансовые документы, доказывающие, что Секстон берет взятки от частных космических компаний. Пикеринг анонимно отослал все свидетельства Марджори Тенч, надеясь, что Белый дом сумеет использовать их наилучшим образом. Однако Харни, ознакомившись с материалами, запретил советнику пускать их в ход. Сексуальные скандалы и коррупция и так уже запятнали Вашингтон, поэтому еще одно ведро грязи, вылитое на глазах у всей страны, лишь усилило бы недоверие к правительству.

Цинизм власти убивает страну.

Харни сознавал, что может уничтожить Секстона скандалом, но ценой победы оказалось бы оскверненное достоинство сената Соединенных Штатов. А принести в жертву этот сектор власти президент не мог.

Надо работать без негатива. Президент должен победить противника своими достижениями, а не при помощи черных технологий.

Пикеринг, раздраженный отказом Белого дома использовать предоставленные материалы, постарался раздуть скандал, пустив в Вашингтоне слух о том, что сенатор Секстон спал с Гэбриэл Эш. Но Секстон настолько убедительно и с таким достоинством и праведным гневом все отрицал, что президенту пришлось еще и извиняться перед оппонентом за раздутую сплетню. Так что в результате деятельность Пикеринга принесла куда больше вреда, чем пользы. Харни предупредил директора НРУ, что если тот еще раз сунет нос в его избирательную кампанию, то будет отвечать за свои действия в суде. Ирония ситуации заключалась в том, что Пикеринг даже не испытывал к президенту Харни личной симпатии. Попытки директора НРУ помочь ему были вызваны исключительно опасениями за судьбу НАСА. А Зак Харни представлял собой меньшее из двух зол.

Неужели кто-то убил и Пикеринга?

Харни не мог представить себе такое.

— Господин президент! — В кабинет заглянул один из помощников. — Как вы просили, я позвонил Лоуренсу Экстрому и рассказал ему о Марджори Тенч.

— Спасибо.

— Он хотел бы переговорить с вами, сэр.

Харни все еще злился на администратора НАСА за то, что тот обманул его со спутником-сканером.

— Скажите ему, что мы можем поговорить утром.

— Но мистер Экстром хочет говорить с вами прямо сейчас, — с виноватым видом настаивал помощник. — Он чрезвычайно расстроен.

— Расстроен?

Харни почувствовал, что терпение его на исходе. Направляясь в пресс-центр, где должен был состояться разговор, он пытался угадать, что еще могло сегодня случиться.

ГЛАВА 123

Рейчел казалось, что она теряет голову. Ложь, которая последнее время окутывала ее, словно густой липкий туман, начинала понемногу рассеиваться. Открывающаяся страшная реальность заставляла чувствовать себя незащищенной и поверженной. Глядя на стоящего перед ней директора, ставшего вдруг чужим и незнакомым, Рейчел едва понимала, что он говорит.

— Нам было необходимо восстановить репутацию НАСА, — объяснял Пикеринг. — Стремительно падающая популярность агентства и сокращающееся финансирование стали опасны со многих точек зрения. — Пикеринг замолчал, глядя на свою подчиненную умными серыми глазами. — Рейчел, НАСА просто катастрофически нуждалось в успехе. И кто-то должен был его обеспечить.

Уловка с метеоритом была актом отчаяния. Пикеринг и те, кто его поддерживал, пытались спасти НАСА, лоббируя включение космического агентства в разведывательную систему, где ему было бы обеспечено повышение финансирования и уровня безопасности. Однако Белый дом постоянно отвергал эту идею как покушение на чистую науку. Близорукий идеализм! По мере повышения популярности Секстона с его риторикой, направленной против космического агентства, Пикеринг и вся его команда понимали, что время работает против них. Они решили, что единственный способ спасти НАСА и уберечь его от распродажи — это поразить воображение налогоплательщиков и конгресса. Чтобы космическое агентство выжило, ему требуется немедленный триумф, нечто, что может напомнить всем о славных днях времен «Аполлона». Чтобы Зак Харни разгромил сенатора Секстона, ему требуется помощь.

«Я просто пытался помочь ему», — убеждал себя Пикеринг, вспоминая все те компрометирующие противника документы, которые он отослал Марджори Тенч. К сожалению, президент не воспользовался предоставленной ему возможностью, запретив пускать в ход эти свидетельства. И у Пикеринга не осталось выбора, кроме как рискнуть.

— Рейчел, — говорил директор, — информация, которую вы отправили с судна, очень опасна. И вы должны это понимать. Если она выйдет на поверхность, и Белый дом, и НАСА будут выглядеть преступниками. Против них поднимется волна недовольства. А ведь и президент, и космическое агентство ничего не знают обо всей этой истории. Они невиновны и искренне верят в то, что метеорит подлинный.

Пикеринг даже не пытался впутать в это предприятие Харни или Экстрома: оба слишком идеалистичны, чтобы согласиться на обман, даже несмотря на то, что он давал возможность спасти репутацию президента и космического агентства. Единственным преступлением администратора Экстрома стало то, что он убедил Криса Харпера — руководителя секции спутника-сканера — лгать насчет неисправного программного обеспечения. И разумеется, Экстром очень пожалел о содеянном, когда узнал, какой проверке подвергся метеорит.

Марджори Тенч, крайне разочарованная упорным стремлением Харни вести «чистую» избирательную кампанию, вошла в заговор Экстрома по поводу спутника, надеясь, что небольшой успех этого проекта сможет помочь президенту отразить натиск политического соперника.

Если бы Тенч просто использовала обличительные фотографии и свидетельства о взятках, которыми снабдил ее директор НРУ, никакой обман не понадобился бы!

Убийство Тенч, о котором можно только глубоко сожалеть, было предрешено звонком неуемной Рейчел Секстон, сообщившей советнику о мошенничестве. Пикеринг знал, что Тенч немедленно начнет тщательное расследование — пока не докопается до самого дна всей этой истории. Пикеринг не мог этого допустить. Конечно, нехорошо говорить и даже думать такое, но Тенч сослужила ему, Пикерингу, лучшую службу, погибнув. Ее страшная смерть вызовет у избирателей сочувствие к Белому дому и зародит смутные подозрения в нечистой игре со стороны сенатора Секстона. Тем более что старший советник президента так ловко унизила противника в дебатах на Си-эн-эн.

Рейчел стояла неподвижно, в упор глядя на директора.

— Поймите, — убеждал Пикеринг, — если известие о мошенничестве с метеоритом просочится в прессу, вы просто уничтожите и президента, и космическое агентство. А кроме того, посадите в Овальный кабинет очень опасного человека. Поэтому мне необходимо знать, куда вы отослали свои сведения.

Произнося эти слова, Пикеринг заметил, как на лице Рейчел промелькнуло странное выражение. Это была смесь боли и ужаса от понимания совершенной ошибки.

Пройдя на нос корабля, Дельта-1 спустился в гидролабораторию. Подлетая на вертолете, он видел, что Рейчел Секстон вышла именно отсюда. На дисплее компьютера пульсировало пугающее зрелище — многоцветное изображение водоворота, бурлящего вокруг судна. Дельта-1 подумал, что это еще одна причина, по которой необходимо выбираться отсюда как можно скорее.

Аппарат факсимильной связи стоял на отдельном столе возле стены, в дальнем углу. На подставке, как и предполагал Пикеринг, лежала стопка бумаг. Дельта-1 быстро схватил листки. Верхний — записка от отправителя. Всего две строчки. Дельта-1 быстро просмотрел их.

В точку. Коротко и ясно, подумал он.

Перелистывая страницы, он и поразился, и невольно восхитился: эти люди отлично поработали. До такой степени раскрыть обман с метеоритом! Кто бы ни увидел эти распечатки, он сразу поймет, в чем дело и что все это означает. Дельта-1 не стал нажимать клавишу «повтор номера» — в этом не было никакой необходимости. Он без труда узнал, куда отправлен факс. Номер все еще высвечивался в окошке жидкокристаллического дисплея: «Вашингтон, округ Колумбия...»

Дельта-1 аккуратно переписал все цифры, забрал бумаги и вышел из лаборатории.

* * *

Руки Толланда вспотели от усилия, с которым он сжимал пулемет, целясь в галстук директора НРУ. Пикеринг упорно добивался от Рейчел ответа, куда она послала документы. У Толланда начало появляться странное чувство, что этот страшный человек просто пытается выиграть время. Но для чего?

— Белый дом и НАСА невиновны, — повторил Пикеринг. — Постарайтесь понять мои слова. Не позволяйте моим ошибкам уничтожить тот небольшой запас доверия, которым еще располагает НАСА. Если дело раскроется, космическое агентство будет выглядеть виновным во всех смертных грехах. Вы и я — мы можем договориться. Стране нужен этот метеорит. Пока не поздно, скажите мне, куда вы отправили данные.

— Чтобы вы еще кого-нибудь убили? — уточнила Рейчел. — Меня от вас уже тошнит.

Толланд поразился ее силе духа. Она откровенно презирала отца, но не желала подвергать его опасности. К несчастью, план Рейчел послать документы отцу, чтобы получить помощь, не сработал. Даже если представить, что Секстон зайдет в свой офис, увидит факс и сразу позвонит президенту, сообщив тому новость о мошенничестве с метеоритом и потребовав остановить убийцу, никто в Белом доме все равно не поймет, о чем он говорит и где именно, в какой точке Земли происходит то, что происходит здесь и сейчас.

— Я повторяю, — произнес Пикеринг, пригвоздив Рейчел к палубе угрожающим взглядом. — Ситуация слишком сложна, чтобы вы могли полностью ее осознать. Отослав материалы с корабля, вы совершили колоссальную ошибку. Поставили всю страну в очень опасное положение.

Да, Пикеринг просто тянет время. Теперь Толланд не сомневался в этом. А цель подобной тактики ясно видна по правому борту «Гойи». Толланд ощутил недвусмысленный укол страха при виде бойца, открыто идущего к ним с пачкой бумаг и пулеметом в руках.

Толланд отреагировал с решительностью, какой сам от себя не ожидал. Сжав оружие, он резко повернулся, прицелился и спустил курок.

Его пулемет невинно щелкнул.

— Я нашел номер факса, — оповестил боец, отдавая Пикерингу документы. — А оружие мистера Толланда не заряжено.

ГЛАВА 124

Седжвик Секстон ворвался в вестибюль здания сената. Он понятия не имел, как Гэбриэл сделала это, но не сомневался, что она проникла в его личный кабинет. Во время разговора по телефону сенатор ясно слышал переливчатый звон старинных часов работы Журдена. Не было сомнений: подслушав в его квартире переговоры с представителями частных космических фирм, отчаянная девчонка теперь пыталась найти подтверждающие свидетельства.

Но как же она попала в его кабинет?

Секстон похвалил себя за то, что догадался сменить пароль компьютера.

Подойдя к кабинету, сенатор набрал код, чтобы отключить сигнализацию. Потом нашарил в кармане ключи, отпер тяжелую дверь, рывком открыл ее и влетел внутрь, надеясь застать мошенницу на месте преступления.

Но кабинет был пуст и темен. Освещал его только дисплей компьютера с привычным изображением Белого дома. Сенатор включил свет, внимательно обвел глазами помещение. Все на месте, ничего не тронуто. Тишину нарушает лишь мелодичный перезвон часов.

Куда же могла подеваться эта маленькая дрянь?

Он услышал, как что-то звякнуло в туалете, и бросился туда. Пусто. Заглянул за дверь. Никого.

Секстон озадаченно всмотрелся в свое отражение в зеркале, размышляя, не слишком ли много он сегодня выпил. Он же явственно слышал. Пристыженный, растерянный сенатор вернулся в кабинет.

— Гэбриэл! — позвал он.

Прошел по коридору в ее офис. Пусто. Темно.

В дамской комнате внезапно зажегся свет, и Секстон, мгновенно среагировав, бросился туда. Подбежал он в тот момент, когда Гэбриэл выходила, вытирая руки бумажным полотенцем. Увидев босса, она вздрогнула.

— Боже мой! Вы меня до смерти напугали! — воскликнула она с неподдельным страхом. — Что вы здесь делаете?

— Вы же сказали, что ищете в своем кабинете документы насчет НАСА. — Секстон смотрел на руки ассистентки. — Где же они?

— Так и не смогла найти. Разыскивала повсюду. Потому так долго и задержалась.

Он посмотрел ей прямо в глаза:

— Вы были в моем кабинете?

Гэбриэл подумала, что обязана спасением факсу.

Насколько минут назад она еще сидела за компьютером Секстона, пытаясь распечатать копии чеков, хранящиеся в его памяти. Файлы оказались каким-то образом защищены, и потребовалось время, чтобы догадаться, как именно это можно сделать. И если бы не зазвонил факс, испугав ее и вернув к реальности, она скорее всего все еще сидела бы там, погруженная в работу. Гэбриэл восприняла звонок как сигнал к отходу. Не взглянув, что за документы пришли на факс, ассистентка вышла из программы, привела в порядок стол и отправилась тем же путем, которым пришла. Выбираясь из туалета Секстона, она услышала, как явился сенатор собственной персоной.

Стоя перед боссом и испытывая на себе его пристальный, изучающий взгляд, Гэбриэл поняла, что он что-то подозревает и стремится уличить ее во лжи. Седжвик Секстон умел чувствовать подвох, как никто другой. Если она сейчас скажет неправду, он все равно поймет.

— Вы много выпили, — произнесла Гэбриэл, отворачиваясь.

Но откуда же он все-таки знает, что она была там?

Секстон положил руки ей на плечи и повернул к себе:

— Вы были в моем кабинете?

Гэбриэл почувствовала, что не может противостоять страху. Секстон действительно пил, и, судя по всему, немало. Прикосновение его было грубым.

— В вашем кабинете? — переспросила она, заставив себя удивленно засмеяться. — Каким образом? И зачем?

— Когда мы разговаривали по телефону, я слышал, как зазвонил Журден.

Гэбриэл сжалась, убитая. Его часы? Ей это даже не пришло в голову.

— Вы не понимаете, как нелепо звучит ваше обвинение?

— Я провожу в моем кабинете весь день. И прекрасно помню, как звонят часы на стене.

Гэбриэл поняла, что разговор надо немедленно заканчивать. Лучшая защита — это нападение. Во всяком случае, именно эти слова любит повторять Иоланда Коул. Поэтому, решительно сложив на груди руки, Гэбриэл Эш пошла в атаку, вооружившись всеми доступными средствами. Она сделала шаг вперед, дерзко глядя в глаза Секстона, и заговорила:

— Позвольте мне прояснить ситуацию, сенатор. Сейчас четыре часа утра, вы немало выпили, услышали по телефону звон часов и поэтому явились сюда? — Она с негодованием показала пальцем на дверь его кабинета. — Просто для интереса, для сведения, так сказать: вы обвиняете меня в том, что я взломала систему федеральной охраны, открыла два замка, ворвалась в ваш кабинет и сделала глупость, ответив на звонок сотового в то время, когда совершала противоправное, подсудное действие? Затем, выходя, вновь привела сигнализацию в порядок, после чего преспокойно отправилась в туалет, не оставив никаких следов преступления? Именно это вы хотите вменить мне в вину?

Секстон молча хлопал глазами, не зная, что сказать.

— Существуют причины, по которым людям не советуют пить в одиночестве. Ну а теперь, может быть, вы хотите побеседовать о НАСА? Или нет?

Разбитый в пух и прах, сенатор побрел к себе. Подошел к бару и налил стакан кока-колы. Он вовсе не ощущал себя пьяным. Неужели это все ошибка? Часы на стене насмешливо тикали. Секстон осушил стакан и налил снова. И еще один — для Гэбриэл.

— Выпьете, Гэбриэл? — предложил он, оборачиваясь.

Ассистентка не вошла за ним в офис, а остановилась в дверях, словно живой укор.

— О, ради Бога! Входите же. Расскажите, что вы выяснили в НАСА.

— Мне почему-то кажется, что на сегодня с меня достаточно, — холодно, отстраненно ответила она. — Лучше нам поговорить завтра.

Однако Секстон не чувствовал склонности к играм. Информация ему нужна была немедленно, и он вовсе не собирался ее выпрашивать. Сенатор устало вздохнул. «Расширить границы доверия». Речь всегда идет о доверии.

— Я погорячился, — произнес он. — Простите, виноват. Не знаю, о чем только я думал.

Гэбриэл все еще стояла на пороге.

Секстон подошел к столу и поставил стакан, который налил для Гэбриэл. Шагнул к кожаному креслу — тому месту, где он чувствовал себя наиболее уверенно.

— Присядьте. Выпейте колы. А я пойду засуну голову под кран. — С этими словами он направился в туалет.

Гэбриэл стояла неподвижно.

— Мне показалось, что я видел в факсе бумагу, — заметил сенатор уже через плечо, закрывая за собой дверь.

Необходимо показать, что он все-таки доверяет ей.

— Посмотрите, пожалуйста, что там пришло!

Секстон захлопнул дверь и открыл холодную воду. Сполоснул лицо, но не почувствовал себя лучше. Такого с ним еще никогда не случалось. Чувствовать абсолютную уверенность и в то же время так ошибиться! Секстон принадлежал к тем людям, которые доверяют собственным инстинктам. И интуиция определенно подсказывала ему, что Гэбриэл Эш была в его кабинете.

Но как? Это же просто невозможно!

Секстон приказал себе забыть об этом и сосредоточиться на первоочередных делах. НАСА. Гэбриэл нужна ему сейчас. Не время отталкивать ее. Нужно выяснить, что именно она смогла узнать.

«Забудь о своих дурацких инстинктах и об интуиции. Ты заблуждаешься».

Вытирая лицо, сенатор откинул назад голову и глубоко вздохнул. «Расслабься!» — приказал он себе. Он прикрыл глаза и снова глубоко вздохнул. Стало немного лучше.

Выходя из туалета, Секстон с облегчением увидел, что Гэбриэл сдалась и вошла в кабинет. Хорошо, подумал он, теперь можно приступить к делу. Гэбриэл стояла возле факса и перебирала распечатанные страницы. Однако, увидев выражение ее лица, сенатор растерялся. Это была маска непонимания и откровенного страха.

— Что случилось? — спросил Секстон, подходя.

Гэбриэл закачалась, словно ей стало плохо.

— Что?

— Метеорит... — Дрожащей рукой она протянула ему стопку бумаг. — И ваша дочь. Ей грозит опасность.

Секстон приблизился и взял из рук ассистентки листки. Первой была записка от руки. Почерк он узнал сразу. Сообщение оказалось лаконичным и потрясающим своей простотой: «Метеорит фальшивый. Здесь доказательства. НАСА/Белый дом пытаются меня убить. Помоги! Р. С.».

Сенатор редко не понимал сути полученной информации. Однако сейчас, еще раз перечитав слова дочери, он не мог сообразить, что все это значит.

Метеорит фальшивый? НАСА и Белый дом пытаются ее убить?

Все больше теряясь, Секстон начал лихорадочно листать страницы — их было шесть. На втором была компьютерная картинка, озаглавленная «Результаты сканирования льда». На ней явно изображен срез ледника. Секстон увидел шахту, по которой доставали камень, — об этом много твердили по телевизору. Глаз зацепило нечто, напоминающее очертания плавающей в шахте человеческой фигуры. А потом заметил нечто еще более поразительное: ясный контур другой шахты, непосредственно под первой. Такое впечатление, что камень поместили в лед снизу.

Что все это значит?

Открыв вторую страницу, сенатор увидел изображение мерзкого океанского существа, названного в подписи Bathynomous giganteus. Он рассматривал его, не веря своим глазам. Это же тот самый жук, который отпечатался в метеорите!

Начав торопливо перелистывать страницы, сенатор обнаружил диаграмму содержания ионизированного водорода в корке сплава. Рядом было от руки нацарапано: «Обожжено сжиженным водородом? Циклическим двигателем НАСА?»

Секстон не знал, что и думать. Комната вокруг него начала медленно вращаться. Он дошел до последней страницы, с изображением камня, заключающего в себе металлические вкрапления, очень похожие на те, что были в метеорите. В прилагающемся описании утверждалось, что камень является результатом глубоководных процессов на дне океана. Камень из океана? Секстон задумался. Ведь НАСА утверждало, что хондры образуются исключительно в космосе!

Секстон положил бумаги на стол и буквально упал в кресло. Впрочем, ему понадобилось не больше пятнадцати секунд, чтобы свести воедино все, что он сейчас узнал. Ситуация полностью прояснилась. Любой, кто хоть немного мог соображать, сразу понял бы, что доказывают все эти бумаги.

Метеорит, найденный НАСА, — вовсе не метеорит. Это подделка!

В карьере Секстона еще не было такого дня, в течение которого он испытал бы сразу и падение, и взлеты, как сегодня. Последний поступок просто швыряет его от надежды к отчаянию и обратно. Непонимание того, как могло состояться столь грандиозное мошенничество, сменилось осознанием значения этого мошенничества для его собственной политической карьеры.

Как только он опубликует эту информацию, президентская власть — в его руках!

Радуясь и торжествуя, сенатор Секстон совсем забыл о собственной дочери.

— Рейчел в опасности, — напомнила Гэбриэл. — Она сообщает, что НАСА и Белый дом собираются...

Неожиданно снова зазвенел факс. Ассистентка замолчала и внимательно посмотрела на аппарат. Секстон тоже повернулся. Что еще может прислать ему Рейчел? Новые доказательства? Зачем? Здесь их и так достаточно!

Однако когда факс ответил на звонок, печатных материалов не оказалось. Аппарат, не зарегистрировав сигнала данных, переключился в режим автоответчика.

— Это офис сенатора Седжвика Секстона, — зазвучал записанный голос сенатора. — Если собираетесь послать факс, можете передавать в любое время. Если нет, оставьте сообщение на автоответчике.

Раздался сигнал записывающего устройства.

— Сенатор Секстон? — Голос говорившего звучал взволнованно. — Это Уильям Пикеринг, директор Национального разведывательного управления. Возможно, в это время суток вас нет в офисе, но мне нужно поговорить с вами немедленно.

Он замолчал, словно ожидая, что кто-нибудь снимет трубку.

Гэбриэл потянулась к аппарату.

Секстон яростно схватил ее за руку.

Она взглянула удивленно:

— Но это же директор...

— Сенатор, — продолжал Пикеринг, как будто обрадовавшись, что никто не ответил. — Боюсь, что должен сообщить очень неприятные известия. Только что я узнал, что ваша дочь в страшной опасности. Сейчас, в этот самый момент, мои люди пытаются ей помочь. Не могу по телефону обсуждать детали, но мне сообщили, что она послала вам данные относительно метеорита, обнаруженного НАСА. Я не видел этих бумаг и не знаю, что в них содержится, но люди, угрожающие мисс Секстон, предупредили меня, что если вы или кто-нибудь другой их опубликует, ваша дочь немедленно умрет. Мне тяжело говорить так откровенно, сэр. Но я делаю это ради ясности. Жизнь вашей дочери под угрозой. Если она действительно что-то вам переслала, ни с кем не разговаривайте об этом. Во всяком случае, пока. От этого зависит жизнь вашей дочери. Ничего не предпринимайте. Я скоро буду у вас. — Он помолчал. — Если все сложится удачно, дело прояснится к утру. Если вы получите сообщение еще до того, как я прибуду в ваш офис, ничего не предпринимайте и никому не звоните. Я делаю все, что в моих силах, чтобы вернуть вашу дочь домой невредимой.

Пикеринг отключился.

Гэбриэл дрожала.

— Рейчел взяли заложницей?

Секстон понимал, что, несмотря на разочарование в нем самом, Гэбриэл остро переживала за его дочь, оказавшуюся в смертельной опасности. Но у самого сенатора возникли другие чувства, — как у ребенка, который получил самый желанный рождественский подарок и теперь упорно отказывается выпустить его из рук.

Пикеринг хочет, чтобы он молчал?

Какое-то время Секстон стоял, пытаясь сообразить, что все это может означать для него. В голове его начала работать машина — политический компьютер, отрабатывающий возможные сценарии и оценивающий выгоды. Он взглянул на стопку бумаг, которую держал в руках, завороженный разворачивающейся перед внутренним взором перспективой. Метеорит НАСА разбил его надежды на президентство. Но он оказался ложью. Просто фальшивкой. Сейчас тем, кто ее сфабриковал, придется платить. Метеорит, который они вытащили на свет, чтобы уничтожить его, сенатора Секстона, теперь может сделать его могущественным настолько, насколько это вообще возможно. Дочка позаботилась об этом. Сенатор решил, что в этой ситуации есть лишь один-единственный способ действий. Единственный путь, которым должен пойти истинный лидер.

Загипнотизированный сияющим видением собственного величия, Секстон, словно в тумане, пересек комнату. Подошел к копировальной машине и включил ее, готовясь снять копии с тех бумаг, которые прислала Рейчел.

— Что вы делаете? — озадаченно поинтересовалась Гэбриэл.

— Они не убьют Рейчел, — решительно заявил Секстон.

Сенатор полагал, что даже если с Рейчел произойдет что-то ужасное, это лишь укрепит его позиции. В любом случае выигрыш за ним. Риск вполне оправданный.

— Для кого эти копии? — уже с резкостью спросила ассистентка. — Пикеринг велел никому ничего не говорить!

Секстон отвернулся от ксерокса и взглянул на Гэбриэл, удивившись, насколько непривлекательной она вдруг показалась ему. В этот момент сенатор казался неприступной скалой. Все, что требовалось для осуществления его мечты, он держит в руках. Ничто не может его остановить. Никакие обвинения в коррупции. Никакие слухи о его сексуальных похождениях. Ничто на свете.

— Отправляйтесь домой, Гэбриэл, — приказал он. — Вы мне больше не нужны.

ГЛАВА 125

Все кончено, подумала Рейчел.

Они с Толландом сидели бок о бок на корме, и ствол пулемета смотрел прямо на них. Пикеринг узнал, куда Рейчел послала факс. В офис сенатора Седжвика Секстона.

Рейчел сомневалась, что отец получит сообщение, которое Пикеринг оставил на его автоответчике. Директор НРУ имеет все шансы появиться в офисе сенатора раньше, чем кто-нибудь туда придет, еще до начала рабочего дня. Если Пикеринг уничтожит полученный факс и сотрет запись своего сообщения раньше, чем появится Секстон, то необходимости вредить сенатору не возникнет. Пикеринг был, возможно, одним из тех немногих людей в Вашингтоне, кто мог без особого труда получить доступ в офис сенатора. Во имя национальной безопасности может совершаться и не такое.

Но если вдруг это осуществить не удастся, то директора НРУ не затруднит подлететь к окну офиса на вертолете и разбить аппарат факсимильной связи ударом ракеты «хеллфайер». Впрочем, что-то подсказывало Рейчел, что в этом необходимости не возникнет.

Сидя рядом с Толландом, девушка удивилась, обнаружив, что он нежно взял ее руку в свою. Пожатие было сильным, но теплым и мягким. Их пальцы переплелись настолько естественно, словно они держались за руки всю жизнь. Единственное, чего она хотела сейчас, — это быть в его объятиях, чтобы он укрыл ее наконец от рева бушующего вокруг ночного океана.

Но она понимала, что такого никогда не случится. Этому просто не суждено быть.

Майкл Толланд чувствовал себя человеком, обретшим счастье по дороге на виселицу.

Судьба смеялась над ним.

За годы, прошедшие со смерти Шейлы, Толланд пережил ночи, в которые он мечтал умереть, часы боли, отчаяния и одиночества, от которых можно было уйти, только обрубив все концы. И все же каждый раз он выбирал жизнь, убеждая себя, что способен справиться в одиночку. Но лишь сегодня он начал по-настоящему понимать то, что постоянно твердили ему друзья: «Майкл, ты не должен оставаться один. Ты обязательно найдешь новую любовь».

Рука Рейчел, лежавшая в его руке, лишь подчеркивала злую шутку рока. У судьбы собственные, жестокие порядки. Сейчас Толланд чувствовал, как с его сердца спадают те слои брони, которые наросли за это время. На какое-то мгновение он снова, как это случалось нередко, увидел Шейлу, смотревшую ему в глаза. Голос ее отдавался в бурлящей воде... он повторял те последние слова, которыми жена напутствовала его, уходя из жизни.

— Ты будешь жить, — шептала она. — Обещай, что обязательно найдешь новую любовь.

— Мне не нужна никакая другая любовь, — ответил Толланд. — Я не смогу никого больше полюбить.

Шейла улыбнулась грустно и мудро:

— Придется научиться.

Сейчас, на борту «Гойи», Толланд понял, что начал учиться. Поразительно, но в его душе внезапно расцвело удивительное чувство. Майкл понял, что это счастье.

А вместе со счастьем пришло непобедимое стремление отвергнуть смерть и продолжать жить.

Подходя к своим пленникам, Пикеринг ощущал себя странно спокойным. Он остановился перед Рейчел, удивленный, что все происходящее давит на него куда меньше, чем он предполагал.

— Иногда, — произнес он, — обстоятельства вынуждают принимать невозможные решения.

Рейчел твердо встретила его взгляд:

— Вы сами создали эти обстоятельства.

— Война, к сожалению, влечет за собой жертвы, — продолжал Пикеринг. — Если бы можно было спросить об этом Диану Пикеринг и всех других, кто каждый год погибает, защищая страну! И уж вы, мисс Секстон, должны это понимать лучше всех других. — Его глаза словно засасывали Рейчел в свои глубины. — Iactura paucourm serva multos.

Он видел, что она поняла сказанные на латыни слова. Они ведь стали почти афоризмом в кругах служащих национальной безопасности. «Жертвуй некоторыми ради спасения многих».

Подчиненная разглядывала его с откровенным презрением.

— И вот теперь Майкл и я — мы оказались среди ваших «нескольких»?

Пикеринг задумался. Других вариантов все равно не было. Он повернулся к Дельте-1:

— Освободи своего коллегу и закончи это дело.

Дельта-1 кивнул.

Уильям Пикеринг в последний раз внимательно, словно прощаясь, посмотрел на Рейчел Секстон, а потом отошел к поручню и стал разглядывать бурное течение за бортом. Кое-что он все-таки предпочитал не видеть.

Дельта-1 уверенно приступил к делу. Он посмотрел на извивающегося от боли Дельту-2. Задача простая: закрыть крышку люка под его ногами, освободить его из тисков и уничтожить Рейчел Секстон и Майкла Толланда.

Однако тут же возникло препятствие в виде загруженной никак не помеченными рычагами, кнопками и переключателями приборной доски — именно здесь было сосредоточено управление подводным аппаратом, лебедкой и другими многочисленными приборами на палубе. Дельта-1 опасался нажать не ту кнопку и подвергнуть риску жизнь товарища, по ошибке сбросив его в воду.

Необходимо полностью исключить риск. Спешить ни в коем случае нельзя.

Он заставит Толланда освободить Дельту-2. А для подстраховки — чтобы тот не совершил что-нибудь непредусмотренное — использует средство, известное в его деле как «биологическое сопутствующее обстоятельство». Правило гласит: «Используй своих противников друг против друга».

Дельта-1 направил дуло пулемета в лицо Рейчел, держа в дюйме от ее лба. Она закрыла глаза. Дельта-1 не мог не заметить, как яростно сжался кулак Толланда.

— Встаньте, мисс Секстон, — скомандовал Дельта-1.

Заложница подчинилась.

Приставив ствол к спине жертвы, боец заставил ее подойти к складной лестнице на противоположной стороне «Тритона», ведущей к верхнему люку спускаемого аппарата. Словно в кошмарном сне, она осторожно поднялась по хлипкой лесенке и остановилась на верхней ступеньке, не находя в себе сил ступить на висящий над пропастью аппарат.

— Встаньте на батискаф, — приказал Дельта-3, одновременно поворачиваясь к Толланду и направляя оружие ему в голову.

Перед Рейчел, глядя ей в глаза, мучился в клешнях «Тритона» Дельта-2. Она перевела взгляд на Майкла, сидящего под прицелом. Выбора нет.

Чувствуя себя так, словно подходит к краю пропасти, глубокого каньона, Рейчел наступила на кожух двигателя — маленькую плоскую площадку позади круглого люка аппарата. Батискаф висел над открытым отверстием в палубе, словно огромная, грозящая вот-вот оторваться капля. Но даже подвешенный на тросе лебедки, девятитонный шар не покачнулся от веса ступившей на него Рейчел. Лишь когда она несколько раз передвинула ноги, пытаясь найти максимально устойчивое положение, он сдвинулся на несколько дюймов в сторону.

— Ну, вставай, — скомандовал боевик Толланду. — Иди к панели управления и закрой люк.

Под дулом пулемета Толланд направился к рычагам. Подойдя к аппарату, он посмотрел в глаза Рейчел, словно хотел сказать что-то. Потом перевел взгляд на люк батискафа.

Рейчел тоже посмотрела. Люк перед ней был открыт, тяжелая круглая крышка откинута. Была видна рассчитанная лишь на одного человека кабина. Неужели он хочет, чтобы она залезла туда? Боясь ошибиться, Рейчел снова взглянула на Майкла. Он почти подошел к панели управления. Но снова пристально посмотрел ей в глаза. Прямо и твердо. Губы его шевельнулись.

— Прыгай внутрь! Быстро!

Дельта-1 краем глаза заметил движение Рейчел и инстинктивно развернулся, открыв огонь в тот самый момент, когда пленница исчезла в кабине. Пули просвистели над ней. Крышка люка, задетая пулями, выпустив дождь искр, резко захлопнулась.

Толланд, едва почувствовав, что оружие перестало прижиматься к его спине, сделал свой ход. Он рванулся влево, в сторону от люка, потом упал на палубу и покатился по ней — в тот момент, когда Дельта-1 начал палить по нему. Пули стучали по настилу за спиной, но не успевали настигнуть его... Майк уверенно продвигался по знакомой палубе к укрытию — огромной якорной катушке на корме. Увесистое моторизованное сооружение держало на себе несколько тысяч футов стального кабеля. В голове Толланда созрел четкий план. Действовать предстояло быстро. Как только Дельта-1 бросился к нему, Майкл выпрямился и двумя руками схватил якорный замок, потянув его вниз. Якорная катушка начала вращаться, выпуская кабель, и «Гойя» под ударом стремительного течения сдвинулась с места. Неожиданное движение заставило противника резко пошатнуться, теряя равновесие. По мере того как судно отходило все дальше по течению, якорная катушка вращалась быстрее.

— Ну давай, давай, детка! — подзадоривал ее Майкл.

Дельта-1 восстановил потерянное равновесие и бросился к нему. В самый последний момент Толланд собрал все силы и дернул рычаг замка в обратном направлении, запирая катушку. Якорный кабель мгновенно натянулся до предела, резко останавливая судно и заставляя его вздрогнуть всем корпусом. Все на палубе полетело кувырком. Боец упал рядом с Толландом на колени. Пикеринг, не удержавшись за поручни, опрокинулся на спину. «Тритон» яростно закачался на своем тросе.

Внизу, под палубой, раздался страшный металлический скрежет, а потом напоминающий землетрясение раскатистый грохот. Не выдержав нагрузки, развалилась поврежденная опора. Правый угол кормы начал оседать под собственным весом. Судно закачалось, накренившись, словно огромный стол, внезапно потерявший одну из ножек. Грохот и скрежет металла стали невыносимыми.

Рейчел, в ужасе сидя внутри раскачивающейся над покосившейся палубой девятитонной батисферы, побелевшими от напряжения пальцами вцепилась в поручни, пытаясь удержаться и не разбиться о стенку. Сквозь окно она теперь хорошо видела бушующий внизу океан. А взглянув на палубу в надежде увидеть Толланда, внезапно стала свидетельницей стремительно разворачивающейся странной драмы.

В ярде от нее безумно кричал от боли зажатый в тисках и раскачивающийся, словно марионетка на веревочке, боец подразделения «Дельта». Прополз по палубе Уильям Пикеринг, ища, за что бы ухватиться. Возле якорной катушки пытался удержаться и не вывалиться за борт Толланд. Но самым страшным было то, что Дельта-1, не выпустивший из рук оружия, уже сумел встать и теперь разворачивался к Майклу. Не выдержав, Рейчел закричала:

— Майк, осторожно!

Однако Дельту-1 занимал теперь вовсе не океанограф. Он смотрел на оставленный без управления вертолет. Лицо его выражало безмерный ужас: тяжелая боевая машина накренилась и начала медленно сползать по палубе корабля. Длинные металлические опоры играли ту же роль, что и лыжи на склоне горы. В этот момент Рейчел поняла, что вертолет движется прямо на «Тритона».

С трудом пробираясь по накренившейся палубе, Дельта-1 сумел приблизиться к вертолету и залезть в кабину. Он не мог позволить единственному средству передвижения упасть с палубы и утонуть в океане. Схватившись за рычаги управления, он попытался резко поднять тяжелую машину в воздух. Заработали лопасти винта. Но ужас! Вертолет продолжал скользить в направлении батискафа и на зажатого в его клешнях человека.

Он двигался параллельно наклонной палубе, а значит, в наклонном положении находились и лопасти. И когда машина все-таки оторвалась от палубы, она пошла не столько вверх, сколько вперед, приближаясь к «Тритону», словно гигантская циркулярная пила.

Дельта-1 тянул на себя рычаг, испытывая желание сбросить полтонны боеприпасов, тянущих его вниз. Лопасти едва не задели голову Дельты-2 и верхушку батискафа. Вертолет двигался уже слишком быстро. Пилоту не удалось отвести его в сторону.

Стальные лопасти винта, вращающиеся со скоростью триста оборотов в минуту, столкнулись с мощным, способным выдержать нагрузку в пятнадцать тонн многослойным стальным тросом. Ночь еще раз взорвалась страшным скрежетом металла о металл. Звук рождал образы эпических битв. Дельта-1 из кабины видел, как лопасти, словно гигантская газонокосилка, наткнувшаяся на кусок металла, начали рубить стальной кабель. Во все стороны полетели фонтаны стальных брызг. Винт не выдержал первым. Дельта-1 ощутил мощный удар — вертолет рухнул на палубу. Пилот попытался выровнять машину, но она не подчинилась, отказываясь подниматься вверх.

Вертолет дважды с силой ударился о накренившуюся палубу, а потом пополз по наклонной, мимо батискафа, круша все на своем пути.

Дельта-1 надеялся, что мощные поручни борта выдержат, но он ошибся.

Через мгновение раздался треск. Тяжелый, мощно вооруженный вертолет, словно лыжник с горы, скатился с палубы и рухнул в бурное течение мегаплюма.

Рейчел, в ужасе вжавшись в кресло, сидела в тесном замкнутом пространстве «Тритона». Пока трос сопротивлялся лопастям вертолета, батискаф дико раскачивался, но она сумела удержаться на месте, несмотря на страшную, душившую ее дурноту. Чудом лопасти не повредили сам спускаемый аппарат, но трос, несомненно, очень пострадал. Единственное, о чем могла сейчас думать пленница, — это как можно быстрее выбраться наружу. Висящий в стальных тисках боец смотрел на нее через окно, почти теряя сознание от боли, потери крови и страшной качки. А чуть дальше Рейчел заметила Уильяма Пикеринга, намертво вцепившегося во что-то, чтобы не скатиться по наклонной поверхности палубы.

Где же Майкл? Его-то она как раз и не могла найти. Но не успела Рейчел испугаться за него, как навалилась новая опасность. Наверху, над ее головой, стальной кабель, удерживающий аппарат, жалобно запел, разделяясь на отдельные волокна. Еще через несколько секунд металл не выдержал и разорвался.

Рейчел испытала настоящее состояние невесомости: какое-то время она висела над сиденьем тесной кабины батискафа. Аппарат стремительно летел вниз. Палуба исчезла где-то над головой, стремительно проносились мимо узкие настилы нижнего уровня. Зажатый в клешнях боец побелел от ужаса, безумными глазами глядя вперед.

Падению, казалось, не будет конца.

Столкновение с поверхностью океана, оказавшееся очень сильным, вжало пленницу в сиденье. Наиболее болезненно отреагировал на удар позвоночник. Перед окном поднялся фонтан брызг. Батискаф остановился под водой, а потом начал медленно подниматься на поверхность, покачиваясь, словно пробка.

Акулы словно только и ждали этого момента. Застыв от ужаса, Рейчел наблюдала разворачивающуюся в нескольких футах от нее страшную картину.

* * *

Дельта-2 почувствовал, как с силой врезалась в него мощная голова акулы. Острые словно бритва зубы сомкнулись на руке, выше локтя, моментально достав до кости. Мир взорвался огнем безумной боли: акула дернулась и резко повела головой, отрывая руку от тела. Подоспели и другие. Множество ножей впилось в ноги, в туловище, в шею. Дельта-2 не имел сил даже закричать от боли, пока хищники яростно рвали его на куски. Последним, что он увидел, была огромная пасть с невероятным количеством зубов, стремительно приближающаяся к его лицу.

Мир померк.

Стук твердых акульих голов об обшивку спускаемого аппарата, гулко отдававшийся внутри, внезапно прекратился. Рейчел открыла глаза. Тела в воде не было, лишь кроваво-красная вода плескалась, разбиваясь об окно. Почти теряя сознание, Рейчел отчаянно старалась не сойти с ума. Сжавшись на сиденье, подтянув колени к груди, она не двигалась и почти не дышала. Казалось, батискаф движется. Он поддавался силе течения, уходя вдоль корпуса судна. Но в то же время он явственно двигался и в другом направлении. Вниз.

За обшивкой ясно слышалось бульканье воды, наполнявшей балластные емкости. Звук становился все громче. А океан, казалось, медленно поглощал металлический поплавок. Уровень воды перед глазами становился все выше.

Она тонула!

Рейчел вздрогнула от ужаса и стремительно вскочила на ноги. Схватилась за крышку люка над головой, пытаясь совладать с механизмом замка. Если удастся взобраться на крышу батискафа, она еще сможет перелезть на настил. Он всего в нескольких футах.

Она должна выбраться!

На ручке люка ярко светилась стрелка, показывающая, в какую сторону нажимать, чтобы открыть крышку. Рейчел нажала. Никакого результата. Еще раз. Крышка не поддавалась. Клапан был плотно сжат и, хуже того, погнут. Страх полностью подчинил себе все существо пленницы. Рейчел сделала последнюю попытку.

Крышка люка не поддавалась.

«Тритон» погрузился еще на несколько футов, на прощание стукнулся о корпус «Гойи» и, проскользнув под искореженным корпусом, выплыл в открытое море.

ГЛАВА 126

— Не делайте этого! — умоляла Гэбриэл сенатора Секстона, уже заканчивавшего снимать копии с документов. — Вы же рискуете жизнью дочери!

Секстон усилием воли отключился от всего, что говорила надоедливая девчонка, и направился к столу. В руках он держал десять комплектов копий. Каждый из них включал те страницы, которые прислала по факсу Рейчел, и ее записку, торопливо нацарапанную от руки. В записке сообщалось, что метеорит фальшивый, а НАСА и Белый дом обвинялись в попытке убийства.

Секстон подумал, что держит в руках самый поразительный набор материалов для прессы, и начал аккуратно вкладывать каждый из комплектов в отдельный большой белый конверт. На всех конвертах были заранее напечатаны имя сенатора и адрес его офиса. Стояла и сенатская печать. Не должно остаться никаких сомнений, откуда пришла невероятная информация. Разгорается крупнейший политический скандал века, и он, Седжвик Секстон, стоит у его истоков!

Гэбриэл тем временем не умолкала, продолжая умолять спасти Рейчел. Однако сенатор ничего не слышал. Он пребывал в своем, отгороженном от всех и всего мире. В каждой политической карьере наступает решающий момент. И сейчас пришло его время.

Телефонное сообщение Пикеринга содержало недвусмысленную угрозу: если Секстон опубликует документы, жизнь Рейчел окажется под прямой угрозой. Но к несчастью для дочери, сенатор думал лишь о том, что если он опубликует доказательства мошенничества НАСА, это приведет его к победе на выборах. Более того, его приход в Белый дом будет обставлен ярче и драматичнее, чем у любого из президентов за всю историю страны.

Жизнь наполнена необходимостью принимать сложные решения, подумал сенатор. И побеждает тот, кто способен на такие решения.

Гэбриэл Эш и раньше замечала в глазах босса подобное выражение. Она определила его как слепое стремление к власти. Эта его одержимость внушала страх. И, как теперь поняла девушка, страх вовсе не напрасный. Секстон нисколько не колебался, готовясь пожертвовать дочерью ради объявления о мошенничестве НАСА.

— Разве вы не видите, что уже и так выиграли? — пыталась воззвать к его разуму Гэбриэл. — Зак Харни и НАСА не переживут скандала. Совсем не важно, кто раскроет обман перед широкой общественностью. Не имеет значения, когда он всплывет на поверхность. Дождитесь, пока Рейчел окажется в безопасности. Дождитесь, пока сможете поговорить с Пикерингом!

Сенатор Седжвик Секстон не слышал ни единого ее слова. Открыв ящик стола, он достал лист фольги, на котором хранилось несколько десятков самоклеящихся печатей размером с пятицентовую монетку. На каждой из этих печатей были вытиснены инициалы сенатора. Гэбриэл знала, что обычно Секстон использовал их для официальных приглашений, но сейчас он, видимо, решил, что эта алая капля добавит процессу драматизма. Аккуратно снимая с листа печать за печатью, Секстон тщательно приклеивал их на конверты, словно запечатывая любовное послание.

Сердце Гэбриэл забилось сильнее — ее гнев приобрел новый оттенок. Она вспомнила о чеках, копии которых хранились в памяти компьютера. Скажи она что-нибудь, сенатор тут же уничтожит все улики.

Гэбриэл приняла другое решение.

— Не делайте этого, — обратилась она к боссу, — или я обнародую нашу с вами связь.

Не остановившись ни на секунду, Секстон продолжал заклеивать конверты. Он громко рассмеялся:

— Правда? И считаете, что вам кто-нибудь поверит? Рвущаяся к власти помощница, которой отказали в должности в новой администрации. Теперь она пытается любой ценой отомстить, так ведь? Однажды я уже опровергал подобные слухи и сумел убедить всех и каждого. Ну и на сей раз тоже смогу от всего отвертеться.

— Белый дом располагает фотографиями, — предупредила Рейчел.

Секстон даже не поднял глаз.

— Фотографий у них нет. А если бы даже и были, то это ничего не значит. — Он запечатал последний конверт. — Я обладаю сенаторской неприкосновенностью. А эти конверты обесценят все обвинения, которые они смогут против меня выдвинуть.

Гэбриэл понимала, что Секстон прав. Вот он стоит, любуясь своей работой, а она, кипя от ненависти и негодования, не в силах ничего сделать. Сенатор разложил на столе в ряд десять изящных, белых, из прекрасной вощеной бумаги конвертов. На каждом указаны адрес и имя отправителя; каждый запечатан алой восковой печатью с монограммой. Выставка королевской корреспонденции. Только не всем королям трон доставался такой дорогой ценой.

Секстон сложил конверты в папку и собрался уходить. Гэбриэл подошла к двери, преграждая ему путь.

— Вы совершаете страшную ошибку, сэр. Это все может подождать.

Секстон пронзил ассистентку жестким взглядом:

— Я создал вас, Гэбриэл. А теперь я отменяю все ваши полномочия.

— Факс от Рейчел даст вам в руки президентскую власть. Вы в долгу перед дочерью.

— Я и так многое ей дал.

— А что, если с ней что-нибудь случится?

— Тогда она добавит мне голоса сочувствующих.

Гэбриэл не могла поверить, что такая мысль может родиться в голове отца, не говоря уже о том, чтобы быть высказанной. Не в силах подавить отвращение, она подошла к телефону:

— Я звоню в Белый...

Секстон повернулся и с силой ударил ассистентку по лицу.

Гэбриэл покачнулась, попятилась с незаконченной фразой на губах. Она не упала лишь потому, что успела ухватиться за край стола. Изумленно, недоумевая, смотрела она на человека, которому когда-то поклонялась.

Секстон смерил ее долгим безжалостным взглядом:

— Если вы еще хоть раз попытаетесь перейти мне дорогу, то будете жалеть об этом всю оставшуюся жизнь.

Он стоял прямо, уверенный в себе, сжимая в руке папку с десятком больших белых конвертов. В глазах его светились неподдельная злоба и нешуточная угроза.

Когда Гэбриэл вышла из здания сената на холодную ночную улицу, губа ее все еще кровоточила. Она остановила такси и села на заднее сиденье. И здесь, впервые за все время своего пребывания в столице, не выдержав, расплакалась.

ГЛАВА 127

«Тритон» упал...

Майкл Толланд поднялся на ноги, с трудом сохраняя равновесие на накренившейся палубе, и взглянул поверх якорной катушки на разорвавшийся кабель, на котором раньше висел батискаф. Подойдя к борту, он внимательно посмотрел в воду. «Тритон» выплыл из-под судна, двигаясь по течению. С облегчением заметив, что он не поврежден, Толланд сосредоточился на люке, больше всего на свете желая, чтобы он открылся и показалась Рейчел, целая и невредимая. Однако крышка оставалась закрытой. Что, если Рейчел пострадала во время резкого падения?

Даже с палубы было видно, насколько аппарат ушел под воду — гораздо ниже той линии, на которой он обычно держался на поверхности. Не оставалось сомнений: батискаф тонет. Толланд не мог понять, в чем дело. Но сейчас причина не играла никакой роли. Нужно срочно спасать Рейчел.

Едва Толланд выпрямился во весь рост, над его головой засвистели пули. Многие из них, попадая в якорную катушку, рикошетили в разные стороны. Пришлось снова упасть на колени. Выглянув, Толланд увидел, как Уильям Пикеринг, стоя на наклоненной палубе, целится в него, словно снайпер. Боец бросил оружие, пытаясь спасти обреченный вертолет, а Пикеринг сразу подхватил его. Более того, ему удалось занять выгодную позицию сверху.

Не имея возможности выбраться из укрытия, океанограф с надеждой оглянулся на батискаф. «Ну же, Рейчел, давай! Вылезай! Сейчас крышка откроется, и...» Нет, все напрасно.

Взглянув на палубу, Толланд прикинул расстояние между якорной катушкой, за которой прятался, и поручнем, огораживающим корму. Двадцать футов. Долгий путь, если негде спрятаться от пулеметного ливня.

Майкл глубоко вздохнул. Решение созрело. Сорвав рубашку, он бросил ее вправо, на открытую палубу. Пока Пикеринг палил по ней, издали приняв за человека, Толланд бросился влево, вниз по палубе, пытаясь добраться до кормы. Громадным прыжком он перелетел через поручень в самом конце судна. Уже в воздухе Толланд услышал, как свистят вокруг пули. Он понимал, что даже одна капля крови сделает его желанной жертвой для множества акул, едва он коснется воды.

Рейчел Секстон чувствовала себя запертым в клетке диким зверем. Она снова и снова пыталась открыть люк, но равнодушный металлический круг никак не поддавался. Было слышно, как где-то внизу под ней наполняется водой балластная емкость. Подводный аппарат тяжелел с каждой минутой. Темнота океана захлестывала смотровое окно, словно накрывая его плотным занавесом.

А внизу уже видна была океанская бездна, очень напоминающая огромную могилу. Черная безмерность грозила поглотить ее целиком, без остатка. Рейчел вновь схватилась за рычаг крышки, пытаясь справиться с ним. Тщетно. Люк не поддавался. Легкие уже начали ощущать избыток двуокиси углерода. Но страшнее всего казалась перспектива умереть здесь, под водой, в полном одиночестве.

Рейчел посмотрела на панель управления в надежде увидеть хоть что-нибудь, что могло бы помочь. Однако все индикаторы были мертвы. Дело, конечно, в отсутствии электричества. Она оказалась плотно замурованной и отрезанной от всего мира в стальной гробнице, медленно погружающейся на дно океана.

Журчание в балластных баках становилось все громче. Вода поднялась почти до самого верха смотрового окна. Вдалеке, на горизонте, отделенная от Рейчел бесконечным пространством океана, показалась узкая красная полоска. Наступало утро.

Наверное, этот свет будет последним, который ей суждено увидеть. Закрыв глаза, словно пытаясь спрятаться от неизбежности судьбы, Рейчел почувствовала, как плотно обступают ее со всех сторон образы из ночных кошмаров.

Она провалилась под лед. Вода тянет ее вниз. Дыхание сбивается, воздуха не хватает. Выбраться невозможно. Темнота обступает со всех сторон.

Но вот раздается голос матери: «Рейчел! Рейчел!..»

Удары по обшивке батискафа вывели ее из полуобморочного состояния. Глаза ее резко распахнулись.

— Рейчел!

Голос был приглушенным, но отчетливым. Возле незатопленной еще части окна появилось призрачное лицо — перевернутое набок, с растрепанными мокрыми темными волосами. В темноте было трудно разобрать, кому оно принадлежит.

— Майкл!

Толланд с облегчением увидел, что Рейчел пошевелилась внутри «Тритона». Жива! Несколькими мощными гребками он подплыл к тыльной стороне батискафа и взобрался на уже затопленный кожух двигателя. Мощное течение обдавало теплой, почти горячей водой, пытаясь скинуть его вниз. Но Майкл удержался и крепко схватился за ручку люка, стараясь не подниматься на поверхность, чтобы вновь не оказаться под пулями Пикеринга.

Корпус «Тритона» ушел под воду практически целиком. Чтобы открыть крышку и вытащить Рейчел, надо действовать очень быстро. Расстояние от люка до воды — всего несколько дюймов, да и то стремительно сокращается. Если люк окажется под водой, то, едва открывшись, он впустит в батискаф поток океанской воды. Рейчел окажется в водном плену, а сам аппарат пойдет прямиком на дно.

Теперь или никогда! Толланд уперся в рычаг и потянул его против часовой стрелки. Ничего не произошло. Он сделал еще одну попытку, собрав всю свою волю. И снова крышка отказалась подчиниться.

С другой стороны люка, из батискафа, раздался приглушенный, но вполне различимый голос Рейчел. Ужас сквозил в каждом ее слове.

— Я пыталась! — кричала она. — Не открывается!

Вода уже перехлестывала через верхушку батискафа.

— Давай вместе! — крикнул Майкл. — Дергай по часовой стрелке! Ну, давай!

Толланд изо всех сил уперся в балластный бак и дернул рычаг. Он слышал, что внутри, в кабине, Рейчел делает то же самое. Диск повернулся на полдюйма и замер.

Зато теперь Майкл понял, в чем дело. Люк закрылся неровно. Словно крышка банки, надетая косо, а потом закрученная, его крышка не попала как следует в паз. Хотя резиновая прокладка была на месте и в исправном состоянии, металлический круг намертво застрял в пазах. А это значило, что открыть его теперь можно только при помощи автогена.

Скорчившийся на крыше тонущего подводного аппарата Толланд похолодел от внезапного ужаса. Рейчел Секстон не сможет выбраться из «Тритона».

А на глубине двух тысяч футов быстро опускался на океанское дно тяжело нагруженный боеприпасами вертолет «кайова». Его тянули вниз сила притяжения и неумолимый водоворот течения. Тело пилота в кабине уже утратило человеческий облик, раздавленное огромным давлением.

Вращаясь, вертолет погружался на дно вместе с закрепленными в своих гнездах ракетами «хеллфайер». На океанском дне, словно раскаленная докрасна посадочная площадка, его ожидал купол океанской магмы. Накрытый трехметровой «крышкой» донной породы, при температуре в тысячу двести градусов по Цельсию кипел котел вулкана, готовый в любую минуту взорваться.

ГЛАВА 128

Толланд стоял на кожухе двигателя «Тритона» по колено в воде, ломая голову над тем, как вызволить Рейчел.

Главное — не дать батискафу затонуть!

Он оглянулся назад, на «Гойю», раздумывая, нельзя ли как-нибудь закрепить трос, чтобы с его помощью удерживать «Тритона» у поверхности. Нет, невозможно. Батискаф отнесло уже ярдов на пятьдесят. А кроме того, на мостике, словно римский император, стоял с пулеметом в руках Пикеринг, точно разыгрывая сцену в Колизее.

«Думай! — приказал себе океанограф. — Почему батискаф тонет?»

Механика «Тритона» была удивительно несложной: балластные баки, наполняясь воздухом или водой, обеспечивали движение аппарата или вверх, или вниз, ко дну.

Сейчас они стремительно заполнялись водой.

Но этого не должно происходить!

В каждом из балластных баков имелись отверстия — сверху и снизу. Нижние отверстия, называемые «водными», всегда оставались открытыми, а верхние, «вентиляционные», могли быть закрытыми или открываться для того, чтобы выпустить воздух и впустить воду.

Сейчас верхние отверстия были открыты. Толланд не мог понять почему. Он потянулся через уже погрузившуюся крышку батискафа и под водой провел руками по верху балластных баков. Вентиляционные отверстия были закрыты. Но пальцы тут же нащупали кое-что иное. Отверстия от пуль.

Когда Рейчел прыгала с батискафа, Дельта-1, стреляя в нее, пробил балластные баки. Не долго думая океанограф нырнул и заплыл под аппарат, тщательно обследуя основной балластный бак — противовес. Англичане называют его «подводным экспрессом». Немцы — «свинцовыми сапогами». В любом случае смысл ясен. Противовес, наполняясь, тащит аппарат прямиком вниз, ко дну.

Проведя рукой по баку, Толланд нащупал несколько пулевых отверстий. Он чувствовал, как стремительно набирается внутрь вода. Хотел этого Толланд или нет, «Тритон» готовился пойти ко дну.

Сейчас он находился уже на три фута ниже поверхности воды. Передвинувшись к его передней части, Толланд прижал лицо к окну и заглянул внутрь. Рейчел стучала в стекло и кричала. Страх, звучавший в ее голосе, лишал Майкла сил. На какое-то мгновение он вновь увидел себя в мрачной больничной палате, где умирала любимая им женщина, и помочь ей он ничем не мог. Плавая перед тонущим батискафом, Майкл сказал себе, что еще раз такого вынести не сможет.

Шейла тогда прошептала, что он должен продолжать жить. Но он не хотел больше жить один. Ни за что.

Толланд начал задыхаться, но, несмотря на это, не поднимался на поверхность, а оставался под водой, рядом с Рейчел. Каждый раз, когда она начинала стучать в стекло, Толланд слышал журчание воздушных пузырьков и видел, что аппарат погружается еще глубже. А Рейчел кричала что-то насчет воды, проникающей по краю окна.

Батискаф протекал.

В этом тоже виноваты пули? Сомнительно. Легкие не выдерживали, и Толланд собрался подняться на поверхность, чтобы вздохнуть. Вытянувшись вертикально, он одновременно провел ладонью по поверхности окна. Неожиданно пальцы зацепили выбившуюся часть прокладки. Очевидно, при падении оказался поврежденным окружающий стекло уплотнитель. Поэтому и появилась течь. Еще одна плохая новость.

Выбравшись на поверхность, Толланд трижды глубоко вздохнул, проясняя мысли. Набирающаяся в кабину вода лишь ускорит погружение подводного аппарата. «Тритон» и так уже опустился на пять футов ниже поверхности воды, и сейчас Майклу едва удавалось достать его ногами. Зато он чувствовал и даже слышал, как отчаянно Рейчел колотит в стенку.

В голову пришла только одна-единственная мысль. Если нырнуть к двигателю «Тритона» и соединить его с баллоном, содержащим сжатый воздух, то можно попробовать «надуть» бак-противовес. И хотя эксперимент будет по большому счету бессмысленным, он позволит «Тритону» удержаться на поверхности еще минуту-другую, до тех пор, пока дырявые баки снова не заполнятся водой.

А что тогда?

Не имея других вариантов, Толланд приготовился нырнуть. Вздохнув как можно глубже, он растянул легкие куда более их обычного размера, до болезненного состояния. Чем больше емкость легких, тем больше кислорода и тем дольше можно находиться под водой. Но пока Майкл стоял, пытаясь раздуться до невероятных размеров, в голову ему неожиданно пришла странная мысль.

А что, если увеличить давление внутри самого батискафа? Ведь смотровое окно повреждено. Если давление внутри ока-

жется достаточно высоким, может быть, стекло вылетит под
его действием? Тогда останется лишь вытащить Рейчел.

Толланд выдохнул, вернув легким обычный объем. Секунду постоял, раздумывая, взвешивая шансы на успех. План кажется выполнимым. В конце концов, все подводные аппараты
строятся с расчетом выдерживать давление только в одном направлении. Они должны противостоять огромной массе воды,
давящей извне. Но внутри давление всегда остается низким.

Все воздушные клапаны «Тритона» были универсальными —
с тем расчетом, чтобы сократить количество инструментов на
борту. Поэтому Толланд мог просто укрепить насадку баллона со
сжатым воздухом на регуляторе аварийной вентиляции, на пра-
вом борту батискафа. Повышение давления в кабине заставит
Рейчел испытать сильную боль, но если все пойдет по плану, это
спасет ее.

Толланд снова глубоко вдохнул и нырнул.

Батискаф теперь находился на добрых восемь футов ниже
поверхности воды, и течение вместе с темнотой затрудняло
ориентацию. Нащупав баллоны со сжатым воздухом, Толланд
быстро подсоединил шланг и приготовился подавать воздух в
кабину. Взявшись за переключатель, он взглянул на ярко светящуюся предостерегающую надпись: «Осторожно: высокое
давление — 3000 атмосфер на квадратный дюйм».

Толланд повторил про себя цифру. Оставалось надеяться
на то, что смотровое окно не выдержит давления раньше, чем
Рейчел.

Он еще раз быстро взвесил свой план. Потом наконец ре-
шился и открыл клапан. Шланг немедленно выгнулся от давления, и Толланд услышал, как воздух с огромной силой начал
поступать внутрь батискафа.

Рейчел ощутила, как внезапно заболела голова. Открыла
рот, чтобы закричать, но воздух с такой силой ворвался в легкие, что ей показалось, будто грудь ее разрывается. Глаза словно провалились внутрь черепа. Барабанные перепонки с трудом выдерживали резкий, раздирающий стук, помрачая сознание. Но самое страшное — боль непрерывно усиливалась. Инстинктивно пленница крепко закрыла глаза и зажала руками
уши. Однако мучительная боль продолжала наступать.

Откуда-то теперь шел стук. Немного приоткрыв глаза, Рейчел увидела в темноте расплывчатый силуэт Майкла Толланда. Лицо его почти прижималось к стеклу. Он посылал ей какие-то знаки, просил что-то сделать.

Но что?

Она едва могла разглядеть его в темноте. Зрение пропадало, так как глаза с трудом выдерживали огромное, неумолимо возрастающее давление. Но она сознавала, что теперь ее окружает кромешная тьма — «Тритон» погрузился настолько глубоко, что до него перестал доходить даже свет подводных огней «Гойи». Осталась лишь черная бездна.

Толланд распластался по стеклу кабины и безостановочно бил в него кулаками. Легкие все настойчивее молили о глотке воздуха, и он понимал, что должен срочно подняться на поверхность.

«Толкай стекло!» — пытался сказать он Рейчел.

Он слышал, как свистит, вырываясь из щели, воздух, видел поднимающиеся пузырьки. Майкл провел пальцами по краю стекла, пытаясь снова обнаружить поврежденный участок прокладки, неровность, за которую можно зацепиться. Нет, он потерял то место.

Кислород в легких закончился. Толланд стукнул в стекло последний раз. Он ничего уже не видел внутри. Было слишком темно. Собрав последние силы, он крикнул:

— Рейчел... толкни... стекло...

Слова его утонули в бульканье воды.

ГЛАВА 129

Рейчел казалось, что ее голову ломают на части какими-то средневековыми пыточными инструментами. Стоя на коленях, согнувшись возле сиденья, она чувствовала, как неумолимо подступает смерть. Силуэт в окне пропал. Стук прекратился. Темно. Толланд ушел. Бросил ее.

Свист сжатого воздуха, поступающего откуда-то сверху, напомнил о ветре на леднике Милна. На полу кабины набрался целый фут воды. В голове завертелось сразу множество мыслей, воспоминаний и видений. Вспышками фиолетового света они пронзали мозг.

В полной темноте батискаф начал крениться куда-то вбок, и пленница потеряла равновесие, не в силах удержаться. Стукнувшись о сиденье, она упала вперед и ударилась о стекло. Плечо пронзила резкая горячая боль. Рейчел обессиленно привалилась к стеклу и внезапно ощутила странное явление — давление внутри кабины определенно уменьшилось. Боль в ушах отпустила, и Рейчел ясно услышала, как с шумом выходит из батискафа воздух.

Ей потребовалось всего несколько мгновений, чтобы понять, что произошло. Упав на окно, она своим весом немного выдавила стекло наружу, и воздух начал по его периметру выходить из кабины. Это означало, что стекло держится слабо! Рейчел неожиданно поняла, о чем с таким упорством пытался сказать ей Майкл. И зачем он так повысил давление в кабине.

Он хочет, чтобы она выдавила окно!

Наверху, над головой, продолжал шипеть сжатый воздух. Даже лежа Рейчел чувствовала, как снова стремительно нарастает внутри батискафа давление. На сей раз она почти приветствовала вновь появившуюся боль, хотя очень боялась потерять сознание. С трудом, кое-как поднявшись на ноги, Рейчел всем своим весом из последних сил надавила на стекло.

Оно едва дрогнуло.

Она снова бросилась на стекло. И еще раз. Болело плечо. Рейчел хотела попробовать снова, но внезапно «Тритон» начал крениться назад. Тяжелый двигатель перевесил балластные баки, батискаф перевернулся и пошел ко дну вверх смотровым окном.

Рейчел опрокинулась на спину, упав на противоположную от окна стену. Лежа в плещущейся воде, она смотрела вверх, на протекающий купол, нависающий над ней, словно гигантский небосвод.

За ним была ночь... И тысячи тонн тяжелой, давящей океанской воды.

Пленница попыталась встать, но тело не слушалось, словно налитое свинцом. Мысли снова вернулись в детство, в ледяную хватку замерзшей реки.

«Борись, Рейчел! — кричала мать, пытаясь дотянуться до нее. — Борись, карабкайся вверх!»

Рейчел закрыла глаза. Она тонет. Коньки кажутся неподъемными, свинцовыми; они утягивают ее вниз. Она видит, как мать распростерлась на льду, чтобы равномерно распределить собственный вес, и изо всех сил тянется к ней.

«Держись, Рейчел! Бей ногами!»

Девочка старалась как могла. Она немного приподнялась над водой. Мелькнула искра надежды. Мать крепко схватила ее за руку.

«Я держу! — закричала мать. — Теперь помоги мне тащить тебя! Бей ногами!»

Мать тянула ее вверх, а девочка из последних сил попыталась оттолкнуться от воды тяжелыми, непослушными от груза коньков ногами. Но и этого оказалось достаточно. Мать вытащила ее на лед. Дотащила мокрую дочь до сугроба на берегу и только тогда позволила себе заплакать.

Мучаясь от возрастающей влажности и жары в батискафе, Рейчел открыла глаза и посмотрела в окутавший ее мрак. Она слышала, как мать шепчет — всего лишь шепчет — из могилы. Но голос ее заполнял все пространство внутри уходящего под воду тяжелого металлического шара.

«Бей ногами!»

Рейчел посмотрела на прозрачный купол над головой. Собрав остатки сил, забралась на сиденье, которое сейчас лежало почти горизонтально, словно кресло стоматолога. Упираясь в него спиной, Рейчел согнула колени, насколько могла, вытянула вверх ноги и, сконцентрировавшись, всем телом оттолкнулась от сиденья. С диким криком, вместившим в себя и ее усилие, и отчаяние, она ударила ногами в центр купола. Резкой болезненной судорогой так свело икры, что в глазах потемнело. В ушах снова застучало, и Рейчел почувствовала, как опять резко ослабевает давление. Резиновая прокладка с левой стороны стекла отошла, и внезапно толстый прозрачный лист полиакрилата открылся, словно амбарная дверь.

В батискаф сразу ворвался столб воды, пригвоздив Рейчел к сиденью. Океан бушевал вокруг, крутил ее, пытаясь скинуть с сиденья, переворачивая, словно носок в стиральной машине. Рейчел слепо взмахнула рукой, пытаясь за что-нибудь ухватиться, но ее слишком сильно вертело потоком, и удержаться не удавалось. Кабина стремительно наполнилась водой, и Рейчел почувствовала, как «Тритон» быстро пошел ко дну. Сила инерции дернула тело вверх, и Рейчел поняла, что поднимается. Водоворот повлек ее вверх. Она сильно ударилась о стекло и неожиданно оказалась на свободе.

Выплыв в теплую темную воду, Рейчел ощутила, как легкие просят воздуха. Теперь — наверх! Она поискала глазами какой-нибудь источник света, но ничего не нашла. Мир со всех сторон казался совершенно одинаковым. Полная тьма. Никакого притяжения. Никакого понятия, где верх, а где низ.

Рейчел с ужасом осознала, что не знает, в какую сторону плыть.

А в тысячах футов под ней затонувший вертолет «кайова» сплющивался под многотонным грузом воды. Пятнадцать начиненных бризантным взрывчатым веществом ракет «хеллфайер», все еще находящихся на его борту, пока каким-то образом противостояли силе давления, хотя несущие корпуса с боеголовками уже опасно выдвинулись вперед.

В сотне футов над океанским дном могучая сила мегаплюма подхватила остатки раздавленного вертолета и швырнула вниз, ударив о раскаленную докрасна поверхность купола магмы. Словно вспыхнувший коробок спичек, ракеты «хеллфайер» взорвались, проделав в горячем куполе зияющую дыру.

Поднявшись на поверхность, чтобы глотнуть воздуха, а потом в отчаянии безнадежности нырнув снова, Майкл Толланд остановился в пятнадцати футах ниже поверхности воды, пытаясь хоть что-нибудь разглядеть в темноте. В этот миг и взорвались ракеты. Вверх взметнулась белая вспышка, на мгновение осветив фантастическую картину — стоп-кадр, который невозможно забыть.

Примерно в десяти футах под ним, словно марионетка, безвольно и беспомощно болталась Рейчел. А еще ниже, с развороченным смотровым окном, стремительно уходил ко дну «Тритон». Акулы, напуганные громом и светом, бросились прочь от опасного места.

Облегчение, которое Толланд испытал при виде освободившейся из батискафа Рейчел, быстро сменилось тревожным осознанием новой неминуемой опасности. Запомнив направление — вспышка быстро погасла и снова воцарилась темнота, — Толланд мощными гребками поплыл вниз.

В тысячах футов ниже того места, где висела в воде Рейчел, разорванный купол магмы одним толчком бросил вверх, в океан, столб лавы температурой в тысячу двести градусов. Кипящая масса на протяжении всего своего пути превращала воду в огромный столб горячего пара, вздымающегося на поверхность по центральной оси мегаплюма. Управляемый теми же динамическими процессами, которые вызывают явление торнадо, вертикально направленный поток энергии пара уравновешивался водной спиралью мегаплюма, оттягивающей энергию в противоположном направлении.

Вихревые потоки вокруг столба поднимающегося газа усилились, направляя воду вниз, ко дну. Поднимающийся пар создавал абсолютный вакуум, затягивающий вниз миллионы галлонов океанской воды. Но едва вода достигала извергнувшейся лавы, она также превращалась в пар и требовала пути к отступлению, присоединяясь ко все растущему столбу и уходя вверх, тем самым втягивая в оборот все новые и новые потоки. По мере того как в процесс включалось все больше воды, вихревая воронка увеличивалась в размере и становилась еще более мощной. Растущий водоворот оказывался с каждой секундой сильнее, своим верхним краем приближаясь к поверхности океана.

Буквально на глазах рождалась новая океаническая черная дыра.

Рейчел ощущала себя ребенком в утробе матери. Ее обступала жаркая, горячая темнота. Мысли заблудились и утонули, словно в чернилах. Дышать! Она силой заставляла себя держать легкие на запоре. Вспышка света, которую она только что заметила, могла прийти только с поверхности. Она казалась такой далекой... Нужно плыть к поверхности. Слабо, едва шевелясь, Рейчел начала двигаться к свету. Поток сияния увеличивался... какое-то странное, неестественное свечение... Дневной свет? Она стала грести энергичнее.

Кто-то схватил ее за ногу.

Рейчел почти вскрикнула от неожиданности, едва не выпустив из груди остатки живительного воздуха.

Неизвестная сила потащила ее в обратную сторону, дергая и разворачивая. И вдруг знакомая рука сжала ее руку. Майкл

Толланд здесь, рядом. Но почему-то он ведет ее в противоположном направлении.

Ум Рейчел подсказывал, что друг направляет ее вниз. Сердце говорило, что он знает, что делает.

«Бей ногами», — напоминая, прошептала мать.

И Рейчел начала изо всех сил работать ногами.

ГЛАВА 130

Толланду удалось вытащить Рейчел на поверхность. Но он понимал, что все зря. Взорвался купол магмы. Едва вершина воронки достигнет поверхности, гигантский подводный торнадо начнет тянуть все подряд вниз, на дно. За те несколько секунд, которые Майкл провел под водой, мир здесь, на поверхности, изменился. Это уже не было тихое, безмятежное утро. Стоял оглушительный шум. Ветер поднялся с такой мощью, словно, пока Майкл находился под водой, разыгрался сильнейший шторм.

Продолжительный недостаток кислорода довел океанографа почти до обморока. Он старался поддержать Рейчел, но ее вырывало из его рук. Течение! Толланд не хотел сдаваться, однако невидимая сила всерьез угрожала отобрать у него драгоценную добычу. И вдруг Рейчел окончательно выскользнула из рук — причем ушла вверх.

Озадаченный Толланд наблюдал, как ее выносит на поверхность.

В небе кружил самолет береговой охраны «оспрей». Это он подцепил Рейчел и теперь тащил ее вверх. Двадцать минут назад береговая служба спасения получила сообщение о взрыве в океане. Потеряв связь с вертолетом «дельфин», который должен был доставить людей в этот район, наблюдатели опасались, что произошел несчастный случай. Они ввели в навигационную систему последние известные координаты вертолета и в надежде на лучшее отправились на поиски.

Примерно в полумиле от освещенного судна «Гойя» обнаружились дрейфующие по течению догорающие обломки. Они напоминали остатки моторной лодки. Неподалеку из последних сил держался на воде человек в спасательном жилете. Взмахом руки он пытался привлечь к себе внимание. Его успешно подцепили и втащили на борт. Человек оказался совершенно голым, только ноги были замотаны тряпкой и изолентой.

Толланд в изнеможении смотрел на брюхо рокочущего одномоторного самолета. Его пропеллер создавал мощные вихревые воздушные потоки. Несколько пар сильных рук втащили Рейчел внутрь. Майкл с облегчением выдохнул — ставшая такой дорогой ему женщина наконец-то была в безопасности. В следующий миг он заметил в самолете, недалеко от двери, сжавшуюся, укутанную одеялом знакомую фигуру.

Неужели Мэрлинсон? Сердце Майкла радостно стукнуло. Корки жив!

В этот момент сверху снова упала спасательная связка. Она была всего футах в десяти от него. Толланд хотел подплыть, но в этот миг ощутил, что водоворот добрался наконец до него. Океан нещадно сжал его в своих тисках, отказываясь отпускать в небо.

Течение тянуло Майкла вниз, под воду. Он пытался бороться, чтобы удержаться на поверхности, но изнеможение давало себя знать. Чей-то голос шептал, что он непременно должен выжить, что он победитель. Толланд с силой заколотил ногами, пробивая себе путь на поверхность. Ему удалось выплыть, однако спасительные ремни оставались все еще далеко, вне досягаемости. А поток воды неумолимо бушевал, стремясь утопить человека. Глянув вверх, Толланд увидел Рейчел. Она смотрела на него из самолета и взглядом умоляла победить стихию.

В четыре мощных отчаянных гребка Майкл добрался до спасательной связки. Собрав последние силы, просунул руки в нужные петли и безвольно повис.

Океан сразу полетел куда-то вниз.

Толланд и в этот критический момент оставался ученым-океанографом. Несмотря на слабость и изнеможение, он с интересом смотрел вниз. Именно в этот момент в океане раскрылась зияющая воронка. Подводный торнадо достиг поверхности.

Уильям Пикеринг стоял в капитанской рубке «Гойи» и с почти священным ужасом наблюдал разворачивающуюся перед ним картину. По левому борту судна, недалеко от кормы, на поверхности воды внезапно появилось странное, похожее на раковину углубление. Водоворот уже был в несколько сотен ярдов шириной и продолжал стремительно расширяться. Океан словно проваливался в эту воронку, с жуткой аккуратностью переливаясь через край внутрь ее. Из глубины доносился какой-то нутряной стон. Странно, но разум в этот момент ничего не подсказывал человеку.

Это сон, подумал Пикеринг. Или бред.

Неожиданно с ядовитым шипением, сотрясшим стенки рубки, из воронки к небу взвился мощный столб пара. Все выше и выше, гремя и свистя, поднимался колоссальный гейзер, вершиной уходя в темное небо.

Стенки воронки стали круче, диаметр ее увеличился — она подбиралась к судну. Вдруг «Гойя» резко накренился на краю раскрывшейся пропасти. Пикеринг потерял равновесие и упал на колени. Словно дитя на Бога, взирал он на разверзающуюся пучину.

Последние его мысли были о дочери, Диане. Он надеялся, что она перед смертью не испытала подобного ужаса.

Ударная волна от поднявшегося столба пара отбросила «осрей» в сторону. Майкл и Рейчел инстинктивно схватились друг за друга. Затем пилот выровнял машину, низко ведя ее над обреченным на гибель исследовательским судном «Гойя». Внизу, на капитанском мостике, стоял на коленях, в черном костюме и галстуке, Уильям Пикеринг — Квакер.

Когда корма повисла, качаясь, над краем огромной воронки, якорная цепь не выдержала. Гордо задрав вверх нос, судно скользнуло по водному склону, поглощаемое безжалостным вихрем. С зажженными огнями оно бесследно исчезло в океане.

ГЛАВА 131

В Вашингтоне настало чистое, сияющее свежестью утро.

Ветер гонял листья, покрывавшие подножие мемориала Вашингтона. Обычно этот самый большой в мире памятник просыпался, невозмутимо глядя в собственное отражение в бассейне, но сегодня утро принесло с собой хаос снующих нетерпеливых репортеров, собравшихся вокруг.

Сенатор Седжвик Секстон чувствовал себя величественнее самого Вашингтона. Он вышел из лимузина и, словно лев, направился к бурлящему журналистскому братству. Он пригласил сюда десять крупнейших телекомпаний, пообещав им самый громкий скандал десятилетия.

Секстон подумал, что запах смерти влечет хищников.

В руке сенатор держал папку, а в ней лежали десять одинаковых больших белых конвертов из вощеной бумаги, каждый из которых был запечатан красной монограммой. Если информация обладает силой, то Секстон в эту минуту держал в руке ядерную бомбу.

Он торжественно подошел к возвышению, с удовольствием отметив, что на импровизированной сцене поставлена «рама славы» — две больших, сходящихся под углом перегородки, словно темно-синий занавес. Эту хитрую уловку придумал Рональд Рейган. Он пользовался ею для того, чтобы всегда иметь за спиной насыщенный фон.

Секстон поднялся на сцену справа, быстрым шагом выйдя из-за перегородки, словно актер из-за кулис. Журналисты, заметив его, тут же дисциплинированно расселись по нескольким рядам стоящих перед сценой складных стульев. На востоке солнце поднималось над куполом Капитолия, изливая на сенатора розовый свет, словно небесное благословение.

Утро было как на заказ — утро того дня, когда сенатор Седжвик Секстон должен был стать самым могущественным человеком в мире.

— Доброе утро, леди и джентльмены, — начал сенатор, положив драгоценные конверты на стоящую перед ним кафедру. — Постараюсь, чтобы наша встреча прошла как можно быстрее и содержательнее. Честно говоря, информация, которую я должен вам сообщить, весьма удручающая. В этих конвертах находится доказательство подлого обмана на высших уровнях власти. Стыдно признаться, но с полчаса тому назад мне позвонил президент, умоляя — да, именно умоляя — не обнародовать имеющиеся у меня свидетельства. — Он в притворном отчаянии покачал головой. — И все-таки я принадлежу к тем людям, которые всегда говорят правду, какой бы болезненной она ни была.

Секстон выдержал театральную паузу, подняв в вытянутой руке конверты и словно испытывая терпение публики. Глаза всех до единого репортеров сосредоточились на белых прямоугольниках. Сейчас эти люди больше всего напоминали свору собак, ожидающих лакомой подачки.

Полчаса назад Секстону действительно позвонил президент Соединенных Штатов и все объяснил. Харни уже говорил с Рейчел, которая сейчас находилась в полной безопасности на борту самолета. Как ни малоубедительно это звучит, но сам президент и даже НАСА играли в этом грандиозном мошенничестве лишь роль марионеток. А организовал и режиссировал все действо директор НРУ Уильям Пикеринг.

Однако Секстон не поддался на уловку. Зак Харни должен ответить за все.

Сенатор поймал себя на мысли, что хотел бы оказаться сейчас мухой, ползающей по стене Белого дома, чтобы увидеть лицо Зака Харни, узнавшего, что информация попала в прессу. Немного раньше Секстон пообещал встретиться с президентом в Белом доме, чтобы обсудить, каким способом лучше рассказать стране правду о метеорите. Только пообещал. Так что скорее всего сейчас президент стоит перед телевизором, лишившись дара речи и понимая, что Белый дом не может сделать ничего, дабы остановить карающую десницу судьбы.

— Друзья мои, — произнес сенатор, оглядывая присутствующих. — Я очень долго и тщательно все взвешивал. Думал о том, чтобы пойти навстречу президенту и сохранить все в тайне, однако в итоге решил делать то, что подсказывает сердце. — Секстон вздохнул, склоняя голову, словно человек, оказавшийся в тисках исторической необходимости. — Правда есть правда. Я не возьму на себя полномочий каким-то образом направлять вашу интерпретацию услышанного. Просто изложу факты, как они есть.

В этот момент сенатор услышал, как вдалеке зарокотал двигатель вертолета. Он вообразил, что, возможно, это президент вылетел из Белого дома в надежде приостановить пресс-конференцию. Секстон едва не облизнулся от удовольствия, подумав, что появление Харни лишь придало бы событию особую пикантность. С какой степенью виновности он предстанет в этом случае?

— Должен сказать, что выступаю сейчас без малейшего удовольствия, — признался сенатор, чувствуя, что миг его триумфа близок. — Однако должен найти в себе силы и сообщить американскому народу, что ему лгали.

Вертолет приземлился неподалеку на лужайке. Взглянув внимательно, Секстон понял, что на самом деле это не вертолет, а одномоторный самолет «осприй». На борту его красовалась надпись «Береговая охрана Соединенных Штатов».

Озадаченный и даже несколько озабоченный, Секстон наблюдал, как открылась дверь и появилась молодая женщина. Одетая в ярко-оранжевую куртку береговой охраны, она выглядела чрезвычайно усталой, даже изможденной, словно ее эвакуировали из зоны активных военных действий. Незнакомка направилась прямо в пресс-сектор. Сначала сенатор ее не узнал. Внезапно его словно ударили: Рейчел? Он едва верил собственным глазам. Что она здесь делает?

По толпе пробежал взволнованный шепот.

Приклеив на физиономию широкую улыбку, Секстон вновь повернулся к представителям прессы и многозначительно поднял палец, словно извиняясь.

— На минуту мне придется оставить вас. Прошу прощения. — Он устало, добродушно вздохнул. — Семья прежде всего.

Кто-то из репортеров рассмеялся.

Да, дочь неожиданно в самом прямом смысле свалилась на него с неба. Эту встречу лучше бы провести без свидетелей. К сожалению, сейчас с уединением были проблемы. Секстон посмотрел в сторону перегородки справа.

Продолжая спокойно улыбаться, он помахал дочери и отошел от микрофона. Направляясь к ней по косой, он двигался так, что Рейчел пришлось подойти к нему за перегородкой. Отец и дочь встретились, скрытые от глаз и ушей журналистов.

— Милая? — вопросительно произнес сенатор, раскрывая объятия навстречу приближающейся Рейчел. — Какой приятный сюрприз!

Рейчел подошла вплотную и влепила отцу увесистую пощечину.

* * *

Скрытая от глаз публики, наедине с отцом, она буквально кипела от негодования. Она ударила его очень сильно, но он словно ничего не заметил. Только сменил фальшивую улыбку на рассерженный, предостерегающий взгляд.

Голос снизился до почти зловещего шепота.

— Тебе нельзя здесь находиться!

Рейчел явственно видела выплескивающуюся из глаз отца угрозу, однако впервые в жизни не почувствовала даже укола страха или сомнения.

— Я обратилась к тебе за помощью, а ты тут же меня продал! Меня едва не убили!

— Но с тобой все в полном порядке. — Голос сенатора звучал почти разочарованно.

— НАСА ни в чем не виновато! — заявила Рейчел. — Президент сказал тебе это! Что ты здесь делаешь?

Во время недолгого перелета в Вашингтон на борту самолета береговой охраны состоялась целая серия разнообразных телефонных переговоров. В них участвовали сама Рейчел, Белый дом, сенатор Секстон и даже совершенно измученная Гэбриэл Эш.

— Ты обещал Харни, что придешь в Белый дом!

— Приду, — сенатор ухмыльнулся, — после выборов.

Рейчел стало страшно от мысли, что этот человек является ее отцом.

— То, что ты готовишься сейчас сделать, — чистой воды безумие.

— Неужели? — Сенатор даже развеселился. Повернувшись, он показал на чуть видневшуюся из-за загородки кафедру, на которой белела стопка конвертов. — В этих конвертах заключена информация, которую прислала мне ты, Рейчел. Никто другой. Так что кровь президента на твоих руках.

— Я послала ее тебе, когда отчаянно нуждалась в помощи! Тогда я считала, что и президент, и НАСА виноваты во всем, что случилось!

— Судя по документам, так и есть.

— Выяснилось, что нет! И они заслуживают шанса признать собственные ошибки. Ты уже выиграл выборы! Заку Харни пришел конец! Ты сам это прекрасно знаешь! Так дай же человеку сохранить хоть видимость достоинства.

Секстон негромко застонал:

— Боже, как наивно! Речь идет вовсе не о победе на выборах, Рейчел. Речь идет о власти, о решительной победе, разгроме соперников, контроле над силами, действующими в Вашингтоне, и возможности действовать в дальнейшем без оглядки на них.

— И какой же ценой?

— Не пытайся выглядеть настолько праведной. Я лишь представляю свидетельства. А люди пусть сами делают выводы относительно того, кто виноват.

— Ты знаешь, как это будет выглядеть?

Он пожал плечами:

— Возможно, время НАСА уже ушло.

Сенатор Секстон слышал, что журналисты начали волноваться. Он не имел намерения стоять здесь все утро и выслушивать нотации дочери. Его ожидал триумф.

— Разговор закончен. Мне предстоит пресс-конференция.

— Прошу тебя как дочь, — не сдавалась Рейчел. — Не делай этого. Существуют более достойные способы.

— Только не для меня.

За спиной сенатора раздался звук обратной связи передающей системы, и сенатор, обернувшись, увидел, как опоздавшая журналистка, взобравшись на трибуну, пытается прицепить к стойке микрофон.

Секстон рассердился: и почему эти идиоты никогда не могут собраться вовремя?

Журналистка в спешке сбросила с кафедры стопку конвертов.

— Черт!

Секстон быстро пошел туда, ругая дочь на чем свет стоит за то, что отвлекла его. Женщина стояла на коленях, собирая конверты. Секстон не мог разглядеть ее лица, но она, несомненно, принадлежала к телесетевикам. На ней были длинный кашемировый жакет, подобранный в тон шарф и низко надвинутый на глаза мохеровый берет с прикрепленным к нему пропуском телекомпании Эй-би-си.

Секстон мысленно обозвал ее глупой сучкой.

— Я возьму, — проворчал он, протягивая к конвертам руку.

Женщина собрала последние белые прямоугольники и, не глядя, протянула их сенатору. Низко опустив голову от стыда, она быстро скрылась в толпе.

Секстон торопливо пересчитал конверты. Все десять на месте. Порядок.

Никто не осмелится украсть у него славу.

Снова встав за кафедру, сенатор поправил микрофоны и лукаво улыбнулся толпе:

— Думаю, мне лучше раздать это, прежде чем кто-нибудь пострадает.

Публика рассмеялась, явно предвкушая предстоящее удовольствие.

Секстон чувствовал близкое присутствие дочери, стоящей в нескольких шагах, за перегородкой.

— Не делай этого, — тихо предупредила она, — тебе придется горько пожалеть.

Секстон не обратил на ее слова никакого внимания.

— Прошу тебя, поверь, — не унималась Рейчел, — ты ошибаешься.

Держа в руках конверты, Секстон аккуратно расправлял уголки.

— Папа, — теперь Рейчел умоляла, — это твой последний шанс поступить правильно.

Поступить правильно?

Секстон прикрыл рукой микрофон и повернулся, словно откашливаясь. Одновременно взглянул на дочь.

— Ты в точности похожа на мать — мелкая идеалистка. Женщины просто не в состоянии понять истинную природу славы и власти.

Сенатор Седжвик Секстон тут же забыл о дочери и повернулся к перешептывающимся журналистам. Высоко подняв голову, он подошел к краю возвышения и отдал все десять конвертов в протянутые руки. С удовольствием понаблюдал, как документы быстро разошлись по рядам. Раздалось потрескивание разрываемых печатей. Журналисты вскрыли конверт, словно рождественские подарки.

По толпе прокатился изумленный гул.

Сенатор Секстон явственно слышал приближение судьбоносного момента своей жизни.

Метеорит — фальшивка. И именно он, Седжвик Секстон, будущий президент Соединенных Штатов, открыл это людям.

Сенатор понимал, что журналистам потребуется некоторое время, чтобы понять то, что предстало их глазам: изображение среза ледника с шахтой, через которую внедряли в лед камень; фотографии морского существа, почти идентичного тем, что отпечатались в «метеорите»; свидетельство о возможности образования хондр в земных условиях. Все эти документы приводили к единственному шокирующему заключению.

— Сэр... — заикаясь от удивления, пробормотал один из репортеров, с потрясенным видом копаясь в своем конверте. — Это все всерьез? Это правда?

Секстон мрачно вздохнул:

— Да. Боюсь, это действительно всерьез. Все, что вы видите, — чистая правда.

По рядам пробежал растерянный, смущенный шепот.

— Я даю вам время просмотреть имеющиеся свидетельства, — важно заявил герой дня, — а потом буду отвечать на вопросы, чтобы пролить свет на то, что вы видите.

— Сенатор, — заговорил кто-то еще, — так эти фотографии настоящие? Не сфабрикованные?

— Гарантия сто процентов, — заверил Секстон. — Иначе я вам этого не представил бы.

Растерянность журналистов усиливалась. Секстону даже показалось, что он слышит смех. Подобной реакции он вовсе не ожидал. Он начал опасаться, что переоценил способность прессы соединить разрозненные факты в цельную картину.

— Ого, сенатор! — произнес кто-то странным голосом. — Так вы действительно подтверждаете подлинность этих фактов?

Секстон начинал терять терпение.

— Друзья мои, говорю в последний раз: свидетельства в ваших руках точны на сто процентов. И если кто-нибудь сможет доказать иное, я готов съесть собственную шляпу!

Секстон ожидал после этих слов смеха, но его не последовало. Мертвая тишина. Странные взгляды.

Журналист, который только что задал вопрос, подошел к сенатору, по пути перебирая документы:

— Вы правы, сэр. Это действительно скандальные свидетельства. — Он помолчал, словно в нерешительности, даже почесал в затылке. — Единственное, что кажется странным: зачем вы обнародовали это после того, как раньше яростно все отрицали?

Секстон не мог взять в толк, о чем говорит этот человек. Журналист протянул ему бумаги из конверта. Сенатор взглянул на них и окаменел. На какое-то время мозг его словно отключился.

Слов не было.

Он смотрел на совершенно другие материалы. Фотографии, которых он раньше никогда не видел. Двое людей. Обнаженных. Переплетенные руки и ноги. Некоторое время сенатор не понимал, на что смотрит. Потом наконец осознал. Выстрел в голову. Смертельный.

В ужасе Секстон обернулся к толпе. Теперь все смеялись. А некоторые уже звонили, передавая свежие новости в свои агентства.

Кто-то похлопал его по плечу.

Ошеломленный, он обернулся.

Рядом стояла Рейчел.

— Мы пытались тебя остановить, — произнесла она. — Дали тебе шанс.

Подошла еще какая-то женщина.

Дрожа, сенатор перевел на нее взгляд. Это была та самая журналистка в кашемировом жакете с шарфом, в мохеровом берете. Та, которая уронила его конверты. Увидев ее лицо, Секстон окаменел.

Гэбриэл Эш сверлила его темными глазами. Не произнеся ни слова, она расстегнула жакет и показала стопку белых конвертов, аккуратно заткнутых за пояс.

ГЛАВА 132

В Овальном кабинете царил полумрак, разрываемый лишь мягким светом настольной лампы. Высоко подняв голову, перед президентом стояла Гэбриэл Эш. За окном на западную лужайку опускались сумерки.

— Я слышал, вы нас покидаете? — В голосе Харни звучало разочарование.

Гэбриэл кивнула. Хотя президент предложил ей остаться в Белом доме на неопределенное время, чтобы укрыться от прессы, Гэбриэл предпочла не пережидать бурю в самом ее центре.

Хотелось оказаться как можно дальше. По крайней мере на какое-то время.

Харни взглянул на нее через стол, все еще находясь под впечатлением этой сильной личности.

— Тот выбор, который вы сделали сегодня утром, Гэбриэл...

Он остановился, словно не находя подходящих слов. Взгляд президента казался простым, понятным и чистым — это были вовсе не те загадочные бездонные озера, которые так привлекли когда-то Гэбриэл к сенатору Секстону. Но даже в декорациях средоточия власти и могущества она разглядела в этих глазах сердечную доброту наряду с честностью и благородством, которые не скоро сможет забыть.

— Я сделала это и ради себя тоже, — наконец произнесла девушка.

Харни кивнул:

— Тем не менее я обязан вам. — Он встал, жестом приглашая ее последовать за ним. — Честно говоря, я надеялся, что вы задержитесь здесь, чтобы я мог предложить вам работу в бюджетном отделе.

Гэбриэл посмотрела на него с сомнением.

— «Прекратить тратить и начать ремонтировать»? — процитировала она.

Харни усмехнулся:

— Что-то вроде этого.

— Думаю, мы с вами оба понимаем, сэр, что в сложившихся обстоятельствах я не столько приобретение, сколько обуза.

Харни пожал плечами:

— Отдохните несколько месяцев. Все образуется. Немало великих мужчин и женщин пережили подобное, а потом пошли прямой дорогой к вершинам. — Он подмигнул: — Некоторые из них даже стали президентами Соединенных Штатов.

Гэбриэл понимала, что он прав. Находясь в положении безработной всего лишь несколько часов, она уже отвергла два деловых предложения. Одно поступило от Иоланды Коул, из телекорпорации Эй-би-си, а второе — из «Сент-Мартинс-пресс», агентства, предложившего неприличную сделку: написать подробную и откровенную книгу о своей работе ассистенткой сенатора Секстона. Нет уж, спасибо.

Идя вслед за президентом по коридору, ведущему к холлу, Гэбриэл думала о фотографиях, демонстрируемых сейчас по всем телевизионным каналам США. Она успокоила себя, решив, что ущерб, нанесенный стране, мог оказаться куда более значительным.

Ночью, расставшись с Секстоном, Гэбриэл бросилась в офис Иоланды, чтобы раздобыть там журналистский пропуск. А потом вернулась в офис сенатора, чтобы взять еще десяток конвертов. Тогда же она распечатала копии чеков, хранившиеся в памяти компьютера. После скандала у мемориала Вашингтона Гэбриэл предъявила копии окончательно сраженному сенатору и потребовала ответа. Она поставила сенатора перед выбором: или он дает шанс президенту признать ошибку с метеоритом, или документы становятся достоянием всей страны. Секстон лишь взглянул на пачку бумаг, молча сел в лимузин и уехал. С тех пор он не давал о себе знать.

Сейчас, едва президент и Гэбриэл подошли к служебному входу в пресс-центр, она услышала шум большой аудитории. Второй раз за сутки весь мир готовился услышать срочное сообщение президента.

— Что вы собираетесь сказать им? — разволновалась Гэбриэл.

Харни вздохнул, однако лицо его выражало полное спокойствие.

— Вот уже много лет я постигаю снова и снова одну и ту же истину... — Он положил руку на плечо спутницы и улыбнулся. — Правду нельзя заменить ничем.

Гэбриэл смотрела, как президент идет к трибуне. Зак Харни собирался перед всем миром признать самую крупную в своей жизни ошибку, и тем не менее еще никогда он не выглядел так по-президентски.

ГЛАВА 133

Рейчел проснулась и увидела, что в комнате совсем темно. Часы высвечивали время: 22.14. Она лежала не в своей постели. Несколько секунд, не шевелясь, пыталась вспомнить, где находится и что творится вокруг. Мысли начали медленно разворачивать последовательность событий... мегаплюм... сегодняшнее утро возле мемориала Вашингтона... и наконец приглашение президента погостить в Белом доме.

В конце концов Рейчел вспомнила, что сейчас она в Белом доме и, судя по всему, проспала здесь весь день.

Самолет береговой охраны перевез измученных Майкла Толланда, Корки Мэрлинсона и Рейчел Секстон от мемориала Вашингтона в Белый дом. Там их первым делом накормили весьма обстоятельным завтраком, а потом, после тщательного медицинского осмотра, предложили отдых в любой из четырнадцати спален здания.

Приглашение было с благодарностью принято.

Рейчел не верила, что могла проспать так долго. Она включила телевизор и разочарованно вздохнула: президент Харни как раз заканчивал пресс-конференцию. Рейчел, как и другие члены их небольшой команды, предлагала свою поддержку и собиралась встать перед камерами рядом с президентом в тяжелый момент разочарования и признания ошибок. Ведь они вместе совершили эти ошибки. Но Зак Харни решил, что должен нести груз ответственности в одиночку.

Картинка на телеэкране сменилась. Выступал эксперт — политический аналитик.

— К сожалению, — говорил он, — НАСА так и не удалось обнаружить признаков существования жизни вне Земли. На протяжении десятилетия космическое агентство второй раз совершает одну и ту же ошибку, предполагая, что метеорит может содержать следы внеземной жизни. На сей раз, однако, одураченными оказались и несколько весьма уважаемых и авторитетных независимых специалистов.

Рейчел переключила канал. Здесь разглагольствовал другой комментатор:

— В обычных условиях обман такого масштаба, каким является это сфальсифицированное открытие метеорита, оказался бы губительным для президента. Однако, учитывая события, произошедшие сегодня утром у мемориала Джорджа Вашингтона, я считаю, что шансы Зака Харни победить на выборах как никогда высоки.

Журналист, ведущий программу, кивнул:

— Да, именно так. Жизни в космосе нет, но жизни нет и в избирательной кампании сенатора Секстона. А теперь, когда начала поступать информация о крупных финансовых неприятностях сенатора...

Раздался стук в дверь, и Рейчел быстро выключила телевизор. Она не видела Майкла с самого завтрака. Войдя в Белый дом, Рейчел мечтала лишь об одном: уснуть в его объятиях. Наверняка и Майкл думал о том же. Однако ничего не получилось — в спальню Толланда заявился знаменитый астрофизик, беспрерывно и с безмерной гордостью повествуя о том, как ему удалось спастись от акул, перебив запах крови запахом собственной мочи. Наконец измученные Майкл и Рейчел сдались, и она ушла в свою комнату.

Подходя к двери, Рейчел взглянула на себя в зеркало и увидела, как смешно одета. В комоде спальни нашлась лишь старая футболка, однако она доставала ей до колен и вполне годилась в качестве ночной рубашки.

Стук повторился.

Открыв дверь, Рейчел едва не выдала своего разочарования: перед ней стоял вовсе не Майкл, а служащая Белого дома. Дама в синем жакете выглядела весьма деловой и энергичной.

— Мисс Секстон, — заговорила она, — джентльмен в спальне Линкольна услышал звук вашего телевизора. Он просил передать, что поскольку вы уже проснулись, то...

Дама выразительно подняла брови и выдержала многозначительную паузу. Она явно была в курсе событий, нередко происходящих по ночам на верхних этажах правительственного здания.

Рейчел покраснела, словно девочка.

— Спасибо.

Дама проводила гостью по коридору к простой, даже невзрачной двери неподалеку.

— Вот спальня Линкольна, — пояснила сотрудница. — Мне рекомендовано перед этой дверью желать гостям доброй ночи и напоминать, чтобы они остерегались призраков.

Рейчел кивнула. Легенды о призраках, появляющихся в спальне Линкольна, насчитывали столько же лет, сколько и сам Белый дом. Утверждали, что их встречали здесь и Уинстон Черчилль, и Элеонора Рузвельт, и Эми Картер, и актер Ричард Дрейфус, не говоря уж о многочисленных горничных и дворецких. Утверждали также, что собака Рейгана лаяла перед этой дверью часами.

Мысль об исторических личностях заставила Рейчел вспомнить, каким священным местом была эта комната. Внезапно она смутилась, стоя здесь в длинной, не по размеру, футболке, с босыми ногами, словно студентка, пробирающаяся в комнату однокурсника.

— А она кошерная? — шепотом спросила гостья у служащей. — Я имею в виду, это действительно спальня Линкольна?

Дама подмигнула:

— Наша политика на этом этаже проста: не спросят — значит, незачем и говорить.

Рейчел улыбнулась:

— Спасибо.

Она взялась за ручку, заранее предвкушая то, что сейчас будет.

— Рейчел!

Гнусавый голос, напоминающий звук циркулярной пилы, окликнул ее из противоположного конца коридора.

Обе женщины обернулись. На костылях к ним неловко ковылял Корки Мэрлинсон.

— Я тоже не смог уснуть!

Рейчел моментально сникла, чувствуя, что ее романтический настрой стремительно улетучивается.

Корки окинул взглядом служащую Белого дома и расплылся в широкой улыбке:

— Обожаю женщин в униформе!

Служащая молча расстегнула жакет и продемонстрировала выглядящий очень серьезным пистолет.

Астрофизик попятился:

— Понял. — Он повернулся к Рейчел: — А Майк тоже проснулся? Ты к нему?

Корки явно собирался составить им компанию.

Рейчел едва не застонала.

— Корки, ради Бога...

К счастью, вмешалась служащая президентской администрации.

— Мистер Мэрлинсон, — уверенно заговорила она, вынимая из кармана жакета записку, — в соответствии с распоряжениями, данными мне мистером Толландом, я должна немедленно проводить вас вниз, на кухню, обеспечить вас любой едой, какую только пожелаете, и попросить рассказать как можно подробнее о том, как вам удалось спастись от верной смерти в акульей пасти... — дама помолчала, — описав себя с ног до головы.

Служащая, судя по всему, произнесла магические слова. Корки тут же бросил костыли и обнял решительную особу, опершись на ее надежное плечо.

— На кухню, любовь моя! — скомандовал он.

Слегка озадаченная сотрудница повела хромающего Корки вниз. Рейчел не сомневалась, что тот на седьмом небе от счастья.

— В моче все дело, — слышался его голос. — Ведь эти отвратительные увеличенные обонятельные лобные доли чуют все на свете!

Когда Рейчел вошла, в спальне Линкольна царила темень. Странно, но кровать оказалась пустой и явно нетронутой. Толланда нигде не было видно.

Возле постели тускло горела масляная лампа. В ее мягком свете гостья смогла различить брюссельский ковер, знаменитую резную, красного дерева, кровать, портрет жены президента, Мэри Тодд... даже письменный стол, за которым Линкольн подписал «Манифест об освобождении рабов».

Совсем не трусиха, Рейчел внезапно ощутила дрожь в коленях. Где же Майкл?

В противоположном конце комнаты трепетала на ветру белая прозрачная штора. Рейчел пошла к окну, чтобы закрыть его, и внезапно услышала доносящийся из шкафа жуткий шепот:

— Мэ-э-э-эри...

Рейчел резко обернулась.

— Мэ-э-э-эри? — снова зашептал голос. — Это ты? Мэри Тодд Линкольн?

Девушка торопливо закрыла окно и снова повернулась к шкафу. Сердце ее стремительно стучало, хотя она и понимала, что это просто глупо.

— Майкл, я знаю, что это ты.

— Не-е-ет, — продолжал собеседник. — Я... не... Майкл... я... Эйб.

Рейчел невольно прикрыла губы руками.

— О, правда? Настоящий Эйб Линкольн?

Ей ответил приглушенный смех.

— Почти настоящий Эйб, да...

Теперь Рейчел тоже улыбалась.

— Бойся! — приказал голос из шкафа. — Очень бойся...

— Но мне не страшно.

— Нет, ты бойся, — убеждал голос. — У живых организмов эмоции страха и сексуального влечения тесно связаны.

Не выдержав, Рейчел рассмеялась:

— Так вот зачем ты позвал меня сюда?

— Пожалуйста, прости, — продолжал голос, теперь уже жалобно, — прошли годы с тех пор, как я в последний раз был с женщиной.

— Оно и заметно, — коротко ответила Рейчел, распахивая дверцу.

Перед ней стоял Майкл Толланд, улыбаясь своей мальчишеской, хулиганской улыбкой. В темно-синей шелковой пижаме он выглядел неотразимым. На нагрудном кармане красовалось изображение президентского герба.

— Президентская пижама?

Майкл пожал плечами:

— Лежала в ящике.

— А я нашла всего лишь футболку.

— Тебе надо было выбрать спальню Линкольна.

— А что же ты не предложил?

— Да просто я когда-то слышал, что здесь матрас жесткий. Старый. Из конского волоса.

Толланд подмигнул, кивнув в сторону мраморного столика, на котором лежало что-то завернутое в яркую подарочную бумагу.

Рейчел растрогалась:

— Это мне?

— Я попросил одного из президентских помощников купить это для тебя. Подарок только что прибыл. Осторожно, не тряси.

Рейчел аккуратно развернула пакет и достала тяжелый предмет. Он оказался большой хрустальной чашей, в которой плавали две безобразные на вид золотые рыбки. Рейчел смотрела на них растерянно и разочарованно.

— Это шутка?

— Helostoma temmincki, — гордо произнес океанолог.

— Ты купил мне в подарок рыбок?

— Очень редкие китайские целующиеся рыбки. Могут целоваться часами.

— Это что, очередной розыгрыш?

— Дело в том, что у меня проблемы с ухаживанием. Ты что, не можешь поддержать мою несмелую попытку?

— На будущее, Майкл: рыб женщинам дарить как-то не принято. В следующий раз попробуй цветы.

Толланд тут же вытащил из-за спины букет белых лилий и протянул его Рейчел.

— Пытался добыть красные розы, — извиняющимся тоном прокомментировал он, — но в розарии меня едва не задушили поклонницы.

Майкл Толланд привлек Рейчел к себе и вдохнул душистый аромат ее волос. Годы полного одиночества исчезли в его душе без следа. Он осторожно, нежно поцеловал ее, ощущая, как тянется к нему любимая. Белые лилии упали к их ногам, и все барьеры, которые на протяжении многих лет так старательно строил Майкл, моментально рухнули.

Все призраки исчезли.

Он чувствовал, как Рейчел влечет его к кровати, шепча на ухо:

— Ты же не считаешь, что рыбы действительно романтичны, правда?

— Именно считаю, — ответил Майкл, снова целуя ее. — Ты бы видела любовные танцы медуз! Изысканно, романтично и невероятно эротично.

Рейчел подвела его к кровати, и совершенно неожиданно оказалось, что они уже лежат рядом и Майкл нежно ее обнимает.

— А вот морские коньки... — прошептал он, почти задыхаясь от ее прикосновений. — У морских коньков удивительно чувственный любовный ритуал.

— Довольно разговоров о морских жителях, — остановила Рейчел, расстегивая его пижаму. — Что ты можешь мне рассказать о любовных ритуалах высших приматов?

Толланд глубоко, печально вздохнул.

— Боюсь, я не специалист по высшим приматам.

Рейчел решительно скинула с себя длинную бесформенную футболку.

— Ну ладно, невежда, надеюсь, что ты очень способный и быстро всему научишься.

ЭПИЛОГ

Транспортный реактивный самолет НАСА поднялся высоко над Атлантическим океаном.

Администратор Лоуренс Экстром бросил прощальный взгляд на огромный камень, лежавший в грузовом отсеке.

— Возвращайся обратно в океан, — шепотом обратился он к нему, словно к живому, — туда, где тебя нашли.

По команде администратора пилот открыл люк и выпустил камень на волю. Огромный булыжник полетел вниз, очертив широкую дугу в залитом солнцем голубом небе, и с фонтаном серебряных брызг коснулся поверхности океана.

Псевдометеорит стремительно шел ко дну.

Под водой, на глубине трехсот футов, его силуэт еще смутно вырисовывался в полумраке. Но, погрузившись на пятьсот футов, камень исчез в совершенной темноте.

Он стремительно уходил вниз.

Все глубже и глубже.

Его падение продолжалось почти двенадцать минут.

А потом, словно метеорит, столкнувшийся с темной поверхностью Луны, камень погрузился в мягкую донную грязь. Облако мути осело не скоро. Когда наконец вода прояснилась, какой-то обитатель морских глубин, почти не изученных человеком, подплыл поближе, чтобы познакомиться с новеньким.

Но пришелец оказался неинтересным.

Представитель океанской фауны равнодушно отправился дальше.

ИЗДАТЕЛЬСКАЯ ГРУППА АСТ
КАЖДАЯ **ПЯТАЯ** КНИГА РОССИИ

ПРИОБРЕТАЙТЕ КНИГИ ПО ИЗДАТЕЛЬСКИМ ЦЕНАМ В СЕТИ КНИЖНЫХ МАГАЗИНОВ БУКВА

МОСКВА:

- м. «Бибирево», ул. Пришвина, 22, ТЦ «Александр Ленд», этаж 0.
- м. «Варшавская», Чонгарский б-р, 18а, т. 110-89-55
- м. «Домодедовская», ТК «Твой Дом», 23-й км МКАД, т. 727-16-15
- м. «Крылатское», Осенний б-р, 18, корп. 1, т. 413-24-34, доб. 31
- м. «Кузьминки», Волгоградский пр., 132, т. 172-18-97
- м. «Новые Черемушки», ТК «Черемушки», ул. Профсоюзная, 56, 4-й этаж, пав. 4а-09, т. 739-63-52
- м. «Павелецкая», ул. Татарская, 14, т. 959-20-95
- м. «Парк культуры», Зубовский б-р, 17, стр. 1, т. 246-99-76
- м. «Перово», ул. 2-я Владимирская, 52/2, т. 306-18-91
- м. «Петровско-Разумовская», ТК «XL», Дмитровское ш., 89, т. 783-97-08
- м. «Сокол», ТК «Метромаркет», Ленинградский пр., 76, корп. 1, 3-й этаж, т. 781-40-76
- м. «Сокольники», ул. Стромынка, 14/1, т. 268-14-55
- м. «Сходненская», ТЦ «Вэйпарк», 71-й км МКАД, 2-й этаж, т. 741-46-05
- м. «Таганская», Б. Факельный пер., 3, стр. 2, т. 911-21-07
- м. «Тимирязевская», Дмитровское ш., 15, корп. 1, т. 977-74-44
- м. «Царицыно», ул. Луганская, 7, корп. 1, т. 322-28-22
- м. «Бауманская», ул. Спартаковская, 16, стр. 1
- м. «Преображенская площадь», Большая Черкизовская, 2, корп. 1, т. 161-43-11

РЕГИОНЫ:

- Архангельск, 103-й квартал, ул. Садовая, 18, т. (8182) 65-44-26
- Белгород, пр. Хмельницкого, 132а, т. (0722) 31-48-39
- Волгоград, ул. Мира, 11, т. (8442) 33-13-19
- Екатеринбург, ул. Малышева, 42, т. (3433) 76-68-39
- Калининград, пл. Калинина, 17/21, т. (0112) 65-60-95

- Киев, ул. Льва Толстого, 11/61, т. (8-10-38-044) 230-25-74
- Красноярск, «ТК», ул. Телевизорная, 1, стр. 4, т. (3912) 45-87-22
- Курган, ул. Гоголя, 55, т. (3522) 43-39-29
- Курск, ул. Ленина, 11, т. (07122) 2-42-34
- Курск, ул. Радищева, 86, т. (07122) 56-70-74
- Липецк, ул. Первомайская, 57, т. (0742) 22-27-16
- Н. Новгород, ТЦ «Шоколад», ул. Белинского, 124, т. (8312) 78-77-93
- Ростов-на-Дону, пр. Космонавтов, 15, т. (8632) 35-95-99
- Рязань, ул. Почтовая, 62, т. (0912) 20-55-81
- Самара, пр. Ленина, 2, т. (8462) 37-06-79
- Санкт-Петербург, Невский пр., 140
- Санкт-Петербург, ул. Савушкина, 141, ТЦ «Меркурий», т. (812) 333-32-64
- Тверь, ул. Советская, 7, т. (0822) 34-53-11
- Тула, пр. Ленина, 18, т. (0872) 36-29-22
- Тула, ул. Первомайская, 12, т. (0872) 31-09-55
- Челябинск, пр. Ленина, 52, т. (3512) 63-46-43, 63-00-82
- Челябинск, ул. Кирова, 7, т. (3512) 91-84-86
- Череповец, Советский пр., 88а, т. (8202) 53-61-22
- Новороссийск, сквер им. Чайковского, т. (8617) 67-61-52
- Краснодар, ул. Красная, 29, т. (8612) 62-75-38
- Пенза, ул. Б. Московская, 64
- Ярославль, ул. Свободы, 12, т. (0862) 72-86-61

Заказывайте книги почтой в любом уголке России
107140, Москва, а/я 140, тел. (095) 744-29-17

ВЫСЫЛАЕТСЯ БЕСПЛАТНЫЙ КАТАЛОГ

Приобретайте в Интернете на сайте www.ozon.ru
Издательская группа АСТ
129085, Москва, Звездный бульвар, д. 21, 7-й этаж

Справки по телефону:
(095) 215-01-01, факс 215-51-10
E-mail: astpab@aha.ru http://www.ast.ru

МЫ ИЗДАЕМ НАСТОЯЩИЕ КНИГИ

Литературно-художественное издание

Браун Дэн
Точка обмана

Роман

Компьютерная верстка: А.В. Массарский
Технический редактор О.В. Панкрашина

Общероссийский классификатор продукции
ОК-005-93, том 2; 953000 — книги, брошюры

Санитарно-эпидемиологическое заключение
№ 77.99.02.953.Д.001056.03.05 от 10.03.05 г.

ООО «Издательство АСТ»
667000, Республика Тыва, г. Кызыл, ул. Кочетова, д. 93
Наши электронные адреса:
WWW.AST.RU E-mail: astpub@aha.ru

ООО «Транзиткнига»
143900, Московская область,
г. Балашиха, шоссе Энтузиастов, д. 7/1

Издано при участии ООО «Харвест».
Лицензия № 02330/0056935 от 30.04.04.
РБ, 220013, Минск, ул. Кульман,
д. 1, корп. 3, эт. 4, к. 42.

Открытое акционерное общество
«Полиграфкомбинат им. Я. Коласа».
220600, Минск, ул. Красная, 23.